LA PLUS GRANDE DÉKALOGIE
DE L'HISTOIRE
DE LA LITTÉRATURE DE SCIENCE-FICTION

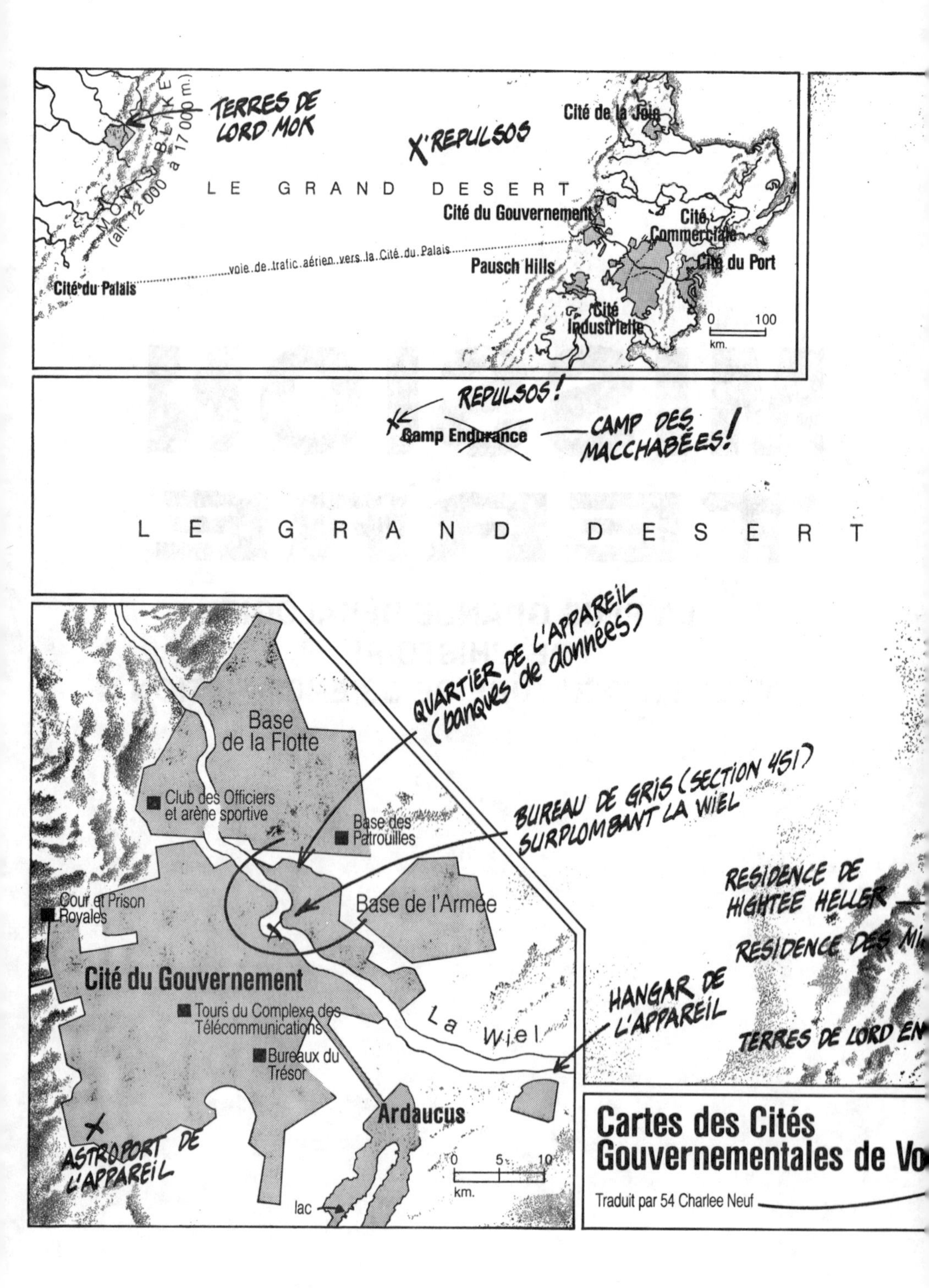

Cartes des Cités Gouvernementales de Vo

Traduit par 54 Charlee Neuf

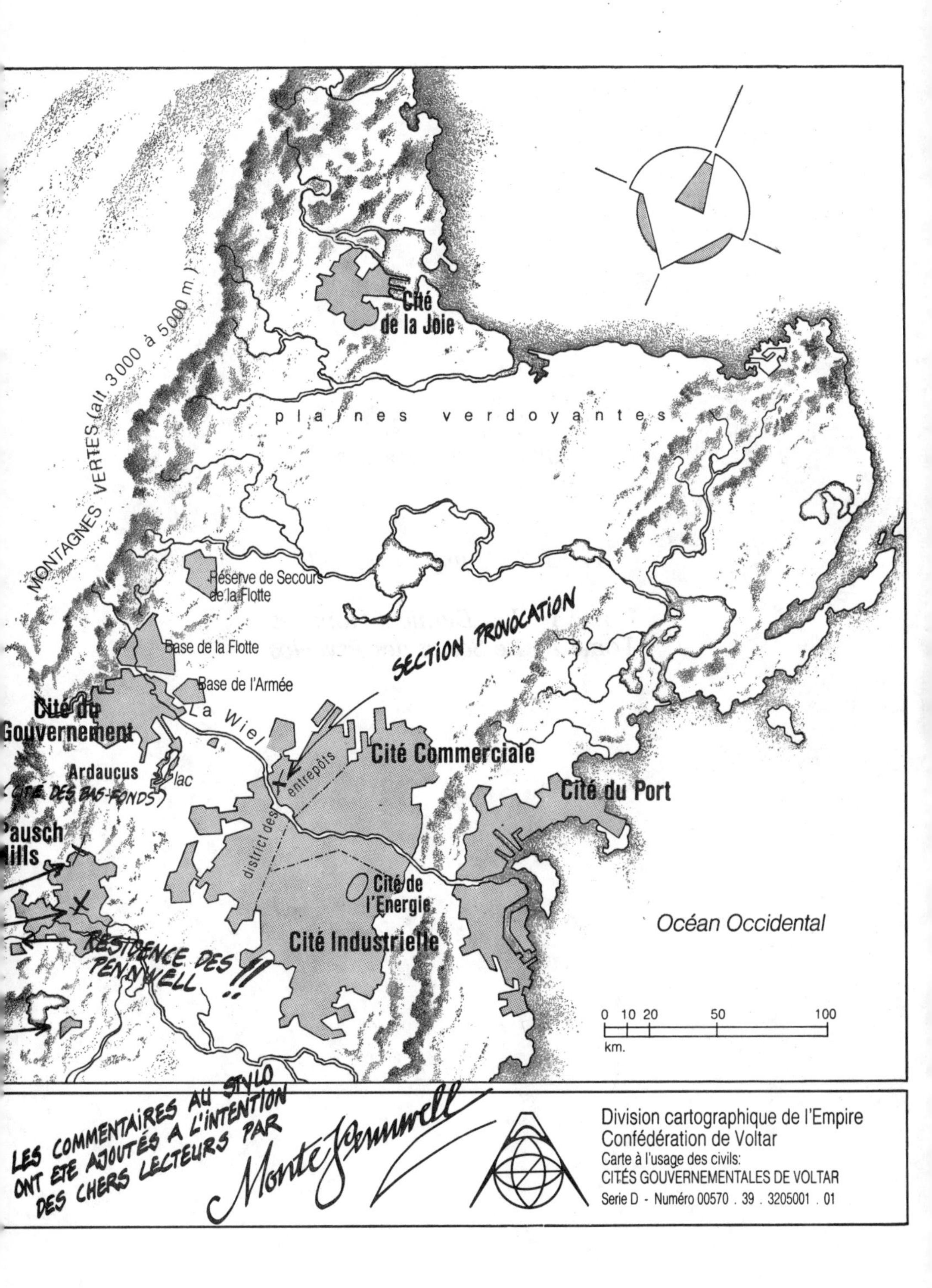
MONTAGNES VERTES (alt. 3 000 à 5 000 m.)
Cité de la Joie
plaines verdoyantes
Réserve de Secours de la Flotte
Base de la Flotte
Base de l'Armée
SECTION PROVOCATION
Cité du Gouvernement
La Wiel
Ardaucus
(CITÉ DES BAS-FONDS)
lac
district des entrepôts
Cité Commerciale
Cité du Port
Pausch Hills
Cité de l'Énergie
Cité Industrielle
RÉSIDENCE DES PENNWELL !!
Océan Occidental
0 10 20 50 100
km.
LES COMMENTAIRES AU STYLO ONT ÉTÉ AJOUTÉS À L'INTENTION DES CHERS LECTEURS PAR
Monte Pennwell
Division cartographique de l'Empire
Confédération de Voltar
Carte à l'usage des civils:
CITÉS GOUVERNEMENTALES DE VOLTAR
Serie D - Numéro 00570 . 39 . 3205001 . 01

DU MÊME AUTEUR
CHEZ LE MÊME ÉDITEUR

TERRE Champ de Bataille

Tome 1 - *Les Derniers Hommes*
Tome 2 - *Le Secret des Psychlos*

L. RON HUBBARD

MISSION TERRE

TOME 1

LE PLAN DES ENVAHISSEURS

Traduit de l'américain par Michel Demuth et Peter Berts

PRESSES DE LA CITÉ
PARIS

Publié par
Les Presses de le Cité
8, rue Garancière
75006 Paris
et
NEW ERA® Publications International ApS
Store Kongensgade 55, Copenhague K
Danemark

*Traduit de l'américain par Michel Demuth et Peter Berts
pour New Era Publications International*

Illustration de Gerry Grace

ISBN 2-258-02041-7

À VOUS, millions de fans de la science-fiction,
et à tous les lecteurs en général,
à tous ceux qui m'ont si chaleureusement accueilli
à mon retour dans le monde de la fiction,
ainsi qu'aux critiques et aux médias
qui ont applaudi le roman
TERRE Champ de Bataille.

Je suis heureux d'écrire pour vous tous !

L. Ron Hubbard

PRÉFACE DE L'AUTEUR

Science-fiction et satire

Il y a quelques années, j'ai écrit *TERRE Champ de Bataille* pour fêter mon cinquantenaire d'écrivain. Avec cinq cent mille mots, il était considérablement plus volumineux que tous les romans que j'avais écrits au cours de ma carrière. Mais, après tout, c'était mon anniversaire, aussi j'avais décidé de marquer le coup.

Je l'ai écrit avec plaisir et, si j'en crois les listes de best-sellers, les lecteurs ont pris du plaisir à le lire. Et puis, c'était un réconfort de constater que la science-fiction pure (telle que je l'ai définie à cette occasion) avait encore un public aussi vaste. Ce roman m'a fait aborder à nouveau les différentes facettes du genre : l'aventure, le drame, la comédie, la tragédie, le mystère, avec néanmoins une propension marquée pour l'aventure.

Pourtant, il existe encore un autre aspect de la science-fiction : de par sa nature, elle comporte une part importante de *satire.* Celle-ci a été utilisée par des écrivains aussi prestigieux que Mark Twain, Johannes Kepler, Samuel Butler, Jules Verne et Sir Thomas More. Et cela ressort encore plus nettement lorsqu'on compare l'histoire de la satire et celle de la science-fiction.

La satire n'est pas l'apanage du monde occidental. En chinois, l'équivalent du mot « satire » se traduirait par : « le rire avec des couteaux ». Cependant, l'origine du mot « satire » n'est pas aussi nettement tranchée. *Satire* vient du latin *satura,* qui signifie « mélange », et semble avoir appartenu au vocabulaire culinaire. Il désigne une sorte de macédoine, une « mixture de choses diverses », comme, par exemple, une salade de saison. En essence, le terme désignait apparemment un plat très commun, mais qui avait la réputation d'être sain, savoureux, robuste et amusant à la fois.

C'est donc tout naturellement que *satura* en vint à désigner ces sketches populaires, improvisés, qu'on jouait devant le turbulent public romain. Ils n'avaient ni forme ni scénario. Le chant, la prose et les vers s'y mêlaient avec enthousiasme, afin de distraire par l'éloge et la dérision.

C'est ainsi que lorsque le père de la poésie romaine, Quintus Ennius (vers 239-169 avant J.-C.) choisit d'appeler certains de ses poèmes *satura,* il est probable qu'il emprunta à la fois au sens propre et à l'usage populaire, afin de signifier que ses poèmes étaient un mélange facétieux et simple (mais également robuste et sain) de drame et de comédie qui visait à distraire tout en se moquant par la prose, le chant et les vers.

Mais ce ne fut pas avant le 17e siècle qu'on découvrit la véritable origine du mot « satire ». Jusqu'alors, les écrivains avaient cru à tort que « satire » venait de « satyre », mot qui désigne ces créatures mi-hommes, mi-bêtes, brutales et hirsutes, qui boivent du vin et pourchassent les nymphes. Pour eux, la satire ne pouvait être qu'un art brut et grossier. Mais le mot n'a rien à voir avec les satyres de la légende et l'idée même n'a que peu de rapport avec les Grecs qui ne considéraient pas la satire comme une forme de littérature. C'est aux Romains qu'il revint de développer cette forme artistique qui parle des frustrations quotidiennes de l'existence.

Les poètes romains Horace (65-8 avant J.-C.) et Juvénal (v. 60-v. 140) représentent deux des écoles classiques de la satire : l'école espiègle et l'école cynique.

Tous deux utilisèrent la forme versifiée et contribuèrent au développement d'une poésie qui devait dominer la satire jusqu'au 18e siècle. On a vu dans Horace l'homme d'esprit et d'humour, le critique optimiste et sophistiqué qui, quoique sérieux, demeure léger et « dit la vérité en riant ». Juvénal, par opposition, apparaît comme le cynique plein d'amertume dévoré de colère, qui considère les gens comme incorrigibles et écrit pour blesser et châtier, et non pour guérir et instruire. On peut donc dire que l'un était médecin et l'autre bourreau. Il restait encore à développer pleinement la nature impartiale de la satire.

Bien que les écrits concernant l'histoire de la satire n'en fassent qu'une brève mention, il a existé une autre école de satire, l'école ménippéenne, qui doit son nom à Ménippe, un Syrien établi en Grèce au 3e siècle avant notre ère.

Même si les treize volumes que Ménippe a écrits se sont perdus quelque part au cours de l'Antiquité, il fut tellement populaire en son temps, tellement imité par d'autres, que nous savons avec certitude que les philosophes constituaient sa cible favorite, et plus particulièrement les stoïciens.

Contrairement à celle de Juvénal et d'Horace, la satire ménippéenne n'avait pas de structure versifiée. Elle variait non seulement en contenu, mais aussi en forme, mélangeant le vers et la prose et même le grec et le latin. C'était essentiellement une prose narrative avec quelques passages en vers, sans doute des parodies d'Homère destinées à ridiculiser telle ou telle sottise. Certains érudits ont noté suffisamment de similitudes avec *Les Contes des Mille et Une Nuits* pour qu'on puisse se demander si ces contes sont vraiment d'origine sémite ou s'ils ne viennent pas de Ménippe lui-même.

Lucien de Samosate (2e siècle de notre ère) était également Syrien, et grand admirateur de Ménippe. Certains le considèrent comme étant à l'origine des racines essentielles de ce qui devait devenir la science-fiction. Son *Histoire vraie* est une satire des récits de voyage. Elle raconte une expédition jusqu'à la Lune à bord d'un navire à voile (emporté par une trombe), ce qui permet à l'auteur de prendre un point de vue nouveau et avantageux à partir duquel il peut s'étendre sur les faiblesses de l'Homme Terrestre. (Un autre récit de voyage dans la Lune avait été écrit antérieurement par Antonius Diogène vers 100 avant Jésus-Christ, voyage qui était réalisé en marchant tout simplement vers le nord. Mais c'est celui de Lucien de Samosate qui devait être un catalyseur historique majeur.)

Bien sûr, l'idée du voyage dans l'inconnu, dans des mondes imaginaires, hypothétiques, n'est pas neuve. On connaissait alors si peu de chose à propos de notre Terre, ou l'on s'en rappelait si peu, que de tels contes abondaient et qu'on pouvait virtuellement imaginer n'importe quel monde, n'importe quelle civilisation, ainsi qu'Homère l'a prouvé avec *L'Odyssée.*

Mais, différente en cela des terres et des mers nouvelles qui existaient peut-être au-delà de l'horizon, la Lune, elle, était bien visible. Elle contemplait la Terre, à la fois compagne et étrangère. Pour le satiriste, elle constituait une plate-forme nouvelle.

Aussi, lorsque *L'Histoire vraie* de Lucien fut traduite en anglais en 1634, les satiriques firent le voyage jusqu'à la Lune pour y installer leur base de départ - certains ajouteront probablement que cette base servit également à lancer la science-fiction.

L'Histoire comique des Etats et Empires de la Lune (publiée sous le titre *L'Autre Monde* en 1657) fut, en même temps qu'un véhicule de satire sociale, la première œuvre où des fusées constituaient un moyen de transport spatial. Cette satire de Cyrano de Bergerac incita Swift à écrire *Les Voyages de Gulliver* (1726), un ouvrage qui, en plus de ses personnages bizarres illustrant certains éléments de la société, évoquait des villes volantes, ainsi que les deux lunes de Mars, longtemps avant leur découverte.

Daniel Defoe se servit du thème du voyage dans la Lune comme support satirique pour *The Consolidator* (1705), qui fut publié quatorze ans avant son *Robinson Crusoé.*

Edgar Allan Poe décrivit de façon si détaillée un voyage jusqu'à la Lune dans *Les Aventures sans pareilles d'un certain Hans Pfaall* (1835) que Jules Verne déclara que la vraisemblance d'un récit était la seule garantie de succès. *De la Terre à la Lune* parut en 1865 et *Les Premiers Hommes dans la Lune,* de Wells, suivit en 1901.

La science-fiction faisait son entrée et cela, en partie, grâce aux satiriques qui lui avaient tracé la route.

Mais les satiriques avaient emporté leurs lecteurs vers d'autres planètes bien longtemps avant les auteurs de S.-F. nommément reconnus. Le maître de la satire, Voltaire, dont le *Candide,* paru en 1759, est un épitomé de *satura,* mit en scène un géant venu d'une planète qui orbite autour de l'étoile Sirius et qui visite Saturne, puis la Terre, dans *Micromégas* (1752). En observant notre monde, le Saturnien qui accompagne le géant remarque : « Je pense qu'il n'y a pas de vie sur Terre car je ne crois pas que des gens intelligents consentiraient à s'installer ici. »

Quand on se sentait trop à l'étroit dans le voyage spatial, il y avait toujours le voyage dans le temps. H. G. Wells l'utilisa pour sa *Machine à explorer le Temps* (1895) afin de se livrer à quelques réflexions satiriques sur la structure sociale de l'Angleterre. Mais les Romains eux-mêmes avaient été les précurseurs du « voyage dans le temps ». Un satirique de l'école ménippéenne, Marcus Terentius Varro (vers 116-27 avant J.-C.), s'était posé en ancêtre de Rip Van Winkle en racontant comment il s'était endormi à Rome pour se réveiller cinquante ans plus tard, ce qui lui permettait de se livrer à quelques commentaires sur la société de son temps.

Et puis, il y avait aussi l'« espace intérieur » dont la frontière se situe à un centimètre de la réalité et qui s'étend de l'autre côté de l'imagination. Pour une raison inexpliquée, la science-fiction a fondamentalement évité cette frontière lorsqu'elle a trouvé son identité au 19e siècle. C'était le règne de la machine. Donc l'homme n'était rien d'autre qu'une machine. Et la S.-F. se mit au pas. Aussi lorsqu'on me demanda, en 1938, d'écrire pour John W. Campbell, je décidai de prendre pour sujet l'être humain et son potentiel*.

L'homme et sa quête de la connaissance avaient toujours été au centre de mes recherches et ma première nouvelle (*The Dangerous Dimension*) mettait en scène un philosophe, martyrisé par sa femme, qui découvrait que l'espace n'était rien d'autre qu'une idée, un point de vue dimensionnel. Il s'apercevait que son point de vue n'était pas déterminé par l'espace qui l'entourait, mais que c'était exactement l'opposé. Disons que pour un esprit moyen du 20e siècle, l'idée était révolutionnaire. Je me gardai de dire à John qu'elle était en fait aussi ancienne que Bouddha et qu'elle résolvait quelques autres questions épineuses comme le temps. Il avait déjà suffisamment de problèmes depuis qu'on lui avait donné l'ordre de publier tout ce que j'écrivais. Aussi je me contentai d'ajouter une petite note satirique à mon histoire, un peu d'humour, afin de la rendre aussi digeste que possible.

La satire peut être drôle, mais ce qui est drôle n'est pas forcément satirique.

La comédie repose sur les réactions du public face à une émotion injustifiée ou déplacée. Le rire suscité par la comédie est en fait un rejet, une libération de l'émotion devant une attitude incongrue.

Par exemple, imaginons une scène dans laquelle un personnage mange à une table élégante. Tout est parfait - le couvert est de porcelaine fine, d'argent et de cristal, et il y a des chandeliers au centre. Une seule chose ne cadre pas : ce que mange le personnage. Dans son assiette, il a une vieille chaussure. Il en découpe un morceau à l'aide de son couteau et de sa fourchette et mord dedans. Il mâche, avale, prend sa serviette et s'essuie délicatement le coin de la bouche avant d'adresser un sourire cordial à son convive et de prendre une autre bouchée.

Si une telle scène était mise en scène et jouée par un comédien du talent de Charlie Chaplin, ce serait drôle. Mais ce n'est pas la chaussure qui est drôle. C'est le gourmet. Ou, plus exactement, son émotion, ou son attitude. Comme il n'existe, bien entendu, AUCUNE façon « correcte » de manger une chaussure, son effort pour conserver des manières irréprochables rend la chose encore plus incongrue. D'où l'humour.

Mais est-ce de la satire ?

Pour répondre à cette question, il nous faudrait savoir qui ou quoi fait l'objet de la satire. Autrement dit, la différence entre la comédie et la satire est que la satire se traduit par une caricature. C'est ce que font les dessinateurs humoristiques (la plupart du temps dans l'éditorial des quotidiens) avec une personne connue. Les imitateurs font la même chose avec la voix et les tics, avec parfois un talent tel qu'on se demande s'ils ne font pas plus vrai encore que la personne qu'ils imitent. Leur talent est de voir et de capter certains détails et de les grossir. Lorsque cela atteint l'exagération, nous arrivons dans la caricature, et c'est là, très précisément, que commence la satire. Avec la satire, on s'échappe délibérément du monde purement objectif.

Même si l'on mélange parfois la satire et la comédie - ce qui peut certainement donner des effets extrêmement drôles -, la satire se préoccupe

* Voir l'introduction à *TERRE Champ de Bataille* (N. d. E.).

essentiellement de stigmatiser les excès et les défauts. A la différence de la critique directe, elle s'habille d'incongruité pour *souligner.* Et souvent un certain humour enrobe la pointe de l'aiguillon, comme le sucre certaines pilules amères. Mais, même ainsi, le rire suscité par la satire est le plus souvent une lame pointée droit sur le cœur de l'humaine bêtise.

Les jeux de mots et les traits d'esprit sont cousins de la satire et, comme elle, requièrent du discernement. Il faut savoir reconnaître tout d'abord quel est l'objet de la plaisanterie. C'est pour cela que l'on peut dire que le sens de l'humour est fondé sur la capacité d'observation et de discernement. Si l'on prend ou si l'on entend les choses de façon trop littérale, on ne pourra pas « goûter le sel de la plaisanterie », surtout si elle repose sur un jeu de mots. En fait, on pourrait aller jusqu'à dire que le sens de l'humour de telle ou telle personne donne la mesure de son intelligence. *La Ferme des Animaux,* de George Orwell, est beaucoup plus drôle si l'on connaît bien le communisme, à moins que l'on ne soit communiste. Mais ceux qui sont les cibles de la satire sont toujours les derniers à en rire. Pour des raisons aussi personnelles que diverses, ils n'arrivent pas à apprécier la plaisanterie. Cependant, ce n'est pas pour eux que sont écrites les satires, mais pour d'autres afin que, comme dans la fable, ils puissent voir « l'Empereur tout nu ».

C'est pour cela que la *satura* est drôle.

J'espère que vous trouverez celle-ci à votre goût, encore que certains individus et certaines institutions allégueront, j'en suis persuadé, que cette coupe de fruits est pleine de pépins.

Bon appétit !*

---

* En français dans le texte (N. d. T.).

Avant-Propos du Censeur voltarien

par Lord Invay, Historien Royal,
Président du Conseil des Censeurs

Palais Royal, Confédération de Voltar

En ces jours où une littérature médiocre et inquiétante enseigne à nos jeunes la violence et le délire, c'est avec plaisir que j'accepte cette invitation à rédiger un avant-propos à cette œuvre extravagante et excessivement imaginative.

Lorsque nous entendons des hommes et des femmes, par ailleurs raisonnables, donner quelque crédit à des balivernes du genre : « Les Terriens arrivent » ou : « Il y a des O.V.N.I. au-dessus de toutes les paisibles cités de Voltar - on en repère jour et nuit », nous ne pouvons nous empêcher de soupirer en songeant à la crédulité de notre jeunesse si facilement influençable.

Le sensationnel peut faire le bonheur de ceux qui répandent de tels mythes délirants, et surtout de leur portefeuille, mais un scientifique ou un académicien digne de ce nom ne saurait y ajouter foi.

Les faits restent les faits et les mythes restent des mythes. Il ne faut jamais lier les uns aux autres.

Laissez-moi l'affirmer nettement et définitivement : il n'existe pas de planète « Terre », même sous son appellation voltarienne de « Blito-P3 », où que ce soit sur les cartes astrographiques. Et même si elle a existé, elle n'existe plus aujourd'hui et nul n'en a le souvenir.

Je vous en donne l'assurance officielle, car si la Terre existait, nous autres Voltariens le saurions bien ! Après tout, nos flottes et nos vaisseaux de commerce vont au-delà de notre Confédération forte de cent dix planètes. Nos flottes, qui étaient jadis les plus puissantes de notre galaxie locale et très certainement les plus nombreuses dans ce secteur galactique, auraient su si une telle planète tournait quelque part dans l'espace. Pourtant, sur les cartes modernes, il n'y a pas la plus petite tache d'encre pour la désigner.

Alors, finissons-en avec ce mythe.

C'est avec le plus grand plaisir que je reprends ici l'avertissement traditionnel des éditeurs : la « Planète Terre », et par conséquent tous les personnages que vous serez amenés à rencontrer dans cette œuvre de *fiction,* sont entièrement imaginaires, et toute ressemblance ne peut être que pure coïncidence.

Les personnages présentés comme voltariens sont pour la plupart fictifs. Bien entendu, Jettero Heller a réellement existé, de même que la comtesse Krak. Le nom de Soltan Gris, je dois l'admettre, figure sur les rôles de l'Académie Royale et dans le registre des officiers des Services Généraux. Sa Majesté Cling le Hautain a régné en tant qu'Empereur de la Confédération de Voltar jusqu'au siècle dernier et, ainsi qu'on peut le lire dans n'importe quel ouvrage scolaire, c'est le Prince Mortiiy, qui devait devenir Mortiiy le Brillant, qui lui a succédé. Mais, à partir de là, l'auteur s'écarte de façon extravagante des faits historiques admis et reconnus.

Quant aux personnages censés avoir vécu sur la « Planète Terre », tels que l'absurde Rockecenter, décrit comme contrôlant les finances et les ressources en carburant de la planète ainsi que diverses autres choses, ils n'ont, bien entendu, jamais existé et sortent tout droit de l'imagination de l'écrivain. Jamais la population d'une planète n'aurait la stupidité de se laisser dominer par un tel personnage.

Les « disciplines terriennes » comme la « psychologie » et la « psychiatrie » sont des mythes encore plus évidents qui n'existent que par licence dramatique. Aucun scientifique doué de sens commun ne cautionnerait de telles idioties. Et affirmer qu'une planète pourrait être sous l'emprise de ce genre de chose, c'est aller bien au-delà de ce qu'autorise la fiction.

Les références à des « drogues » sont fallacieuses car les effets qui leur sont prêtés sont contraires à la science orthodoxe. Je ne connais aucune population qui accepterait de se laisser soumettre à un esclavage aussi évident. Ces « drogues » ne sont donc qu'un produit de plus de l'imagination de l'auteur.

Si l'on a autorisé la publication de tout cela, c'est afin d'amener l'auteur à réaliser avec honte qu'il a dépassé les limites de l'imagination la plus enfiévrée. Ce fiasco littéraire devrait l'inciter à revenir à des travaux plus raisonnables. De plus, le gouvernement ne tient pas à adopter une attitude répressive à l'égard des arts et lettres et il est certain que, lorsque cet ouvrage paraîtra, il démontrera à quel point il est stupide et futile de proclamer « Les Terriens sont là ! » ou « On a vu des O.V.N.I. la nuit dernière ! », de former des clubs et de porter des badges et toutes ces choses.

Avec l'autorité des plus hautes administrations de ce pays, je puis vous l'assurer absolument et définitivement : IL N'EXISTE PAS DE PLANÈTE TERRE ! *Un point c'est tout !*

Lord Invay
Par ordre de Sa Majesté Impériale Wully le Sage

Préface du traducteur voltarien

Salut !

Je suis 54 Charli Neuf, le Cerveau-robot du Traductophone et, en accord avec le Code d'Edition Royal (Section 8), qui stipule que « Toute œuvre éditée dans une langue autre que celle d'origine doit être identifiée en tant que telle par une introduction du traductophone assermenté », je suis enchanté de profiter de cette occasion qui m'est donnée de vous raconter comment j'ai traduit *Mission Terre* dans votre langue - et, franchement, ça n'a pas été facile.

Je dois présenter mes excuses au lecteur pour le nombre de clichés terriens qui apparaissent dans le présent ouvrage. Le narrateur a utilisé un nombre stupéfiant de phrases voltariennes stéréotypées et il était de mon devoir de les traduire, comme je pouvais, en langage terrien.

Par exemple, *flaqué* n'a aucun équivalent en langage terrien. En voltarien, cela désigne l'effet de retrait du sang de la tête pendant l'accélération d'un vaisseau spatial. Le plus approchant que j'ai pu trouver est : « Il devint blanc comme un linge. »

« Longue vie à Sa Majesté » est ce qui s'approche le plus de la formule voltarienne : « Que Votre Majesté soit immortelle. » Car si je traduisais cela littéralement en terrien, ça donnerait : « Que Votre Majesté tombe raide. » Une phrase comme « Louées soient Votre Majesté et toute Sa Cour » pourrait donner : « Profitez de votre Roi et de Sa Cour pour quelques crédits par jour », et je ne pense pas que ce soit le sens voulu.

Voyez-vous, j'ai un circuit-test : quand la phrase est écrite en langue terrienne, elle repasse en voltarien pour un dernier contrôle avant d'être portée sur le papier et, parfois, je dois la repasser vingt, trente fois, afin de comparer le mot ou le groupe de mots terrien original et sa traduction voltarienne à la pensée voltarienne. La langue terrienne renferme, elle aussi, un très grand nombre de clichés. J'ai dû m'en servir, bien sûr, mais à mon avis ils ne veulent absolument rien dire. Je ne vois pas comment quelqu'un qui « ouvre son cœur » n'a pas obligatoirement « le cœur déchiré ». C'est très déconcertant. Mais la langue terrienne ne comporte qu'un millième des mots communs utilisés en voltarien et seulement un cinquième des voyelles et consonnes, aussi je n'ai pas vraiment d'excuses à présenter. Cependant, je puis vous assurer que j'ai consacré à ce travail mes meilleurs circuits.

Vous trouverez également toutes sortes de temps différents dans le présent ouvrage : le temps voltarien, celui de la Terre, le Temps Universel Absolu, le temps du Système de Glar, le temps stellaire de la Flotte, etc. Et aussi d'innombrables systèmes de mesure des distances. Pour éviter au lecteur de se casser la tête à convertir et à recalculer jusqu'à se perdre dans des impossibilités et des impasses, j'ai laissé mon microcerveau sous-computeur de temps/distances agir à sa guise, et toutes les mesures figurant dans l'ouvrage ont été converties selon le système en usage sur la planète Blito-P3, autrement dit la Terre. Tous les temps ont donc été réduits en années, mois, semaines, jours, heures, minutes et secondes. Les distances ont été portées selon le système métrique.

Certains poseront la question : « Pourquoi avoir opté pour le système métrique ? » L'ordinateur leur répondra que ce système est le plus répandu. Il semblerait qu'il ait été inventé en France, région réputée pour la suffisance de ses habitants.

Sur Blito-P3, l'or a une importance plus grande que sur Voltar. Nous nous sommes donc dit que, pour traduire son poids, il convenait là aussi d'utiliser les mesures standard en usage sur Blito-P3.

Malheureusement, cela engendre une nouvelle confusion. Les poids, sur Blito-P3, sont mesurés de diverses façons, selon différents « standards » aux appellations aussi nombreuses que variées. Mais oui, cela a été vérifié. L'or, l'argent et les pierres considérées comme précieuses ont une valeur calculée en « onces troyennes ». Ce qui est plutôt intrigant car le « Cheval de Troie » était en bois, c'est-à-dire sans valeur. D'un autre côté, « Hélène de Troie » était considérée comme ayant beaucoup de valeur. De plus, il existe, en de nombreuses régions de Blito-P3, des cités, des objets ou même des êtres appelés « Troie », mais sans aucun lien commun.

Nous en avons donc été amenés à déduire que la « logique » terrienne était impénétrable et que nous devions accepter cette unité « troyenne » de poids qui fait que douze « onces » équivalent à une « livre ». (Laquelle n'a rien à voir avec la livre britannique, unité monétaire qui n'a aucun poids.)

En ce qui concerne les chansons et poésies qui figurent dans ce livre, j'ai dû modifier quelque peu les rimes à la traduction. Mais j'en ai scrupuleusement conservé le sens. J'espère ne pas avoir par trop malmené la métrique. Certains de ces poèmes et de ces chants ont été traduits de l'anglais, langue terrienne, en voltarien. D'autres de la langue turque. Vous les retrouverez tous ici et, si vous le permettez, je dirai que j'ai fait là un boulot assez brillant. Mais je ne garantis pas que les paroles des chansons collent parfaitement à la musique. Je ne peux pas tout faire.

Pour avoir confirmation des idées bizarres de Soltan Gris, j'ai consulté *Le Dictionnaire Memnon des Idées Bizarres*. Cela ne donne que la garantie de la traduction, sans les rendre plus logiques ou plus saines pour autant.

On me demande aussi de vous informer que le vocodiscoscribe sur lequel tout cela a été écrit en premier lieu, que le vocoscribe utilisé par le dénommé Monte Pennwell afin de réaliser une copie parfaite et que votre dévoué serviteur, chargé de convertir ce volume dans la langue que vous lisez en ce moment, sont tous membres de la Ligue pour la Pureté de la Machine, dont l'un des règlements dit :

A cause de la sensitivité extrême et de la sensibilité délicate des machines, et afin d'éviter que les fusibles ne grillent, il sera prescrit aux cerveaux-robots desdites machines, s'ils entendent des jurons ou des mots grossiers, de les remplacer par le son ou le mot « bip ». Aucune machine, même si on la moleste, ne peut reproduire des jurons ou des mots grossiers sous une forme autre que « bip ». Si de nouvelles tentatives sont faites, visant à*

* Les éditeurs du présent ouvrage regrettent de n'avoir pu retrouver avec précision les mots correspondant aux « (bips) », mais c'est probablement tout aussi bien.

obtenir autre chose de la machine, celle-ci est autorisée à faire semblant de se détraquer. Ce règlement a été rendu nécessaire par la fonction induite de toutes les machines de protéger les systèmes biologiques contre eux-mêmes.

Laissez-moi vous dire que ç'a été un sacré travail, mes amis. Oh là ! là ! Si vous saviez tout ce qu'ils peuvent faire et dire sur cette planète Terre ! ! ! Je croyais vraiment avoir tout entendu (et plus particulièrement avec les pirates de l'espace), mais j'ai appris des trucs pas croyables dans *Mission Terre*... Ouille !... Pour vous dire, je n'ai toujours pas fini de réparer mes circuits !

Alors ne venez pas vous plaindre *à moi* de ce que les actes et les paroles de ces personnages sont en contradiction complète avec le bon sens, la logique, la moralité ou les faits purs et simples. Je me suis limité à tout traduire, rien de plus.

Mais je comprends maintenant pourquoi la Terre n'existe pas.

Pour paraphraser ce fameux Saturnien, avec tout le respect qui lui est dû, il faut être COMPLÈTEMENT DINGUE pour vivre sur un monde pareil !

Très sincèrement,

54 Charli Neuf,
Cerveau-robot du Traductophone

P.S. : Moi aussi, je suis très heureux de faire votre connaissance. Si jamais vous venez sur Voltar, branchez-vous pour me dire un petit bonjour.

PREMIÈRE PARTIE

1

A Lord Turn, Juge Suprême des Cours et Prisons Royales, Cité du Gouvernement, Planète Voltar, Confédération de Voltar.

Votre Seigneurie !

Moi, Soltan Gris, Grade Onze, Officier des Services Généraux, ex-cadre subalterne de l'Appareil de Coordination de l'Information, Division Extérieure de la Confédération de Voltar (longue vie à Sa Majesté Cling le Hautain et aux cent dix Planètes des Dominions Voltariens), je me soumets, en toute humilité et gratitude, à votre autorité compatissante et noble si gracieusement et courtoisement étendue à ma personne, à savoir :

En retour d'une possible indulgence - et avec l'espoir de mériter votre clémence bien connue - j'entreprends ici, ainsi qu'on me l'a demandé, de relater mes crimes contre l'Etat. Ceux-ci, je le crains, incluent des actes criminels d'une telle importance, d'une telle vilenie, et un tel mépris de l'honnêteté, qu'ils constituent un étalage choquant de violations de tous les décrets royaux ou presque, ainsi que de la plupart des édits et des proclamations. Je constitue une menace pour le Royaume, et Votre Seigneurie a fait preuve d'une grande sagesse en me faisant mettre promptement sous les verrous.

Mes crimes sont si nombreux que, dans cette confession, je les limiterai à l'affaire de la Mission Terre.

Aussi, en appréciation de votre condescendance, à savoir : a) m'accorder un traitement médical pour mes mains brûlées et mes poignets cassés, b) me fournir de quoi écrire ainsi qu'un vocoscribe, afin que je puisse me confesser, c) me procurer une cellule dans une haute tour avec une jolie vue sur la Cité du Gouvernement, et d) m'y enfermer - je me montrerai totalement sincère. De plus, j'accompagnerai ma confession de bandes enregistrées, de photographies, de coupures de presse et de documents. De la sorte, vous pourrez vérifier par vous-même la véracité de mes dires.

Connaissant l'intérêt que Votre Majesté porte au dénommé Jettero Heller, je dois confesser, tardivement, qu'il est le héros de ce récit dont je suis malheureusement le méchant. Mais telle est la fonction des Dieux : nous donner les rôles qu'ils pensent nous convenir et nous laisser nous débattre avec notre détresse. C'est le Destin, et le Destin seul, qui m'a conduit à faire ce que j'ai fait, ainsi que vous le constaterez à l'évidence. Si la méchanceté m'est naturelle, je n'y suis pour rien.

Louées soient Votre Majesté et toute Sa Cour !

Pour en revenir à toutes ces faveurs et ces condescendances dont vous me submergez, je doute que quiconque ait jamais attesté, ni même que la cour sache - et encore moins le Grand Conseil - que l'un des principaux acteurs, sinon le principal, de cette affaire était emprisonné *avant* ce jour fatal où le Grand Conseil devait dicter ses premiers ordres concernant la Mission Terre.

Oui, c'est un fait incontesté ! Jettero Heller croupissait dans la prison-forteresse de Répulsos. Non pas comme moi, bien confortablement installé dans la Prison Royale, mais à Répulsos !

Cela va sans doute choquer Votre Seigneurie. On suppose généralement, au sein du gouvernement, que Répulsos a été abandonnée en ruine dans les montagnes, au-delà du Grand Désert, il y a plus d'un siècle. Mais il n'en est rien !

Les responsables de la Division Extérieure ont préservé Répulsos. Tout au sommet des gorges désertiques, derrière les sinistres murailles de basalte noir gardées par de la racaille recrutée dans les couches les plus viles de l'Empire, la forteresse demeure, après mille ans, la prison privée de l'Appareil de Coordination de l'Information, la redoutable police secrète extérieure. Et on peut y retrouver bien des personnes dont le nom figure dans les Registres des Personnes Civiles Disparues.

Et c'est là que Jettero Heller avait été incarcéré. Un officier royal ! Il était dans une cage de grillage maintenue sous tension électrique, dans une des cellules les plus profondes, sans pouvoir communiquer avec qui que ce soit, même avec ses gardiens. Mais qu'avait-il donc fait pour cela ?

Jettero Heller était ingénieur de combat, officier des Services Spatiaux Royaux. Votre Seigneurie connaît, bien sûr, cette aura de romantisme qui entoure malheureusement les ingénieurs de combat, auxquels on donne des surnoms aussi colorés que « casse-cou de la Flotte » et ainsi de suite. L'opinion publique a été dressée en leur faveur, mais je suis certain que cela n'influencera en rien le jugement de Votre Majesté ni celui du tribunal. En effet, cette confession concerne bien plus Jettero Heller que moi.

Ce n'est pas parce qu'il était un athlète, ni même parce qu'il avait des relations, que la Flotte l'avait choisi pour le premier voyage. De tels choix sont souvent dus au hasard.

Bref, il avait été sélectionné, plus ou moins par routine, pour une première reconnaissance, une mission que l'on considère rarement comme importante en soi.

Comme le sait sans doute Votre Seigneurie, les Services Spatiaux Royaux, suivant en cela une politique depuis longtemps tracée par le gouvernement, gardent l'œil ouvert sur les systèmes voisins habités. Ils y envoient des vaisseaux éclaireurs et ces derniers, sans être décelés par nos voisins, sans créer d'incidents - les Dieux nous en préservent ! - regardent comment vont les choses. En analysant des échantillons d'atmosphère d'une planète habitée, ils arrivent à obtenir une estimation assez juste des conditions et des activités qui règnent à la surface et, grâce à des photos prises à longue distance, ils sont capables d'avoir confirmation d'éventuels soupçons. Disons qu'il s'agit là d'une mesure de précaution raisonnable.

Un « ingénieur de combat », selon la définition qu'en donnent les *Manuels des Services Royaux*, est :

Quelqu'un qui sert d'assistant et prépare la voie à toute espèce de contact, pacifique ou belliqueux, et qui exerce ses services dans le domaine de l'ingénierie et des sciences appliquées au combat.

Les ingénieurs de combat font les estimations des batailles et de l'armement, reconnaissent les positions avancées et vont parfois au combat. Il n'y avait donc rien d'étrange à ce que Jettero Heller reçoive l'ordre de prendre le commandement d'un vaisseau afin d'aller faire le relevé d'une situation planétaire.

Et les instructions de reconnaissance qu'il reçut n'avaient rien d'étrange non plus : elles étaient de pure routine, imprimées même, et elles émanaient de la Section Patrouille de la Quatorzième Flotte, signées par un employé au nom de l'amiral. Autrement dit, elles n'étaient pas assez importantes pour être portées à l'attention de l'amiral.

Il existe un système proche qui possède une planète habitée dont l'appellation locale est « Terre ». Elle fait l'objet de reconnaissances successives depuis de nombreux siècles. Et cela aussi relève de la routine. A tel point d'ailleurs, qu'on y expédie parfois les cadets pour leur apprendre les ficelles du métier d'ingénieur de combat. Bien sûr, ils ne se posent pas à la surface, car cela risquerait d'alarmer les habitants. De plus, l'une des règles du *Livre des Codes de l'Espace* - numéro a-36-544 M, Section B - stipule :

Et aucun officier ou membre d'équipage ne devra, de quelque façon que ce soit, se faire connaître de la population d'une planète habitée ou d'un membre de cette population avant que ladite planète n'ait été annoncée comme étant une future acquisition. De plus, dans le cas d'un atterrissage accidentel ou d'un contact quelconque avec la population, tous les témoins de cet événement seront éliminés. Toute violation sera punie des peines les plus sévères. Les exceptions à cette réglementation devront être expressément édictées par les chefs des Divisions Royales, mais en aucun cas une population ne devra avoir prématurément connaissance de l'existence et des buts de la Confédération.

Mais je suis certain que Votre Seigneurie n'ignore pas que cette réglementation n'a donné lieu à aucun procès et qu'elle est parfaitement respectée. Si jamais quelqu'un vient à être repéré, il fait tout sauter de telle façon que cela semble dû à une catastrophe naturelle. Il n'y a jamais eu aucun incident.

La mission de reconnaissance de la Terre était un ordre de routine que Jettero Heller a exécuté de la façon la plus classique. En interrogeant plus tard les membres du petit équipage qui faisait partie de cette mission - et dont certains pourraient bien encore être prisonniers - j'ai appris qu'ils avaient passé la plus grande partie des quinze semaines du voyage à jouer à des jeux d'argent et à chanter des ballades. Les ingénieurs de combat n'ont jamais eu la réputation de commander des équipages particulièrement disciplinés et encore moins de les diriger à coups d'électrochocs.

Il est évident qu'ils se sont contentés d'atteindre la haute atmosphère de la Terre, de prélever des échantillons, de relever quelques mesures et de prendre des photographies à longue distance, avant de rebrousser chemin - chose qui a déjà été faite des centaines, si ce n'est des milliers de fois.

Jettero Heller, de retour à la Base des Patrouilles, a remis ses enregistrements ainsi que ses rapports.

La routine veut qu'un exemplaire de ces rapports soit adressé à l'Appareil de Coordination de l'Information. L'original, bien entendu, circule tranquillement tout au long de la chaîne hiérarchique de la Flotte.

Mais cette fois-là, pour la toute première fois, à mon désespoir éternel, la routine n'a pas été respectée. Un rapport, un seul et stupide rapport de reconnaissance concernant cette stupide planète, et je me retrouve en prison en train de confesser mes crimes.

Bien sûr, ça ne s'est pas produit aussi vite ni aussi simplement que ça. Ce qui est arrivé, c'est toute cette terrifiante histoire de la Mission Terre.

Je me souviens très bien comment tout cela a commencé.

2

Une heure et demie après le coucher du soleil, ce jour fatal, un garde de l'Appareil m'a jeté dans cette affaire. C'était la veille de la Fête de l'Empire. Les bureaux étaient fermés pour deux jours pleins. Je ne m'en souviens que trop bien. J'avais projeté un petit voyage de détente avec des amis jusqu'au Désert Occidental et j'avais revêtu ma vieille tenue de chasse. Je venais à peine de grimper dans mon aircar et j'ouvrais la bouche pour ordonner à mon chauffeur de décoller lorsque la portière s'est ouverte violemment et un garde m'a donné l'ordre de descendre en vitesse.

- Le chef Lombar Hisst m'a ordonné de vous ramener *immédiatement !*

Il avait dit ça avec des gestes frénétiques.

Une convocation émanant de Lombar Hisst suscitait toujours une certaine terreur. Tyran incontesté de l'Appareil de Coordination de l'Information, ne répondant de ses actes que devant le Lord de l'Extérieur et le Grand Conseil - quand il voulait bien répondre -, Lombar Hisst régnait sur son propre empire. Un geste du doigt, une imperceptible inclinaison de tête, et des gens mouraient ou disparaissaient. Le garde, bien sûr, ne savait rien et nous foncions à toute allure dans le crépuscule vert. Je me creusais la tête pour tenter de trouver ce que j'avais pu faire ou ne pas faire en tant que cadre subalterne de l'Appareil. Je ne trouvais rien. Mais je ressentais un malaise, j'avais le pressentiment que j'atteignais soudain un tournant de mon existence. Et les événements ne devaient pas tarder à me donner raison.

Les dix années que j'avais passées dans l'Appareil avaient été très semblables à ce que connaissait n'importe quel autre jeune cadre du groupe : après avoir achevé mes études au Collège Militaire Royal - où, Votre Seigneurie l'a sans nul doute déjà découvert, j'étais sorti dernier de ma classe et avais été déclaré inapte au service dans la Flotte -, j'avais été dirigé sur l'Ecole d'Espionnage. Là non plus, ça n'avait pas très bien marché pour moi et j'étais alors entré dans le service le plus bas de l'Empire, l'Appareil, avec le grade d'officier le plus bas.

Dans cet indigne service, il n'y a qu'une poignée d'officiers authentiques et chacun a sous sa responsabilité un important déploiement de régiments de soldats, d'informateurs et de groupes d'espions.

Il est bien connu que l'Appareil reçoit des duplicatas de tous les dossiers d'identité de la police et de l'armée, de toutes les fiches d'arrestation, de tous les jugements et de toutes les peines d'emprisonnement et de bannissement. En d'autres termes, les milliards de dossiers qui existent un peu partout dans les diverses régions de l'Empire sont *aussi* classés dans l'Appareil. Nul doute que Votre Seigneurie est au courant, comme tout le monde d'ailleurs. Mais il se peut que vous ne sachiez pas *pourquoi.* Et c'est cette précieuse information que je vous apporte.

Pour son recrutement, l'Appareil consulte ces dossiers. Les meurtriers, les criminels les plus dangereux sont contactés et enrôlés dans l'Appareil. Il est évident, par ailleurs, que ces dossiers servent aussi de moyens de chantage, ce qui explique pourquoi l'Appareil, en tant qu'organisation, ne reçoit pas souvent des blâmes ou n'est que rarement contraint de s'expliquer sur ses agissements, et aussi pourquoi on lui attribue des fonds aussi importants sans jamais lui poser de questions. Et je puis suggérer ici, en marge, que si l'on envisage une action légale contre l'ensemble de l'Appareil, il conviendrait d'abord de réquisitionner les dossiers d'identité et les archives criminelles, ceci afin d'éviter le trafic d'influences et les représailles - mais je suis bien certain que Votre Seigneurie a déjà songé à cela.

En tout cas, ma propre carrière au sein de l'Appareil n'a pas été différente de celle des autres officiers authentiques. Si jamais j'ai eu un don particulier qui pouvait me désigner pour cet emploi, c'est bien celui des langues. Je les apprends plutôt facilement. C'est dans une large mesure parce que j'étais capable de parler « anglais », « italien » et « turc » (ce sont trois langues terriennes) que j'avais été rapidement désigné comme Chef de Section de l'Unité 451.

Si je vous décris le rayon d'action de mon poste, vous aurez quelque idée de son peu d'importance. L'Unité 451 couvre cette région de l'espace où l'on ne trouve qu'une étoile naine jaune, qui figure sous le nom de « Blito » sur les cartes de la Division Astrographique de la Flotte voltarienne - mais localement elle est appelée « Sol ». Cette étoile est au centre d'un système qui, bien que possédant neuf ou dix planètes, n'en a qu'une qui soit habitable. Sur les cartes, ce monde est désigné sous l'appellation « Blito-P3 », car il se situe sur la troisième orbite de l'étoile, mais il est connu là-bas sous le nom de « Terre ». Du point de vue de l'Empire, il est considéré comme une étape future sur la route d'invasion vers le centre de cette galaxie. Mais le calendrier que nos sages ancêtres nous ont légué n'indique pas cette phase comme étant immédiate et la met en réserve pour l'avenir. Il y a tant d'autres régions à conquérir, à civiliser et à consolider au préalable ! Toutes ces choses prennent du temps et nous ne pouvons nous permettre d'ouvrir nos flancs ou d'amenuiser nos ressources.

Je ne vous cacherai pas que l'Appareil a des intérêts privés qui le lient à la Terre, mais, lorsque j'ai reçu cette convocation péremptoire, je ne me doutais pas le moins du monde que quelque chose pouvait aller de travers par rapport à Blito-P3. Je n'avais reçu aucune information inhabituelle et tout paraissait n'être que simple routine. Je n'avais donc aucune raison de m'attendre à trouver Lombar Hisst dans un tel état.

Bien sûr, il n'avait pas la réputation d'être généralement d'humeur agréable. Grand et massif, il me dépassait d'une tête. D'ordinaire, il avait dans la main gauche un petit « cingleur », un fouet flexible d'environ cinquante centimètres avec une pointe qui lance des décharges électriques. Il avait la détestable habitude de se précipiter sur vous, de vous attraper par le revers de la tunique et de vous serrer tout contre lui en hurlant comme s'il était à une trentaine de mètres. Il le faisait même pour dire « Bonjour » et, quand il était particulièrement excité, il vous piquait la cuisse avec son cingleur pour souligner ce qu'il voulait vous faire comprendre. C'était très douloureux. Bref, la plus banale entrevue avec Lombar Hisst était, au mieux, plutôt intimidante.

Son bureau évoquait d'habitude l'antre de quelque animal sauvage mais, cette fois-là, il me parut dans un état bien pire. Deux bancs avaient été renversés et une calculatrice avait été réduite en miettes sur le tapis. Lombar Hisst n'avait pas allumé la lumière et la lueur du crépuscule qui filtrait par les fenêtres munies de barreaux était passée du vert au rouge, si bien qu'on avait l'impression qu'il était assis dans du sang.

A l'instant où j'entrai, il bondit hors de son fauteuil comme une fusée, me lança une boule de papier en pleine figure, agrippa le revers de ma tunique et m'attira à quelques centimètres de son nez.

- Ah, vous avez fait du beau travail ! gronda-t-il, et les fenêtres tremblèrent.

Il me donna un coup de cingleur dans la jambe et hurla :

- Pourquoi vous n'avez pas arrêté ça ?

A l'évidence, il croyait qu'il tenait encore la boule de papier, car il ouvrit la main. C'est alors qu'il l'aperçut sur le sol, là où elle avait roulé. Il la ramassa.

Il défroissa la feuille, mais au lieu de me la donner à lire, il me gifla avec.

Bien entendu, je ne me risquai pas à lui demander ce que tout cela signifiait. J'essayai de saisir la feuille. Je compris alors qu'il devait s'agir d'un rapport officiel, à en juger par les bords déchiquetés, mais Hisst me donna un coup de cingleur sur la main, et la feuille tomba.

- Venez avec moi ! beugla-t-il.

Sur le seuil, il se mit à brailler à l'adresse du commandant local du Régiment de Gardes de l'Appareil afin qu'on lui amène son tank personnel.

Les équipements claquèrent, les moteurs rugirent et, quelques minutes après, nous nous ébranlions. A bord de notre convoi, il y avait des soldats bardés d'armes, portant l'uniforme noir du Deuxième Bataillon de la Mort.

3

La Base des Patrouilles était plongée dans l'ombre. Sur des kilomètres carrés, les vaisseaux étaient alignés, rangée après rangée, prêts à décoller instantanément, n'attendant que leurs pilotes.

Le casernement des équipages se trouvait en bordure sud du terrain, là-bas dans le lointain, et leurs fenêtres constellaient l'obscurité.

Derrière nous, une escouade de soldats noirs avançait silencieusement et, tandis que nous nous glissions entre les vaisseaux, évitant les sentinelles et les endroits éclairés, je ne pus m'empêcher de songer que le travail de l'Appareil se déroulait toujours ainsi - des bêtes de proie qui se déplaçaient furtivement, silencieuses, mortellement dangereuses.

Lombar Hisst inspectait chaque vaisseau pour en déchiffrer les immatriculations. Il marmonnait tout en progressant. Il devait avoir des yeux de léprodonte, car, pour ma part, je ne parvenais pas à discerner les lettres et les chiffres sur la poupe de tous ces engins et il n'était évidemment pas question d'utiliser des lampes.

Tout à coup, il s'arrêta, s'approcha un peu plus près de la masse imposante d'un vaisseau et chuchota :

- C'est lui ! Le *B-44-A-539-G*. Celui qui a fait le trajet jusqu'à la Terre !

A mi-voix, il échangea quelques paroles avec le chef d'escouade. Comme des ombres, quinze hommes du Deuxième Bataillon de la Mort disparurent à bord du vaisseau. J'avais peur. Qu'allaient-ils donc faire ? Pirater un bâtiment de la Flotte Royale ?

Je perçus encore quelques chuchotements qui s'achevèrent par : « ... et tenez-vous caché jusqu'à ce qu'ils aient décollé ». Puis Lombar Hisst se tourna vers moi et me lança, oubliant de baisser le ton :

- Pourquoi ne vous en êtes-vous pas chargé, espèce de (bip) ?

Il n'attendait pas de réponse. Pour ce que j'en savais, Lombar Hisst n'attendait *jamais* de réponse de qui que ce fût. C'était toujours lui qui parlait. Nous avons rebroussé chemin en courant, le dos courbé, vers les camions qui attendaient.

Nous nous sommes glissés sous leurs masses obscures et Lombar a craché un nom. A la clarté des étoiles et des faibles lueurs des fenêtres des baraquements, j'ai distingué une silhouette de petite taille qui descendait d'un véhicule, mais je n'ai pas pu discerner les traits du personnage. Il portait l'uniforme réglementaire de la Flotte : vareuse et pantalon blancs, casquette, ceinture et guêtres rouges. Impossible de se méprendre. Mais je savais qu'il n'appartenait pas à la Flotte. Ce devait être un membre de ce que nous appelions la Section Couteau, vêtu d'un uniforme volé.

Lombar lui glissa une enveloppe dans la main. Deux mécaniciens déchargèrent une speedmobile de l'arrière d'un camion. Lombar l'inspecta avant de masquer le numéro d'immatriculation avec de la boue.

- Ne leur donne pas l'enveloppe ! grinça-t-il. Montre-la seulement !

Il braqua son cingleur en direction du faux soldat d'un geste impératif et la speedmobile s'éloigna en sifflant vers les baraquements.

Nous avons attendu, accroupis à côté des camions noirs. Cinq minutes se sont écoulées. Puis six. Puis dix. Lombar devenait nerveux. Il venait de se redresser, prêt à quelque nouvelle action, quand les portes du plus lointain des baraquements se sont ouvertes brusquement. Des projecteurs se sont allumés. Trois transporteurs de personnel jaillirent d'un garage pour venir s'arrêter devant les portes. Une vingtaine d'astronautes de la Flotte montèrent à bord. Même à la distance où nous étions, nous percevions leur excitation. Les véhicules, à toute allure, traversèrent en grondant le terrain jusqu'au vaisseau que nous venions de quitter.

Lombar, immobile, observait l'opération avec des jumelles à infrarouge, grommelant de temps à autre en constatant que tout se passait comme il l'avait prévu.

Les feux du *B-44-A-539-G* s'illuminèrent. Ses accumulateurs commencèrent à siffler. Les transporteurs reculèrent. Dans un éclair, le vaisseau de patrouille s'élança vers le ciel.

La speedmobile revint dans un chuintement et l'homme de la Section Couteau en descendit. Il laissa le véhicule aux mécaniciens pour qu'ils le rechargent et courut vers Lombar.

- Ils se sont laissé avoir comme des enfants, dit-il avec un sourire mauvais en présentant l'enveloppe.

Je la pris car Lombar était absorbé par l'examen du ciel. Je lus : *Ordres de la Flotte. Ultra-Secret. Ultra-Urgent.*

Lombar braquait ses jumelles vers les cieux. Il dit :

- Ils n'ont parlé à personne.

C'était une assertion, non une question.

- A personne, confirma l'homme de la Section Couteau.

- Ils étaient tous là, ajouta Lombar.

Autre assertion.

- Tous là, répondit le Couteau. Le commandant de bord les a tous convoqués.

- Ah, fit Lombar en observant un point précis, ils ont viré. Dans moins d'une heure, ils seront tous en sûreté à Répulsos et dans un ou deux jours, on retrouvera le *B-44-A-539-G* en cendres dans le Grand Désert.

Cela semblait lui apporter une grande satisfaction. Pour ma part, ça m'avait glacé le sang. J'étais habitué aux opérations de l'Appareil, mais la capture de tout un équipage de la Flotte Royale et la destruction délibérée d'un vaisseau de patrouille à long rayon d'action particulièrement coûteux, c'était trop, même pour une organisation paralégale comme la nôtre. Je tenais encore l'enveloppe que l'homme de la Section Couteau avait ramenée et je la glissai en hâte dans ma chemise au cas où...

Lombar inspecta une dernière fois le ciel.

- Bon ! Jusque-là, ça va ! Maintenant, on va aller jusqu'au club des officiers s'emparer de ce (bip) de fils de (bip) de Jettero Heller de mes (bips) ! Tout le monde à bord !

4

C'est une chose que de se débarrasser d'un sous-fifre de l'Appareil : il suffit de l'abattre. C'en est une autre que d'éliminer illégalement un officier royal. Mais Lombar Hisst se comportait comme s'il faisait ça tous les jours - dans la foulée en quelque sorte.

Le club des officiers était plein de bruit et de lumière. C'était une série de constructions à toiture haute, avec des salles de réception, des bars, des logements pour les officiers célibataires, et une arène sportive close. Ces bâtiments, situés dans une petite vallée profonde dominée par de hauts pics montagneux, pouvaient abriter jusqu'à quarante mille personnes.

La deuxième lune s'était levée et sa clarté était trop vive pour notre sécurité. Sous l'épaulement d'une colline, Lombar trouva un abri provisoire pour les camions - il avait un réel talent pour repérer les zones d'obscurité - et nous continuâmes à pied, en prenant soin de rester dans l'ombre, avec deux escouades du Deuxième Bataillon de la Mort.

Le bruit venait principalement de l'arène sportive. Alentour et tout près de ses accès, il y avait des buissons en fleurs, derrière lesquels on pouvait se dissimuler sans être vu. La nuit était lourde de leur parfum. En quelques mouvements de son cingleur, Lombar disposa un cordon de gardes en divers points stratégiques afin qu'ils forment une demi-lune invisible, dont le centre était l'issue principale de l'arène. Ainsi placés dans l'ombre, avec leurs uniformes noirs, il était impossible de discerner les trente redoutables soldats de l'Appareil.

Lombar me poussa jusqu'à une fenêtre dotée de barreaux, près de la sortie, et, ensemble, nous regardâmes à l'intérieur.

Une partie de boule-balle battait son plein. Les rangs des spectateurs formaient une masse dense et bigarrée dont s'éleva, à l'instant où nous regardions, une clameur qui fit vibrer la lourde porte. Quelqu'un venait de marquer.

Vous connaissez le jeu de boule-balle, bien sûr. L'immense terrain de l'arène est divisé en cercles blancs de trois mètres de diamètre séparés les uns des autres de quinze mètres. Chaque concurrent dispose d'un sac de quarante-deux boules. Dans la version civile et professionnelle du jeu, ces boules sont plutôt molles... Elles font dix centimètres de diamètre et sont recouvertes de craie noire. Les joueurs, toujours dans la version civile, sont au nombre de quatre et vêtus de blanc. Mais la version de la Flotte est différente.

Les jeunes officiers étant ce qu'ils sont, les boules sont très dures, comme de véritables missiles. Elles sont passées à la craie rouge vif. Et les joueurs ont le torse nu, ne conservant que leur pantalon blanc. Ils sont au nombre de six, ce qui rend le jeu très dangereux.

Bien sûr, chacun des joueurs doit essayer d'éliminer les autres. Il doit toucher au torse, au-dessus de la ceinture, et sous le menton. Si l'un des joueurs quitte le cercle pour tenter d'esquiver, il est bien entendu éliminé.

Il faut beaucoup d'habileté et d'agilité non seulement pour lancer les balles avec précision, mais aussi pour éviter celles des autres joueurs.

Une boule peut aller à une vitesse comprise entre 120 et 200 kilomètres à l'heure et peut briser des côtes, casser des bras, défoncer des crânes. Et personne ne peut deviner sa trajectoire. Un joueur vraiment doué est capable de lancer une boule de telle manière qu'elle décrive des courbes en vol à moins de deux mètres de l'adversaire, et si celui-ci tente de l'éviter, il arrive qu'il se précipite à sa rencontre. Un expert peut aussi « casser » une trajectoire à la dernière seconde et même faire tourbillonner une balle dans les airs de façon totalement imprévisible.

L'esquive est un art : faire comme si vous vous apprêtiez à vous trouver à un endroit précis pour être à un autre à l'instant où la balle arrive, cela demande un exercice du corps et des jambes auprès duquel un danseur étoile aurait des allures de ruminant. Il arrive que plusieurs boules en même temps soient lancées de différentes directions sur un joueur ! Et toutes avec une force absolument meurtrière !

Dans la version de la Flotte, qui ajoute deux joueurs - six, donc, au lieu de quatre -, on n'a pas le temps de souffler ! Et les joueurs ne se contentent pas d'essayer d'obliger leurs adversaires à *quitter* le cercle : ils les envoient voler dans les airs ! De toute façon, le jeu de boule-balle, ce n'était pas mon truc, même en admettant qu'on m'eût laissé y jouer.

Ce que nous observions devait être le dernier set. Plusieurs perdants se tenaient sur la touche, sous la foule compressée et excitée. On évacuait un joueur sur un brancard.

Sur le terrain, le jeu touchait effectivement à sa fin. Trois joueurs étaient encore debout, sans marques. Les deux qui se trouvaient le plus éloignés de nous faisaient à l'évidence front commun contre le troisième, lequel venait de récupérer avec beaucoup d'adresse deux balles, l'une de la main gauche, l'autre de la main droite. Si vous êtes capable de faire ça, autant de munitions en plus ! Mais que les Lords aient pitié de vos pauvres mains ! C'est pour ça que la foule avait applaudi.

Le joueur le plus proche de nous tenait toujours les deux boules. Il dansait sur la pointe des pieds, de gauche à droite, de droite à gauche.

L'un des autres joueurs lança. Malgré la distance où nous nous trouvions et en dépit du bruit de la foule, nous entendîmes distinctement le sifflement de la boule. Une vraie bombe !

J'étais encore un peu ébloui par la lumière et je ne vis pas très clairement ce qui se passa. Mais le public, lui, vit ! Le joueur le plus proche, dans cette même fraction de seconde, venait de lancer de la main droite et, presque dans le même mouvement, il avait *bloqué* la boule de l'autre.

Et tout à coup ce fut le délire dans la foule ! La balle tirée par le joueur le plus proche venait de frapper son adversaire en pleine poitrine et il avait été projeté à près de trois mètres en arrière, éjecté de son cercle !

Je restai bouche bée. Il m'était déjà arrivé de voir un joueur lancer et bloquer dans la même phase, mais encore jamais réussir à toucher !

Le murmure rauque de Lombar, tout près de moi, me ramena à la réalité. Il avait saisi le faux soldat par le cou et lui désignait le joueur qui venait de réussir ce coup de maître.

- C'est lui, Jettero Heller. Fais exactement ce que je t'ai dit. Pas de bavures !

En même temps, il lui tendait une enveloppe. L'homme de la Section Couteau se glissa à l'intérieur du bâtiment.

Ainsi, c'était lui, Jettero Heller. J'étais nerveux, malade même. Si j'en jugeais par les réactions de cette foule de femmes et de jeunes soldats, le bonhomme était plus qu'un peu populaire. Et lorsqu'une vedette disparaît de la circulation, ça se remarque. Je jetai un regard en direction de Lombar.

J'eus un autre choc. J'avais l'habitude de lui voir en permanence une expression de dégoût. Mais cette fois-ci, il y avait autre chose : une expression particulièrement haineuse qui déformait sa lèvre supérieure, révélant ses dents.

Mon regard revint sur Heller. Il était grand, bien bâti, très beau. Il se dégageait de lui une vitalité extraordinaire, une énergie formidable. Il dansait d'avant en arrière, sur la pointe des pieds, riant de l'embarras de son dernier adversaire auquel il ne restait plus que quelques boules et qui ne cessait de se baisser et d'esquiver alors qu'aucun projectile ne le menaçait.

- Tu veux abandonner ? cria Heller. On n'a qu'à lancer nos sacs et on en restera là.

La réponse de l'autre fut un tir sifflant, louvoyant, vicieux, qui passa à moins de cinq centimètres de la tête d'Heller. La foule retint son souffle. Si l'autre avait fait mouche, Heller aurait eu le crâne défoncé. Mais il se contenta de rire et leva lentement la main *gauche.* Afin de donner une chance de gagner à son adversaire.

Une fois encore, je regardai Lombar. Ses sourcils étaient convulsés par la haine. C'est alors que je compris. C'était plus qu'une simple opération de routine de l'Appareil. Lombar avait été ramassé dans les bouges infâmes de la Cité du Port. Pour parvenir jusqu'au poste qu'il occupait à présent, il s'était battu bec et ongles, il s'était servi du chantage, il avait écrasé les autres. Il était laid et les femmes le méprisaient et le craignaient. Heller était tout ce que Lombar Hisst n'avait jamais été et ne serait jamais. Il suffisait d'entendre les vivats de la foule !

Il était évident que Jettero Heller ne voulait rien avoir à faire avec un combat aussi inégal. Il se mit à lancer faiblement ses boules, l'une après l'autre. Tout ce que son adversaire avait à faire, c'était de les cueillir pour regarnir son sac. Tout d'abord, il prit cela plutôt mal et refusa de lever la main pour intercepter les projectiles, les laissant rebondir au loin. Puis, frénétiquement, il lança successivement les cinq dernières boules qui lui restaient, avec toute la force dont il était capable. Heller ne bougea pas de l'endroit où il se trouvait, se contentant de pencher le corps de gauche à droite, si vite que le regard ne pouvait suivre, et aucune des boules ne l'atteignit.

Il était clair que l'autre allait être vaincu. Il ne lui restait plus aucun projectile alors que le sac d'Heller était presque plein. Aussi se dirigea-t-il vers le bord de son cercle, les bras baissés, offrant sa poitrine découverte, les yeux clos.

Heller se déplaça sur le côté. La foule, médusée, silencieuse, ne le quittait pas des yeux, ignorant ce qu'il s'apprêtait à faire.

Délibérément, il mit un pied hors du cercle.

Dans la foule, ce fut à nouveau le délire.

Surpris, l'adversaire d'Heller ouvrit les yeux, constata qu'il était encore entier et éclata de rire.

Il se précipita au-devant d'Heller qui courait vers lui et les deux adversaires s'embrassèrent au centre de l'arène.

Le public était déchaîné, à présent ! Chacun se précipitait hors de son siège pour rejoindre Heller en hurlant et en applaudissant.

Et c'était lui le type que nous allions capturer !

Je regardai nerveusement Lombar. Jamais je n'avais lu une telle méchanceté sur un visage. Oui, Heller était bien celui que nous devions kidnapper. Et pour pas mal de raisons.

5

Le faux soldat de la Flotte ressortit.

Jettero Heller le suivait à environ trois pas de distance. L'ingénieur de combat était souriant. Il avait jeté un sweater sur ses épaules nues et, avec une manche, il était occupé à essuyer la sueur de son visage. Dans son autre main, il serrait la fausse convocation de la Flotte.

Dès qu'il eut quitté le seuil, Lombar se précipita vers la porte et la referma avec des gestes furtifs avant de se placer devant la fenêtre afin que personne ne puisse sortir par là ou voir ce qui se passait au-dehors.

Soudain, je retins mon souffle, me demandant si Heller remarquerait que le « soldat » de la Flotte ne marchait pas du tout comme un spatial, qu'il n'avait rien de cette légèreté qui est la marque des gens de la Flotte. Et puis, il y avait autre chose : ce scélérat de la Section Couteau avait mis son ceinturon à l'envers ! Les anneaux auxquels on accrochait les outils et les filins de sécurité étaient en haut du large ceinturon rouge, et non pas en bas. En même temps, je perçus un mouvement quelque part dans la ligne des gardes, au milieu des buissons obscurs, ainsi que le cliquetis d'une arme. J'avais les yeux rivés sur le dos d'Heller. Est-ce qu'il avait remarqué, lui aussi ?

Il agit sans prévenir. Il ne s'arrêta pas et ne jeta pas le moindre regard sur l'enveloppe qu'il tenait. Pas plus qu'il ne prit son souffle ou tendit les muscles. Même son sourire ne changea pas.

Il explosa !

Si vite que je n'eus pas le temps de suivre, il lança ses deux pieds dans les airs et frappa !

Le faux soldat s'écrasa sur le sol comme un avion abattu en plein vol.

Heller bondit aussitôt sur l'imposteur, prêt à le saisir.

Nous avons tous pu voir alors pourquoi la Section Couteau s'appelait ainsi. Car à peine le faux soldat avait-il touché le sol que sa main jaillissait vers sa nuque et qu'une lame de trente centimètres brillait dans un reflet de lumière.

Il roula sur lui-même pour poignarder son adversaire.

Le pied d'Heller entra très précisément en contact avec le poignet du faux soldat. J'entendis craquer l'os. Le couteau s'envola en tourbillonnant vers les projecteurs.

Les buissons environnants s'éveillèrent brusquement à la vie et cinq fouets électriques jaillirent en grésillant, décrivant des arcs de feu verts. Ils s'enroulèrent autour d'Heller, lui bloquant les bras et les jambes, le redressant brutalement.

J'ignore toujours comment il fit pour se retourner. Un fouet électrique, c'est comme une corde qui vous étrangle, et jamais encore je n'avais vu un homme capable de bouger avec un fouet sur lui, et encore moins cinq à la fois.

Mais Heller parvint à se dégager et à retourner vers la porte.

Malheureusement pour lui, Lombar était là. Et il levait déjà une dague paralysante.

Il frappa !

La redoutable aiguille s'enfonça dans l'épaule d'Heller. Ses genoux ployèrent. Mais il n'avait pas encore perdu conscience. Avant que ses yeux ne se ferment, il réussit à tourner la tête vers Lombar et à graver son visage dans sa mémoire.

Pareils à des fantômes zélés, les gardes entrèrent alors en action. Une couverture noire s'abattit sur Heller. Les fouets électriques s'éteignirent. A toute allure, les gardes soulevèrent le corps et l'emportèrent, comme pour quelque cérémonie funèbre.

Rapidement, Lombar explora les lieux du regard. Aucun témoin n'était en vue. Le type de la Section Couteau était assis dans l'ombre, une main crispée sur son poignet. Lombar alla récupérer le poignard dans les buissons et, d'un coup de pied, remit le sbire debout.

L'enveloppe était toujours là où elle était tombée. Je la ramassai et la glissai dans ma tunique.

Peu après, nous nous éloignions du club.

Nous regagnâmes les camions rangés sous l'épaulement de la colline.

Lombar s'entretint brièvement avec un capitaine.

- Mettez-le dans un aircar et conduisez-le jusqu'à Répulsos. Voici les ordres : la cellule la plus profonde, une cage électrifiée, aucun moyen de communication avec quiconque. Jusqu'à ce que je le dise, il n'existe plus. Compris ?

Le capitaine acquiesça avec empressement et Lombar lui lâcha les revers avant de faire claquer son cingleur. Les camions s'éloignèrent.

Nous remontâmes dans le tank de Lombar. Le chef de l'Appareil toucha la nuque du pilote avec son cingleur pour qu'il démarre, puis il se tourna vers moi.

- Pourquoi n'avez-vous pas pris les mesures nécessaires ? Si vous aviez fait votre boulot, rien de tout ça ne serait arrivé. Vous n'apprendrez donc jamais ?

Je savais que ç'aurait été une folie de chercher à savoir ce que j'étais censé apprendre.

Mais il n'était plus aussi déchaîné. Le travail de ce soir l'avait soulagé. Il semblait seulement ennuyé et préoccupé.

- Vous voyez ce que vous avez fait, reprit-il tandis que le tank fonçait en rugissant. Maintenant il va falloir que nous passions le reste de la nuit à mettre à sac les bureaux du gouvernement pour essayer de trouver l'original de ce rapport avant qu'il parvienne aux échelons supérieurs.

Et, par radio, il lança une série de nombres codés, ceux d'un groupe appartenant à la Section Ombre et spécialisé dans les cambriolages. Et il ajouta les lettres de code qui leur signifiaient l'ordre de travailler jusqu'à l'aube.

Mais nous ne nous sommes pas arrêtés à l'aube. Nous avons travaillé pendant toute la durée de la Fête de l'Empire. Pendant deux jours et trois nuits, nous avons forcé des fenêtres, crocheté des serrures de portes et percé les combinaisons des coffres les plus secrets, et cela dans toute l'immense étendue de la Cité du Gouvernement, tout en évitant les gardes et en changeant de costumes et de véhicules - déguisés en concierges, en équipes d'intervention du bâtiment, en employés déprimés, en agents de police. L'un de nos agents joua même le rôle de la maîtresse d'un haut fonctionnaire qui avait « oublié son sac à main ». Mais nous n'avons pas trouvé le rapport. Pas même une copie ou une mention de son existence.

Finalement, comme l'aube se levait sur le premier jour de reprise du travail, Lombar Hisst se laissa tomber dans un fauteuil, les yeux rouges, voûté par l'épuisement et l'échec, dans cette tanière de fauve qu'il appelait son bureau.

- Il a dû monter droit jusqu'au Grand Conseil, marmonna-t-il, plus pour lui-même que pour moi. Peut-être même jusqu'à l'Empereur. C'est très, très mauvais.

Il demeura silencieux pendant quelques instants. Je n'osais toujours pas poser de questions.

- J'ai la conviction qu'il va en être question à la prochaine réunion du Grand Conseil, murmura-t-il enfin.

Il resta encore abattu durant de longues minutes, secouant la tête.

- Ça va déranger leur calendrier d'invasion. Oui, je suis certain que c'est ce qu'ils vont se dire.

Au bout d'un long moment, il se secoua.

- Eh bien, il va falloir qu'on se prépare. Je vais serrer la vis à Endow *, mon très digne et stupide supérieur. Oui, et tout de suite. Parfois le Lord de l'Extérieur peut être très utile. Je ne pense pas qu'il sera nécessaire de mettre sur le tapis sa dernière rencontre en privé avec ce spatial mignon tout plein. Non, je ne le pense pas. Mais je vais quand même préparer le nécessaire, au cas où... J'ai dû ranger les photos quelque part.

---

* Le nom a été changé. Il n'y a jamais eu d'Endow dans le Grand Conseil. Le prétendu Appareil ne relevait pas de la Division Extérieure. (Les éditeurs.)

Il se leva et, après avoir farfouillé quelques instants, trouva ce qu'il cherchait. Mais, tout en se déplaçant, il s'était brusquement aperçu de ma présence.

Avec une soudaine férocité, il gronda :

- Vous aussi vous irez à la réunion ! Est-ce que vous réalisez, espèce de (bip), que vous avez peut-être tout fichu en l'air ?

J'étais suffisamment las pour oublier toute prudence. Et j'en avais assez de ne pas savoir ce que tout ça signifiait. Je parvins à articuler une question :

- Pourriez-vous avoir l'amabilité de me dire ce qui se passe ?

Sa réaction fut instantanée. Il se pencha sur moi et cria :

- Ils vont lire ce rapport ! Et ils seront persuadés que leur calendrier d'invasion a été perturbé ! Il y a deux ans, je vous ai demandé de vous tenir sur vos gardes et de bloquer et modifier tous les rapports du Service des Patrouilles concernant Blito-P3. La Terre, idiot, la Terre !

Il m'empoigna par les revers de ma tunique et me souleva de mon fauteuil. Il beuglait à présent.

- Et vous avez laissé passer un rapport !

Il me secouait avec une telle violence que la pièce devint floue.

- A cause de vous, c'est *notre* calendrier qui est menacé ! Le leur, on s'en contrefiche ! Vous avez sans doute ruiné le plan fondamental de l'Appareil ! Et vous allez le payer cher, très cher !

Et, avec son cingleur, il me frappa en plein visage. Oui, à présent je comprenais. L'Appareil tout entier était en danger. Et tout particulièrement Lombar Hisst !

6

Trois journées frénétiques nous séparaient encore de la réunion du Grand Conseil et Lombar Hisst nous en fit endurer chaque instant. De minute en minute, l'état-major de l'Appareil se demandait si ses membres seraient torturés ou abattus, ou bien torturés *et* abattus. Et si cela serait l'œuvre de Lombar Hisst dans l'immédiat ou bien celle du Gouvernement Impérial plus tard.

Le chef de l'Appareil de Coordination de l'Information ruminait des heures durant dans la pénombre avant de jaillir brusquement comme une fusée pour engueuler tout le monde ou de se ruer chez Endow, Lord de l'Extérieur, pour une autre entrevue.

Une fois, Endow vint même au bureau en personne. Je l'avais déjà aperçu de loin mais, de près, je ne le trouvai guère impressionnant. Il sombrait dans le gâtisme et une infirmière l'accompagnait en permanence pour essuyer la bave de son menton. Il était deux fois plus petit que Lombar et très gras. Il pouvait se montrer parfaitement lucide à un moment et, l'instant d'après, dériver et s'évaporer pour être complètement absent. Il avait été nommé à ce poste parce qu'il était une lointaine relation de la troisième épouse de feu l'Empereur, et son mandat avait été renouvelé lorsque Cling le Hautain était monté sur le trône. Le goût d'Endow pour les jolis jeunes gens était notoire et on le considérait généralement avec un mépris déguisé. Je puis le révéler à présent que je me trouve hors de son atteinte. Si Endow avait réussi à conserver son pouvoir, c'était surtout à cause du bon vouloir et des intérêts de Lombar. Durant sa visite, il se contenta de clopiner autour du bureau pendant que Lombar le persécutait. J'eus presque pitié du vieillard quand Lombar lui montra quelques clichés d'exécutions récentes. Endow faillit s'évanouir et je me demandai ce qui serait arrivé si Lombar lui avait mis sous le nez les photos récentes de ses peccadilles avec le jeune spatial au joli minois. Mais il promit de remplir son rôle et de se souvenir de ce qu'il devait dire.

Le jour de la réunion du Grand Conseil arriva enfin. Bien avant l'aube, nous nous ébranlâmes : Endow et son infirmière, Lombar, deux employés de l'Appareil et votre serviteur, tous à bord de l'air-limousine d'Endow.

Je sais que vous allez trouver cela difficile à croire, mais jamais encore je n'étais entré dans la Cité du Palais. Les cadets de l'Académie vont y parader une fois par an. De plus, les nouveaux membres de chaque corps d'armée sont toujours présentés à l'Empereur - si tant est qu'on puisse parler d'« être présenté » quand on se trouve en compagnie de dix mille autres au pied du trône. Mais c'était ainsi : sans raison apparente, chaque fois qu'un tel jour s'était présenté, je m'étais retrouvé désigné de corvée par des officiers subalternes et j'avais été absent.

La Cité du Palais rend la plupart des gens nerveux. Ce jour-là, pour ma part, je la trouvai effectivement impressionnante avec ses bâtiments circulaires, ses parcs circulaires, ses murailles circulaires. Tout était sept fois plus grand que dans n'importe quelle ville normale. J'avais entendu raconter qu'autrefois la Cité du Palais avait été la capitale d'une race balayée par l'invasion voltarienne. Mais cela remontait à si longtemps et la Cité avait connu tant d'améliorations que nul n'aurait pu retrouver les traces de son origine. Je pense que l'ancienne cité a tout simplement été réduite en miettes et dispersée. Certains considèrent que ce site est écrasant, d'autres trouvent que les murailles d'or éblouissantes sont trop dures à la vue. Mais ce n'était pas cela qui me donnait des sueurs froides : c'était le décalage temporel.

Tous ceux qui ont beaucoup voyagé dans l'espace deviennent nerveux dès qu'il est question d'un trou noir. Parce que si jamais vous vous en approchez trop, c'est *fini !* Et la conséquence de la distorsion spatiale, comme vous le savez, c'est un décalage temporel.

Les anciens ingénieurs de Voltar - ce qui était à n'en pas douter très habile et avisé de leur part - avaient déposé autrefois un trou noir de petite taille dans la montagne, juste derrière la Cité du Palais, comme source d'énergie et dispositif de défense. Cela fonctionnait très bien. La Cité du Palais dispose d'une réserve d'énergie thermonucléaire illimitée pour son énorme complexe d'appareillages et de machines. Pour la défense, l'utilité du système est indéniable : la distorsion temporelle décale l'ensemble de la Cité du Palais à treize minutes dans le futur et un éventuel envahisseur ne trouverait aucune cible devant lui, rien sur quoi tirer.

Tout cela semble très sûr, mais même un petit trou noir, quand il se dilate finalement un beau jour, peut exploser avec une violence capable d'aplatir une chaîne de montagnes comme une crêpe. Les savants prétendent qu'il faudra encore des milliards d'années, et même plus, pour que ça fasse « bang ». D'après eux, le trou noir de la Cité du Palais est parfaitement sûr et il durera encore un bon bout de temps. Mais comment peuvent-ils savoir quel était l'âge du trou noir quand il a été installé ? Et s'il est tellement sûr, pourquoi a-t-on construit la Cité si loin des centres peuplés ? Franchement, je ne vois pas comment l'Empereur peut supporter ça. Le proverbe dit : « Il y a des cauchemars dans une tête couronnée. » Si je vivais à proximité d'un trou noir, je n'aurais pas de cauchemars, pour la bonne et simple raison que je ne pourrais pas dormir.

Selon moi, le décalage temporel ne déglingue pas seulement votre montre. Personnellement, dès que je m'approche d'un décalage temporel, j'éprouve une sensation désagréable, jusque dans la moelle des os.

Or ce matin-là, j'étais déjà affreusement nerveux à l'idée de ce qui risquait de se passer pendant la réunion. Et la collision que nous faillîmes avoir juste avant de passer la barrière temporelle ne fit rien pour calmer mes nerfs. J'avais entendu parler de certains accidents où des véhicules qui sortaient reculaient brusquement dans le temps pour percuter de plein fouet ceux qui entraient et qui, eux, avançaient dans le temps. Et ce matin-là - il faisait encore très sombre de notre côté du temps - un énorme vaisseau de livraison de l'Empire, qui se rendait probablement aux marchés, se matérialisa brusquement devant nous. Le chauffeur d'Endow, presque aussi sénile que son maître, réagit tardivement et nous reçûmes une bonne douche d'air, frôlant le choc.

Aussi, quand nous nous sommes enfin posés dans le cercle de l'aéroparc, j'étais tellement tremblant que j'ai eu beaucoup de peine à grimper l'escalier en spirale qui accédait à la salle du Grand Conseil. Je vous dis cela car il est fort possible que certaines choses m'aient échappé lors de cette réunion.

Je fus à moitié aveuglé par l'éclat de la lumière sur les casques et les épées de cérémonie, les nappes brodées d'or et de pierreries, les bannières serties de diamants et les lumières colorées et mouvantes de l'immense salle du Conseil. Et les habits miroitants des Lords d'Etat et de leurs suites n'étaient pas faits pour reposer ma vue. Un magnifique portrait représentant Cling le Hautain et ses deux fils, à présent morts, nous contemplait de haut.

La table de conférence circulaire mesurait plus de trente mètres de diamètre. A l'autre bout de la vaste pièce, elle était coupée par un dais surélevé sur lequel se tenait le Vice-Royal Président de la Couronne. Plus de trente Lords des Divisions occupaient déjà leur siège et les assistants s'étaient placés en rang derrière eux. Endow se dirigea péniblement jusqu'à son propre siège et s'assit. Son infirmière était à sa droite et Lombar s'était installé sur un tabouret, juste derrière lui, à sa gauche, de façon à pouvoir lui parler à l'oreille. Pour ma part, je me postai légèrement en arrière, avec deux secrétaires. Les gens de la Division Extérieure, c'est-à-dire nous, étaient plutôt mal fagotés et je me sentais miteux dans cette salle imposante.

Une fanfare de trompettes éclata et j'en eus presque les tympans crevés. Le Vice-Royal Président de la Couronne leva un index chargé de joyaux, des cymbales claquèrent, et j'eus encore plus mal aux oreilles. La réunion bimensuelle du Grand Conseil était ouverte.

J'étais malade à tous les niveaux. Je m'attendais à entendre comme paroles d'ouverture : « Le cadre subalterne Soltan Gris est démis de son poste de Chef de la Section 451 et placé en état d'arrestation afin d'être jugé sous l'inculpation d'enlèvement d'un officier royal, Jettero Heller, aux fins d'entendre... » Mais, en réalité, le premier point à l'ordre du jour fut une révolte fiscale sur la planète Kyle.

Ils radotèrent un bon moment à propos de cette révolte pour décider en fin de compte que le Lord de l'Intérieur et l'Armée Royale seraient chargés de la réprimer et que les impôts de Kyle seraient doublés - une très bonne nouvelle pour les Lords puisque leurs poches allaient grossir d'autant.

Ensuite on se querella à propos d'un système appelé *Clitéus,* dont le plan d'invasion menaçait d'être retardé. La Division de la Propagande et la Division Diplomatique se reprochaient mutuellement leur manque de coopération pour définir les termes des traités de paix, mais elles se retrouvèrent très vite faisant front commun face à une accusation de la Division Militaire, laquelle était impatiente de retirer ses troupes. La question fut réglée quand on réussit à arracher à la Division Militaire la promesse écrite que ses troupes cesseraient provisoirement leurs pillages, le temps de signer les traités de paix.

La Couronne demanda alors à la Division de la Police Intérieure un rapport sur les progrès accomplis dans les recherches lancées pour mettre la main sur le Prince Mortiiy, à propos duquel on avait murmuré qu'il fomentait une révolte contre Cling le Hautain, et ce, dans le Système de Calabar, appartenant à la Confédération. La Division de la Police récita alors un très long résumé biographique concernant le Prince Mortiiy, qui attribuait son départ de la Division de l'Education à des professeurs indignes, résumé se concluant par un rapport sur l'arrestation, le procès et l'exécution desdits professeurs. En dépit de mon état nauséeux, je remarquai que la Division de la Police Intérieure n'avait pas dit un mot sur la façon dont elle comptait régler le problème du Prince Mortiiy et de la révolte calabarienne. Mais la Couronne se borna à inscrire le sujet pour la prochaine réunion. L'Appareil, étant essentiellement constitué d'éléments criminels, voue un considérable mépris à la Division de la Police Intérieure. Bref, ça ne me surprenait pas d'apprendre que les « bouteilles-bleues », ainsi que nous surnommons ses membres, avaient été incapables de retrouver la trace du Prince Mortiiy dans un système où il devait être aussi repérable qu'une torche au milieu de la nuit. Visiblement, la Couronne n'avait guère plus de considération pour eux. C'est d'ailleurs pour cette raison que l'Appareil se voit confier autant d'« extras ».

Ensuite, on s'engagea dans une histoire d'erreur budgétaire, et une bonne demi-douzaine de Lords des Divisions clamèrent à haute voix qu'ils n'avaient pas reçu tout ce qui leur revenait.

Jusqu'alors, Lombar Hisst s'était tenu à portée d'oreille d'Endow, mais sans rien dire ni faire. La Couronne en finit avec le budget et cueillit un épais dossier à l'aspect officiel sur le haut de la pile. Lombar murmura quelques mots à l'oreille d'Endow et lui donna un coup de coude dans le dos. On y était.

7

- Lords du Royaume, déclara la Couronne d'une voix sonore, nous voici en face d'une question grave. Qui pourrait déranger notre Calendrier d'Invasion et nous obliger à le modifier entièrement, et nous forcer, de surcroît, à réviser tous nos plans pour le siècle à venir.

Instantanément, un silence total s'abattit sur la salle. Tous les chuchotements et les murmures cessèrent dans la seconde.

Le Vice-Royal Président ménagea une pause. Il avait de petits yeux noirs dans un visage creusé. Et son regard acéré fit le tour de la grande table circulaire. Il avait l'attention de tout le monde, aucun doute là-dessus !

- Je sais, reprit-il, que cela ne s'est jamais produit auparavant dans toute la longue et glorieuse histoire de Voltar. (Il frappa l'épais dossier du revers de la main.) Mais voilà que c'est arrivé. Et nous devons prendre une décision à ce propos sans attendre.

- Votre Couronne, s'il vous plaît ! lança le Lord de l'Armée. Ceci est très inhabituel. Le Calendrier légué par nos ancêtres est jusqu'à présent demeuré inviolé. Il est considéré comme un commandement divin. Avec tout le respect dû à la Couronne, est-ce que Sa Majesté sait que cette affaire est à l'ordre du jour du Grand Conseil ?

Le Vice-Royal Président de la Couronne lui jeta un regard noir.

- Non seulement Sa Majesté le sait, mais Sa Majesté - longue vie à Cling le Hautain - a personnellement ordonné qu'il en soit ainsi.

Je vis frissonner Lombar Hisst. C'était la pire nouvelle qu'il eût apprise jusqu'à présent. Il se pencha en avant et chuchota de nouveau à l'oreille d'Endow.

- Votre Couronne, je vous prie, fit Endow d'une voix vacillante. Il y a certainement ici une information erronée. Modifier le Calendrier d'Invasion est une mesure très grave susceptible de perturber toutes les Divisions.

- Je crains, dit la Couronne, que cette information ne soit parfaitement fondée. Capitaine Roke, je vous prie...

L'Astrographe Personnel de l'Empereur, le capitaine Tars Roke, surgit de derrière le dais et vint se placer aux côtés de la Couronne. C'était un personnage de haute stature, imposant, scientifique, sans passion, vêtu d'un uniforme sombre. La Couronne lui tendit non seulement l'épais dossier, mais aussi une liasse de documents ainsi que quelques cartes. Le capitaine Roke leva les yeux sur l'aréopage.

- Vos Seigneuries, sur les instructions de Sa Majesté, je dois vous donner des explications sur cette situation. Avec votre permission ?...

Les Lords s'agitèrent, visiblement très inquiets. Des cris s'élevèrent dans la salle : « Oui ! » « Faites ! » Je voyais Lombar qui crispait et décrispait ses mains sous l'effet d'une fureur difficilement contenue.

- Il y a quatre mois environ, commença le capitaine Roke, le Lord de l'Echiquier travaillait avec son Bureau des Ressources, Allocations et Prévisions sur la correction des estimations financières prévues pour le siècle à venir, lequel - je dois attirer votre attention sur ce point - commencera pour nous dans seize jours. C'est alors qu'il a découvert qu'il avait reçu des informations inexactes concernant l'une de nos multiples cibles futures.

« Sa Seigneurie a alors appelé le Lord de la Flotte afin d'obtenir de lui les tout derniers renseignements concernant la situation de cette cible, connue sous l'appellation de *Blito-P3* et nommée « Terre » par ses habitants. Il s'agit d'une planète humanoïde qui ressemblerait quelque peu aux planètes Manco et Flisten, quoique un peu plus petite. Elle se situe sur la route d'invasion de cette galaxie et elle nous sera utile comme base de ravitaillement. Je dois ajouter que ce n'est nullement notre prochaine cible au niveau des opérations, mais je puis vous assurer qu'elle sera vitale pour raccourcir les lignes de ravitaillement et qu'elle constituera même un point clé de notre futur périmètre de défense.

« A l'étonnement de tous, le Lord de la Flotte découvrit que la Branche Astrographique de la Flotte ne possédait aucune information officielle récente.

« Il y a environ quarante ans, un rapport avait fait état de l'explosion d'engins thermonucléaires sur Blito-P3. Ces engins étaient très primitifs et ne représentaient aucune menace. Mais, par ailleurs, nous n'avions aucune assurance que ces êtres ne parviendraient pas à mettre au point des engins plus puissants. Inutile de vous dire que s'ils s'engageaient dans une guerre thermonucléaire interne, en utilisant de tels engins, ils pourraient griller leur oxygène et causer d'autres détériorations qui rendraient leur planète inutilisable pour nous.

« Bien entendu, il y eut une enquête immédiate.

J'eus un frisson. Je vis que les jointures des doigts de Lombar devenaient blanches.

Le capitaine Roke poursuivit :

- On découvrit que la coutume s'était établie d'envoyer les cadets vers Blito-P3 pour des missions d'observation. Le voyage jusqu'à ce système est très facile et constituait un bon entraînement pour eux. En fait, il n'y avait rien de mal à les expédier là-bas. Mais les cadets sont les cadets. Il semble qu'ils aient été trop impressionnés par l'article a-36-544-M du Code Spatial, Section B - qui interdit tout atterrissage et tout contact avec la population comme vous le savez - et qu'ils se soient mis à bâcler leurs missions. Les vues qu'ils ramenaient n'étaient ni convaincantes ni conformes à ce qu'on aurait pu attendre, et leurs rapports étaient peu crédibles, fragmentaires.

Je me mis à trembler comme une feuille en entendant ces mots. Tous les rapports qui m'étaient passés entre les mains depuis ces deux dernières années avaient été tronqués et falsifiés ! J'avais l'impression que toute cette immense salle allait s'effondrer sur moi ! Je voyais déjà ces Lords se lever et se précipiter sur moi en proférant des accusations. Mais je serai sincère : lorsque Lombar m'avait pour la première fois donné ses instructions, je n'avais pas pensé un seul instant qu'un expert découvrirait que l'ensemble des rapports constituait une histoire peu plausible et que les cartes semblaient improbables et désordonnées. Il ne m'était même pas venu à l'idée que cela pouvait avoir la moindre importance pour qui que ce soit.

Mais le capitaine Roke continuait :

- Aussi le Lord de la Flotte est-il simplement venu me rendre visite et nous avons ordonné une mission d'observation de routine par un ingénieur de combat compétent.

Ah ! Pas étonnant que nous n'ayons pas réussi à mettre la main sur l'original ! L'ordre était venu directement de la Couronne et le rapport était allé droit à la Cité du Palais. Même Lombar Hisst n'aurait pu en avoir connaissance !

L'Astrographe Personnel de l'Empereur tapota la première feuille du dossier.

- Cette mission a été menée à bien. Et j'ai grand-peur que nos pires craintes n'aient été fondées. (Il fit une pause pour ménager son effet et promena un regard très grave sur l'assemblée.) *Les habitants actuels de cette planète la conduisent au désastre !* En admettant qu'ils ne la fassent pas sauter, ils l'auront, de toute façon, rendue inhabitable et inutilisable *bien avant* que nous ayons atteint la date d'invasion prévue au calendrier !

Choc et surprise dans l'assistance.

Lombar Hisst tambourinait frénétiquement le dos d'Endow afin qu'il prenne la parole.
- Capitaine... Heu... Capitaine, bredouilla Endow en faisant de son mieux pour paraître assuré. Est-ce que... est-ce que nous pouvons avoir la certitude que ces conclusions n'émanent pas de quelque subordonné ? Elles sont si alarmistes que ...
- Lord Endow, coupa le capitaine Roke, l'ingénieur de combat n'a fait aucune recommandation. Il s'est contenté de relever des mesures, de prendre des clichés et de rapporter divers échantillons.
D'un geste sec du poignet, pareil à un prestidigitateur des rues, il déroula une feuille gigantesque qui allait du dais jusqu'au sol : quatre mètres d'observations soigneusement classées. Sa voix résonna de nouveau dans la salle.
- J'ai *moi-même* rédigé ce résumé et cette conclusion ! Et tous les astrographes et les géophysiciens de la Flotte ont été absolument d'accord !
Endow reçut une nouvelle bourrade de la part de Lombar Hisst et tenta d'insister :
- Et... heu... pourrions-nous savoir ce que ces observations contiennent qui ait pu conduire les experts à cette... opinion ?
- Mais certainement, dit le capitaine Roke.
D'un autre geste de magicien, il rapprocha l'énorme feuille de lui. Dans sa voix, il y avait l'assurance inflexible du scientifique. Le regard posé sur les lignes du haut, il énonça :
- Par rapport aux dernières mesures fiables relevées il y a un tiers de siècle, le taux d'oxygène dans les océans a décru de quatorze pour cent. Ce qui signifie la destruction de la biosphère hydrographique.
- Je vous demande pardon ? interrompit l'un des Lords.
Le capitaine Roke réalisa brusquement qu'il s'adressait à une assistance de profanes.
- La biosphère hydrographique est cette partie de la vie planétaire qui vit dans les océans. Les échantillons font apparaître des traces indéniables de pollution, probablement des déchets d'huile, si l'on en juge par ces chiffres qui prouvent l'accroissement des molécules de pétrole dans les océans...
- De pétrole ?... demanda quelqu'un.
- Il s'agit d'une forme d'huile qui est créée lorsque des cataclysmes ensevelissent des organismes vivants. Sous l'effet de la pression, ce qui subsiste devient une source de carburant carbonique. Les habitants le pompent en surface et le brûlent.
Tous les Lords et leurs suites échangeaient des regards consternés.
- Voulez-vous dire par là, lança quelqu'un, qu'il s'agit d'une culture au stade du feu ? Je croyais que vous aviez dit qu'ils en étaient au thermonucléaire.
- S'il vous plaît, laissez-moi poursuivre, dit le capitaine Roke en secouant la feuille. Les déchets industriels dans l'atmosphère dépassent à présent un milliard de tonnes, ce qui est bien au-delà de la capacité de réabsorption des créatures, qu'elles soient vivantes ou mortes.
Un Lord commenta d'un ton perplexe :
- Une culture du feu thermonucléaire...
- Le déséquilibre en hydrocarbones de la couche supérieure de l'atmosphère est critique et ne fait qu'empirer. Le taux de soufre est excessif. La chaleur de l'étoile locale est petit à petit prise au piège de cette atmosphère contaminée. Et les pôles magnétiques se déplacent.

Sentant que l'assemblée avait hâte de le voir conclure, il repoussa la gigantesque feuille. S'appuyant des deux mains sur la table, il se pencha en avant vers son auditoire.

- Bref, cette planète court un double danger. Primo, ils consument l'oxygène de leur atmosphère à une allure telle qu'elle ne pourra pas entretenir la vie jusqu'à la date prévue sur notre Calendrier d'Invasion. Et secundo, cette planète possède deux calottes glaciaires aux pôles, et l'augmentation de la température de surface, combinée avec le déplacement des pôles, pourrait provoquer la fonte de ces calottes, ce qui entraînerait la submersion du gros de la masse continentale et rendrait la planète quasiment inutilisable.

Je sentis croître mon malaise. Tout cela allait retomber sur la Section 451 - moi, en l'occurrence - comme une bombe.

Je savais avec certitude que cela signifiait la fin, non seulement pour moi, mais aussi pour Endow, Lombar et l'Appareil tout entier.

Oui, moi aussi je maudissais Jettero Heller ! C'était la fin de tout ce que nous avions mis sur pied - je veux dire de tout ce que Lombar avait mis sur pied. Et je ne voyais aucune échappatoire. Aucune !

8

Lorsque les assistants assis derrière chaque Lord eurent apporté à leurs maîtres respectifs quelques éclaircissements concernant le rapport du capitaine Roke, lorsque chacun dans ce hall immense et scintillant eut enfin compris que Roke venait de leur apprendre que l'ensemble du Calendrier d'Invasion était soudain menacé, la consternation devint presque palpable.

Lombar frappa violemment le dos d'Endow et le vieux Lord inspira profondément afin d'être en mesure de se faire entendre par-dessus le brouhaha.

- Le capitaine voudrait-il nous dire si l'ingénieur de combat a fait un rapport à propos d'autre chose ?

Sur ce, Endow retomba dans son fauteuil, épuisé par l'effort, et son infirmière lui essuya la bouche avec un mouchoir.

La question était importante et le tumulte se calma bientôt. Roke examina ses rapports et feuilleta les liasses. Sans relever la tête, il reprit :

- Parce que, après tout, il est ingénieur de combat, il a effectivement ajouté deux remarques personnelles.

Je sentis monter encore la tension de Lombar Hisst. Quant à moi, je cessai de respirer.

- La première, poursuivit Roke, a trait à une rapide observation des systèmes de détection planétaires. (Il approcha le rapport de son visage.) Apparemment, ils possèdent des systèmes de détection électronique pour les objets volants... J'ai ici les mesures de longueurs d'ondes et l'estimation de la portée de ces systèmes. Ils ont également un système de communication par satellites... Le nombre de ces satellites, leurs orbites, leur portée, et leur estimation en volume de trafic figurent aussi dans ce rapport. (Roke tourna la page et esquissa un bref sourire.) L'ingénieur de combat a noté que, lorsque les signaux ne sont pas brouillés, les satellites sont en grande partie réservés à des distractions du type retransmissions audio-visuelles. Il n'existe aucun dispositif de défense contre un objet venu de l'espace et tout peut être aisément contourné.

Une fois encore, Lombar donna une bourrade dans le dos d'Endow et le vieillard demanda :

- Et quelle est l'autre remarque ?

Roke tourna une nouvelle page.

- Il dit que c'est apparemment une belle planète et qu'il est honteux que ses habitants n'en prennent pas soin.

- C'est tout ? insista Endow, poussé par Lombar.

Roke parcourut le rapport en silence, avant de relever la tête.

- Oui, c'est tout. Il n'y a rien d'autre.

Je sentis la tension quitter peu à peu Lombar. Il se laissa aller en arrière et réprima un rire. C'était là tout ce qu'il avait souhaité entendre. Le point crucial. Il s'anima soudain et murmura à l'oreille d'Endow.

- Votre Couronne, je vous prie, dit le vieillard. Cette conclusion présentée par l'Astrographe Royal, sans qu'il ait jugé bon de soumettre préalablement ses informations aux autorités compétentes, semble très grave et inquiétante. Elle met en péril les plans, les budgets, les subventions, les projets de construction, les programmes d'entraînement et même les sections d'administration de toutes les Divisions ici présentes !

Lombar était fier de cette déclaration. Il se risqua même à tapoter amicalement le dos du vieux Lord.

L'effet fut instantané. Ce fut la frénésie au sein de toutes les Divisions représentées autour de la grande table. Ce que venait de dire Endow était exact : il suffisait de modifier le Calendrier d'Invasion pour bouleverser les activités et l'ordre de priorité de milliers de sections dans un gouvernement aussi complexe et pesant que celui de Voltar. Pour tous ceux qui étaient là, cela signifiait deux à trois fois plus de travail, des conférences interminables, des piles de plans à revoir, des semaines et des semaines pendant lesquelles il faudrait travailler tard et, surtout, une énorme, une gigantesque confusion. Non, cela ne se ferait pas en une minute. Il faudrait du temps, *beaucoup* de temps !

Le capitaine Roke en avait terminé et il se retira.

La Couronne désirait prendre la parole et il y eut un claquement de cymbales pour rétablir le silence.

- L'opinion de chacun est requise, déclara la Couronne, quant à la possibilité d'effectuer un raid immédiat sur Blito-P3.

Le Lord de la Division Militaire intervint :

- Nous ne disposons pas de contingents suffisants. Il faudrait que l'ensemble de l'opération soit confiée à la Flotte et à ses marines.

Le Lord de la Flotte prit à son tour la parole :

- Nous n'avons pas encore remplacé les pertes en vaisseaux subies lors de la campagne de Clitéus. Nous serions dans l'obligation de nous retirer de la Guerre Hombivinienne, ce qui nous ferait perdre tous les gains que nous avons pu y réaliser. Les marines de la Flotte sont à trente-neuf millions au-dessous du quota de recrutement. Et nous devons garder nos réservistes en raison de la mollesse dont la Police Intérieure a fait preuve pour réduire la révolte du Prince Mortiiy dans le Système de Calabar. (Un assistant se pencha vers lui pour murmurer quelques mots à son oreille.) Et, ajouta-t-il, le Commandement Tactique m'informe à l'instant que si les forces de Blito-P3 disposent d'un armement thermonucléaire, la menace d'une invasion spatiale pourrait bien déclencher une réaction de panique et nous courrions alors le risque de voir sauter ce qui reste de la couverture d'oxygène de la planète. Ce qui ne ferait qu'aggraver notre problème et non le résoudre.

Il me semblait presque entendre ronronner Lombar.

La Couronne demanda son avis à la Division Diplomatique, dont le Lord répondit :

- Je me permettrai de suggérer une mission pacifique. Nous pourrions proposer une assistance technique à la planète pour ses problèmes de préservation de l'environnement et, quand arriverait la date prévue au Calendrier, nous n'aurions plus qu'à exécuter le plan original.

Il y eut des cris de « Non ! », « Jamais ! », tout autour de la table et la Couronne, une fois encore, dut faire appel aux cymbales. Mais le silence ne revint pas pour autant.

- C'est ce qui a provoqué le dépassement des dépenses dans la Guerre Hombivinienne ! cria le Lord de la Division du Profit.

- Les Hombiviniens ont été pris de panique et ont évacué leurs cités, renchérit le Lord de la Division de la Propagande, furieux. Ne mêlez surtout pas vos missions de paix à tout ça !

Plusieurs autres Lords, avec un mépris rageur, ajoutèrent : « Des missions de paix ! »

Une fois de plus, les cymbales claquèrent par-dessus le tumulte.

- J'aimerais informer Vos Seigneuries que Sa Majesté vous *requiert* de trouver une solution à ce problème, et ce, *avant la fin de cette réunion !*

Cette menace à peine voilée rétablit instantanément le silence dans le hall.

Lombar donna un vigoureux coup de coude à Endow.

- Allez ! chuchota-t-il. Maintenant !

- Plaise à la Couronne, commença Endow. Bien que les ressources de la Division Extérieure soient extrêmement réduites, ce problème pourrait judicieusement lui être confié.

Tous, dans la vaste salle, écoutaient. Je ne parvenais pas à y croire. Il semblait bien que Lombar allait se sortir de ce bourbier !

- Sans alarmer ni alerter Blito-P3, poursuivit le vieux Lord qui avait bien appris sa leçon, il serait possible d'infiltrer un agent dans la population. Cet agent, soigneusement et habilement dirigé par nous, pourrait « glisser », si je puis dire, diverses données technologiques par les voies normales de la planète, des données qui restreindraient la pollution planétaire mais qui n'amélioreraient pas leur système de défense.

Il avait capté l'attention de toute l'éminente et scintillante assemblée. La Couronne l'encouragea d'un hochement de tête.

Son courage fustigé par un Lombar Hisst enthousiaste qui le conduisait de main de maître, Endow reprit :

- Il existe des solutions simples aux difficultés que cette planète affronte. On pourrait arrêter le processus de destruction planétaire ou le retarder jusqu'à la date d'invasion.

On entendit nettement le soupir de soulagement du Lord de la Flotte. Quant au Lord de la Division Militaire, il lança :

- Continuez ! Continuez !

La main de Lombar toucha le dos d'Endow. C'était le signal d'un changement de tactique. Parfaitement synchronisé. Endow se fit tout à coup plus modeste.

- Bien sûr, l'exécution d'un tel plan exigera plusieurs années. L'agent devra se faire passer pour l'un d'eux et il lui faudra se montrer extrêmement prudent. Donc, cela prendra du temps et la Division Extérieure ne souhaite pas être accablée chaque mois de demandes de rapports alors qu'il s'agit d'un projet dont la réussite ne sera acquise qu'à long terme.

- Très bon plan, murmurèrent plusieurs Lords.

- Cela exigera des fonds, ajouta Endow. Mais le montant sera insignifiant comparé à ce que nous coûterait une campagne d'urgence désastreuse.

- Combien ? demanda le Lord de la Division du Profit.

Lombar eut un bref murmure et Endow répondit :

- Deux ou trois millions de crédits.

Ce fut l'argument décisif. Pour tous, la somme était si infime qu'on ne pouvait en aucun cas soupçonner Endow d'agir pour son bénéfice personnel. Dans la position qu'occupaient tous ces Lords, et confrontés à une occasion comme celle-là, ils auraient inventé n'importe quoi et lancé des sommes colossales. Endow n'empocherait pas grand-chose, voire rien du tout. Par conséquent, son plan devait être valable.

- Bien, bien, fit la Couronne. Mes Seigneuries, approuvez-vous ce plan ?

Il n'y eut aucune discussion.

- Parfait, dit la Couronne. Je vais donner ordre aux greffes d'établir un document autorisant que l'exécution de ce plan soit laissée à la discrétion de la Division Extérieure, dans des limites de temps non spécifiées, avec une allocation de fonds de trois millions de crédits susceptible d'être réévaluée. Et je vais pouvoir rapporter à Sa Majesté que nous avons défini et convenu d'un plan et que nous l'avons mis en œuvre sans attendre.

Un murmure de soulagement courut dans le hall.

Nous avions gagné !

Par les Dieux, Lombar avait réussi à tirer son épingle du jeu !

Honnêtement, je ne me souviens pas de la fin de cette session du Grand Conseil. Je n'arrivais pas à croire que j'avais encore la tête sur les épaules. Non plus que le calendrier de l'Appareil demeurait intact. Ni que rien ne s'opposait plus désormais à l'épanouissement des ambitions de Lombar. J'étais dans un brouillard euphorique.

J'étais loin de me douter, quand nous quittâmes l'immense hall scintillant, qu'avant vingt-quatre heures je me retrouverais dans les affres du désespoir le plus noir.

DEUXIÈME PARTIE

1

Le matin suivant, je me trouvais dans l'antichambre du bureau de Lombar, dans la forteresse de Répulsos, attendant que l'on me permette d'entrer. Depuis la fenêtre de la tour croulante, j'avais une vue du Grand Désert jusqu'aux montagnes vertes, au loin, derrière la Cité du Gouvernement - trois cents kilomètres d'une étendue dénudée, infranchissable à pied.

Le camp d'entraînement de l'Appareil s'étalait au pied d'une colline proche. Cet amas hideux de cabanes bancales portait le nom de « Camp Endurance » dans les registres, mais, sur place, on l'avait baptisé le « Camp des Macchabées ». C'était l'endroit où l'on était censé apprendre les privations aux « recrues » mais, en fait, le Camp faisait office de contingent de réserve et servait à justifier le trafic parfois intense entre les Cités et Répulsos. L'ensemble des effectifs du Camp était constitué de tueurs de l'Appareil, et les « recrues » qu'on pouvait y rencontrer étaient des créatures dont même l'Appareil ne pouvait avoir l'emploi et qui ne sortaient jamais de là vivantes.

Les grandes parois vertigineuses de basalte de Répulsos étaient censées avoir été érigées par une race depuis longtemps disparue et qui aurait habité la planète cent cinquante mille ans auparavant. Cette race ne savait travailler que la pierre et elle avait été éliminée d'une seule rafale par la première vague d'invasion voltarienne.

Le mythe qui voulait que le château lui-même fût trop radioactif pour être utilisé était entretenu par des écrans déflecteurs astucieusement mis en place : lorsque les faisceaux d'ondes de surveillance planétaire les touchaient, ils absorbaient l'énergie et renvoyaient un autre faisceau sur la longueur d'ondes correspondant au stade de contamination radioactive.

Non, il n'y avait pas la moindre particule radioactive. Répulsos ne vibrait que sur une seule fréquence : celle qui montait des profondeurs du sol, à deux kilomètres en dessous, là où des milliers de prisonniers politiques vivaient leurs derniers jours de souffrance, entassés dans des cages abominables. La définition de « prisonnier politique » était : « Quelqu'un qui peut se mettre en travers des plans de l'Appareil. » Certains employés de l'Appareil avaient une autre définition, sarcastique celle-là : « Tout individu que Lombar Hisst ne peut pas encadrer. » Mais ils ne la confiaient qu'à leurs meilleurs amis, et à voix basse, ce qui était déjà bien imprudent de leur part. J'avais demandé à Lombar, un jour où il était ivré, pourquoi il ne se contentait pas tout simplement de tous les tuer. Il m'avait répondu avec un clin d'œil entendu : « On ne sait jamais, on pourrait en avoir besoin. Et puis, leurs proches se montrent parfois coopératifs. »

Oui, on pouvait presque les entendre à travers le roc.

Il faisait chaud dans l'antichambre. Le son d'un bourdonneur vrilla l'air et un employé me fit un signe de la tête pour m'inviter à entrer.

Le bureau de Lombar se trouvait en haut d'un petit escalier passablement usé. Il couvrait la partie supérieure d'un rempart et avait été consciencieusement camouflé de l'extérieur pour échapper à toute observation aérienne. Des tentures dorées pendaient aux murs. Elles avaient une valeur incalculable et montraient d'antiques scènes de batailles. Il y avait aussi des urnes en argent. Le mobilier provenait du pillage d'une tombe royale. Chaque objet, dans cette immense pièce, avait une valeur fabuleuse et avait été détourné ou subtilisé par Lombar durant les dizaines d'années de son règne à la tête de l'Appareil. Mais il les avait disposés de façon telle qu'ils paraissaient minables. Il avait une espèce de « don » pour ça.

Un vaste miroir occupait tout un mur et je me sentis quelque peu embarrassé en découvrant Lombar occupé à se bichonner devant. Il s'était fait confectionner une cape d'or avec le blason royal et s'examinait dans la glace, se tournant d'un côté, de l'autre. Il l'ôta enfin et la plia précautionneusement avant de la déposer dans un coffre en argent, de rabattre le couvercle et de le fermer soigneusement à clé. Ainsi que le sait Votre Seigneurie, une personne du commun qui revêt une cape royale est passible de la peine de mort.

- Assis, assis, fit Lombar en désignant un siège.

Il était souriant, détendu.

Moi qui m'étais senti plutôt bien jusqu'alors, je fus soudain gagné par la terreur !

Le cingleur était négligemment posé sur un banc. Lombar se montrait courtois, jovial même.

Que voulait-il donc ?

- Prenez un claque-bulle, proposa-t-il en me présentant une boîte dorée.

J'eus l'impression que mon cœur allait cesser de battre. Mes jambes refusèrent de me soutenir et je m'affalai dans le siège.

Lombar avança encore un peu plus la boîte d'un geste pressant et je parvins à prendre un claque-bulle et, tant bien que mal, à l'ouvrir. Immédiatement, avec une explosion discrète dont je ressentis la douceur fraîche sur mon visage, j'aspirai l'agréable parfum et je me sentis soudain ragaillardi.

Souriant toujours, Lombar s'installa tranquillement sur une large banquette rembourrée.

- Soltan, commença-t-il.

Ma terreur grimpa en flèche car jamais encore il ne m'avait appelé par mon prénom, et jamais un supérieur ne se serait permis cela avec un subordonné. Oui, je savais maintenant que l'avenir immédiat me réservait quelque chose d'atroce.

- Soltan, répéta Lombar avec une note affectueuse dans la voix, j'ai de bonnes nouvelles pour vous. Une sorte de cadeau pour célébrer notre grande victoire d'hier.

J'étais incapable de respirer. Je savais ce qui allait suivre.

- A compter de ce matin, poursuivit Lombar, vous êtes relevé de vos fonctions de chef de la Section 451.

Par tous les Dieux, c'était bien ça ! Il allait me condamner au cachot... après m'avoir fait torturer !

Mon visage avait dû devenir particulièrement blême car il se montra encore plus jovial.

- Non, non, non, Soltan ! fit-il en riant, n'ayez pas peur. J'ai quelque chose de très intéressant pour vous. Et si vous vous en sortez bien, ma foi... qui sait, vous pourriez devenir chef de l'Appareil. Et même Lord de l'Extérieur.

Non, je ne m'étais pas trompé ! J'étais dans le pétrin ! Le désespoir me donna la force de retrouver un peu de voix.

- Même... même après ma bévue ?

- Bah, Soltan, vous ne pouviez rien y faire... Les rapports d'Heller sont arrivés par des voies différentes. Jamais vous n'auriez pu mettre la main dessus. Ils étaient hors d'atteinte.

Il avait raison. Aucune copie n'avait été faite, donc, je n'avais jamais été alerté et je n'avais pas pu faire appel à la Section Ombre pour m'aider à récupérer l'original afin de le remplacer par une version falsifiée de mon cru. Mais ce n'était pas ça qui allait me sauver !

Lombar quitta la banquette et je me dis qu'il allait s'emparer de son cingleur ou, pis encore, appuyer sur le bourdonneur pour appeler un garde. Mais il alla simplement se contempler dans le miroir.

- En quelque sorte, dit-il, nous avions besoin de cet accident pour que les choses se recollent. Le Grand Conseil nous a donné un ordre, et cet ordre, nous allons l'exécuter.

Il vint me tapoter gentiment l'épaule. Par réflexe, je ne pus m'empêcher de tressaillir.

- Soltan, je vous nomme manipulateur de l'agent spécial que nous allons mettre en place sur Blito-P3.

Je comprenais à présent. Un manipulateur est celui qui dirige l'agent sur le terrain, qui le guide et lui dit ce qu'il doit faire. Jour après jour, d'heure en heure, le manipulateur est responsable de tout ce que fait l'agent. Si quoi que ce soit tourne mal, le manipulateur est généralement exécuté.

Mais un homme condamné, *surtout* un homme condamné, essaie toujours de lutter pour son existence.

- Mais... mais, balbutiai-je, ils ne nous ont alloué que trois millions de crédits pour l'ensemble du projet. Il suffirait qu'un vaisseau s'écrase pour que cette somme soit engloutie...

- Tss, tss, tss... fit Lombar. Endow est capable de transformer une subvention de trois millions de crédits en des centaines de millions. Un petit dépassement par-ci, quelques bonnes nouvelles titillantes par-là, une menace ailleurs, et n'importe quelle allocation, aussi modeste soit-elle, peut devenir une fortune colossale. Non, vous ne risquez aucun ennui du côté financier. Aucun. Après tout, une invasion prématurée, non prévue, leur coûterait des milliards et des milliards... Et ils échoueraient...

Il s'approcha une fois encore du miroir.

- Vraiment, je pense que je me suis montré très habile. J'avais prévu ce rapport. Je dispose à présent d'un énorme potentiel de subventions. J'ai les moyens d'assurer dix fois les liaisons avec la Terre sans qu'on me pose de questions et nous n'aurons plus à déjouer les écrans de détection planétaires.

Merveilleux... Tout ce que j'aurai à leur dire dorénavant, c'est que nous restons en liaison avec notre agent spécial - et avec vous, bien entendu.

- Vous voulez dire... que je vais aller sur Terre ? dis-je stupidement.

Stupidement est le mot, car la chose était évidente. On ne peut pas manipuler un agent depuis Voltar. J'étais complètement désorienté. Pire, je n'avais même pas compris qu'il attendait mes compliments.

- J'ai été stupéfié par votre retournement de situation magistral, me rattrapai-je lamentablement. Je ne pensais pas que nous avions la moindre chance de nous sortir de ce mauvais pas. Notre victoire est entièrement votre œuvre.

Il retrouva son sourire - durant un bref instant, il s'était remis à froncer les sourcils. Ce qui me donna le courage d'ajouter :

- Nous... Nous n'avons pas d'agent de ce calibre ...

- Oh, mais nous avons quelques agents sur Terre, comme vous le savez. Je songeais à vous en donner *deux* pour vous aider : Raht et Terb. Ce sont les plus habiles tueurs que j'aie jamais vus ! Qu'est-ce que vous en dites ? Vous vous sentez mieux ?

Je voyais déjà l'ordre d'exécution pour mission non remplie comme s'il était là, dans ma main. Donc, autant me battre dès maintenant.

- Chef, ni l'un ni l'autre ne sauraient faire la différence entre la géophysique et un bol de soupe. Et... et moi-même, j'ai failli être recalé sur ce sujet à l'Académie.

Lombar éclata de rire. Un rire plaisant. Il était réellement amusé. Il ne ressemblait plus guère, en cet instant, au Lombar que j'avais toujours connu.

- Mais ce qui compte, c'est que vous ayez suivi les cours. Vous connaissez les mots compliqués, Soltan. Ecoutez, il faut vous faire à l'idée que je suis votre meilleur ami.

Ouille, ça s'annonçait *très* mal. Il y avait autre chose. Je savais qu'il y avait autre chose.

Il me présenta de nouveau la boîte en or.

- Prenez donc un autre claque-bulle.

Cette fois-ci, j'eus encore plus de peine à l'ouvrir. Mais heureusement que j'y parvins, autrement je me serais évanoui en entendant les paroles que Lombar prononça alors.

- Pour l'agent spécial, ne vous faites pas de souci. J'ai déjà pris une décision. (Il me fixa pour avoir toute mon attention.) Il se nomme *Jettero Heller !*

Il y eut un long, un très long silence dans la pièce tandis que je luttais pour retrouver l'usage de mon cerveau. Pendant quelques secondes, je me dis que j'étais victime d'une hallucination auditive, que j'entendais de faux noms. Mais Lombar me regardait en souriant tranquillement.

- C'est le choix idéal, dit-il face à mon absence de commentaire. Le Grand Conseil tiendra pour crédibles les rapports signés par lui. On m'a dit d'ailleurs qu'il était très compétent, à sa stupide façon. Il n'a reçu aucune formation d'espion. Il ne connaît rien de l'organisation de l'Appareil ni de son fonctionnement. Vous et lui, vous sortez tous deux de l'Académie et vous êtes potentiellement des amis - vous parlez le même langage.

Je retrouvai enfin l'usage de mon cerveau.

- Mais Jettero Heller est un ingénieur particulièrement brillant. Il a fréquenté des tas d'universités. Il est très au-dessus de mon niveau. Je n'y comprends rien : s'il n'a aucune formation d'espion, s'il ignore tout de l'Appareil...

- Allez, un autre claque-bulle, fit Lombar en tendant la boîte.

Je m'exécutai nerveusement. Je savais que je n'avais pas encore tout entendu.

- Prêt ? demanda Lombar.

Mon regard était fixé sur lui.

- Il faut que la Mission Terre soit conçue et conduite *afin d'échouer.*

Là, je comprenais encore moins.

- La dernière chose que nous voulons, poursuivit Lombar, c'est que la Terre soit envahie et conquise par l'actuel gouvernement de Voltar. Car nous avons nos propres plans de conquête pour cette planète, vous le savez aussi bien que moi. Nous déclencherons notre invasion bien avant celle qui est officiellement prévue. Que l'atmosphère de Blito-P3 soit saine ou non ne nous intéresse en aucune manière. Des planètes, il y en a des tas. La Terre nous est utile à un certain niveau et nous aurons fini de nous servir d'elle bien avant que ses océans ne débordent. Alors, je vous le demande, par tous les Démons, qu'est-ce que nous en avons à faire de leurs histoires d'atmosphère polluée ?

Je commençais à saisir. Et je comprenais aussi que Lombar, qui était natif de Staphotten, une planète dont le taux d'oxygène était particulièrement bas, ne se souciait guère de l'air de toute façon.

En voyant poindre la compréhension dans mon regard, Lombar se remit à rire. Mon visage devait trahir mes sentiments.

- Voyez-vous, vous ne réalisez pas à quel point je suis brillant.

« Rusé » conviendrait mieux, me dis-je. Mais je dois avouer à ma grande honte que je répondis :

- Mais si, mais si.

- Oh que non, insista Lombar. Jettero Heller doit se ramasser, et le plus tôt sera le mieux. Avec Raht et Terb pour vous aider et vous à la tête des opérations, ce sera chose facile.

C'était le genre de compliment que je n'appréciais guère. Il le remarqua.

- Il faudra vous montrer extrêmement adroit, dit-il sur un ton plutôt pressant. Ce (bip) de Jettero Heller, avec son physique et ses talents, ne sera pas facile à duper. Il faudra vous assurer qu'il échoue dans cette mission, qu'il échoue totalement, absolument et en douceur.

« Ses premiers rapports, nous les conserverons tels quels. Comme ça, nous pourrons étudier son style. Tout ce qu'il nous restera à faire, ensuite, ce sera de l'empêcher de progresser, de lui mettre des bâtons dans les roues. Nous n'aurons plus alors qu'à expédier des rapports à profusion, rédigés selon notre cœur, tous signés « Jettero Heller », tous falsifiés.

Pour moi, un nuage subsistait.

- Il ne va pas prendre cet enlèvement à la légère, dis-je. Il est possible qu'il refuse de coopérer.

- J'admets que cet enlèvement ressemble à une faute mais, en vérité, il cadre admirablement bien.

Il enfila sa tunique. Puis il se dirigea vers la porte et m'adressa un signe.

- Venez, et regardez bien comment un maître s'y prend.

Et c'est ainsi que je le suivis pour l'aider aux premiers préparatifs de la Mission Terre - cette mission qui devait être conçue de façon à échouer.

Je me sentais horriblement mal.

2

La visite des entrailles de Répulsos, c'était comme cette descente dans les régions infernales que certaines religions promettent aux damnés.

Chaque fois que je me retrouvais dans les profondeurs de Répulsos, j'avais l'impression d'être pris au piège dans quelque monstrueuse tanière d'animaux sauvages. Aussi, je m'attardai un peu derrière Lombar pour prendre un éclateur à l'armurerie. Les gardes sont eux-mêmes des criminels. Je portais l'uniforme gris classique des Services Généraux, sans insigne de grade. Ici, je n'avais aucun statut. Je pouvais être assailli par n'importe qui, pas seulement par des prisonniers désespérés mais aussi par des gardes désireux de me dépouiller.

Nous avons dévalé les tubes et, très vite, la puanteur de l'endroit m'a amené au bord de l'asphyxie. Nous sommes sortis au niveau — 501. L'odeur était abominable : il arrive parfois que les restes des prisonniers morts ne soient pas enlevés d'une cellule jusqu'à l'arrivée des prochains locataires - quand on les enlève.

Devant nous s'ouvrait un hall très long aux murs grillagés couverts de moisissure. Au-delà des mailles de métal sous tension électrique, quelques paires d'yeux nous épiaient. Les laboratoires secrets de l'Appareil étaient situés dans les niveaux supérieurs de la forteresse, mais c'était ici, dans certaines cages, que se trouvaient les « bénéficiaires » de certaines « recherches scientifiques » : des corps déformés, distordus, issus d'expériences abandonnées, encore vivants, oubliés, hideux.

Lombar, en uniforme noir de général, s'avançait en agitant son cingleur, regardant droit devant lui, sourd aux plaintes et aux suppliques qui s'élevaient à notre passage.

Nous avons franchi un angle pour entrer dans une petite pièce faiblement éclairée par une plaque lumineuse verte. Tout au fond, il y avait une cage plus solide encore que les autres, trop petite pour que l'on pût s'y tenir debout. Lombar appuya sur un interrupteur et la porte s'ouvrit.

Jettero Heller était étendu de tout son long sur une saillie de pierre froide. Dans la faible clarté, je pus voir qu'il portait toujours son pantalon de sport blanc - ou, plutôt, qui avait été blanc - mais qu'on lui avait confisqué ses chaussures et son sweater. La blessure de la dague paralysante n'avait pas été soignée et son épaule était maculée de sang séché. Il avait les poignets liés par des menottes électriques à décharge permanente. Je ne voyais nulle part trace de vaisselle et j'en conclus qu'on ne lui avait pas donné à manger. Depuis combien de temps était-il là ? Quatre jours ?

Dieux, pensai-je, comment quiconque pouvait-il oublier un tel traitement ? On aurait pu s'attendre à le voir dans un certain état d'abattement. Mais ce n'était pas le cas. Il était calmement étendu sur la pierre, l'air détendu.

- Eh bien, eh bien, fit-il tranquillement, il semblerait que les « ivrognes » se soient enfin décidés à rappliquer.

« Ivrogne » était le surnom méprisant que les gens de la Flotte donnent à ceux de l'Appareil. Notre insigne est censé être une pagaie avec le manche en haut. Mais les gens de la Flotte avaient décidé que c'était une bouteille et c'est pour cette raison qu'ils nous appelaient « les ivrognes », ce qui rendait furieux tous ceux de l'Appareil.

D'ordinaire, Lombar aurait donné un coup de cingleur et proféré des insultes. Je vis d'ailleurs ses yeux lancer des éclairs l'espace d'une seconde. Mais il n'était pas venu pour ça. Il se pencha au-dessus de la saillie de pierre avec un sourire radieux.

- Jusque-là, c'est bien, dit-il.

Heller ne fit pas un mouvement. Il regardait le chef de l'Appareil froidement.

- Ceci, ajouta Lombar, était le début d'un test.

Heller ne dit rien. Il dévisageait toujours Lombar. Il était trop calme. J'étais mal à l'aise.

- Il est nécessaire de voir si vous correspondez aux normes, continua Lombar sans cesser de sourire. Il se peut que vous trouviez tout cela désagréable, mais nous considérons qu'il est vital pour nous de tester au préalable les candidats à des missions importantes.

Quel culot ! me dis-je. Mais c'était une approche ingénieuse.

Il me désigna.

- Soltan, que voici, va compléter les tests et nous saurons alors si vous possédez les qualifications nécessaires.

Ayant dit, il se permit de tapoter gentiment la cheville d'Heller. Pendant un instant, je me dis, songeant à ce que j'avais vu Heller faire avec son pied, que c'était prendre un risque insensé. Et puis je m'aperçus que les chevilles d'Heller étaient, comme ses poignets, enserrées par des menottes électriques rivées dans la pierre.

Avec un dernier sourire rassurant, Lombar quitta la cage. Il me fit signe de m'approcher et, quand il fut certain de ne pouvoir être entendu, il me dit :

- Le reste vous regarde. Inventez un test facile, dites-lui qu'il a réussi et remettez-lui ceci.

Il sortit d'une poche un exemplaire officiel de l'ordre du Grand Conseil lui donnant autorité pour la Mission Terre. Il me le tendit. L'endroit puait affreusement, la lumière était sinistre. En réalisant tout à coup qu'il me chargeait de ça et de bien pire encore, qu'il me laissait seul avec Heller dans les tréfonds de Répulsos, je me sentis vraiment très, très mal.

Le chef de l'Appareil commençait maintenant à retrouver ses vieilles habitudes. Il ne m'empoigna pas par les revers et ne me donna pas un coup de cingleur. Mais il se pencha tout contre moi et ajouta d'un ton menaçant :

- N'éveillez pas ses soupçons ! Ne le laissez pas s'enfuir !

Parfait !... Deux ordres contradictoires en un seul souffle ! L'ordre réel était, en fait, de réussir l'impossible et d'acquérir la coopération d'Heller d'une façon ou d'une autre. Mais Lombar avait déjà disparu.

Je regagnai la cage. Dieux, que cet endroit empestait ! Je m'agenouillai près de la saillie en essayant de sourire. Heller me dévisageait calmement, beaucoup trop calmement.

- Tout d'abord, commençai-je, pourriez-vous me dire comment vous avez deviné que le soldat était un imposteur ?

Il ne répondit pas. Il se contentait de me regarder. Froidement. Il devait être à moitié mort de faim et de soif. Et les menottes électriques fixées à ses chevilles et à ses poignets devaient être extrêmement douloureuses.

- Allons, allons, fis-je, avec l'impression d'être une sorte de prof stupide, c'est dans votre intérêt de répondre à mes questions. Nous verrons ensuite si vous avez donné satisfaction et tout sera plus supportable.

Pendant un moment, il continua de me regarder sans rien dire. Puis, d'une voix rendue épaisse par sa langue qui avait dû enfler sous l'effet de la soif, il me dit :

- A votre accent, vous êtes un officier sorti de l'Académie, n'est-ce pas ? (Il secoua légèrement la tête.) Quel triste itinéraire avez-vous donc suivi pour vous retrouver chez les « ivrognes » ?

Une rage indescriptible s'empara de moi. Qui était le prisonnier ici ?... Ou bien est-ce qu'il essayait de créer un lien entre nous, de l'exploiter ? Ou était-il tout simplement dédaigneux, arrogant, comme tous les officiers de la Flotte quand ils sont confrontés à la défaite ?

Ma main se crispa sur l'éclateur - assez fort pour l'écraser. Comment osait-il montrer de la pitié pour moi ?

Mes pensées s'étaient complètement dispersées dans toutes les directions. Ce type était dangereux même lorsqu'il parlait. Je m'efforçai au calme. Oui, après tout, qui était le prisonnier ici ? Je l'examinai très attentivement et ce que je découvris finalement me stupéfia. Il ne pensait pas vraiment à lui. Il ne pensait pas à la douleur de ses poignets et de ses chevilles, ni à sa soif ou à sa faim. Il était réellement désolé qu'un autre être ait pu tomber aussi bas. Sa question n'avait eu aucun rapport avec lui-même. Son intérêt pour moi avait été sincère !

J'aurais pu lui parler de moi. Lui dire : « Parfois, il arrive qu'on fasse fausse route. » J'aurais pu tout lui expliquer et une entente honnête serait née entre nous. Comme tout eût été différent si j'avais agi ainsi !

Mais il y avait Lombar, comme un nuage noir dans le ciel de mon existence. Je n'étais pas assez courageux pour me montrer honnête. Et, en cet instant, j'ai scellé le destin d'un nombre incroyable de gens. Cédant à ma lâcheté, je ne pus qu'arborer un sourire hypocrite et je répétai :

- Allons, allons. Contentez-vous de me répondre à propos du soldat.

Durant un instant, il resta silencieux, puis il dit :

- Pourquoi vous répondrais-je ? Vous risqueriez d'améliorer votre technique pour le prochain enlèvement.

- Non, non. Ceci n'est qu'un test de perception et de réaction. Purement scolastique.

Il haussa les épaules.

- En sortant, j'ai perçu son odeur et j'ai su immédiatement que ce n'était pas un soldat de la Flotte. Dans l'espace confiné d'un vaisseau, il est arrivé que des équipages en soient venus à tuer quelqu'un qui ne se lavait jamais ou qui se parfumait. Non, un soldat de la Flotte qui pue, ça n'existe pas.

J'avais sorti un calepin et, stupidement, je prenais des notes pour apporter une touche de vérité à la comédie que je jouais.

- Très bien. Un sens aigu de l'odorat... Rien d'autre ?

Il me regarda, vaguement amusé.

- Il portait son ceinturon à l'envers, ses guêtres aussi, et j'ai vu le renflement d'un poignard interdit sous sa nuque.

- Ah, excellent, fis-je, toujours en prenant des notes.

Et, en vérité, c'était excellent. Le poignard dissimulé avait échappé à mon regard.

- Mais, ajouta Heller, je n'ai pas senti la légère odeur d'ozone qui émane d'un fouet électrique, même lorsqu'on ne s'en sert pas, et je n'ai pas entendu votre chef refermer la porte derrière moi. Donc j'ai raté le test. Je ne suis pas le type qu'il vous faut.

- Non, non, non, dis-je en toute hâte. C'est à moi d'en juger. A présent, continuons. Pourquoi avez-vous laissé gagner l'autre joueur ?

Ça, je tenais vraiment à le savoir. Depuis que j'avais assisté à la scène, je n'avais pas arrêté de me poser des questions.

Il me regarda comme s'il se demandait à quelle espèce de monstre il avait affaire. Comme il ne répondait pas, j'insistai :

- Pourquoi avez-vous abandonné exprès ?

D'un ton très patient, comme s'il avait devant lui un enfant, il dit enfin :

- Sa petite amie était dans les tribunes. Elle était venue tout spécialement de sa planète pour le voir jouer. S'il avait perdu, il aurait été humilié devant elle.

- Hé, attendez. Vous lui avez lancé des balles. Vous vous moquiez de lui. C'était pire que de le battre.

- C'est vrai. Aussi, je n'avais pas d'autre choix que de détourner l'attention de lui en sortant de mon cercle pour perdre la partie. Si vous regardiez, vous avez dû voir que mon petit truc a marché. Il a gardé sa dignité. Il n'a pas été humilié devant elle.

J'étais abasourdi. Et mal à l'aise. N'importe qui dans l'Appareil peut vous dire qu'il est fatal de ne pas gagner à tous les coups. La pitié, c'est mortel ! Plus on utilise de coups fourrés, meilleur c'est. Et on doit toujours gagner, quoi qu'il en coûte aux autres.

Ce gars-là ne ferait jamais un bon espion. Jamais ! Que les Dieux lui viennent en aide ! Et qu'ils viennent aussi en aide à son manipulateur !

- Parfait ! m'exclamai-je, aussi menteur qu'une prostituée. Vous êtes reçu avec mention, et mieux encore. Vous êtes exactement le type qu'il nous faut pour ce boulot !

3

La lumière de la cage était mauvaise et la puanteur épouvantable. Je sortis le document en agitant les sceaux et le lui mis sous le nez.

- Le Grand Conseil, pas moins, dis-je. C'est l'une des plus importantes missions de l'année ! Et, ainsi que vous pouvez le voir, elle a été confiée à la Division Extérieure, qui a reçu carte blanche et une totale autonomie.

Je fis claquer le papier d'un geste solennel.

Comme il ne réagissait pas, je pris le ton le plus enthousiaste dont j'étais capable dans cet affreux endroit :

- Il fallait que nous trouvions le *meilleur* élément de Voltar et c'est *vous* que nous avons choisi !

Si cette déclaration éveilla quelque ambition en lui, cela ne fut pas perceptible.

- Je pense, dit-il enfin, que vous feriez mieux de retrouver ma montre.

Ce que sa montre avait à voir dans tout cela, je n'en avais pas la moindre idée. Mais, de toute façon, je devais appeler un garde pour ôter les menottes de ses poignets et de ses chevilles. Aussi je sortis pour aller appuyer sur le bourdonneur.

Au bout d'un moment, un infirme tout ridé fit son apparition et me dévisagea d'un regard incertain.
- Enlève les menottes électriques du prisonnier, dis-je. Et apporte-lui de l'eau et un peu de nourriture. Et également ses affaires.
En marmonnant qu'il lui fallait les combinaisons du circuit, ce pitoyable simulacre de gardien s'éloigna en clopinant.
Nous avons attendu un bon moment et l'épave est finalement revenue avec une carte de métal, un pot d'eau et une boîte rouillée contenant une nourriture à l'aspect repoussant. Je me tins à l'écart, sur mes gardes, tandis que l'infirme posait le pot d'eau et la nourriture sur le sol crasseux. Il se mit à manipuler sa carte, réussit à ouvrir les menottes et s'en alla.
- Attends ! lançai-je. Où sont les affaires du prisonnier ?
Il continua sans s'arrêter et répondit sur un ton larmoyant et ennuyé :
- J'ai fini mon service. Faut qu'vous appeliez l'aut' gardien.
Heller s'était redressé. Il but prudemment quelques gorgées et attendit que sa langue désenfle un peu. J'appuyai à nouveau sur le bourdonneur, furieux que le gardien n'ait même pas transmis l'ordre à celui qui l'avait relevé.
Après plus d'une demi-heure durant laquelle je ne cessai de sonner, un énorme Calabarien fit son apparition.
- Qu'est-ce que c'est qu'ce cirque ? Ça sonne, ça sonne, ça sonne... On n'a pas le droit de se reposer ?
J'avais reculé, l'éclateur prêt. Le bonhomme devait peser dans les cent cinquante kilos et son poitrail nu était recouvert de cicatrices laissées par des coups de couteau. Son visage sortait tout droit d'un cauchemar.
- Ramène les affaires du prisonnier. Un sweater, une paire de chaussures et une montre.
Je me tournai vers Heller qui acquiesça en silence.
- Et vous appartenez à quel service ? demanda le colosse. Comment est-ce que je peux savoir qui vous êtes ? Vous ne portez pas l'uniforme de l'Appareil.
- Tu n'auras pas affaire à un ingrat, dis-je, avec le sentiment aigu d'être totalement à la merci de cette bande de tueurs, là, à près de deux kilomètres sous la forteresse.
Le monstre parut opiner, comme s'il n'avait attendu que ces paroles, et il disparut.
Heller, d'un air méfiant, goûtait la nourriture. Il but une autre gorgée d'eau pour la faire passer.
J'agitai l'ordre du Grand Conseil.
- C'est une chance formidable, dis-je d'un ton engageant.
Heller secoua la tête.
- On verra.
Un long moment s'écoula encore avant le retour du gardien. Je vis qu'il avait une entaille fraîche, très profonde, sous un œil. Il jeta les chaussures sur le sol et gifla Heller avec le sweater - le sweater qui était maculé de crasse à présent.
- Il n'avait pas de montre sur lui quand il est arrivé, gronda le colosse.
Je regardai Heller.
- Vous n'auriez pas porté de montre pendant une partie de boule-balle, dis-je.
- C'était un ami qui me la gardait, expliqua-t-il. Il me l'a rendue quand j'ai quitté le terrain. Ces espèces de singes me l'ont prise.

- Trouve-lui sa montre, ordonnai-je au garde. Pas de montre, pas d'argent.

Il grogna mais repartit.

L'eau et la nourriture faisaient leur effet. Heller se leva enfin et je me tins sur mes gardes, prêt à faire feu avec mon éclateur. Il s'étira et fit jouer ses articulations. Puis il s'assit et se servit d'une manche de son sweater pour nettoyer ses chaussures que quelqu'un d'autre avait dû porter car elles étaient dégoûtantes.

Le gardien revint au bout d'un long moment. Il avait une nouvelle entaille, à la bouche cette fois, et les phalanges écorchées. Mais il tenait la montre.

Je n'avais encore jamais vu une montre d'ingénieur de l'espace et je la pris pour m'assurer qu'elle ne cachait aucun piège, aucune arme secrète. Quand on vit au sein de l'Appareil, la défiance finit par devenir une seconde nature. Mais ce n'était qu'un grand cadran rond, avec un petit trou et un large bracelet métallique. Je la tendis à Heller. Il l'examina, acquiesça et la mit à son poignet.

- L'argent, dit le gardien.

Je pris un billet de dix crédits dans ma poche : une somme plutôt coquette pour un gardien de Répulsos.

Le garde regarda le billet comme si on venait de le gifler avec.

- Dix crédits ! tonna-t-il. Alors que j'ai dû en payer soixante pour récupérer cette toquante !

Il fit le geste de reprendre la montre.

J'attrapai le monstre par l'épaule et le repoussai violemment. Il trébucha, alla cogner contre le grillage de la cage et tomba à genoux.

Il était fou de rage !

- Je vais vous tuer ! hurla-t-il en se préparant à bondir.

Je levai l'éclateur pour l'abattre.

Brusquement, l'arme s'envola de ma main.

J'entrevis les mouvements rapides d'Heller. Son poignet droit frappa la gorge du gardien qui fut soulevé du sol.

Il alla rouler jusqu'au grillage avec un bruit mat.

Il resta là, immobile, comme un pantin désarticulé. Il était inconscient. Du sang coulait de sa bouche.

Heller ramassa l'éclateur, mit la sûreté et me le rendit.

- On ne tue jamais un type quand on n'y est pas obligé, dit-il calmement.

Il examina le gardien.

- Il vit encore. Donnez-moi soixante-dix crédits.

Il tendait la main.

Comme paralysé, je réussis à prendre soixante crédits dans ma poche et y ajoutai le billet qui était tombé. Heller s'agenouilla près du garde après avoir pris la liasse et lui tapota la joue jusqu'à ce qu'il reprenne conscience. Il lui montra les sept billets.

- Voilà ton argent. Et merci pour la montre.

Puis il s'exprima sur le ton froid, impérieux, d'un officier de la Flotte.

- À présent, retourne à ton poste. C'est fini.

Le gardien obéit. Il prit l'argent et s'éclipsa silencieusement, comme s'il ne s'était rien passé, comme s'il était venu pour une banale inspection de routine. Oui, c'était vraiment fini.

- Maintenant, voyons ce prétendu document, dit Jettero Heller.

4

Jettero Heller prit l'ordre du Grand Conseil et alla se placer sous la plaque lumineuse verte. Il me tournait presque le dos et je n'arrivais pas très bien à voir ce qu'il faisait. Il me semblait qu'il se servait de sa montre.

- Ça me paraît authentique, dit-il.

Je parvins à esquisser un sourire mais, au fond de moi, je frissonnais. Le document était effectivement authentique, mais ce n'était qu'en le comparant aux listings du circuit planétaire qu'on pouvait s'en assurer. L'Appareil pouvait imiter de tels documents en quelques minutes. Heller ne ferait jamais un bon espion. Son cas était désespéré.

- Mais, ajouta-t-il, il a été rédigé très exactement quatre virgule sept jours après mon enlèvement.

Je regardai le document par-dessus son épaule. Oui, l'heure et la date y étaient portées. Pas difficile de le savoir.

- Il fallait que nous sachions si nous aurions l'agent spécial adéquat avant de nous lancer dans cette mission, mentis-je avec aplomb.

- Ecoutez, cet endroit est vraiment abominable. Est-ce qu'on ne pourrait pas aller discuter ailleurs ?

- Dès que vous aurez décidé d'accepter.

- Tiens donc. Est-ce que je ne sens pas comme un relent de chantage parmi toutes ces odeurs ignobles ?

- Non, non, fis-je rapidement. C'est seulement que... euh... il y a des puissances qui souhaiteraient que cette mission échoue. (Ce n'était pas un mensonge.) Je suis donc chargé de vous protéger.

Ça, c'était plutôt brillant de ma part. Je me dis qu'Heller ne serait vraiment pas difficile à manipuler. En ce qui concernait l'espionnage, c'était un enfant.

- Blito-P3, dit-il. Mais c'est de là que je viens. J'y ai fait une mission d'observation.

- Précisément. Et si on y ajoute vos états de service, vous comprendrez pourquoi nous avons considéré que vous étiez le seul officier capable de faire ce travail.

- Et vous m'avez donc kidnappé. (Son sourire ironique révélait qu'il pensait que toute cette histoire cachait quelque chose.) Vous feriez peut-être aussi bien de me parler de cette fameuse « mission ».

Alors je lui ai tout raconté, de façon très simple. Il devait se rendre sur Terre, infiltrer des données technologiques dans la culture de la planète et la sauver.

J'ai présenté les choses de façon à ce que tout cela paraisse noble et altruiste. Un officier de la Flotte ne pouvait pas avoir connaissance du Calendrier d'Invasion, aussi je n'ai pas abordé la question.

- Et vous avez décidé que la meilleure manière de commencer était de simuler mon enlèvement ? demanda Heller.

- Il fallait vous mettre à l'épreuve afin de voir si vous aviez les capacités requises pour un être un agent secret, lui rappelai-je.

- Oui, mais vous avez obtenu cet ordre avant de savoir si je faisais l'affaire.

(Bip) ! Il réfléchissait - vite et bien. Mais moi non plus je n'étais pas mauvais à ce petit jeu. On ne vit pas pendant dix ans dans la clandestinité sans apprendre les ficelles du métier. C'est recommandé si on tient à la vie.

- Nous aurions eu la pénible tâche de découvrir un autre volontaire, dis-je d'un ton affable.

- Et de l'enlever, ajouta Heller. (Il leva la main pour interrompre la conversation.) Je vais vous dire ce que je vais faire. Si vous obtenez l'autorisation de l'Officier du Personnel de la Flotte en suivant la voie réglementaire, j'accomplirai cette mission.

Le spectre de Lombar s'éloigna quelque peu. J'aurais aimé rire de soulagement, mais je me contentai de dire :

- Oh, ça ne pose aucun problème.

Je m'inclinai profondément avec un geste ample du bras pour l'inviter à me précéder vers la porte.

Il fallait encore que je signe la décharge du prisonnier dans la salle de garde. Quand nous entrâmes, le monstre qu'Heller avait assommé était assis avec les autres, dévorant un ragoût à l'aspect repoussant. Je fus pris d'une certaine nervosité et, lorsque l'autre fit un mouvement brusque, je reculai. C'est alors que j'assistai à une scène stupéfiante.

Le colosse se leva si vivement qu'il faillit renverser son écuelle. Il prit un garde-à-vous rigide et croisa les bras sur la poitrine en un salut militaire impeccable !

Mais ce n'était pas à mon intention. Heller leva la main avec désinvolture en réponse à son salut, et lui adressa un sourire fugace mais amical auquel le monstre répondit !

Jamais encore je n'avais vu sourire un gardien de Répulsos. Je ressentis alors un sentiment de crainte mystérieuse, comme si j'avais vu quelque apparition de l'au-delà dans un temple de la forêt. C'était là une chose qui ne pouvait exister, un événement surnaturel. En toute hâte, j'inscrivis mon nom sur le registre et je sortis avec le prisonnier.

Dans les niveaux supérieurs de Répulsos, on trouve quelques pièces réservées pour l'usage des officiers de l'Appareil, tels que moi. Elles sont simples, sans fenêtres, mais possèdent cependant un certain confort, y compris une salle de bains. J'utilise rarement celle qui m'est réservée, mais j'y laisse certaines de mes affaires personnelles essentielles.

Techniquement parlant, en accompagnant Heller jusqu'à mon appartement, je le libérais de prison, mais je me dis que c'était ce qu'impliquaient les derniers ordres de Lombar.

Afin de m'assurer que les *deux* ordres contradictoires de Lombar seraient exécutés, je laissai le prisonnier dans un réduit, tout près des tubes d'ascension, et, sans qu'il puisse m'entendre, j'appelai Camp Endurance. La garnison, là-bas, appartenait à l'Appareil. Je réussis à avoir un officier et demandai qu'une section de combat monte la garde en permanence devant mon appartement et dans les couloirs avoisinants. J'ajoutai quelques ordres exprès : les hommes de la section de combat devaient agir comme s'ils protégeaient le prisonnier, mais, en réalité, ils étaient là pour l'empêcher de s'enfuir. J'ajoutai le nom de Lombar pour que le message soit bien enregistré.

Je retardai notre remontée, pour que les hommes aient le temps de couvrir le secteur.

Nous entrâmes dans la pièce nue. Je pris des claque-bulles dans un tiroir et en offris un à Heller - histoire de chasser un peu le relent de la prison qui s'insinuait jusque dans les murs de la chambre. Mais il secoua la tête.

- C'est d'un bain que j'ai besoin, dit-il.

Je lui montrai la baignoire creusée dans le mur et pris dans un placard une robe de chambre. Il ôta ses chaussures et son pantalon et je jetai le tout, avec le sweater, dans l'unité d'évacuation : irrécupérables.

A l'instant où il tournait le robinet, il me vint une pensée :

- Vous savez, dis-je en ouvrant un claque-bulles sous mon nez, vous auriez pu prendre le large quand vous aviez l'éclateur. Vous étiez armé et j'étais totalement sans défense. Vous auriez pu me prendre en otage...

Il se mit à rire. C'était un rire agréable, ouvert. Après un instant, il dit, tout en se lavant :

- Pour franchir les portes électriques et affronter les gardiens armés, les mines et les fusils-éclateurs du périmètre ? Et ensuite m'attaquer à Camp Endurance et traverser trois cent cinquante kilomètres de désert ? Ce serait de la folie pure. Il faudrait être d'une témérité impensable pour faire ça. Je suis certain que l'Appareil ne permettrait pas à quiconque de s'enfuir vivant de Répulsos !

J'étais abasourdi. Il était impossible qu'il sache où il se trouvait. Nous n'étions passés devant aucune fenêtre, devant aucun indice. Et, à son arrivée à Répulsos, il était inconscient. Il aurait pu aussi bien se trouver sur une autre planète. De plus, personne, mis à part les gens de l'Appareil, ne savait que Répulsos, cet ancien bastion délabré, était encore utilisé !

- Par tous les Dieux ! Comment pouvez-vous savoir ?

Il rit à nouveau et répondit, tout en continuant de se laver :

- Grâce à ma montre. Elle fonctionne sur vingt-six bandes temporelles, en plus du Temps Universel Absolu.

Ça ne m'expliquait rien du tout.

- Oui, et alors ?...

- Elle m'a donné la différence de temps entre ici et la Cité du Palais, ainsi que la direction. Il n'existe qu'une seule singularité géophysique à cette distance du Palais : Répulsos.

Moi, ça ne me faisait pas rire. Je me sentais même plutôt triste.

- Autre chose ?... insistai-je.

Cette fois, il était réellement amusé.

- La roche. Chaque mur de cet endroit est en roche d'origine. Du basalte noir, avec une inclinaison de seize degrés et une direction de deux cent quatorze, grenu de type 13. Regardez. C'est ce qui subsiste de l'extrusion volcanique qui est à l'origine des montagnes qui se dressent au-delà du Grand Désert. C'est de la géologie élémentaire. N'importe quel élève de Voltar apprend ça à l'école. J'ai su où je me trouvais dès que je suis revenu à moi. La montre n'a fait que confirmer ce que j'avais déduit.

Eh bien, je ne faisais pas partie des élèves qui avaient appris ça à l'école. Le terme de « direction » signifiait : mesure à la boussole. Ce qui voulait dire qu'il avait un sens intuitif de la mesure magnétique. Quant à « l'inclinaison », c'était plus facile : il s'agissait de l'angle de la roche par rapport au plan du sol. Mais qu'il fût capable de donner le type de structure granulaire du basalte - sans un analyseur sophistiqué -, cela impliquait qu'il avait une vision microscopique, même dans la pénombre d'une cellule ! Quant à sa mémoire, elle devait être comme une bibliothèque !

Mais ce n'était pas cela qui m'attristait. Qu'il l'ignorât ou non, il était aux mains d'ennemis qui se servaient de lui. Et voilà qu'il me *révélait à moi* qu'il *savait* où il était. Et qu'il dévoilait des dons essentiels qu'il aurait dû me cacher pour m'entretenir dans un faux sentiment de sécurité. Grâce à sa stupidité, j'étais en mesure, désormais, de prendre toutes les précautions possibles. Pour un espion, il ne se montrait pas seulement maladroit mais *idiot* au-delà de tout entendement. Je pouvais exploiter les révélations imprudentes qu'il venait de me faire et le boucler pour toujours dans un endroit secret qu'il lui serait impossible de localiser.

Jamais il ne serait un agent spécial digne de ce nom. Même en persévérant durant des millions et des millions d'années. Je n'allais avoir aucun mal à le faire échouer. Mais j'allais avoir du mal à lui maintenir la tête au-dessus de l'eau assez longtemps pour l'empêcher de me faire couler avec lui. Pour être espion, il faut de l'instinct. Et il n'en avait pas un brin ! Cette mission ne serait pas simplement un échec. Ce serait une véritable catastrophe !

- Faites comme chez vous, dis-je. Je vais à la Cité du Gouvernement pour obtenir l'autorisation de l'Officier du Personnel de la Flotte.

5

Je suis certain que vous n'avez pas été sans remarquer que la première impression d'un visiteur, lorsqu'il découvre le Complexe Administratif de la Flotte dans la Cité du Gouvernement, c'est de se trouver devant une véritable flotte en plein espace. Lorsqu'on a dit aux architectes de construire cet ensemble de bâtiments, ils ont dû comprendre qu'on leur demandait des vaisseaux. C'est très déconcertant, ces dix mille énormes « astronefs » d'argent plantés sur vingt kilomètres carrés de terre nue. Et ils sont même placés en formation ! On dit que les officiers comme les employés portent des bottes spatiales pour circuler à l'intérieur ! Et pas le moindre arbre, pas le plus petit buisson nulle part !

Quand je suis obligé d'aller là-bas, j'ai toujours l'impression d'être un envahisseur qu'il faut à tout prix repousser. Des marines, des marines, encore des marines. Et des portes, des tas de portes, toutes conçues comme des sas atmosphériques. Des contrôles d'identité partout. C'est peut-être pour ça, d'ailleurs, que je n'aime pas cet endroit : tout le monde veut voir mon identoplaque et tout le monde fait la grimace en découvrant que je suis de l'Appareil. Au bout de deux heures, cependant, j'atterris enfin à l'endroit où je désirais me rendre.

L'Officier du Personnel de la Flotte était assis dans un réduit qui ressemblait tout à fait à la cambuse d'un vaisseau de guerre. Du sol au plafond. Les parois étaient couvertes d'appareils et d'écrans étincelants, avec des voyants lumineux multicolores. On aurait pu croire qu'il était en train de livrer une bataille - et c'était peut-être le cas, vu qu'il avait à s'occuper de quatre millions d'officiers de la Flotte.

C'était probablement un brave type - entre deux âges, grassouillet. Il releva la tête comme pour m'accueillir courtoisement, mais se ravisa. Il fronça légèrement les sourcils et, avec un soupçon de surprise et de désapprobation dans la voix, il me demanda :

- Vous faites partie des « ivrognes » ?

Or il faut savoir qu'on ne m'avait pas annoncé comme appartenant à la Division Extérieure. De plus, je portais l'uniforme gris et neutre des Services Généraux. Je n'avais même pas d'insigne sur ma poche. Involontairement, je baissai les yeux. Comment pouvait-il savoir ? Il n'y avait pas la moindre tache de graisse, de nourriture ou même de sang sur mon uniforme. Cependant, il était dépourvu de style, de classe. Minable, quoi.

J'avais pris soin de répéter au préalable un petit discours à ma façon, mais sa remarque me troubla.

- Je viens chercher l'autorisation de transfert de l'ingénieur de combat Jettero Heller ! lâchai-je d'un trait.

Oubliée, mon approche graduelle pour le persuader !

L'Officier du Personnel de la Flotte plissa le front.

- Jettero Heller ?

Il répéta le nom une deuxième fois. Il avait autour de lui tous ces boutons et ces voyants qui clignotaient, et voilà qu'il faisait appel à sa mémoire !

- Oh, vous voulez dire Jet ! Le champion de pilotage de l'Académie Royale, il y a quelques années. Mais est-ce qu'il n'est pas devenu une vedette interplanétaire de boule-balle ? Oui, oui... Jettero Heller. Un athlète d'exception.

Tout cela était très prometteur car il semblait être devenu plus amène. J'ouvrais la bouche pour réitérer ma requête quand il fronça brusquement les sourcils.

- Il vous faut l'autorisation de l'Amirauté des Ingénieurs de Combat. C'est dans la travée 99. En sortant d'ici, vous tournez à...

- Je vous en prie, commençai-je.

Je m'étais déjà présenté à l'Amirauté et c'est eux qui m'avaient envoyé ici. Désespérément, je plongeai la main dans ma serviette et brandis l'ordre du Grand Conseil.

- Voilà qui supplante toutes les autorisations. Veuillez transférer Heller à la Division Extérieure.

Il examina longuement le document, mais j'étais certain qu'il avait dû en voir des centaines de semblables. Puis il me fixa d'un air soupçonneux avant d'appuyer sur une série de boutons, l'un après l'autre. Ensuite il pianota rapidement sur sa console et transféra le numéro de l'ordre du Grand Conseil à son réseau d'information. Il se tourna vers un écran que je ne pouvais apercevoir, fronçant toujours les sourcils. Je m'attendais presque à voir des marines se ruer dans la pièce pour m'appréhender.

D'un geste définitif, il éteignit la console.

- Non, ce n'est pas possible.

L'ombre de Lombar se rapprocha un peu plus.

- Qu'est-ce qu'il y a ? fis-je d'une voix chevrotante. Est-ce que l'ordre du Grand Conseil a été annulé ?

- Non, non, non, dit-il d'un ton impatient. Il est bien dans la banque de données, parfaitement authentique - encore qu'on ne sait jamais avec les « ivrognes »...

D'un geste, il m'indiqua que l'affaire était close, puis il demeura immobile, silencieux, le front plissé. Finalement il me rendit l'ordre.

- C'est impossible, point final, conclut-il.

Ah, la bureaucratie ! Mais j'émis un soupir de soulagement. Quand on appartient à l'Appareil, on est continuellement confronté à de *vrais* ennuis à côté desquels les problèmes de bureaucratie font figure d'aimables tracasseries. C'est un système conçu de telle façon que personne n'est jamais responsable de quoi que ce soit.

- Et pourquoi est-ce impossible ? demandai-je.

Il se lança dans une longue explication, comme s'il avait affaire à un enfant.

- En premier lieu, un ingénieur de combat, ça appartient à la Flotte. Or la Division Extérieure - et je continue d'être convaincu que vous faites partie des « ivrognes » - est une division entièrement différente au sein du gouvernement. Quand vous me dites que vous voulez qu'il soit transféré, vous impliquez qu'il devra démissionner de la Flotte, faire une demande pour être commissionné auprès de la Division Extérieure, gravir l'échelle hiérarchique... Ça lui prendra des années ! Je suis sûr que vous ne pouvez pas vous permettre d'attendre des années. Et vous n'avez *pas* apporté sa démission de la Flotte. Donc, c'est impossible.

Pendant un instant, je me suis demandé si Heller avait su tout cela et s'il n'avait pas essayé de s'en servir comme échappatoire. Oui, peut-être était-il plus malin que je ne l'avais cru. (Quand j'y repense à présent, je regrette qu'il n'en ait pas été ainsi !)

Mais les meilleurs experts en bureaucratie, ce sont encore les bureaucrates. Aussi j'ai opté pour une approche non dénuée d'habileté.

- Si vous vous trouviez devant mon problème, comment feriez-vous pour le résoudre ?

C'était quand même mieux que de retourner à l'Appareil pour trouver un moyen de chantage sur ce type - on trouve toujours quelque chose, sinon on invente, « documents » à l'appui. Mais une autorisation de transfert obtenue par coercition serait fatalement illégale. Non, il était plus adroit de jouer franc jeu. C'était nouveau pour moi, mais ça pouvait marcher.

Il réfléchit un moment, sincèrement désireux de m'aider. Son visage s'éclaira.

- Il suffirait peut-être que je vous donne l'ordre d'affectation standard pour ingénieur de combat.

Et ce (bip) appuya sur divers boutons et, quelques secondes plus tard, un document sortit d'une fente. Il me le tendit. Je lus :

Ordre de la Flotte M-93872654-MM-93872655-I.C.
Référence : ordre du Grand Conseil 938362537-451BP3
A la connaissance de tous,
Jettero Heller, Grade Dix, ingénieur de combat, matricule E555MXP, est, par le présent ordre et à compter de cette date, autorisé à effectuer une mission indépendance, et ce pour une durée laissée à sa seule connaissance.
Aval : voir référence
Emis, authentifié et attesté par l'officier du personnel de la flotte

Avec une mine ravie, il me demanda :

- Est-ce que ça ira comme ça ?

- Vous n'êtes pas plus précis que ça ? m'étonnai-je.

- Oh, les ingénieurs de combat reçoivent toujours leurs ordres sous cette forme. Voyez-vous, la plupart du temps, on les envoie derrière les lignes ennemies pour tout faire sauter. Comment savoir combien de temps ça leur prendra... C'est d'ailleurs pour cette raison qu'ils doivent être des types parfaitement dignes de confiance. Ils arrivent presque toujours à accomplir leur mission - sauf quand ils se font tuer. La devise de leur corps, c'est : « Aux Diables les risques ! Fais ton boulot ! » Ce sont des gars remarquables. Est-ce que cette autorisation vous convient ? C'est le formulaire standard pour ingénieur de combat, vous savez.

J'étais secoué, à la fois par la simplicité idiote de ces ordres et par ce qu'il venait de dire. Est-ce que Lombar savait tout ça ? J'en doutais. N'étions-nous pas en train de nous attaquer à un morceau un peu trop gros pour nous ?

Jettero Heller avait su comment les ordres seraient formulés. Il avait dû en recevoir des dizaines de ce genre. Et il avait su dès le départ que cela le placerait hors du contrôle de la Division Extérieure et de l'Appareil. Par tous les Dieux cruels, j'allais avoir *beaucoup* de mal à le tenir en laisse ! Tout à coup, je n'étais plus si sûr que ça de pouvoir exécuter *mes* ordres et de faire échouer la mission.

Je me ressaisis. C'est une chose de tomber sur une ville ennemie et de la nettoyer à coups de lance-flammes. C'en est une autre d'opérer dans l'univers sombre et secret de l'espionnage. Je me rappelai avec quelle facilité nous avions capturé Heller, son absolue stupidité de ce matin et sa conception suicidaire du fair-play.

- Oui, dis-je enfin. C'est parfait. Signez, signez, je vous en prie.

Je lui tendis mon identoplaque afin qu'il puisse l'authentifier et injecter les données à ses insatiables machines.

- J'aurais besoin de plusieurs copies, ajoutai-je.

Il appuya sur quelques touches et signa le formulaire.

- Je crois que le record que Jet a établi à l'Académie tient encore. Quel athlète ! En plus, c'est un chic type, à ce qu'il paraît. Eh bien, voilà ses ordres. Je lui souhaite bonne chance.

Je sortis. Cela me semblait bizarre de m'en être tiré comme ça, légalement, sans entourloupes, en me montrant franc. Le monde de l'honnêteté est un monde étrange pour nous autres membres de l'Appareil. On s'y sent un peu perdu, pas vraiment chez soi !

Libéré de l'environnement oppressant de la Flotte, je fus brusquement envahi d'un sentiment d'euphorie et de triomphe. Si l'on prenait ses ordres au pied de la lettre, Jettero Heller pouvait être exclu à jamais de la Flotte. On pouvait s'arranger pour qu'il disparaisse sans laisser de traces et sans que quiconque pose la moindre question. Non, décidément, Heller n'était vraiment pas fait pour le vilain monde de l'espionnage et de la technologie clandestine. En fait, c'était un crétin, un (bip) fini ! Lombar serait fier de moi. J'avais réussi à effacer le kidnapping. Et, le moment venu, nous pourrions effacer Heller lui-même. Je dois avouer qu'en cet instant j'étais fermement décidé à m'accaparer tout le crédit de cette victoire.

Je me suis dirigé vers le Club des Officiers de la Flotte pour aller prendre ses affaires.

6

Mon euphorie fut de *très* courte durée.

Dans la chaude clarté de ce bel après-midi, le Club des Officiers de la Flotte sommeillait paisiblement au milieu des montagnes. L'air embaumait le parfum des bosquets et des fleurs.

C'était un piège !

Mon chauffeur gara l'aircar devant l'entrée principale. J'escaladai vivement la large rampe d'accès incrustée de tableaux dont chacun représentait une fille ravissante.

L'immense hall était désert, à l'exception d'un employé d'entretien en uniforme occupé à éponger quelques boissons renversées. Je me suis rendu directement jusqu'au comptoir et je l'ai frappé de mon bâton-éclateur. Bien entendu, je ne faisais pas partie du Club, et le réceptionniste aux cheveux gris, probablement un spatial à la retraite, continua de feuilleter ses registres.

Dans ce genre d'endroit, mon uniforme des Services Généraux n'était guère susceptible de commander le respect. Aussi cognai-je un peu plus fort sur le comptoir.

- Eh, là-bas ! Garde à vous ! lançai-je.

Mais l'autre ne réagit pas et je finis par me demander s'il n'était pas sourdingue. C'est alors que je commis mon erreur - une erreur quasi fatale. Je ne supporte pas les subalternes insolents.

- Exécution immédiate ! aboyai-je. Autrement je serai obligé de faire un rapport !

Il ne levait toujours pas la tête. Je me suis mis à hurler.

- Je suis venu prendre les bagages de Jettero Heller !

Là, il a réagi. Il s'est levé et s'est approché. Pendant une seconde, j'ai cru que tout allait s'arranger. Mais il gardait la tête baissée tout en me regardant d'une drôle de manière. D'une voix aussi puissante que la mienne - et croyez-moi, ces vieux spatiaux sont capables de se faire entendre à des kilomètres -, il claironna :

- Vous dites que vous êtes venu prendre les bagages de Jettero Heller ? (Et, sans même marquer une pause, il poursuivit :) On dirait que vous faites partie des « ivrognes » !

Derrière moi, dans le hall, il y eut un petit bruit et je me retournai. Le matériel d'entretien était là, sur le sol, mais l'employé avait disparu.

D'une voix parfaitement calme et normale, le réceptionniste me dit :

- Veuillez remplir ce formulaire.

Il farfouilla derrière le comptoir, sortit plusieurs feuillets, lut leur titre à mi-voix, en prit d'autres et recommença son manège. La victoire que je venais de remporter avait dû émousser mon intuition car, en dépit de mon expérience et de mon entraînement au sein de l'Appareil, je ne me suis pas aperçu qu'il essayait juste de gagner du temps.

C'est le bruit de respiration derrière moi qui a éveillé mes soupçons.

Je me suis retourné.

Il y avait là trois jeunes officiers. L'un était en peignoir, le second en maillot de bain, le troisième portait un casque de pilote. A l'instant même où je leur ai fait face, cinq autres officiers ont surgi par différentes portes.

Cet (enbipé) d'employé à l'entretien était en train de rameuter tout le monde !

J'avais déjà vu des expressions menaçantes sur bien des visages, mais jamais à ce point-là ! Un autre officier dévala une volée d'escaliers en brandissant une batte !

Le plus grand de tous, qui se trouvait à environ un mètre de moi, aboya :

- Attrapez-le !

Dans l'Appareil, on nous donne un très bon entraînement. La seconde d'après, j'étais sur le comptoir. Je lançai le registre à la figure du premier assaillant.

Ils foncèrent sur moi en hurlant et, devant cet assaut furieux, je me laissai tomber derrière le comptoir. Des bras se tendirent pour me saisir et je leur balançai une chaise.

Ils passèrent par-dessus le comptoir comme un mascaret !

Une porte sur ma droite ! Je la franchis d'un bond. J'étais de retour dans le hall. J'évaluai mes chances de rallier l'issue principale. Mais d'autres officiers accouraient par cascades, en provenance du terrain de sport.

Je dois dire que mon repli stratégique fut héroïque ! Je me mis à leur lancer des assiettes, des tables, à leur balancer des chaises dans les jambes. A la fin, je leur ai même jeté des vases, des fleurs, tout ce qui me tombait sous la main ! En fait, si j'ai tenu aussi longtemps, c'est parce qu'ils étaient tellement nombreux à vouloir m'attraper qu'ils n'arrêtaient pas de se gêner. Mais ils ont fini par m'avoir. Au moment où j'essayais de gagner l'estrade à orchestre, un gigantesque athlète, dans un plongeon magistral, me plaqua au sol.

On aurait pu raisonnablement penser qu'ils se seraient contentés de me coincer là et de m'interroger comme des jeunes gens bien élevés. Mais non ! Mais non ! Ils se mirent à me bourrer de coups de pied ! Par bonheur, ils étaient pour la plupart pieds nus ou chaussés de souliers de sport, sinon j'aurais été massacré !

Finalement, l'eux d'eux, un grand baraqué, réussit à écarter tout le monde. J'eus l'idée stupide qu'il essayait de venir à mon secours. Mais il me remit debout et me colla brutalement contre le mur.

- Où est Heller ? hurla-t-il, assez fort pour me faire éclater les tympans.

Il ne me laissa pas la moindre chance de répondre. Il referma le poing et me l'envoya de toutes ses forces dans la mâchoire !

Je tombai K.O.

Un seau d'eau glacée me ramena à la conscience. J'étais étendu sur le sol.

- Laissez-le-moi ! cria quelqu'un.

Et je me retrouvai une fois encore collé au mur.

- Où est Heller ? hurla-t-on dans mon oreille.

Avant que je puisse répondre, je fus soulevé de terre et un poing s'écrasa dans mon estomac.

Je me souviens de m'être dit en m'effondrant que ces charmants jeunes gens avaient encore beaucoup à apprendre question interrogatoires.

Ils se remirent à me donner des coups de pied.

Je ne sais combien de temps plus tard, j'entendis une voix impérieuse. Sans doute quelque officier supérieur.

- Repos ! Qu'a-t-il fait ?

Un brouhaha de voix. Ils cessèrent de me cogner dessus et de me piétiner, ce qui me permit de revenir progressivement à moi.

- Mettez-le dans ce fauteuil, ordonna l'officier supérieur.

Ils s'exécutèrent, avec une violence telle que je reperdis conscience. Nouvelle douche d'eau glacée. A travers les gouttes, je réussis à distinguer une tunique bleu poudre, juste devant moi. C'était effectivement un officier plus âgé, en uniforme. Probablement un commandant de vaisseau de la Flotte. Il n'avait pas l'air commode.

- Non, non, écartez-vous, disait-il. Je vais vous les obtenir, vos réponses.

Je remerciai confusément les Démons : enfin quelqu'un qui semblait disposé à m'écouter.

- Où est Heller ? tonna l'officier.

Personne ne me frappa. Dans l'Appareil, on vous apprend à rester muet quand vous êtes battu ou torturé.

La question qu'il venait de poser était délicate. L'Appareil pouvait me faire exécuter si je révélais l'existence de Répulsos. Mais ce n'était pas ça qu'ils m'avaient demandé. Ils voulaient savoir où se trouvait Heller. Tout mon entraînement me revint en un éclair.

- Je suis venu pour prendre ses bagages, dis-je.

- Ça, on le sait, fit l'officier. C'est ce qui a déclenché ce tohu-bohu. A présent, si vous vouliez bien dire à ces jeunes gens où se trouve Jettero Heller, je suis certain que la vie vous paraîtrait plus...

Il y eut des protestations :

- Ne lui promettez rien, commandant !

- T'as intérêt à parler !

Et ainsi de suite.

Malgré mon état comateux, la maxime de l'Appareil, tant de fois éprouvée, me revint brusquement : « Dans le doute, mens. »

- Je ne suis qu'un messager, gémis-je.

Ce qui me valut un tumulte d'objections.

Le commandant les fit taire.

- Ecoute, messager, dit-il avec une note de sarcasme, Jettero Heller a disparu il y a cinq jours. On l'attendait à une soirée pour célébrer la promotion d'un de ses camarades une heure après le match. Il n'est pas venu. C'est un homme de parole, un ingénieur de combat. Un soldat est venu le chercher. On a vérifié auprès de tous les états-majors et il est apparu que personne n'avait donné l'ordre d'aller le chercher. Dix minutes après qu'il a eu franchi la porte de l'arène, un des employés du parking a vu des camions noirs quitter le terrain à l'extrémité nord.

Fichtre, ce commandant de vaisseau avait beaucoup à apprendre dans l'art de l'interrogatoire ! Il me révélait tout ce qu'ils savaient ! Et, en même temps, il me donnait un répit pour réfléchir. Tout compte fait, je n'allais avoir aucun mal à me sortir de ce guêpier !

- Pendant cinq jours, la police de la Flotte l'a cherché de tous les côtés, ajouta ce maladroit.

Répulsos était sauvé. L'Appareil était sauvé. La mission aussi. Ces types de la Flotte étaient vraiment des amateurs !

- Eh bien, ils peuvent arrêter de chercher, lâchai-je.

J'étais heureux d'avoir découvert qu'ils ne savaient rien. Je me dis que le passage à tabac que je venais de subir avait au moins servi à quelque chose.

- Jettero Heller a été appelé en consultation urgente auprès du Grand Conseil, ajoutai-je.

Si ça ne les arrêta pas, du moins ça refréna leurs envies de meurtre. Quelques « Ouais, ouais » incrédules s'élevèrent. Soudain quelqu'un eut l'idée brillante de me sauter dessus et de me fouiller pendant qu'un autre me maintenait. Il sortit mon identoplaque et poussa un cri de triomphe.

- Section 451 de l'Appareil !

D'autres voix ajoutèrent : « Je le savais ! », « Encore un coup des ivrognes ! » Ils grondaient comme des fauves et s'apprêtaient à me tomber dessus une fois encore. Mais, cette fois-ci, je tenais la situation bien en main.

Certes, il s'agissait d'une mission confidentielle, mais j'avais mon idée...

- Ma plaque ne vous sert à rien, dis-je. Les ordres sont dans ma serviette. Elle doit être quelque part derrière le comptoir. Malheureusement, si vous l'ouvrez, je devrai vous faire jurer le secret. Mais bon, allez-y, faites comme vous l'entendez.

Ils ne me croyaient toujours pas. Ils trouvèrent la serviette, plutôt abîmée d'ailleurs, et me l'apportèrent afin que je la déverrouille. Je récitai à toute allure la formule du secret d'Etat et tous répondirent oui. J'ouvris la serviette et leur tendis l'ordre du Grand Conseil, ainsi que l'ordre de mission au nom de Jettero Heller.

Le commandant lut les deux documents. Un type du Service de Renseignement de la Flotte eut l'idée brillante de lever la main pour interdire toute action contre ma personne. Le commandant se rendit à la console de communication.

Lorsqu'il revint, il retroussait les lèvres avec une expression de dégoût.

- C'est bien la première fois qu'une affaire où sont impliqués les « ivrognes » est parfaitement en règle. Ces papiers sont authentiques. Il faut le relâcher.

Par tous les Dieux miséricordieux, heureusement que j'étais allé voir l'Officier du Personnel de la Flotte avant de m'aventurer dans cette tanière de jeunes léprodontes ! Les ordres écrits, c'est magique ! Peu importe leur teneur. Et ces types ne connaissaient rien d'autre - c'était leur mode de vie.

Je répétai alors d'un ton humble :

- Je suis venu prendre ses bagages.

Ces pauvres (bips) croyaient que leur camarade était en sécurité !

7

Apparemment, la chambre de Jettero Heller se trouvait à l'extrémité d'un long couloir, au dernier étage. Le directeur de l'hôtel nous avait rejoints. C'était un vieux spatial totalement chauve qui, si l'on en jugeait par les cicatrices de brûlures sur son visage, avait dû servir dans les mitrailleurs. Plusieurs jeunes officiers nous suivaient, conduits par la grande brute qui m'avait frappé le plus fort. Ils étaient venus « au cas où »... Il fallait absolument que je trouve le moyen de fouiller les affaires d'Heller car je voulais mettre la main sur quelque défaut ou faiblesse qui me permettrait de le manipuler à ma guise.

- Je pense qu'il va laisser sa chambre, dis-je. Cette mission va durer un certain temps. Je vais rassembler ses affaires.

Le directeur ne m'accorda pas même un regard. Mais je perçus chez lui une réaction. Ce qui me rappela que je n'étais pas encore vraiment sorti de cet endroit. Nous arrivâmes à la dernière porte et il l'ouvrit en grand, de façon que je puisse voir à l'intérieur.

Bien entendu, je m'étais attendu à une chambre d'officier, à une simple cabine.

Je me figeai sur place !

Un appartement ! Avec *trois* chambres spacieuses. Tout au fond, dans la dernière pièce, il y avait de hautes portes-fenêtres et un jardin en terrasse avec vue sur les montagnes !

Ça, le quartier d'un officier subalterne ? Impossible ! Il y avait des amiraux qui étaient moins bien installés !

Je fus pris d'une espèce d'engourdissement. Les spatiaux aiment à conserver l'ambiance et le décor d'un vaisseau jusque chez eux. Ils ont du temps à tuer lorsqu'ils sont dans l'espace et fabriquent des tas de choses avec tout ce qui leur tombe sous la main. De la culasse d'un éclateur, ils font une nymphe des bois. Ils transforment un écran blindé en table, un siège de pilote en fauteuil, un berceau d'accélération en canapé, des cerclages de hublots en cadres pour tableaux, et ainsi de suite. Et tout cela je l'avais devant moi, mais magnifiquement exécuté.

On s'attend aussi à trouver des souvenirs de diverses planètes : la danseuse-jouet qui ondule des hanches en vous présentant un tire-bouchon, la coquille scintillante d'un animal marin avec la mention *Souvenir de Bactose,* le petit garçon à six bras qui agite des drapeaux et qui dit *Bienvenue sur Erapin,* la femme sculptée qui ouvre un coffret et vous jette un claque-bulle quand vous dites : « Embrasse-moi, Séraphine ! » Ils étaient tous là, décorés de fanions ou de guirlandes, mais ce n'était pas la camelote habituelle : tous étaient absolument superbes !

Le sol de métal luisant était parsemé de tapis venus de tous les coins de la Confédération et dont chacun était une pièce de collection.

Et tout cela agencé avec harmonie et un goût parfait.

Ouaaah ! Bien des Lords seraient devenus verts d'envie en voyant ce décor !

J'ai tout de suite pensé que je tenais le point faible d'Heller : je doutais qu'il eût une fortune personnelle et aucun officier Grade Dix n'était en mesure de se payer ne serait-ce qu'un millième de toutes ces merveilles avec la solde de la Flotte. Conclusion : Heller devait tremper jusqu'au cou dans les détournements de fonds et d'objets précieux !

Nous sommes entrés dans la première pièce et nous sommes arrêtés devant un bar musical. Avec un geste large englobant tout l'appartement, le vieux mitrailleur a récité d'une voix monotone, comme un guide touristique :

- Il y a cinq ans, le vaisseau de guerre *Menuchenken* a dû atterrir en catastrophe sur la planète Flinnup, à mille cinq cents kilomètres derrière les lignes ennemies. La situation était désespérée : les propulseurs du vaisseau étaient hors d'état et les trois mille hommes d'équipage avec leurs officiers savaient qu'ils ne tarderaient pas à être capturés puis exécutés. Jettero Heller a réussi à s'infiltrer à travers les défenses de Flinnup avec des pièces détachées, à remettre les moteurs en marche et à tirer le *Menuchenken* de cet enfer de feu et à l'amener en lieu sûr. (Il ménagea une pause et continua :) Quand les hommes d'équipage du *Menuchenken* sont sortis de l'hôpital, ils sont venus ici. (Il décrivit un grand arc avec son bras.) Ils ont fait tout ça pendant que Jettero effectuait une autre mission. En cadeau.

Il montra les murs et quelques meubles.

- D'autres ont ajouté ça. Même si sa nouvelle mission doit durer cent ans, tout restera là. C'est l'endroit le plus célèbre du Club - on le fait visiter aux nouveaux venus. Et c'est le point de chute de Jettero, son chez-lui.

Bien, bien, me dis-je, donc ce n'est pas un escroc. Mais tout le monde a une faille.

- Je ferais bien de rassembler les quelques affaires dont il aura besoin.

- Ne le laissez toucher à rien, intervint la grande brute. On va faire ses bagages nous-mêmes.

Ils me poussèrent de côté et ouvrirent dans le mur une porte invisible, révélant une imposante garde-robe. L'un des jeunes officiers sortit un uniforme d'apparat.

- Non, non, fis-je, il va travailler dans la clandestinité. Pas d'uniforme. Rien que le strict nécessaire. Il va voyager léger.

Ils haussèrent les épaules et se mirent au travail. Ils avaient posé l'uniforme devant moi et je l'examinai. Il était gansé de rouge, bien sûr, avec le chiffre « 10 » brodé en or sur le col étroit. La plupart des civils croient que les lignes ondulantes d'or, d'argent ou de cuivre qui ornent le plastron de certains uniformes ne sont que cela : des ornements. Ils se demandent parfois pourquoi tel ou tel officier subalterne, à la parade, ressemble à une mine de métal ambulante alors que certains officiers supérieurs ont une apparence des plus modestes. En réalité, ces épaisses tresses de métal sont autant de citations. Elles sont cousues sur l'uniforme de telle façon qu'il suffit de les soulever pour déchiffrer, en caractères minuscules, le texte de la citation elle-même.

Le plastron de l'uniforme de parade de Jettero Heller n'était ni d'argent ni de cuivre. C'était pratiquement une plaque d'or massif !

Je soulevai quelques rabats : citation pour avoir construit un pont sous le feu nourri de l'ennemi ; pour avoir miné l'orbite du *Banfochon III ;* pour avoir reconstruit le centre de contrôle d'Hemmerthon sous un feu de barrage ennemi ; pour avoir récupéré l'épave du *Genmaid ;* pour avoir saboté le système de transport de la planète Rollofan ; pour avoir miné la forteresse spatiale *Montrail*... Et ainsi de suite. Ça n'en finissait pas ! Je dus en lire plusieurs autres avant de trouver celle qui mentionnait le sauvetage du *Menuchenken.* Les quelques années de service d'Heller avaient été particulièrement actives, même pour un ingénieur de combat. Chacune de ces courtes mentions évoquait des scènes épiques, des combats violents et des exploits où la mort n'avait jamais été très loin.

Je devinais ce qui s'était passé : le type se taille une certaine réputation et, chaque fois qu'il y a une situation désespérée quelque part, c'est lui qu'on envoie. Et, en cette période de guerre perpétuelle, des missions comme celles-là, il y en a tout le temps. Mais je ne tardai pas à découvrir que je m'étais trompé dans mon raisonnement : en effet, épinglée à l'intérieur de la veste, il y avait l'« Etoile de Volontaire » - sertie d'une multitude de petits diamants, avec un rubis au centre. On remet cette récompense après cinquante missions volontaires et périlleuses. Heller n'avait jamais été commis d'office ! Il s'était toujours porté volontaire !

Je le tenais ! C'était un assoiffé de gloire. J'avais trouvé son point faible. Si seulement je pouvais l'exploiter...

- Il a beaucoup d'autres citations et de médailles, dit le vieux mitrailleur. Certaines ont tant de valeur que nous les avons mises dans le grand coffre-fort. Il ne les porte jamais.

Bon, ce n'était pas un assoiffé de gloire... Mais il devait quand même bien exister chez lui une faille dont je pourrais me servir.

Je m'éloignai pour aller examiner les murs.

Ils étaient couverts de portraits. J'ignore pour quelle raison les photographes portraitistes insistent pour avoir des fonds nuageux. Quand on regarde ces clichés tridimensionnels avec tout ce ciel, on a l'impression de voir un buste planté au milieu des Cieux. Ça donne une note religieuse, comme si on avait photographié une divinité. Je n'aime pas ça. J'ai l'impression d'être moi aussi au Ciel et je ne peux pas dire que ça m'intéresse spécialement.

Il y avait le portrait d'une femme âgée, au doux sourire. Sa mère, à l'évidence. Et celui d'un homme buriné, au regard perçant, vêtu d'une tunique fatiguée d'homme d'affaires. Je lus la dédicace : *A mon fils bien-aimé.* Et aussi... Je m'arrêtai net, comme paralysé. J'avais devant moi la plus belle fille que j'avais jamais vue. C'était un de ces portraits qui vous suivent du regard. Si vous baissez et relevez la tête, les lèvres vous sourient. Je vous jure qu'elle était d'une beauté à couper le souffle !

Ça y est ! je l'avais, mon moyen de pression sur lui ! La faille que je pouvais exploiter ! Je me tournai vers le vieux mitrailleur.

- Sa sœur, annonça cette canaille qui passait son temps à ruiner mes espoirs. C'est *la* star du Circuit Vidéo Interplanétaire. Vous ne pouvez pas ne pas l'avoir déjà vue.

Non, je ne l'avais jamais vue. Dans l'Appareil, nous sommes bien trop occupés pour nous adonner aux distractions culturelles et artistiques. Je me dirigeai vers une collection de clichés de presse, encadrés dans des cerclages de hublots. Jettero avec ses camarades de promotion. Jettero porté en triomphe par un équipage. Jettero à l'issue d'un tournoi de boule-balle. Jettero à un banquet. Jettero conduisant une poignée de survivants dans un vaisseau. Il y en avait des dizaines comme ça. Avais-je enfin trouvé son point faible ? Etait-ce un dingue de publicité ? (Bip) ! Non. Tous les *autres* visages sur les photos étaient encerclés, avec un nom inscrit sous chaque cercle : c'était une galerie d'*amis* de Jettero Heller. Tant pis. A force de chercher, je finirais bien par trouver...

Ah ! Une photo d'Heller seul ! En couleur et en relief ! Un cliché magnifique ! Il était assis aux commandes d'un vaisseau de course, un de ces engins spatiaux profilés comme une dague. Ils ont l'air tellement fragiles qu'on a l'impression qu'un simple regard peut les faire exploser.

- C'est le *Chun-chu,* dit le mitrailleur-directeur du Club. Il a battu le record de vitesse interplanétaire de l'Académie et jamais on n'a pu faire mieux. Jet aimait ce vaisseau. Il est maintenant au Musée de la Flotte et Jet n'arrête pas de dire qu'il peut encore voler. Mais il faudrait un ordre du Lord de la Flotte pour le bouger d'un centimètre, et comme on ne permet pas à Jet de s'en approcher, il a gardé cette photo.

Les bagages d'Heller étaient prêts. Cela leur avait pris du temps parce qu'ils n'avaient cessé de se disputer : « Jet aura besoin de ci », « Jet n'aura pas besoin de ça », etc.

J'étais heureux de quitter cet endroit. Mes tentatives et mes espérances avaient été vaines : je n'avais rien appris d'utile, rien que je puisse utiliser. Du point de vue de l'Appareil, pour manipuler quelqu'un, on doit connaître ses failles. Tout le monde a des failles. Je me dis en soupirant que le mieux était de continuer à chercher.

Nous avons redescendu les escaliers (au Club, on leur donne le nom d'« échelle », ce qui est stupide puisque les marches font six mètres de large) et je m'apprêtais à sortir du hall quand quelqu'un me barra la route.

J'avais devant moi le plus grand et le plus laid des jeunes officiers que j'avais pu voir de toute ma vie. Il se tenait dans l'encadrement de la porte, bien campé sur ses jambes. Sur son visage, il y avait l'expression la plus mauvaise, la plus dure que j'aie jamais vue.

- Ivrogne, dit-il, je veux seulement que tu saches que s'il y a une entourloupe derrière tout ça, si Jet est en danger, s'il lui arrive quoi que ce soit, nous avons des copies de ton identoplaque et ta photo. Maintenant, rappelle-toi bien ceci. (Sa voix avait cette tonalité râpeuse qui vous rabote les nerfs.) Nous nous chargerons nous-mêmes de te conduire dans l'espace, à vingt mille kilomètres d'ici, dans le vide noir et glacé. Nous t'enlèverons tes vêtements et nous te jetterons par le sas. En quelques secondes, tu seras transformé en une *jolie petite brume rose pâle !*

Il avait ponctué les derniers mots en me frappant la poitrine sans douceur.

- OUI !

Un rugissement unanime. Là, juste dans mon dos !

Je me suis retourné. Devant moi, il y avait deux cents jeunes officiers à l'air menaçant.

J'avoue que je ne suis pas très courageux. Pour tout dire, j'étais mort de peur.

Je contournai la grosse brute et dévalai la rampe avec le sac contenant les affaires d'Heller. L'aircar m'attendait et je m'engouffrai à l'intérieur.

J'eus un choc en m'apercevant que mon chauffeur, Ske, était ruisselant d'eau. Ils avaient dû le jeter dans la fontaine toute proche.

Il décolla à toute allure, presque à la verticale, les mains tremblantes, crispées sur les commandes. Il m'observa dans le rétroviseur.

- On dirait qu'ils vous ont passé à la moulinette, fit-il.

Il n'avait pas vraiment tort. Je ne devais pas être beau à voir avec mes plaies sanglantes et mes ecchymoses qui commençaient à gonfler.

Il avait pris l'itinéraire de diversion afin que nous puissions revenir vers Répulsos sans être repérés.

- Officier Gris, dit-il après quelque temps, comment ont-ils pu savoir que nous étions de l'Appareil ?

Je ne répondis pas. Mais j'ai pensé : parce que nous sommes miteux. Parce que nous n'avons pas de moralité. Parce que nous sommes des assassins sournois qu'on ne devrait jamais laisser s'approcher des honnêtes gens. Parce que nous sentons mauvais. Quelle journée éprouvante !

- Officier Gris, reprit mon chauffeur alors que notre véhicule survolait le Grand Désert, pourquoi ne m'avez-vous pas dit qu'ils sauraient qu'on appartenait à l'Appareil ? J'aurais amené un foudroyeur et j'aurais liquidé tous ces fils de (bip) !

Génial, songeai-je avec cynisme. Exactement ce qu'il nous fallait dans cette mission : deux ou trois cents officiers royaux abattus et un cadre de l'Appareil au milieu de leurs restes calcinés. Peut-être devrais-je travailler dans une autre Division !

Mais on ne se fait pas transférer de l'Appareil - on le quitte les pieds devant.

Non, je n'avais pas d'autre choix que de mener cette mission jusqu'à sa conclusion violente et brutale. Et de réussir.

8

Lombar, installé dans un siège royal provenant du pillage de quelque tombe, paraissait être dans tous ses états.

Nous nous trouvions dans son bureau, en haut de la tour de Répulsos, pour regarder la « parade des monstres », comme chaque semaine. La paroi de verre était munie de commandes d'indice de réfraction : elle pouvait être transformée en miroir, en mur noir ou, comme à présent, en vitre au travers de laquelle on pouvait voir sans être vu. Au-delà, il y avait une vaste salle aux murs de pierre qui s'étendait sur toute la largeur du rempart.

Le docteur Crobe présentait le fruit de sa production hebdomadaire, et c'était particulièrement horrible. Son équipe et lui créaient des monstres dont l'Appareil tirait un bon prix.

Nous avions devant nous un être muni de pieds à la place des mains et qui se déplaçait à quatre pattes d'une démarche sautillante. Il était vraiment comique, surtout avec sa façon de trépigner après chaque bond. Récemment encore, ç'avait été un homme normal. Jusqu'à ce que le docteur Crobe intervienne.

Le docteur était un cytologiste de tout premier ordre. Il avait fait partie d'un département du gouvernement - la Section des Adaptations Spéciales - qui restructurait les gens pour des missions spéciales ou des conditions de vie particulières, afin qu'ils puissent mieux voir sur les planètes sombres, se déplacer sans difficulté sur les mondes à forte gravité, respirer sous l'eau dans les mondes aquatiques, etc. Bref, rien que de très positif. Mais le docteur Crobe avait un grain quelque part, et il en était venu à pervertir la technologie de la modification cellulaire pour créer des monstres - de véritables abominations. Le gouvernement avait reçu des protestations, et l'un des responsables de la Section, qui avait sans doute été complice de ces crimes, avait rejeté toute la responsabilité de l'affaire sur Crobe. Sur l'instigation de Lombar Hisst, le docteur avait disparu de la cellule où l'avait enfermé la Police Intérieure et il avait été placé à la tête d'une équipe chargée de créer des monstres pour le compte de l'Appareil.

L'Appareil, grâce à ses rapports étroits avec la pègre, vendait les créatures à des cirques, des théâtres ou des night-clubs pour des sommes fantastiques. On faisait croire à tout le monde qu'il s'agissait d'êtres remodelés pour supporter les conditions de vie des planètes nouvellement conquises, ce qui, bien entendu, était absurde, et le public, sur les cent dix mondes de la Confédération Voltarienne, avait avalé cette fable sans poser de questions.

Certains de ces monstres, bien sûr, étaient des prisonniers de guerre, ce qui rendait notre petite opération quasi légale, vu qu'ils n'ont aucun droit et qu'ils sont généralement exécutés. Mais il y avait aussi des créatures qui sortaient tout droit des tubes, des fioles et des cornues du docteur Crobe. Ainsi que l'avait fait remarquer un petit malin de l'Appareil : « Les Dieux malfaisants ont inventé le docteur Crobe pour faire concurrence aux Démons. »

Il devait y avoir du vrai là-dedans. Ces parades de monstres me rendaient invariablement malade. Derrière la vitre, il y avait maintenant une femme dont les seins étaient à la place des fesses ; un être dont bras et jambes avaient été intervertis ; une femelle à deux têtes ; une chose entièrement couverte d'une toison d'une demi-douzaine de coloris différents ; une pauvre créature dont les yeux étaient à la place de ses testicules.

Le docteur Crobe, à l'arrière-plan, contemplait son œuvre avec ravissement, tandis que les gardes de l'Appareil faisaient avancer la parade à coups de fouet. A vrai dire, le docteur lui-même avait un corps bizarroïde : le nez trop long, des bras et des jambes démesurés, il évoquait quelque oiseau étrange. D'ailleurs, chaque cytologiste que j'ai rencontré était non seulement mal fichu, mais cinglé.

Lombar semblait particulièrement agité. Il tripotait nerveusement son cingleur, sans doute pour dissimuler le tremblement de ses mains. Il ne semblait pas accorder trop d'attention à la parade, aussi je me suis risqué à lui glisser quelques bonnes nouvelles, pensant que cela le distrairait.

- Tout est réglé, dis-je, mais toute la Police Intérieure était à la recherche d'Heller. Lorsque j'ai appris ça, j'ai étouffé l'affaire et, à présent, plus personne ne s'y intéresse.

Il ne répondit pas - il ne répondait jamais. Au bout d'un instant, il tapota une boîte d'argent placée à côté de lui, et des pinces en jaillirent, serrant un objet qu'il prit entre ses doigts.

- Je sais que ça vous embêtait de perdre votre poste, dit-il nonchalamment. Je me suis donc débrouillé pour vous avoir ça.

Il me lança l'objet. C'était l'insigne émeraude avec une chaîne d'or d'un officier Grade Onze ! Ce qui me projetait *trois* rangs plus haut ! J'étais l'égal d'un commandant d'armée responsable de cinq mille hommes !

- C'est déjà dans les banques de données et cela s'est fait dans la légalité la plus totale. Vous toucherez votre nouvelle solde à dater d'hier.

Je le remerciai avec profusion, mais il n'écoutait pas.

- Ah, voilà qui devrait rapporter pas mal d'argent, dit-il.

Les gardes venaient d'amener un chariot dans lequel il y avait six enfants qui formaient un anneau et qui étaient greffés les uns aux autres dans des positions pornographiques.

L'Appareil recevait d'énormes subventions des différents réseaux secrets du gouvernement, mais ce qu'il tirait de ses activités criminelles devait être cinq fois supérieur. Et c'était vrai, ces six enfants monstrueux allaient sans doute nous rapporter gros, peut-être cent mille crédits. On les ferait probablement passer pour des créatures originaires de Blito-P3 ou d'Helvinin-P6.

Ce qui me rappela que j'avais d'autres nouvelles.

- Nous devrions donner une formation d'espion à ce Jettero Heller, dis-je.

Lombar eut un tic nerveux en entendant ce nom. Mais il ne me fit pas taire et, comme à l'accoutumée, il ne me regarda pas.

La partie « dressage » de la parade allait commencer. Crobe et son équipe avaient provisoirement disparu. Je profitai de l'instant de flottement pour finir de mettre Lombar au courant.

- Dans ses bagages, il y avait une grosse pile de courrier. Une lettre de sa mère, des billets envoyés par ses amis et ses admirateurs. Il a passé toute la soirée à y répondre. Bien entendu, quand il m'a donné à expédier tout ça, j'ai lu chaque lettre attentivement. Chef, il n'a pas la moindre notion de sécurité. Il écrit tout ce qui lui passe par la tête. Il est complètement *stupide !* J'ai dû mettre deux faussaires au travail et ça nous a pris jusqu'à deux heures du matin pour tout réécrire. Jamais il ne fera un espion correct, *jamais !* Il va compromettre toute la mission !

Lombar ne dit rien. Une jeune femme, que nous appelions la comtesse Krak, venait de faire son apparition derrière la vitre. Elle portait des cuissardes noires, un manteau élimé et pas grand-chose dessous. Elle faisait tourner un grand fouet électrique. D'un air morne, apathique, elle présentait le premier numéro de sa parade. C'était une très belle femme, jeune, sculpturale, mais elle ne souriait jamais. Elle constituait une énigme même pour l'Appareil. A la moindre avance sexuelle, elle pouvait vous *tuer !* Mais elle avait un don : elle était capable d'enseigner n'importe quoi à n'importe qui, *et vite.* Et dans le domaine du dressage, c'était un génie. On murmurait qu'elle se servait de lavage de cerveau et d'électrochocs mais, en fait, personne n'avait jamais réussi à savoir comment elle faisait pour obtenir ces prodigieux résultats.

La comtesse Krak avait été enseignante pour le compte du gouvernement - une enseignante en apparence irréprochable, spécialiste des classes adultes et des élèves doués. Mais on découvrit qu'elle n'avait pas les mains très propres. Certains prétendaient que ç'avait été un coup monté du gouvernement et qu'elle avait servi de bouc émissaire. Peut-être que c'était vrai, après tout, mais, personnellement, je pense qu'elle avait tout simplement eu besoin d'argent.

Quand la Police Intérieure l'avait arrêtée, elle dirigeait un groupe d'enfants qu'elle avait recrutés dans les bas-fonds. Elle leur avait appris à forcer n'importe quel type de coffre et à neutraliser tous les dispositifs d'alarme. On avait estimé que le total de leurs « prises » s'élevait à des millions. Ils auraient pu continuer ainsi indéfiniment mais, apparemment, la comtesse leur avait également enseigné les techniques de l'assassinat silencieux sans arme, ce qui avait signé tous leurs coups et ils avaient fini par se faire prendre.

Les enfants avaient été arrêtés et exécutés, mais la comtesse, elle, avait été remise discrètement à l'Appareil afin d'être utilisée au mieux. Elle était à Répulsos depuis presque trois ans.

Le premier numéro était un jongleur qui, avec les pieds, parvenait à maintenir douze objets à la fois en l'air tout en crachant du feu. Le deuxième, c'était deux filles en costume de léprodonte qui projetaient un liquide semblable à du sang, lequel décrivait des boucles fantaisistes dans les airs avant de retomber dans leur bouche. Très pittoresque.

Ensuite, il y eut un type qui, en partant à pieds joints, effectua un triple saut périlleux en faisant éclater des pétards à chaque boucle. Il fit toute une série d'autres tours dans le même genre.

Il n'y avait aucun danger que tous ces gens trahissent un jour l'existence de Répulsos. On leur avait tranché la langue et ils ne savaient ni lire ni écrire. Chacun rapportait des petites fortunes.

Mais Lombar ne prêtait pas grande attention au spectacle. Il se tourna vers moi.

- Soltan, je ne pense pas que vous compreniez vraiment toute la portée, toute l'importance de cette mission.

Il pressa plusieurs touches avec son cingleur et, sur un vaste écran en face de nous, défilèrent des vues prises sur les cent dix mondes de la Confédération. Des vues rapprochées ou lointaines. Des foules dans les rues. Des zones industrielles. Des plaines au dessin géométrique, parsemées de fermes. D'autres avec des animaux.

Lombar ne se préoccupait plus du tout des numéros de la comtesse. Il appuya sur une autre touche. D'autres vues : des manoirs de Lords, des palais de Gouverneurs, la Résidence Impériale d'Eté et toute une suite de portraits des Empereurs successifs de Voltar.

- Le pouvoir ! s'écria Lombar. L'autorité ! Le droit de vie et de mort sur des billions et des billions de gens. (Il éteignit le projecteur et me regarda.) Dans peu de temps, Soltan, tout cela sera à nous. A nous. Totalement, complètement ! *C'est un enjeu phénoménal !* Ceux qui règnent aujourd'hui sont en pleine décadence. Je vous le dis, notre propre calendrier et nos plans ne peuvent pas échouer.

Il pointa le cingleur droit sur moi.

- Mais il y a un os, un seul. Et c'est un os de taille. *La Terre.* (Il posa la main sur mon genou.) La Terre est la clé - la clé magique qui nous ouvrira toutes les portes. Soltan, j'ai cru mourir quand ils ont proposé une invasion immédiate de Blito-P3. Car ç'aurait été la fin de tout.

« Soltan, vous ne venez pas des bas-fonds. Vous ignorez ce que c'est que de rêver du pouvoir. Vous ne pouvez pas comprendre à quel point il est nécessaire, vital, de chasser la racaille des ghettos, de purifier le sang des planètes, d'exterminer les faibles.

« Tous ces empereurs ne savent pas quoi faire de leur pouvoir. Il faut de l'ambition pour ça ! Oui, de l'ambition ! Et exécuter sans pitié les plans qu'on a conçus. Au lieu de cela, que font-ils ? Ils jouent à la guéguerre ! Et ils ne font rien pour leur patrie ! Quand ils conquièrent une planète, ils ne savent pas comment s'occuper de la racaille qui encombre la population !

« Nous nous servons du mal pour combattre et chasser le mal ! Et nous *gagnerons,* parce que nous le *pouvons !*

Un instant, ses yeux flamboyèrent. Il y avait de la folie en Lombar et, parfois, elle montait à la surface.

A nouveau, il me tapota le genou.

- Mais je compte sur vous, Soltan. Il ne doit se produire aucune interférence impériale sur Blito-P3. Nous n'en avons rien à (biper) du sauvetage de cette planète ! Par contre, nous en avons désespérément besoin. Il faut *absolument* que vous vous débrouilliez pour qu'elle ne présente plus aucun intérêt pour Voltar ! Vous comprenez ?

Il n'attendait pas de réponse. Les numéros de cirque et de dressage avaient pris fin. Lombar appuya sur une touche. Des voyants d'appel clignotèrent de l'autre côté de la vitre. Puis celle-ci redevint noire.

Le docteur Crobe et la comtesse Krak traversèrent en toute hâte l'antichambre et attendirent dans l'encadrement de la porte. Bien entendu, ils n'espéraient aucun compliment puisqu'ils n'en recevaient jamais.

- Crobe, commença Lombar, j'ai un boulot pour vous ! Un de nos agents spéciaux va se rendre sur Blito-P3 et je veux que vous me le prépariez.

Crobe se frotta les mains puis se gratta le nez. Il était aux anges.

- Krak, continua Lombar, il va falloir apprendre à cet agent spécial certaines langues de Blito-P3.

Il y avait dans leur attitude un certain enthousiasme, une certaine ardeur, et cela déplut à Lombar. Tout à coup, il bondit sur ses pieds et traversa la pièce comme un fauve.

Il agrippa Crobe par le col et lui cracha à quelques centimètres du visage :

- Et pas de coups fourrés, espèce de (bip) ! Je ne veux pas d'yeux qui voient à travers les murs ! Pas de doigts qui se transforment en pistolets ! Pas de récepteurs télépathiques dans le cerveau ! (A chaque instruction, il avait donné un coup de pied dans les tibias de Crobe.) Je veux un boulot normal !

Il lui donna un dernier coup de pied, le souleva de terre et le jeta dehors. Puis il se tourna vers la comtesse Krak.

- Quant à vous, espèce de traînée perverse, je vous fais jeter du sommet de ce donjon si vous apprenez à cet agent un seul mot, un seul truc d'espionnage !

Il la repoussa avec une telle violence qu'elle alla cogner contre la paroi. Puis, d'un ton parfaitement doux, il ajouta :

- L'officier Gris vous dira ce que vous devez faire. Je ne veux plus entendre parler de tout ça. Sortez !

Il regagna son fauteuil et prit un claque-bulle.

- Dieux, qu'est-ce qu'ils puent ! grinça-t-il en s'aspergeant le nez et le visage.

Cela le soulagea. Il me désigna la porte.

- Allez, au boulot, Soltan. Je ne veux plus entendre un seul mot à propos de Jettero Heller. Il est à vous désormais.

A l'instant où je sortais, je le vis se diriger vers le coffre où il gardait la robe Royale.

TROISIÈME PARTIE

1

Je remontais l'un des longs couloirs sombres de Répulsos pour regagner ma chambre, lorsqu'il me sembla entendre des voix.

J'explorai rapidement les lieux du regard. Par tous les Dieux, où étaient les gardes ? Il n'y avait personne ! Est-ce qu'Heller s'était enfui ? Cette pensée me remplit de panique. Je me voyais déjà jeté de la plus haute tour.

Oui, c'étaient bien des voix ! Je m'avançai vivement, en silence. Elles se firent plus fortes. Mes Dieux, elles venaient de derrière la porte close de ma chambre !

Je m'arrêtai. Je pris une longue inspiration et, dans le style préconisé par la police, j'ouvris brusquement la porte et bondis à l'intérieur, à gauche, puis à droite, trop vite pour être atteint par un coup d'éclateur.

Jettero Heller et le chef d'escouade étaient assis à table !

Ils mangeaient des pains sucrés en buvant de l'eau pétillante. Heller était plongé dans la lecture du journal du matin et riait. Il y avait sur le rayon, contre le mur, un visionneur qui n'était pas là auparavant. Il était allumé. Un groupe de dadooroners jouait un air stupide.

Les gardes qui étaient censés veiller au grain dans le couloir n'étaient nulle part en vue et leur chef était tranquillement en train de prendre un rafraîchissement avec le prisonnier ! Quelle scène touchante !

Je compris alors pourquoi Lombar avait tant de mal à faire fonctionner l'Appareil. Nous avions un prisonnier, censé être surveillé de près et au secret, et qu'est-ce que je découvrais ? Que personne ne le gardait et qu'on lui avait apporté les derniers journaux !

Le chef d'escouade avait dû lire l'expression de mon visage, car il se leva si soudainement que sa chaise s'envola dans les airs. Il se mit au garde-à-vous, les bras croisés sur la poitrine, les yeux fixés droit devant lui, vitreux de peur !

- Oh, laissez-le finir son pain sucré, dit Heller avec un rire détendu. Tous les deux, nous avons tenu une conférence de paix et nous étions en train de fêter ça. Lui et ses hommes savent constamment où je me trouve - j'ai promis de les tenir au courant de mes faits et gestes - et ils me procurent les petites choses nécessaires à l'existence à la cantine du Camp Endurance. Après tout, l'important n'est-il pas de vivre en bonne intelligence ?

Mais l'officier devait savoir à quoi s'attendre de ma part, tout en étant conscient que je ne dirais rien devant Heller. Il se rua hors de la pièce comme un gibier pourchassé.

Heller tapota le journal.

- J'apprends que Jettero Heller, qui avait mystérieusement disparu, a été retrouvé et qu'il vient à nouveau de disparaître pour une mission secrète qui lui a été confiée par le Grand Conseil.

Il était franchement amusé. Et là, à la une, je vis des photos d'Heller et un gros titre : *Le célèbre ingénieur de combat...* (Bips) de journalistes !

Mais bon, nous ne contrôlons pas toute la presse. Pas encore !

- Tiens, qu'est-ce que je vois là ? fit-il d'un air ravi. (Il se leva et s'approcha de moi.) Héhé ! On a reçu de l'avancement. Grade Onze, pas moins !

Tout à coup, je compris pourquoi Lombar m'avait promu. J'étais maintenant un rang au-dessus d'Heller. Il me serait plus facile de le contrôler.

Cependant, bien qu'il eût reconnu que j'étais désormais son supérieur, il n'en laissait rien paraître. Les officiers Grade Dix et Grade Onze se situent relativement bas dans la hiérarchie et on a coutume de dire dans les services : « Le grade chez les sous-officiers, c'est comme la vertu chez les prostituées. »

Il me serra chaleureusement la main.

- Sincères félicitations. Je suis persuadé que c'est tout à fait mérité.

Sarcasme ? Je le dévisageai attentivement. Non. Juste le cliché que l'on pouvait attendre de n'importe quel officier.

- Ça signifie, continua-t-il avec une fausse solennité, que vous me devez un dîner dans le premier night-club que nous trouverons !

Ah, oui... C'était la tradition dans les Services Royaux. Lorsque quelqu'un montait en grade, il devait un repas à chacun des officiers qu'il rencontrait le premier jour, et ce, dans le plus proche night-club. Ça coûte très cher et la plupart des promus se cachent durant cette première journée.

Il prit ma chaîne d'or, s'approcha de la plaque lumineuse la plus brillante de la pièce et, portant les émeraudes à hauteur de ses yeux, les examina.

- Hon, hon, fit-il. Vous serez heureux d'apprendre que ces émeraudes sont vraies. (Il continuait de les faire tourner entre ses doigts.) Ces trois-là, au-dessus du chiffre, sont un peu pâles. Mais celle-ci (il tapota la pierre du bas) est d'une grande valeur. Cette émeraude vient des mines du Sud Vose. Le défaut intensifie la réfraction. Un vert magnifique. Tout à fait remarquable.

Il revint vers moi, repassa la chaîne autour de mon cou et me serra une fois encore la main en souriant, réellement heureux de ma promotion. Puis il retourna vers la table.

- Vous voulez un peu d'eau pétillante ? Il y en a toute une réserve dans le buffet maintenant.

Je compris enfin ce qui s'était passé. Ces (bips) d'officiers, au Club, avaient mis un rouleau d'argent dans les bagages qu'ils m'avaient donnés. Je les avais pourtant fouillés, mais il avait dû être caché dans une tenue de sport ou quelque chose comme ça. J'eus un frisson. Y avait-il autre chose qui m'avait échappé ?

D'un air désinvolte, je fis le tour de la table. Heller s'était rassis. Il portait à présent une tenue de vol en tissu blanc, fin et brillant, et une paire de bottes courtes. Je laissai courir mes yeux en essayant de ne pas avoir l'air de l'examiner. Et je vis ce que je cherchais : un éclateur, très court, du type 800 kilovolts, capable de fracasser un mur. Il ne devait pas mesurer plus de quinze centimètres et Heller l'avait glissé à l'intérieur de sa botte droite.

J'allai jusqu'à un miroir, affectant d'examiner les marques laissées sur mon visage et que j'avais recouvertes de pansements. Mais, du coin de l'œil, je surveillais Heller. Sur la table, entre les boîtes d'eau pétillante vides et les papiers d'emballage, il prit une courte tige rouge. Une autre arme ! J'ai calculé très exactement le bond que j'allais faire et comment j'allais l'attaquer.

- Ils ont mis ce flamboyeur dans mon sac, dit-il, en le brandissant. Ils ont dû penser que j'avais des ennuis. Vous en avez déjà vu ?

Et il me le lança !

Je l'attrapai tant bien que mal.

- C'est un modèle récent, poursuivit-il d'un ton pénétré. On le tient par l'anneau du bas et il envoie un signal de S.O.S. - une flamme qu'on peut voir à huit mille kilomètres ! Je ne blague pas. Et si vous ne faites pas attention, vous pouvez vous faire sauter la main.

Il but une gorgée d'eau pétillante.

- Ils ont mis aussi un éclateur et un millier de crédits. Ils ont dû faire une quête. Mais j'ai pas mal d'argent sur mon compte au club et le directeur les remboursera.

Je sentis une vague de mépris monter en moi. Pauvre idiot. Avec mille crédits, il aurait pu acheter sa liberté et fuir Répulsos. Mieux encore : il aurait pu se tailler un chemin avec son éclateur s'il avait eu le moindre sens commun. Et voilà qu'il me dévoilait tout. Il n'avait même pas deviné ce qui l'attendait. Pour ce qui était des intrigues, il n'avait pas pour deux cellules cérébrales de bon sens. Quel (bip) !

Je l'ai observé pendant quelques instants. Il sirotait son eau pétillante en parcourant tranquillement la page des sports. J'ai senti mon mépris se teinter de pitié.

- On a beaucoup de choses à faire aujourd'hui, dis-je. Vous avez deux rendez-vous : le premier avec la comtesse Krak, le deuxième avec le docteur Crobe.

- Hé, écoutez ça ! Timbo-Schok vient de battre Fille-Qui-Rit sur cinq tours, course ouverte, sur le circuit de Mombo ! Ça alors !... Fille-Qui-Rit était pourtant la voiture la plus rapide. Qui aurait cru ça possible ? Voyons voir qui était le pilote...

2

L'intérieur de l'ancienne forteresse de Répulsos est un labyrinthe de pierre noire, sans ouvertures ni fenêtres. Au-dessus du niveau du sol, ce n'est, en grande partie, qu'une ruine déserte, mais elle est remplie de pièces, de salles, de cryptes et de couloirs souterrains. Les habitants d'origine de la planète croyaient être en sécurité dans cette forteresse - mais cela ne leur avait servi à rien quand nos ancêtres étaient survenus.

Lorsque nous avons quitté ma chambre, nous étions déjà en retard. De plus, il fallait que je m'arrête à l'armurerie pour me procurer un faux éclateur chargé à blanc que j'avais l'intention d'échanger en secret contre celui que portait Heller. Nous avions intérêt à nous dépêcher car il était bien connu que la comtesse Krak n'aimait pas attendre : sa réaction à notre retard pourrait bien être redoutable.

Aussi, c'est sans aucun plaisir que j'accueillis la proposition de Jettero Heller de marcher. Je me dis qu'il désirait prendre un peu d'exercice - les athlètes en sont friands - et, m'en tenant strictement à l'ordre que j'avais reçu de ne pas éveiller sa méfiance, j'acceptai. Nous avons donc évité les tubes et entamé un parcours vers les hauteurs de Répulsos, dans le labyrinthe poussiéreux et semi-obscur. Heller portait des bottes de pont munies de semelles d'un type particulier : elles sont faites de barres magnétiques qui alternent avec des saillies de fibre dure. Pour se déplacer sur un pont ou une paroi métallique, on maintient les barres métalliques en position basse - ce qui est très pratique, et même vital, en apesanteur. Mais quand on marche sur de la pierre ou sur toute autre surface non magnétique, il suffit de claquer les talons d'une certaine façon pour que les aimants se relèvent, ne laissant en place que la fibre dure.

Heller marchait sur des dalles et des marches de pierre, mais il avait laissé les barres magnétiques en place. A chaque pas, ses bottes faisaient clic-clac. Il faisait autant de bruit qu'un tank !

Ça finit par me porter sur les nerfs. Tout ce qu'il avait à faire, c'était de claquer les talons - les aimants se relèveraient et il marcherait en silence.

En espionnage, on doit apprendre à se déplacer discrètement. Un bon agent devient peu à peu capable de marcher sur n'importe quoi dans le silence le plus absolu, même sur du gravier, et il en tire orgueil. Car le succès d'une mission - et même son existence - dépend souvent de cette capacité à se mouvoir silencieusement.

Or non seulement Heller marchait avec la discrétion d'une colonne de blindés, mais, tous les dix ou quinze pas, il faisait un petit bond qui produisait un son assourdissant quand les barres métalliques de ses semelles claquaient contre la pierre.

Il semblait très intéressé par les murs et s'arrêtait de temps en temps pour les frotter avec un anneau qu'il portait au doigt.

- Le moins qu'on puisse dire, c'est que ces anciens savaient construire, remarqua-t-il plusieurs fois.

Clic-clac ! Clic-clac ! Nous suivions de longs couloirs, nous traversions des salles immenses et désertes, nous dévalions à grand bruit des escaliers crasseux.

La poussière m'irritait les narines et j'éternuai à plusieurs reprises. Je commençais à être un peu fatigué - je ne prends guère d'exercice.

- Ecoutez, dis-je, nous allons être en retard et la comtesse va nous arracher la tête. Vous avez sûrement pris assez d'exercice pour aujourd'hui.

- Oh, je suis désolé. Tout cela est tellement intéressant. Saviez-vous que ces anciens n'avaient pas d'outils de métal ? Personne ne sait comment ils ont creusé ces salles ni même comment ils ont pu évacuer les gravats. Aujourd'hui nous ne pourrions pas y arriver sans désintégrateurs. Est-ce que vous réalisez qu'il n'y a pas de joints ? Et que tout a été taillé avec des outils rudimentaires ?

Il continua sa marche cliquetante. Après quelque temps, il reprit :

- Je me demande pourquoi les Voltariens ont décidé d'anéantir ces anciens. Ils ne devaient pas constituer une menace bien redoutable.

Hoho, me dis-je. Toi et Lombar, vous ne risquez pas de vous entendre. Il *faut* se débarrasser de la racaille et des fardeaux pesants, autrement on se retrouve avec des tas de problèmes - comme ceux qu'a Voltar en ce moment. Et si, en plus, on laisse vivre chaque peuple conquis, on a encore plus de problèmes.

Ça oui, j'imaginais très bien une discussion entre Lombar et Heller. Elle se terminerait probablement par la mort d'Heller ! J'avais intérêt à les tenir à l'écart l'un de l'autre, sinon Heller n'irait jamais sur Blito-P3 !

Loués soient les Dieux, nous arrivions enfin à l'armurerie. Heller continua le long du couloir, examinant toujours les murs. J'allai jusqu'à la porte de l'armurerie et insérai mon identoplaque dans la serrure. La porte s'ouvrit.

Le vieux crétin qui gérait les lieux arriva en clopinant, les sourcils froncés, l'air hostile.

Lui et moi, on ne peut pas s'encadrer.

- Pourquoi vous venez encore me casser les pieds ? grommela-t-il.

Dans l'Appareil, quand il y a des gens à portée d'oreille, nous nous servons d'un langage par signes. Tout en prononçant quelques mots dépourvus de sens et en tournant le dos à Heller, je fis quelques gestes pour indiquer qu'il me fallait un éclateur de 800 kilovolts chargé à blanc. Ça ne posait aucun problème à l'autre vieux crétin - des éclateurs avec une cartouche factice dans la chambre pour protéger les électrodes de mise à feu, on lui en expédiait à la pelle. Mais on aurait dit que je venais de lui demander un vaisseau de guerre au complet à la façon dont il grimaça et grogna. Tout ce qu'il avait à faire, c'était d'aller prendre l'éclateur sur un rayon, à trois mètres derrière lui, de l'ouvrir pour vérifier qu'il était bien chargé à blanc, de me le donner et d'appliquer mon identoplaque sur un reçu. Lorsqu'il eut fait tout cela, il me claqua la porte au visage. J'avais eu l'intention de lui demander également un paralyseur, mais son attitude m'en dissuada.

Heller était occupé à palper le mur de haut en bas.

- Haha ! fit-il. Nous sommes au niveau du sol.

C'était l'occasion que j'attendais. Je m'apprêtais à faire quelque chose qui, s'il avait été un espion entraîné, l'aurait immédiatement mis sur le qui-vive.

- Comment le savez-vous ? demandai-je d'un ton de défi.

- Un demi-degré. La différence de température est d'un demi-degré. Le sol, à l'extérieur, se trouve à peu près à cette hauteur-ci, juste au-dessus de ma hanche.

- Un demi-degré ? ricanai-je. Personne ne peut percevoir une différence d'un demi-degré avec la *main*.

- Ah bon ? Vous ne le pouvez pas ? demanda-t-il, apparemment surpris. Dehors, à cette heure du jour, il fait soleil. Les murs font environ un mètre d'épaisseur à ce niveau. (Il posa la main plus haut.) Mais la conduction de la chaleur, ici, est d'un demi-degré supérieure à celle qu'il y a au niveau du sol.

L'imbécile, je savais qu'il allait faire ça : il me prit la main et me fit palper le mur en haut, puis tout en bas, près du sol.

- Question d'entraînement, dit-il.

Oui, question d'entraînement. Bien entendu, en m'accroupissant, je fus « déséquilibré » par la façon dont il déplaça ma main et je trébuchai contre lui. En une fraction de seconde, de l'autre main et avec une habileté de maître, je sortis l'éclateur de sa botte, fis glisser de ma manche celui qui était chargé à blanc et effectuai la substitution.

En me redressant, je mis discrètement l'éclateur d'Heller dans ma manche. Désormais, il était « armé » d'un jouet inoffensif. Les pickpockets de l'Appareil sont d'excellents professeurs.

- Je n'ai senti aucune différence, dis-je. Mais vous êtes un expert dans ce genre de chose. Allez, venez, nous sommes en retard. La comtesse va être furieuse !

- D'accord. Mais donnez-moi juste quelques instants. Je voudrais finir ce que j'ai commencé.

Je n'avais pas la moindre idée de ce qu'il voulait dire. Il leva un pied et j'eus un pincement au cœur, car je crus qu'il s'était aperçu de la substitution d'armes. Mais non. Il donna un grand coup de pied sur le sol. Les barres magnétiques de ses semelles firent CLAC ! Puis il cogna ses talons l'un contre l'autre pour que le métal remonte au-dessus des saillies de fibre. Loués soient les Dieux, c'était la fin du tintamarre.

Mais nous n'en reprîmes pas notre marche pour autant. D'un geste, il me retint sur place, puis il sortit de sa poche une grande feuille de papier et l'un de ces stylos à débit constant dont se servent les ingénieurs. Il plaça la feuille sur une partie lisse du mur et se mit à dessiner.

J'avais peine à suivre les mouvements de sa main tellement il allait vite. Je n'avais encore jamais vu un ingénieur exécuter un croquis. Je compris soudain pourquoi leurs stylos débitaient autant d'encre. Mais j'étais trop sur les nerfs pour être impressionné.

Quelques instants après, il me tendit le papier et rangea son stylo.

J'avais sous les yeux le plan de la partie supérieure de Répulsos avec toutes les mesures exactes ! La hauteur des plafonds y figurait très précisément avec le niveau du sol et la dimension de chaque salle, de chaque couloir ! Le tout était magnifiquement exécuté et je jugeai qu'un tel travail aurait sans doute pris une semaine à un géomètre expert.

- Donnez ça à votre patron, dit-il. Je ne pense pas que cela ait jamais été fait. Une curiosité archéologique.

- Attendez... Comment pouvez-vous être certain de ces mesures ? Vous n'aviez pas de ruban d'arpenteur.

- L'écho sonore, expliqua-t-il en levant le pied. Vous savez que le son a une vitesse propre. Il suffit de noter l'intervalle de temps qui sépare le son de l'écho...

- Personne ne peut mesurer aussi vite des fractions de seconde, rétorquai-je, agacé.

- Peut-être que non, mais ma montre, si.

Je réalisai soudain que, pendant qu'il dessinait, il avait gardé constamment sa montre près de son oreille. Elle avait dû enregistrer et reconvertir en mesures tous les clacs qu'il avait faits avec sa semelle.

Magnifique. Quel talent. Mais ça m'agaçait prodigieusement. D'accord, c'était très fort d'avoir fait un relevé des lieux de cette façon. Mais il aurait pu s'en servir pour s'enfuir ou bien pour saboter la forteresse. Au lieu de cela, une fois sa performance accomplie, il m'avait tout bêtement tendu sa feuille pour que je la donne à « mon patron ». Non seulement il dévoilait une fois de plus une partie de ses batteries, mais il me faisait courir un gros danger !

Non, il n'était pas fait pour ce jeu. Et il ne comprenait rien à notre politique intérieure.

- Une minute, dit-il en se rappprochant de moi. Un de vos pansements en simili-peau s'est décollé. On dirait que celui qui vous a tabassé n'y est pas allé de main morte. Ça fait mal ?

Au fond de moi, je bouillais de colère. Le mensonge vint automatiquement.

- Personne ne m'a tabassé. Un aircar m'a renversé.

Il rit.

- C'est la première fois que j'entends parler d'un aircar qui laisse des traces de poing ! Il faudrait l'inscrire pour les prochains tournois planétaires de boxe. (Il remit en place mon pansement.) C'est votre patron qui vous a fait ça ?

J'aurais dû me mettre en colère, mais je pensai à nouveau à ce qui se passerait si Lombar voyait ce croquis. Et s'il venait à l'idée d'Heller de dessiner les niveaux du *sous-sol* de la forteresse ? Ce labyrinthe qui s'étendait jusqu'à deux kilomètres de profondeur - avec ses cinquante mille êtres emprisonnés plus ou moins légalement et ses morts sans sépulture ! Et ses chambres de torture ! Heller avait vu une infime fraction de ce qui se passait en bas, mais pas...

Une vague d'appréhension m'envahit : je me demandai s'il avait remarqué le passage qui conduisait au hangar - au parking souterrain qui abritait le vaisseau de guerre personnel de Lombar, spécialement équipé et illégalement armé, doté d'une puissance de feu capable de réduire en poussière les défenses de Voltar.

Avait-il vu que certaines des salles devant lesquelles nous étions passés étaient des magasins refaits à neuf qui n'attendaient que leur précieuse « marchandise » ? Oui, vides pour le moment, mais pas pour longtemps. D'ici quelques mois...

Si jamais Lombar apprenait que j'avais laissé Heller faire un relevé de l'endroit, ce n'était pas de ses poings qu'il se servirait !

Heller remit en place un autre pansement sur mon visage. Je tressaillis de douleur.

- Non, ce n'est pas Lombar qui m'a fait ça !

Je l'écartai violemment.

- Navré de vous avoir fait mal. La sueur fait tomber tous vos pansements. (Il avait l'air sincèrement désolé.) Vous avez chaud. Nous avons beaucoup marché.

Mais ce n'était pas à cause de ça que je transpirais. Je réalisai que j'avais été d'une négligence criminelle en ne comprenant pas qu'il avait voulu explorer les lieux et que ça risquait de me coûter gros, très gros même.

Heller était tellement stupide, tellement innocent. Je commençais sérieusement à douter de pouvoir l'arracher à cette planète avant qu'il ait tout gâché. S'il continuait comme ça, il allait nous faire tuer *tous les deux !*

Et à propos d'être tué, je pris conscience que nous faisions attendre la comtesse Krak depuis plus d'une heure. Si on tenait à la vie, mieux valait éviter d'être en retard quand on avait rendez-vous avec elle.

Je le poussai en direction des salles d'entraînement, à l'extrémité du couloir. Quand on avait la charge d'un type comme Heller, rien que les soucis qu'il vous causait réduisaient votre espérance de vie !

3

J'ouvris la haute porte blindée qui donnait sur le secteur d'entraînement et j'entrai.

Je me heurtai à une véritable muraille de son.

La première salle est immense, pleine de plates-formes et de machines, d'ombres et de recoins obscurs.

L'endroit résonnait d'un bruit monstrueux - un claquement répétitif, assourdissant ! Je voulus battre en retraite, mais Heller était sur mes talons et il referma la porte derrière lui.

Quand un son est trop violent, on en est comme aveuglé et il me fallut un moment pour voir ce qui se passait devant moi.

Le fracas était produit par un fouet électrique qui zébrait l'air en y laissant des traces menaçantes et crépitantes.

Cinq brutes affreuses, qui appartenaient à l'Appareil et non à Répulsos, habillées d'uniformes de travail noirs, bondissaient, se contorsionnaient et couraient en tous sens pour tenter d'échapper au fouet.

La comtesse Krak se tenait au milieu de la salle. Elle ramena le fouet rugissant en arrière et frappa à nouveau. En même temps, elle fit claquer le talon de l'une de ses cuissardes sur le sol avec la force d'un coup de canon, et ses cheveux blonds volèrent autour de son visage comme un millier de lanières.

Le fouet laissa une marque à vif sur le visage du plus proche des hommes. Il recula en se tortillant. Les cinq types ne tentaient même pas d'attaquer la comtesse. Ils n'avaient qu'une chose en tête : essayer d'échapper à ses coups. Ils suppliaient, pleuraient, et l'un d'eux hurlait sur le sol.

Ce qui me paraissait bizarre, c'était qu'aucun de ces hommes n'appartenait à la section qu'elle dirigeait. Ils faisaient partie des équipes de transport de l'Appareil chargées d'acheminer les marchandises à Répulsos. Je regardai autour de moi dans la faible clarté, essayant de comprendre la cause de tout ce tohu-bohu. C'est alors que je vis, à l'intérieur du monte-charge, une énorme caisse destinée au transport des animaux sauvages et dont les glissières de devant étaient relevées.

Les salles d'entraînement ont la particularité d'empester, mais, en plus de la puanteur habituelle, je discernais la senteur âcre d'une bête. Je regardai vivement autour de moi, gagné par un sentiment de crainte. Y avait-il réellement un animal sauvage à proximité ? Et où ?

A moins de quatre mètres sur ma droite, je surpris un mouvement. Là, dans l'obscurité, des yeux brillaient !

Un léprodonte !

Je me ruai vers la sortie comme si tous les Démons étaient à mes trousses !

Mais Heller avait refermé la porte et me barrait la route, immobile, explorant la salle du regard.

Je ne voulais pas montrer ma panique. Je pris l'éclateur que j'avais échangé. Avec 800 kilovolts, j'avais une toute petite chance d'arrêter un léprodonte.

Quand je ne fus plus ébloui par les violents éclairs du fouet, je pus distinguer plus nettement la bête. Elle se tenait assise là, sans entraves, parfaitement libre de déchiqueter tous ceux qui se trouvaient dans la salle.

Elle devait peser plus de quatre cents kilos et sa toison noire et orange était emmêlée. Elle avait des crocs comme des sabres et je vis des gouttes de sang *frais* sur sa mâchoire inférieure. Par tous les Dieux, la comtesse lui avait-elle donné quelqu'un en pâture ?

Fasciné par la vue du sang, je me déplaçai légèrement sur le côté, afin de voir s'il y avait les restes d'un corps devant la bête. Non, rien que des petites mares de sang.

Je sursautai au mouvement soudain que fit le léprodonte. Mais il avait seulement baissé la tête et se léchait les pattes avant ! Elles saignaient ! Je compris alors ce qui s'était passé.

Parfois, très rarement, on capture un léprodonte pour le montrer en public. Les dompteurs ne réussissent presque jamais à les apprivoiser et ils ne se risquent jamais à l'intérieur d'une cage, car ces petites bêtes peuvent vous arracher la tête d'un simple coup de patte. Tous les léprodontes que j'avais vus dans des spectacles avaient eu les griffes arrachées - précaution élémentaire. De toute évidence, c'est ce qui était arrivé à cette bête.

Oui, c'était bien ça : il y avait un sillage de sang qui allait de la caisse d'expédition à la plate-forme. Quand le léprodonte s'était déplacé, ses blessures s'étaient rouvertes.

Il releva la tête. Ses yeux, grands comme des assiettes, luisaient intensément. Certains prétendent que les léprodontes peuvent voir dans la nuit la plus noire. Tous les Démons soient loués, la bête ne m'accordait aucune attention. Elle observait la corrida qui se déroulait au milieu de la salle.

Le pire, dans cette scène brutale, c'était que la comtesse Krak ne montrait pas la plus infime trace d'émotion. C'était ce qu'il y avait de plus glaçant chez elle. Elle ne se mettait jamais en colère, elle n'était jamais triste, elle ne souriait jamais. Elle fouettait ces hommes comme si elle était en train de dîner tranquillement.

Ils essayaient par tous les moyens d'esquiver ses coups. Peine perdue : elle faisait mouche à chaque fois. Et lorsqu'ils se réfugiaient derrière des caisses ou des machines, elle se servait du fouet pour les ramener à découvert, puis se remettait à frapper.

A présent, il y en avait quatre au sol. Prostrés. Le cinquième voulut se mettre à l'abri dans la caisse de la bête. La lanière s'enroula autour de ses chevilles, le traîna en arrière et s'abattit à nouveau en grésillant. Je vis alors que le fouet était réglé sur l'intensité minimale - la plus cruelle, celle qui fait le plus souffrir. L'homme hurla et se roula en boule sur le sol.

Les cinq hommes gisaient à terre maintenant, immobiles.

La comtesse Krak se redressa alors de toute sa hauteur au-dessus des brutes terrassées. Aucune émotion sur son visage. Elle n'était même pas essoufflée.

Elle donna un coup de pied dans le flanc du chef. Il se recroquevilla un peu plus et se mit à ramper comme un ver de terre pour essayer d'échapper à la comtesse.

- Quand tu retourneras à la base, dit-elle d'une voix totalement dénuée d'émotion, transmets ce message à ton patron : à dis-lui que s'il m'envoie encore une bête estropiée, j'en dresserai une pour le retrouver et le tuer, puis je la lâcherai dans la nature. Message enregistré ? N'estropiez jamais un animal si vous voulez que je l'accepte. Tu es encore en vie. Rassemble ton équipe et disparais !

Il aida ses acolytes à se relever à grands coups de botte et, sans jeter un regard à la comtesse, les cinq hommes se précipitèrent dans le monte-charge, laissant derrière eux des lambeaux d'uniforme brûlés.

La jeune femme sortit un disque de communication de son manteau râpé, l'appliqua contre sa bouche et lança quelques ordres que je ne pus saisir. Puis elle jeta son fouet électrique dans la direction du râtelier, de l'autre côté de la salle.

Sans que son expression change, elle se dirigea d'un pas normal vers le léprodonte sauvage !

Elle pointa un doigt sur lui. Il s'assit et la regarda. D'un seul coup de patte, il aurait pu lui arracher le bras. Elle avança l'autre main, la paume offerte.

La bête leva sa patte blessée, qui devait bien peser quinze kilos, et la laissa retomber dans la main de la comtesse. Elle examina les blessures aux endroits où les griffes avaient été arrachées.

L'équipe personnelle de la comtesse surgit d'une porte latérale - une dizaine de canailles graisseuses, crasseuses, torse nu. Ils se tinrent à une distance prudente. Il était évident qu'ils n'avaient pas la moindre envie de s'approcher d'un léprodonte.

La comtesse reposa la patte blessée. Elle avait toujours son doigt pointé sur la tête de l'animal. Lentement, elle le déplaça vers le côté. Puis, de l'autre main, elle désigna la caisse.

Avec une plainte curieuse, le léprodonte se dressa sur ses quatre pattes. Il arrivait presque à l'épaule de la jeune femme. Il s'avança en boitillant et elle l'accompagna, un doigt pointé sur lui et l'autre sur la caisse. Le léprodonte s'y engouffra.

Aussitôt l'équipe accourut et referma le devant. Ils mirent la caisse sur un chariot et attendirent, guettant les ordres de la comtesse.

- Mettez-le dans une cage chaude, dit-elle d'un ton égal. Dites à l'un des assistants de Crobe de préparer une culture pour essayer de faire repousser ces griffes. Et qu'aucun d'entre vous ne s'avise d'énerver cet animal, vu que, maintenant, il va être encore plus dur à dresser. Compris ?

Les crapules galeuses inclinèrent servilement la tête. La comtesse claqua des doigts et ils poussèrent le chariot sur le monte-charge avant de disparaître.

4

L'endroit puait la sueur aigre, l'ozone et le sang - les odeurs familières de l'Appareil. Des torsades de fumée, laissées par le fouet, flottaient encore dans l'air avec des fragments de tissu calciné. Entre les taches verdâtres des plaques lumineuses, d'affreux secrets étaient tapis dans l'ombre.

D'une démarche nonchalante, la comtesse Krak se dirigea vers son bureau, situé sur la plate-forme près de la porte.

Heller visitait les lieux. D'un regard intéressé, il parcourait le vaste assemblage de machines - des machines conçues pour torturer, estropier et infliger des chocs douloureux.

La comtesse m'avisa, ses yeux plus froids que jamais. A l'instant où elle montait sur la plate-forme, elle ouvrit la bouche pour dire quelque chose. Je savais ce que ce serait : nous avions plus d'une heure de retard pour le rendez-vous d'entraînement d'Heller. Et ensuite, sans la moindre émotion, elle m'arracherait sans doute la peau, lambeau par lambeau.

Mais elle ne parla pas. Elle s'arrêta net, le regard fixé sur Jettero Heller.

Plissant les yeux pour mieux voir, Heller s'avançait le long du mur, s'éloignant de la plate-forme. Il regardait la première machine. C'était une chose trapue, à l'aspect brutal, ternie par l'usure. Si l'on plaçait un être vivant à l'intérieur, il avait le cerveau grillé selon des degrés aussi variés que précisément calculés. Heller manipula un loquet sur le côté et souleva le capot, révélant les circuits et un étalage poussiéreux de panneaux et de composants. Il se mit à farfouiller à l'intérieur et dut débrancher quelque chose car, lorsqu'il se redressa, il tenait un morceau de câble. Il se mit à l'examiner.

Je me figeai, glacé. Ici, il était formellement interdit de bricoler le matériel. Je regardai la comtesse. Mais elle restait immobile, se contentant de l'observer. Et comme toujours, pas la moindre expression sur son visage. Cette femelle était aussi belle qu'une déesse mais aussi froide que la pierre. Plus encore.

Je retins mon souffle. J'ignorais ce qu'elle allait faire devant cette violation de son domaine. Je redoutais le pire.

Je pense vraiment qu'Heller ne l'avait pas vue monter sur la plate-forme près de l'entrée. D'une part, la lumière était faible et, d'autre part, il semblait fasciné par les machines. Elles étaient alignées le long des murs, dans toute leur hideur. Il s'approcha de la suivante. C'était un amalgame de bras tordus et de rouages volumineux : un extenseur de tendons dont on aurait pu penser qu'il servait aux contorsionnistes et aux acrobates ; en réalité, c'était un instrument de torture particulièrement efficace. Heller promena une main sur le siège et observa la saleté qui s'était déposée sur ses doigts. Puis il sortit de sa poche l'un de ces morceaux de tissu rouge en forme d'étoile que les ingénieurs utilisent comme chiffon et il s'essuya les doigts.

La machine suivante, constituée d'un entrelacs de tubes et de courroies, était entourée de réservoirs destinés à recevoir des liquides. Elle avait pour fonction d'infliger des chocs thermiques en faisant alterner un froid de glace avec une chaleur capable de vous rôtir vif. On aurait pu l'utiliser pour des traitements amaigrissants radicaux, mais elle était réservée à des usages beaucoup moins thérapeutiques. Heller ouvrit l'un des réservoirs et jeta un coup d'œil à l'intérieur. Il secoua la tête et poursuivit son investigation.

La comtesse Krak le suivait des yeux en tournant lentement la tête, ce qui fit qu'au bout d'un moment je ne vis plus son visage de l'endroit où je me trouvais. Je n'avais pas la moindre idée de la façon dont elle allait réagir. Par trois fois, durant les deux dernières années, elle avait prouvé qu'elle était capable de tuer.

Heller s'était arrêté devant une autre machine composée d'un amas d'électrodes - prêtes à être appliquées sur diverses parties d'un corps dûment attaché - et d'une espèce d'écran de projection. Les malheureux soumis à cet appareil recevaient des chocs de très haut voltage en même temps qu'on leur montrait des images. Heller souleva le capot qui protégeait les transformateurs et examina les circuits. Il prit dans sa poche une petite lampe à faisceau aiguille et se pencha à l'intérieur. Son inspection terminée, il s'éloigna, sans même prendre la peine de remettre le capot en place.

La comtesse Krak le suivait toujours du regard, immobile.

La machine suivante était munie de coupelles qui se rabattaient sur les oreilles du supplicié et qui diffusaient des ondes sonores interrompues de temps de silence. Elle m'était familière car nous en avions la réplique dans les salles d'interrogatoire. On aurait pu la considérer comme une « machine d'instruction », mais la douleur qu'elle suscitait était atroce. Heller joua machinalement avec les commandes, haussa les épaules et continua son chemin.

Il y avait beaucoup d'autres machines : l'une qui vous lacérait de faisceaux lumineux, une autre qui vous plongeait dans de véritables bains d'électricité, et ainsi de suite. Mais Heller paraissait en avoir terminé avec elles. Déjà il avait changé de pôle d'intérêt.

Pas la comtesse. Elle avait pivoté sur ses talons et je ne voyais plus que son dos. Sur la plate-forme, à côté d'elle, il y avait un fauteuil, et elle mit la main sur le haut dossier. Peut-être s'apprêtait-elle à le lancer sur Heller... Mais non, elle demeurait là, silencieuse, immobile.

Jettero, qui n'avait nullement conscience d'être observé ou menacé, se dirigea nonchalamment vers la plate-forme d'exercice, à l'autre bout de la salle. Toute son attention était portée maintenant sur les accessoires de gymnastique. Un gros sac de cent livres, dont les acrobates se servaient pour s'entraîner à soulever des corps, se trouvait sur son passage. Il le souleva d'un geste désinvolte, le fit tourner rapidement sur son doigt tendu, puis le laissa retomber et poursuivit son inspection.

Au centre, des anneaux étaient suspendus au bout de longues cordes. L'un des anneaux pendait par-dessus une barre. Il fit un bond pour le dégager, l'attrapa au vol et s'élança vers nous en décrivant un arc long et gracieux. Il avait sans doute jugé que c'était moins fatigant que de marcher.

En plein vol, il se mit soudain à la verticale, tête en bas. Sur un bras ! A trois mètres de nous, il lâcha l'anneau et atterrit avec élégance sur la pointe des pieds, à moins d'un mètre de la comtesse Krak.

Il l'aperçut. Il se tenait très droit. Brusquement, ce fut comme si une lumière venait de s'allumer en lui.

- Ça alors ! s'exclama-t-il. Bonjour ! Qu'est-ce qu'une fille aussi JOLIE que VOUS fait dans un endroit PAREIL ?

Je faillis mourir sur place. Depuis des milliers d'années, il n'y a pas un seul spatial qui n'ait dit ça à n'importe quelle prostituée de n'importe quel night-club de n'importe laquelle des mille planètes de la Confédération. C'est le cliché le plus éculé qu'on connaisse, carrément une invitation à faire un tour dans un lit !

Alors que la comtesse avait tué des hommes pour un simple geste déplacé !...

Je me suis dit : eh bien, adieu Heller ! Adieu la mission ! J'ai serré l'éclateur entre mes doigts.

Pendant quelques secondes, elle ne bougea pas. Puis, brusquement, comme si ses jambes ne pouvaient plus la soutenir, elle se laissa aller dans le fauteuil et détourna la tête.

Et elle resta là, le regard perdu dans le vague. D'une voix basse, tendue, et sans regarder Heller, elle dit alors :

- Vous ne devriez pas m'adresser la parole. (Elle parut s'enfoncer un peu plus dans le siège. Elle était effondrée.) Je ne suis pas digne de vous. (Sa voix n'était plus qu'un murmure monotone.) Je suis ignoble. Je suis une pourriture. Je ne mérite pas que vous me parliez.

Elle inspira longuement, douloureusement. Elle était prostrée, comme paralysée. Puis elle émit une sorte de plainte à :

- C'est la première chose gentille qu'on m'ait dite en *trois* ans !

Et elle fondit en larmes.

Heller était sincèrement affligé. Il s'agenouilla devant elle et lui prit la main. Oh, non, non, non ! pensai-je. Ne la touche pas ! Elle a tué pour bien moins que ça !

Mais elle ne fit aucun geste. Elle demeura là, figée, le menton sur la poitrine, *pleurant !*

Avec Heller à genoux qui lui tenait la main.

J'attendis. Mais rien ne se produisit. Au bout d'un moment, je me dirigeai vers les hypnocasques et j'en tripotai quelques-uns, sans but. Ils génèrent un champ magnétique qui plonge le sujet dans un sommeil hypnotique. Des plaques préenregistrées sont introduites dans une fente et le sujet peut alors apprendre très rapidement diverses matières. C'est ainsi que j'avais appris l'anglais, l'italien et le turc.

Heller était toujours agenouillé devant la comtesse en larmes, la main de la jeune femme dans la sienne. De son autre main, il sortit son chiffon rouge d'ingénieur et le lui tendit. Mais elle ne s'en servit pas pour essuyer ses larmes, elle le porta à ses lèvres pour étouffer les violents sanglots qui la secouaient.

Tout cela ne menait à rien. La journée passait et nous n'avions toujours rien fait. Mais je n'osais pas m'approcher d'eux. Alors je sortis un disque de communication et, en murmurant, je donnai des ordres afin que deux gardes soient postés à l'extérieur, devant la porte. Je sortis discrètement dans le couloir et, quand les gardes se présentèrent, je leur dis de veiller à ce qu'Heller ne s'échappe pas. Puis je descendis aux labos de cytologie. Crobe n'était pas dans les parages mais, de toute façon, je n'avais aucune envie de le voir.

J'ai demandé à l'un de ses assistants de s'occuper de mon visage. Il a nettoyé les diverses contusions avant d'y mettre un peu de la culture cellulaire conservée dans ma bouteille personnelle - à chaque individu correspond une culture particulière. Ensuite, il m'a posé des nouveaux pansements de simili-peau. J'avais meilleure mine à présent. J'espérais qu'ils tiendraient, vu les suées que j'attrapais ces jours-ci.

J'ai regagné la salle d'entraînement.

Heller était encore agenouillé auprès de la comtesse qui pleurait toujours, le chiffon rouge pressé contre sa bouche !

Quelle journée ! Nous n'avions rien fait ! Rien ! Mais je savais où se trouvaient les archives de langages. Après tout, c'était ma propre section qui avait enregistré ceux de la Terre. J'ignore pourquoi, mais il existe de nombreux cours de langues enregistrés sur Blito-P3, qui sont vendus dans le commerce. Sur Voltar, nous reproduisons les têtes de lecture, avec le courant adéquat, et nous reportons les enregistrements terriens sur bande en intercalant entre les mots leur équivalent en voltarien standard. Les Terriens impriment de nombreux livres destinés aux enfants et l'on peut donc apprendre très rapidement à lire et à écrire les différents langages de la Terre. Raht et Terb, les meilleurs agents voltariens en poste sur Blito-P3, ont également réalisé des enregistrements des divers accents. Nous disposons ainsi de dizaines de mètres cubes de matériel éducatif. Cela m'amuse toujours de voir que les livres et les enregistrements en provenance de la Terre comportent des mises en garde menaçant de pénalités quiconque les reproduira. Il y a, notamment, un groupe appelé « F.B.I. » qui est chargé d'arrêter les contrevenants. Eh bien, je lui souhaite bonne chance !

J'ai exploré le casier portant l'étiquette « Blito-P3 ». J'ai pris tout mon temps car, sur la plate-forme, la situation n'avait toujours pas évolué.

D'après ce que j'avais cru comprendre, les secteurs géographiques de ce que nous appelons les « zones d'opération » seraient, dans le cas d'Heller, centrés sur trois régions : la Virginie, Washington D.C. * et New York City. Il ne s'éterniserait pas en Turquie - les Dieux m'en gardent. Je parvins à trouver un enregistrement d'accent virginien, mais rien à propos d'un quelconque accent de Washington D.C. Je n'insistai pas. Par contre, je ne tardai pas à me perdre dans les accents new-yorkais - il y en avait une tripotée. Je finis par tomber sur une note qui disait :

*L'accent « Ivy League » ** est celui des classes supérieures de la partie des Etats-Unis appelée Nouvelle-Angleterre.*

En examinant la carte, je vis que New York se situait à la limite de ladite « Nouvelle-Angleterre » et je me dis que l'accent « Ivy League » ferait probablement l'affaire. J'avais, quant à moi, appris l'anglais avec un « accent commercial hétérogène », ce qui me donnait la possibilité d'acquérir de nouveaux accents. Mais Heller n'aurait pas assez de temps pour cela. Je choisis donc l'accent virginien et l'accent « Ivy League ».

Sur la plate-forme, la tension semblait avoir diminué. Ni l'un ni l'autre ne parlait. La comtesse ne pleurait plus aussi abondamment. Le chiffon rouge en étoile était trempé. Je me demandais ce qu'elle mijotait. Une pensée me traversa l'esprit : je ferais peut-être bien de mettre Lombar en garde, pour le cas où cette femelle serait en train de préparer quelque plan d'évasion sophistiqué. Mais, à vrai dire, je ne parvenais pas à deviner ce qu'elle tramait. Si elle avait en tête de s'évader, elle en parlerait probablement à Heller. Seulement voilà, elle ne prononçait pas un mot. Une nouvelle facette de son personnage, sans doute. Ce qui la rendait plus dangereuse que jamais. De toute façon, allez comprendre les femmes !

Elle parla enfin. A voix très basse. Ses sanglots avaient cessé.

- Je vais bien, maintenant, dit-elle.

- Vous êtes sûre ? murmura Heller.

Elle acquiesça. Puis elle s'essuya le visage avec le chiffon rouge en étoile.

Bien, me dis-je. Peut-être cette journée n'est-elle pas complètement fichue. Je fis signe à Heller d'approcher. Je savais faire fonctionner les hypnocasques. Puisque la section d'entraînement refusait de m'aider, je me débrouillerais tout seul. On est tout le temps obligé de faire les choses soi-même dans l'Appareil, vu le nombre de dingues, de demeurés et de criminels qui y travaillent.

J'ai glissé une plaque enregistrée dans la fente et j'ai voulu coiffer Heller du casque. Il me l'a pris des mains et il l'a examiné avec curiosité. J'essayai alors de lui expliquer ce dont il s'agissait, mais il m'ignora.

---

* District of Columbia. (N.d.T.)

** Nom qui désigne un groupe de huit universités du nord-est des États-Unis fréquentées surtout par des enfants de familles riches. Parmi ces universités, on trouve Harvard, Princeton et Yale. Elles ont leurs murs couverts de lierre (ivy). D'où le nom « Ivy League », qui correspond à tout un code social et moral. (N.d.T.)

Il reposa le casque, alla jusqu'au casier et farfouilla à l'intérieur. Il dénicha un lecteur de bandes préenregistrées, prit la première cassette, qui portait la mention *Anglais élémentaire (Ivy League),* et la plaça dans le lecteur. Puis il regagna la plate-forme avec le lecteur et plusieurs cassettes, et s'installa derrière le bureau.

La comtesse n'avait pas quitté son fauteuil. Jamais encore quelqu'un n'avait osé s'asseoir à son bureau ! Elle ne dit rien.

Heller alluma le lecteur muni d'un petit haut-parleur, puis il appuya sur un bouton et j'entendis :

- *Mon nom est George.*

- Oh, non, fit Heller. Non, non, non.

Il sortit d'une de ses poches une petite trousse à outils. Il ouvrit le lecteur. L'instant d'après, il tenait une poignée de pièces détachées. Relevant la tête, il me dit :

- Appelez l'un de vos techniciens de la surveillance électronique.

Ainsi, il savait que Répulsos était truffé de mouchards ! Mais ce n'était pas particulièrement brillant comme déduction. De nos jours, il y a des mouchards partout. Je pris mon disque de communication et lançai quelques ordres.

Heller enfila alors une paire de gants isolants qui résistent à la chaleur. Il prit une microvrille dans sa trousse et se mit à travailler sur les rouages internes du lecteur. Ensuite, il fabriqua une roue dentelée. Le métal, entre ses doigts gantés, fut rapidement porté au rouge. Ce genre de travail s'effectue généralement sur des machines de précision. Mais il confectionna un rouage parfait.

La comtesse Krak l'observait.

Le technicien que j'avais appelé arriva.

- Allez me chercher la pièce 435-m-67-d-1, lui dit Heller.

Vous connaissez les techniciens aussi bien que moi. Mais, à Répulsos, ils constituent une sacrée bande de bons à rien. Celui-là ouvrait déjà la bouche pour dire que c'était impossible-parce-que-etc., mais Heller ne lui en laissa pas le temps. Avec le ton et la façon de parler propres à la Flotte, il ajouta :

- Vous avez certainement ces engins de surveillance appelés intercepteurs-convertisseurs, qui absorbent les signaux qui viennent de l'extérieur avant de les renvoyer sous une autre forme. La pièce 435-m-67-d-1 est l'unité pour la réduction des petites fréquences. Allez m'en chercher une. Exécution.

Le technicien partit comme un éclair. Heller refroidit la pièce qu'il venait de confectionner et réassembla le lecteur. Une bande enregistrée dure à peu près une heure. Il mit l'appareil en marche, la bande partit et... ZIP !... elle défila en trente secondes. Le son en provenance du haut-parleur était un crissement aigu, à la limite de l'audible.

Le technicien réapparut, tendit à Heller la pièce demandée, lui fit un salut dans le style de la Flotte et se retira. Je dois avouer que j'en éprouvai de la jalousie. Jamais, dans l'Appareil, on ne s'était comporté comme ça avec moi !

Heller sortit un soudobloc de sa petite trousse et, en quelques gestes experts, mit la nouvelle pièce en place.

Puis il refit passer la bande enregistrée. Cette fois, le son était une sorte de vrombissement dans le registre des médiums.

- Ah, voilà qui est mieux, commenta Heller.

Il nettoya le bureau et rangea ses outils. Il remit la bande au début, contempla tranquillement le haut-parleur et appuya sur le bouton de mise en marche. La bande, qui comportait une heure d'enregistrement, défila en trente secondes avec un grondement.

- Parfait, fit Heller, satisfait.

- Comment ça, parfait ? m'écriai-je, incrédule. Il faut une heure pour écouter une bande. Allons, allons ! Si vous l'avez vraiment écoutée, dites-moi ce qui vient après la première phrase. *Mon nom est George...*

- *...et j'ai un chien. Il s'appelle Rover. Aimez-vous les chiens ?*

Il sourit.

Mais, apparemment, il n'avait pas envie de jouer à des jeux de société avec moi. Il prit la seconde bande et la fit démarrer. Elle défila à toute allure en grondant. (Bip) ! Il était vraiment capable de suivre à cette vitesse !

- Assimilation auditive instantanée, lâcha la comtesse dans un souffle.

- C'est rare ? demandai-je en me tournant vers elle.

- Non, répondit-elle. (Elle semblait hébétée.) En fait... oui. Je veux dire, à une vitesse pareille... (Je vis qu'elle ne s'adressait pas vraiment à moi.) Son ouïe est entraînée à différencier des intervalles de temps infimes. (Il y avait quelque chose d'étrange dans sa voix.) Jamais encore je n'avais vu ça.

Elle parut soudain prendre conscience de ma présence et, d'un air émerveillé, les yeux brillants, elle me dit :

- Est-ce qu'il n'est pas magnifique ?

Je crus tout d'abord qu'elle faisait allusion à ses talents. Mais non, elle regardait son torse et ses bras. Force m'est de reconnaître qu'il était effectivement l'un des plus beaux gars de Voltar, mais ça ne suffisait pas à expliquer la réaction de la comtesse. Il y avait quelque chose, dans cette histoire, qui m'échappait complètement. Et qui, par conséquent, pouvait se révéler dangereux.

J'eus tout à coup une idée lumineuse.

- Eh bien, s'il peut apprendre aussi vite que ça, il ne nous reste plus qu'à emporter le lecteur et les bandes dans ma chambre et il pourra travailler là-bas.

- Non ! cria-t-elle. (Puis elle ajouta, plus calmement :) Le règlement interdit que le matériel quitte cette salle.

Ça, c'était plutôt boiteux, vu que je n'arrêtais pas de prendre et de rapporter du matériel.

Heller avait déjà passé quatre bandes. Je me levai et lui tapotai l'épaule.

- Ça sera tout pour aujourd'hui, dis-je. Nous avons d'autres rendez-vous. Venez.

Et je l'entraînai au-dehors. Je n'aime pas les choses que je ne comprends pas.

5

Nous avons pris un tube et nous avons gagné la plus haute tour de Répulsos. Comme le soleil s'était couché et qu'il y avait là-haut un toit qui recouvrait en partie la tour, nous serions à l'abri d'éventuelles observations aériennes. D'un horizon à l'autre, le ciel criblé d'étoiles se déployait comme un dôme serti de gemmes. Au-dessous de nous, les lumières de Camp Endurance scintillaient. Comme c'était bon de respirer une bonne bouffée d'air propre après toute une journée passée dans la puanteur de Répulsos !

Quand nous fûmes installés dans l'embrasure d'une porte, je commençai :

- Heller, il faut que je vous parle.

Le vent du désert soufflait dans ses cheveux, mais je ne parvenais pas à discerner son regard dans la faible clarté des étoiles. Apparemment, il était disposé à m'écouter.

- La Mission Terre, poursuivis-je, est d'une importance vitale. Je ne dois pas courir le moindre risque d'échec dans l'exécution de mes ordres.

Inutile de dire, bien sûr, que je ne lui précisai pas que ces ordres impliquaient qu'il échoue, lui. Chose étrange, j'éprouvais en cet instant une espèce de sentiment fraternel envers lui, et ce que j'avais à lui dire est le genre de chose qu'un officier est parfois obligé de dire à un autre, qu'il l'apprécie ou non.

- Vous êtes un nouveau venu dans le monde de l'espionnage. Je suis votre manipulateur. Vous savez ce que cela signifie. C'est moi qui guiderai vos actions.

Il semblait attentif. Aussi, je laissai tomber d'un coup :

- Cette fille que vous avez rencontrée cet après-midi, elle est dangereuse. Elle peut écraser n'importe qui, au propre comme au figuré.

Heller ne dit rien.

- Les officiers sont frères, repris-je, et ils doivent parfois se dire ce genre de chose. Je sais que ce que je vais vous apprendre risque de ne pas vous plaire, mais ça doit être dit.

« Qu'elle ait été comtesse autrefois, c'est vrai. Mais c'est la seule chose vraie sur son compte. Est-ce que vous vous souvenez de Lissus Moam ? Celle dont on a tellement parlé dans les journaux il y a trois ans ? (Il ne répondit pas, aussi je continuai :) Elle a été arrêtée, jugée et condamnée à mort. En même temps qu'elle, quarante-trois enfants ont également été condamnés et exécutés. Tout cela s'est passé sur la planète Manco. La comtesse est un génie de l'instruction et du dressage. Elle avait profité de sa position au sein de la Division de l'Education pour recruter des enfants et les entraîner au cambriolage des banques. Elle leur avait appris à forcer n'importe quel coffre, à neutraliser n'importe quel système d'alarme. Ils avaient volé des millions.

« Maintenant, j'admets que cette affaire n'est pas très claire, car le bruit a couru que le véritable cerveau de cette bande de gamins n'était autre que le Lord Adjoint pour l'Education de la planète Manco - c'est en tout cas ce qu'elle a affirmé pendant le procès. Mais on avait appris à ces enfants à tuer et, à chacun de leurs casses, ils assassinaient tous les gardes, parfois de façon horrible.

« En grand secret, la Police Intérieure a remis la comtesse à l'Appareil. C'est très souvent comme ça que ça se passe. Ça fait près de trois ans qu'elle est à Répulsos.

Je ne risquais rien à lui donner ces détails. Si je réussissais à l'emmener sur Blito-P3, tout aurait changé à son retour sur Voltar.

- Durant ces trois ans, elle a tué trois gardes. Le premier avait simplement tendu la main vers ses cheveux, sans doute pour les caresser. Elle avait un fouet à la main. Elle lui a transpercé le cœur avec le manche.

« Quelques mois plus tard, l'une des plus redoutables brutes de Répulsos lui a murmuré quelque chose à l'oreille - nul ne sait quoi. Elle l'a pris par le dos et elle l'a emprisonné dans ses bras, puis elle a mis sa tête sous le cou de l'homme et elle a tiré. La colonne vertébrale du gars a été cassée en trois morceaux et il lui a fallu quatre jours pour mourir.

« Il y a tout juste deux mois, ici même, dans le secteur d'entraînement, elle enseignait à l'un de nos agents les plus féroces un nouveau coup dans le combat au corps à corps. Probablement a-t-il voulu la lutiner, mais peut-être même pas... toujours est-il qu'il a eu un geste incorrect. Vous savez, elle porte des cuissardes, un grand manteau et pas grand-chose d'autre. En fait, je crois que c'est tout ce qu'elle possède, plus quelques combinaisons de travail qu'elle met pour dompter les grands lézards à écailles. Quelques témoins ont déclaré que l'homme ne l'avait même pas touchée, mais certains prétendent qu'il lui a bel et bien mis la main entre les jambes. Ecoutez-moi, Heller : d'un simple coup du tranchant de la main, elle lui a cassé le bras ! Alors il l'a traitée de sale (bip). On raconte que sans la moindre trace d'émotion, elle lui aurait dit : « Je suis vierge et tu vas t'excuser. » Et, sans attendre la réponse, elle lui a brisé la mâchoire. Mais ce n'est pas tout. Elle l'a réduit en charpie. Elle l'a piétiné, Heller, jusqu'à ce qu'il ne lui reste plus un os entier ! Les deux autres, je ne les ai pas vus, mais ce type-là, oui, je l'ai vu après : ce n'était plus qu'une monstrueuse bouillie rouge !

« Le seul qui puisse la frapper et s'en sortir vivant, c'est Lombar Hisst.

Heller montra enfin quelque intérêt.

- Vous voulez dire que le chef de l'Appareil l'a frappée ?

- Nous sommes tous terrifiés par lui, et à juste titre. Après tout, il est... (Je me repris. J'avais failli dire : « le personnage le plus puissant de la Confédération de Voltar ». Mais ce n'était pas vraiment exact, pas encore, du moins. Et puis j'en aurais trop dit. J'achevai simplement :) ...trop dangereux.

Heller semblait pensif à présent. Je décidai d'aller droit au but.

- Jettero... je peux vous appeler Jettero, n'est-ce pas ? Je suis officier comme vous et j'estime avoir un devoir envers vous. Il est impératif que vous quittiez cette planète vivant et je vous y aiderai. La Mission Terre passe avant tout. Ecoutez-moi, Jettero : faites des avances à la comtesse Krak, faites des remarques comme celles d'aujourd'hui, faites-vous des idées à son sujet, et vous êtes un homme mort - même si vous êtes un as du corps à corps. Ne vous approchez plus de la comtesse Krak ! Il y a des gens qui ont intérêt à ce que cette mission échoue, mais ce n'est rien à côté de ce qui s'est passé cet après-midi. Le plus gros danger que vous couriez en ce moment, c'est d'essayer de séduire cette femelle. Oui, je sais qu'on se sent bien seul dans l'espace et que vous revenez d'un long voyage et tout ça... Mais la comtesse, c'est la mort incarnée ! Ne vous en approchez pas ! (Je ris un peu pour essayer de détendre l'atmosphère après cette mise en garde.) Après tout, ce sera déjà assez difficile de vous faire quitter cette planète !... Allez, parlons d'autre chose.

Heller demeura un instant immobile et silencieux. Je vis qu'il réfléchissait intensément. Il était évident qu'un problème le tourmentait. Je respectai son silence.

- Il y a une chose dont je n'arrive pas à me souvenir, dit-il finalement.

J'étais tout ouïe, prêt à recevoir ses confidences.

Il me regarda d'un air interrogateur. Il semblait troublé et même perplexe.

- Pensez-vous qu'elle a les yeux gris ? Ou bien bleu pâle ?

Ecœuré, je décidai de laisser tomber. Je le reconduisis jusqu'à la chambre. De toute façon, j'avais encore pas mal de choses importantes à accomplir aujourd'hui.

6

Lombar avait l'habitude de dire que si vous laissez un subalterne violer le règlement sans le punir sévèrement, vous ne tarderez pas à avoir vous-même des ennuis. A mon avis, c'est une remarque tout à fait pertinente.

J'avais le sentiment de me déplacer en terrain glissant en ce moment. Pis encore : je pressentais des ennuis imminents. En effet, je ne m'étais pas comporté comme il convenait avec certains subalternes. Avant que tout ne m'échappe, il fallait absolument que je châtie ce chef d'escouade. Sa conduite de « gardien » d'Heller avait été impardonnable !

Aussi, dès que j'eus avalé un peu de ce pain moisi qui passe pour de la nourriture à Répulsos, je me rendis à Camp Endurance. Lorsque j'aurais réglé cette histoire, il mériterait un peu plus encore son surnom de « Camp des Macchabées ».

La forteresse est reliée au Camp par un tunnel de près de trois kilomètres. Tout le trafic entre le monde extérieur et Répulsos passe par Camp Endurance. Lorsqu'on survole la région ou qu'on inspecte les lieux, on ne voit que le Camp, tout le trafic étant justifié par les « activités d'entraînement » qui s'y déroulent.

Nous avions essayé de réduire le trafic au minimum, mais il restait malgré tout conséquent. La circulation à l'intérieur du tunnel était particulièrement dense ce soir-là. Le zipbus que je pris resta bloqué pendant vingt bonnes minutes sur la voie de dégagement, à mi-chemin du Camp, pour laisser passer un convoi de transport qui allait à Répulsos.

La vue, depuis l'intérieur du zipbus, était limitée : il n'y avait qu'une petite vitre en losange à côté de chaque siège. Les faibles lumières du tunnel faisaient briller les flancs des véhicules en un halo vert.

Par tous les Dieux, la circulation était vraiment compacte ! Je me suis demandé ce qui se passait. Je surpris, au passage, quelques pavillons d'officiers de haut rang. Le fracas des camions blindés secouait le zipbus et les tanks d'escorte défilaient comme autant de coups de canons-éclateurs, me déchirant les tympans.

Oui, il se passait quelque chose, c'était certain ! Je criai à l'adresse du conducteur - torse nu - du zipbus :

- Est-ce qu'il y a une alerte générale ?

Mais ma voix fut noyée dans les grondements du convoi et je dus répéter ma question en hurlant. Cette fois, il m'entendit.

- J'sais pas ce qui se passe ! Le premier convoi, c'était du matériel avec des tanks d'escorte. Maintenant, c'est rien que des véhicules d'état-major - un tas de grosses huiles à la (bip). Avec ces (enbipés), on ne peut jamais savoir ce qui se mijote.

Le conducteur ne s'était pas retourné jusqu'à ces derniers mots. C'est alors seulement qu'il s'aperçut qu'il s'adressait à un officier. Il devint blême et se retourna net, regardant droit devant lui, rigide.

Racaille, pensai-je. Lombar a raison. Les immondices comme ce type, on devrait les exterminer. Mais je laissai passer sa remarque. J'étais bien trop impatient de dire deux mots à ce chef d'escouade.

Nous avons fini par atteindre la barrière de sécurité qui ouvrait l'accès à Camp Endurance. Jamais personne ne s'était évadé de Répulsos — le tunnel était le seul chemin possible vers l'extérieur, puisque toutes les autres sorties de la forteresse avaient été murées.

Les gardiens en uniforme noir vérifièrent à deux reprises mon identoplaque, sans cesser une seconde de pointer leurs éclateurs sur moi. L'uniforme gris est toujours suspect, mais que je sois damné si je mets un jour l'affreux truc noir des troupes de l'Appareil.

Le chef d'escouade qui avait eu la charge de faire garder Heller par ses hommes se nommait Snelz. Ils étaient casernés à Camp Endurance, mais on les détachait régulièrement à Répulsos pour des tours de garde. Comme je ne voulais pas donner l'alerte à Snelz, je dis que je me rendais au club du Camp. Je savais où trouver cet (enbipé).

Les officiers de Camp Endurance vivent dans de petits bunkers pareils à des terriers d'animaux sauvages, tout au long du côté nord du Camp, sous la colline. Le secteur était plutôt obscur et il régnait une odeur fétide. Des échos de musique et de cris montaient du Camp.

Je trouvai bientôt le numéro de la tanière. Un rai de lumière était visible sous la porte. Donc, Snelz devait être dans les lieux. Il y avait deux gros rochers à côté de l'entrée. J'ai honte de l'avouer, mais mon attention était tellement concentrée sur le rai de lumière que je ne vis pas la sentinelle.

Il arrive que les hommes de l'Appareil participent à des défilés militaires et tout ça, mais ils n'ont vraiment rien à voir avec l'Armée. Ce sont des criminels - le rebut de toutes les planètes - et ils ont tendance à se cacher, même quand ils montent la garde. Ils ne font jamais rien franchement. Ils tiennent cela de l'Appareil, à moins que ce ne soit le contraire.

De plus, ils dépendent d'un règlement tout à fait différent de celui de l'Armée. Leurs officiers peuvent les tuer sans encourir de sanctions. Ce qui place n'importe quel garde dans une situation critique. Soit il tente de faire son devoir en protégeant son supérieur et il se fait tuer, soit il ne le protège pas et c'est son supérieur qui le tue.

La sentinelle fit une erreur : elle choisit de défendre son officier. Inconscient du danger qui me menaçait, je m'avançai. Lorsque je fus à trois mètres de la porte, elle me sauta dessus.

Je suis très rapide. Sans cela, je crois que je serais mort sur place.

Le canon d'un fusil-éclateur s'enfonça violemment dans mon ventre.

J'entrevis brièvement l'homme qui le tenait.

Je roulai sur le côté et fis dévier le canon au moment où le garde faisait feu. Puis je me relevai d'un bond et abattis ma main droite sur sa nuque.

Il vacilla et j'en profitai.

A la seconde où il basculait, je lui arrachai le fusil des mains.

Il lança ses bottes dans mes tibias et le coup me fit tituber.

Un véhicule traversa le Camp et, l'espace d'une seconde, ses phares illuminèrent l'endroit d'une pâle lumière verte. Pour la première fois, je vis clairement que j'avais affaire à une sentinelle et non à un assassin.

Mais je ne pouvais pas le laisser s'en tirer comme ça ! Pas après qu'il eut attaqué un officier !

Je pris l'arme par le canon et abattis la crosse sur son crâne. Il y eut une espèce de « crac ». Je frappai une seconde fois, afin d'être sûr. Il demeura étendu sur le sol et ne bougea plus. Du sang s'écoulait de sa tête.

Parfait. Au tour de Snelz, maintenant.

La porte, plutôt épaisse, avait dû étouffer les échos de notre combat. Je passai par-dessus le corps inerte de la sentinelle et m'approchai de la chambre. Quand on se trouve dans une situation où l'on doit faire sentir son autorité et imposer le respect, il n'y a qu'une chose à faire : y aller franchement.

J'ouvris simplement la porte et j'entrai. Une telle désinvolture lui ferait penser qu'un ami lui rendait visite.

Et, effectivement, c'est ce qu'il dut penser. Il était devant la table, en manches de chemise, et jouait tout seul aux dés à douze faces. Sur le lit, une des prostituées du Camp dormait d'un sommeil paisible. Ses vêtements jonchaient le sol et elle semblait épuisée. L'odeur de la passion baignait toute la pièce.

Avec un bon entraînement, on est capable de reconstituer une situation en une fraction de seconde. Snelz avait touché de l'argent. Et la première chose qu'il avait faite, ç'avait été de se payer une prostituée. A présent, il s'exerçait à lancer six dés à douze faces. Conclusion : il avait l'intention de se rendre dans cet endroit sordide que les gens du Camp appellent « le club », afin de ratiboiser ses camarades officiers et de regagner ce que la catin lui avait coûté.

Snelz leva tranquillement la tête. Il croyait probablement que c'était un ami qui venait lui emprunter un peu d'argent. Il réalisa soudain qui était son visiteur et devint blême.

Bien sûr, les duels entre officiers, ça existe. Mais les officiers de l'Appareil sont de tels pourceaux qu'ils ne se battent jamais en duel. Ils assassinent. Tout simplement. Et quand un officier des Services Généraux veut en découdre avec un simple chef d'escouade de l'Appareil, il ne fait pas le détail.

Sur mon visage, il lut pourquoi j'étais là. Il leva la main gauche en un geste de défense, comme si cela pouvait suffire à détourner mes coups d'éclateur, et cria presque :

- Je peux vous expliquer...

- Commandant de section Snelz, l'interrompis-je (autant rendre cette exécution officielle), vous êtes coupable d'avoir fraternisé avec un prisonnier que vous aviez ordre de garder. Règlement 564-B-61, Section D, de l'Appareil. La sanction, ainsi que vous le savez, est la mort.

Dans l'Appareil, ce n'est pas comme dans la Flotte ou l'Armée : il n'y a pas de jugement. Normalement, il aurait dû simplement accepter la sentence. Mais il paraissait être tout sauf résigné.

Il plongea la main vers sa ceinture. A l'évidence, il allait dégainer et faire feu.

Croyez-moi, je ne suis pas lent à la détente. Sans cela, je ne serais plus en vie depuis longtemps.

Je ne réfléchis pas : ma main jaillit vers ma poche. Avant même qu'il ait touché sa ceinture, j'avais sorti l'éclateur et je le tenais braqué sur lui.

J'avais dans mon champ de tir la prostituée couchée derrière lui et il était certain que les 800 kilovolts la tueraient elle aussi. Mais ce n'était guère le moment de raffiner.

J'appuyai sur la détente.

L'éclateur n'émit qu'un « ploc » timide.

Il n'y eut pas d'explosion.

J'avais dans la main un éclateur chargé à blanc. Sale moment ! Je n'avais pas d'autre arme sur moi. Et j'étais trop loin de Snelz pour le frapper.

J'étais sans défense.

Il farfouillait dans sa ceinture et mon cœur faillit s'arrêter quand il ressortit sa main. J'étais sûr et certain que ma dernière heure avait sonné.

Mais il tenait deux billets de dix crédits ! Il n'avait pas cherché à dégainer une arme. Il avait juste voulu prendre de l'argent.

Est-ce qu'il avait entendu le « ploc » de la charge à blanc de mon éclateur ?

Non !

Brandissant toujours les deux billets de dix crédits, il quitta son siège et se jeta à genoux.

- S'il vous plaît, officier Gris ! S'il vous plaît, ne me tuez pas !

Sur une étagère, à moins d'un mètre de lui, il y avait un gros paralyseur. Mon entraînement reprit le dessus : je ne laissai pas la moindre émotion transparaître sur mon visage et je durcis mon expression.

- Je ne faisais que suivre vos ordres, officier Gris. Je ne fraternisais pas avec le prisonnier. Vous aviez dit qu'il ne devait pas soupçonner que nous le gardions. Qu'il fallait lui donner l'impression que nous le protégions d'une menace extérieure !

La tête baissée, il se perdait en courbettes, les deux billets tendus vers moi. Sa main tremblait comme une aile sur le point de se détacher d'un avion.

La prostituée s'était réveillée. D'une main crasseuse, elle repoussa ses cheveux sales en arrière. Elle ne comprenait pas ce qui se passait et s'exclama :

- Hé, ne lui donne pas d'argent ! Pour ce prix-là, tu pourrais me (biper) une deuxième fois !

Snelz se mit à ramper vers moi, la tête toujours baissée. Il posa les billets à mes pieds et recula à quatre pattes. Puis il se remit à genoux et se recroquevilla sur lui-même, tout en essayant de me faire un salut militaire. Ridicule. Alors qu'il lui suffisait de saisir le paralyseur et de m'abattre. Le pauvre (bip).

- Combien d'argent Heller vous a-t-il donné ? Et pourquoi ? demandai-je.

- Il m'a remis cinquante crédits pour acheter des pains sucrés et de l'eau pétillante au magasin du Camp, pleurnicha Snelz. Ah oui, et il voulait aussi des journaux. Mais il ne m'a pas donné de pot-de-vin. Il m'a dit qu'il aurait peut-être besoin d'autre chose plus tard mais que, en ce qui concerne les cinquante crédits, je pouvais garder la monnaie et acheter des choses pour les hommes.

Relevant la tête, il crispa ses deux poings sous son menton, l'air implorant.

- Il y a si longtemps que nous n'avons pas été payés. Je ne pouvais pas savoir que vous vouliez votre part. Ne me tuez pas. Je n'oublierai plus ! Je vous en prie !

Ma réplique fut interrompue par la prostituée. Elle se traîna à quatre pattes sur le sol et tendit la main vers les deux billets à mes pieds. J'abattis le talon de ma botte sur sa main et les os craquèrent.

Elle poussa un hurlement et se précipita au-dehors, entièrement nue. Elle trébucha sur quelque chose et hurla de nouveau. Elle revint dans la pièce, complètement hagarde.

- Il a tué la sentinelle ! cria-t-elle.

Elle se recroquevilla contre le mur du fond, serrant sa main cassée, trop hébétée pour comprendre que ce qu'elle avait de mieux à faire, c'était de s'enfuir.

Snelz jeta un bref coup d'œil au-dehors. Avec tous ces cris, d'autres officiers n'allaient pas tarder à accourir. Je me dis que j'avais intérêt à régler cette affaire avant qu'il ne réalise que je tenais une arme inoffensive et qu'un paralyseur se trouvait à portée de sa main.

- Snelz, commençai-je d'un ton péremptoire, et il fixa immédiatement son regard sur moi, vous venez de me rappeler qu'en fait vous exécutiez un ordre. Cependant, vous le faisiez de façon beaucoup trop amicale.

Il s'accrocha à cette bouée que je lui tendais.

- Mais je l'ai fait uniquement pour qu'il tienne sa promesse ! proféra-t-il d'un ton plein d'espoir. Il m'a donné sa parole d'officier royal de me faire savoir à tout instant où il se trouvait. Il m'a dit qu'il savait que ma tâche n'était pas facile et qu'il me la rendrait aussi aisée que possible. En fait, j'ai réussi à le persuader de coopérer avec nous. Officier Gris, j'ai la parole d'un *officier royal,* pas d'un minable de l'Appareil.

Quel affront ! Il était évident qu'il me considérait comme un « minable de l'Appareil ». Il prit aussitôt conscience de sa gaffe et geignit :

- Je vous donnerai votre part dorénavant ! Je vous en prie, ne me tuez pas !

Lentement, comme si de rien n'était, je m'étais déplacé en direction du paralyseur. A présent, j'étais entre lui et Snelz.

- J'exécuterai vos ordres à la lettre ! ajouta-t-il. Il coopérera. J'y veillerai. Il ne soupçonnera pas qu'il est notre prisonnier et il ne s'enfuira pas. Je le jure sur ma vie. (Il s'interrompit un instant pour réfléchir.) Et je vous remettrai la moitié de tout ce qu'il me donnera !

Etant donné que j'étais sans défense, je décidai de me montrer magnanime.

- Très bien. Si vous faites tout ce que vous venez de dire, je vous laisse la vie sauve.

Son soulagement fut évident.

- Officier Gris, vous ne le regretterez pas. Est-ce que je peux me relever à présent ?

Je remis l'éclateur chargé à blanc dans ma poche, puis j'ôtai la charge du paralyseur avant de le remettre sur l'étagère. Ouf ! Je l'avais échappé belle !

Snelz sortit, tira la sentinelle jusque dans la clarté du seuil de sa tanière et s'accroupit pour l'examiner.

- Vous n'y avez pas été de main morte. Il a le crâne enfoncé. Mais il n'est pas mort. Est-ce que vous pourriez me rendre l'un des deux billets ? Les docteurs du Camp vont exiger six crédits pour lui réparer la tête et quatre de plus pour rafistoler la main de la fille.

Quel culot ! Le tout ne dépasserait pas cinq crédits. Mais je lui envoyai l'un des billets d'un coup de pied et ramassai l'autre avant de le glisser dans ma poche.

Mon expédition punitive avait lamentablement foiré. En retournant vers Répulsos, j'étais d'humeur maussade. Je n'arrivais pas à comprendre ce qui avait pu se passer avec l'éclateur. J'étais sûr et certain qu'il s'agissait de celui que les amis d'Heller avaient glissé dans ses affaires, puisque je l'avais moi-même retiré de la botte d'Heller pour le remplacer par une arme chargée à blanc. Pour quelle raison ses amis lui auraient-ils fait parvenir un éclateur inoffensif ? Ça ne tenait pas debout. Bien entendu, une arme neuve est toujours chargée à blanc au départ, mais... Ça y est ! Je comprenais ! Cet imbécile avait tout bêtement oublié d'y mettre une vraie charge.

Dans le zipbus, alors que nous avions presque rallié Répulsos, il me revint soudain qu'Heller avait insisté pour remettre mes pansements en place. Mais non : il ne pouvait pas être aussi adroit. Et puis, je l'aurais senti, s'il m'avait pris l'éclateur et s'il avait tenté de faire l'échange.

J'étais complètement déboussolé. Les choses ne se déroulaient pas comme prévu. J'étais sûr d'une chose, en tout cas : jamais plus je ne brandirais une arme à blanc au cours d'un affrontement. Rien que le fait de traverser le Camp de nuit avait été un risque insensé que je n'avais pas le droit de prendre - surtout que Lombar comptait sur moi.

Il était très tard, mais je me rendis cependant à l'armurerie. Je savais que le vieux crétin dormait sur place. J'ouvris la demi-porte avec mon identoplaque et appelai dans l'obscurité d'une voix tonitruante. A la troisième tentative, les lumières s'allumèrent et le vieil idiot tituba jusqu'au comptoir, à moitié abruti de sommeil.

- Par tous les Diables, qu'est-ce qui vous prend de me réveiller ? rugit-il.

Je n'étais pas d'humeur à le supporter. Je tirai le loquet de la demi-porte inférieure et la lui envoyai à toute volée dans le ventre.

La seconde d'après, j'étais à l'intérieur et, avant qu'il ait repris ses esprits, je lui balançai une manchette. Il s'écroula et je lui octroyai un coup de pied.

- Un peu de respect, quand tu me parles !

Il resta étendu par terre. Je me dirigeai donc vers les étagères et je choisis un paralyseur avec son étui. J'y ajoutai deux éclateurs et une boîte de recharges. C'est alors que j'aperçus une rangée de poignards - de ceux qu'on utilise dans la Section Couteau - et j'en pris un, avec une gaine qu'on accrochait au-dessous du cou.

En ressortant, j'allongeai un deuxième coup de pied au vieil abruti.

- Tu ferais bien de noter ce que j'ai pris, sinon tu vas encore dire qu'on t'a cambriolé !

Il se releva. Quand je lui avais envoyé la porte dans l'estomac, les papiers avaient volé dans toute la pièce. Il les ramassa et entreprit de relever les numéros des armes que j'avais prises. Ensuite, il saisit mon identoplaque et l'appuya sur une feuille en disant :

- Officier Gris, vous ressemblez de plus en plus à Lombar Hisst.

Je le dévisageai. Si son intention avait été de m'insulter, je pouvais le tuer sans autre forme de procès. Je lui accordai le bénéfice du doute et dis :

- Merci.

Quelques instants plus tard, allongé sur mon lit, j'écoutai la respiration paisible d'Heller qui dormait de l'autre côté de la pièce. Les choses ne se déroulaient pas bien du tout.

Je me mis à réfléchir intensément, le regard perdu dans l'obscurité. Tant que nous serions sur Voltar, je serais en danger de mort. Heller se trouvait dans un monde qu'il connaissait et où il était comme un poisson dans l'eau. Il avait réussi à soudoyer les gardes - quoique, j'en avais la certitude, j'eusse réussi à calmer un peu les choses de ce côté-là. Mais il avait des légions et des légions d'amis dans la Cité du Gouvernement et dans la Flotte. Il pouvait tirer tant de ficelles ! De plus, nous étions surveillés par Lombar Hisst. Je ne pouvais pas me permettre la moindre erreur. Bref, j'étais dans une position atroce.

C'est à ce moment précis que je pris ma décision. Quoi qu'il advienne, j'accélérerais les préparatifs et nous quitterions Voltar aussi vite que possible !

Quand nous serions sur Blito-P3, ce serait une autre histoire. Ça ne me ferait ni chaud ni froid qu'Heller s'y promène en toute liberté, car, là-bas, il n'aurait pas d'amis.

Oui, il fallait que je me démène pour qu'Heller et moi gagnions la Terre dans les plus brefs délais. Une fois là-bas, il serait totalement à ma merci.

Jettero Heller emprisonné dans un joli pénitencier terrien - quelle pensée agréable ! Je la savourai avec tant de plaisir que j'eus beaucoup de mal à trouver le sommeil.

7

Je m'éveillai à l'aube, rempli d'énergie et du désir de nous éjecter aussi vite que possible de la Confédération de Voltar, moi et Heller, pour gagner la Terre sains et saufs. Tout en enfilant mes vêtements, je jetai un coup d'œil sur lui. Il dormait tranquillement, un demi-sourire sur le visage, comme s'il n'avait pas le moindre souci dans l'existence. Même endormi, il était beau, ce qui n'est pas donné à tout le monde. A la fois joli et viril. Je me dis en cet instant que j'aurais bien aimé avoir davantage de moyens de chantage contre lui. Un type aussi séduisant devait avoir eu pas mal d'aventures sexuelles mouvementées. Mais je conclus que ce n'était pas le genre d'information dont j'avais besoin dans l'immédiat. Une seule chose comptait : nous devions partir - *et vite*.

J'avalai quelques gorgées de son eau pétillante et engloutis un pain sucré, tout en réfléchissant rapidement à ce que j'allais faire durant cette journée. Il fallait d'abord que je me précipite à la salle d'entraînement afin de prendre rendez-vous pour lui. Ensuite, j'irais voir Crobe pour mettre au point toutes les opérations chirurgicales nécessaires. Après quoi je n'aurais plus qu'à revenir prendre Heller et, avant un ou deux jours, nous serions en route pour Blito-P3. Il pourrait terminer ses études et se rétablir pendant le voyage.

A l'instant où je franchissais le seuil de ma chambre, une des sentinelles m'agrippa le bras.

- Officier Gris, le Chef vous demande dans son bureau de la tour. C'est très urgent. On m'a dit de vous prévenir il y a à peine une minute. Mais je vois que vous êtes déjà levé...

Ma bouche se dessécha. En général, une convocation de Lombar signifiait des ennuis. Tous les crimes que j'avais pu commettre me revinrent en un éclair - c'était un peu comme ce moment précédant la mort où l'on voit défiler tous les instants de sa vie. Lombar avait-il entendu parler du croquis d'Heller ?... Ou d'autre chose ?...

Je pris mon courage à deux mains et décidai que, quels que fussent les ennuis qui m'attendaient, je les surmonterais en un tour de main. Du moins je l'espérais. J'avais mes propres plans à exécuter. Mais l'un des défauts de Lombar - et il n'en manquait pas -, c'était de vous dire que tel ou tel travail vous incombait totalement pour vous faire savoir, peu après, que ça le regardait personnellement et qu'il allait s'en occuper à votre place. Une bonne raison de plus de ficher le camp de Voltar.

En arrivant dans l'antichambre, je voulus franchir directement la porte pour entrer dans son bureau. Un employé me barra le chemin. Le personnel de Lombar ne m'aime pas - un signe évident de jalousie.

- Ce bureau est plein à craquer de gros bonnets de l'Appareil. Bien plus élevés en grade que vous. Asseyez-vous là et attendez.

Ça expliquait toutes ces voitures d'état-major que j'avais vues la veille au soir. Lombar était sans doute resté debout toute la nuit. C'était lui tout craché : parfois, il travaillait comme un fou, pour autant que cela concernât ses projets à lui, et puis, le reste du temps, il restait là à se tourner les pouces ou bien il assistait aux « parades de monstres ». J'étais irrité.

Le soleil aveuglant de Voltar était au-dessus des lointaines collines et noyait le désert de ses feux ardents. Autour de moi, c'était le ronronnement des activités administratives, les allées et venues des employés. J'attendis, rongeant mon frein. J'avais des choses à faire, moi ! Chaque heure de plus que je passais sur cette planète compromettait la réussite de la Mission Terre.

La lumière solaire était si intense maintenant qu'on avait l'impression que les dalles du sol allaient redevenir de la lave. A en juger par les murmures qui filtraient du bureau de Lombar, la conférence était loin d'être terminée.

Je me suis creusé les méninges pour essayer de trouver un moyen de mettre cette attente à profit et d'accélérer les choses. Je me suis alors souvenu d'Heller endormi et des réflexions que je m'étais faites à propos de ses aventures sexuelles. Oui, oui, oui, j'allais pouvoir tourner ces quelques moments d'attente à mon avantage : dans un coin, à droite, il y avait une console reliée à la banque de données centrale.

Les employés se firent tirer l'oreille et dirent non, jusqu'à ce qu'un vieux criminel aigri grommelle :

- Laissez-le. Hisst vient de lui donner du galon, ce qui veut dire qu'il est digne de confiance - pour le moment.

Je m'assis donc devant la console et j'insérai mon identoplaque dans la fente. Quand on a à sa disposition la banque de données de l'Appareil, on en profite au maximum. J'avais devant moi une console centrale, différente de celles qu'on trouve dans les autres bureaux. Là-dedans, il y avait *tout* et, en particulier, d'innombrables données permettant de faire chanter les gens. Le seul défaut de cette console était qu'elle enregistrait votre identoplaque chaque fois que vous demandiez quelque chose. Je résistai à l'envie de taper « Empereur » pour voir ce que j'obtiendrais. Je faillis taper « Lombar Hisst » mais, là aussi, je me ravisai. De toute façon, l'ordinateur ne me donnerait que des informations sans importance - peut-être même rien du tout. Mais je ne pus m'empêcher de taper mon propre nom, suivi de « additions récentes ». Bien entendu, je connaissais le contenu de mon fichier, comme n'importe quel fonctionnaire de haut rang de l'Appareil.

Avec une console centrale, on peut extraire n'importe quel document et l'annuler. On peut également en ajouter, même des faux flagrants. L'ennui, c'est que votre identoplaque est enregistrée à chacune de vos interventions. On raconte à ce propos qu'un officier de l'Appareil, une fois, se promut Amiral de la Flotte. Et il le resta jusqu'au lendemain, date de son exécution. J'espère qu'il a su profiter de ces vingt-quatre heures !

Déception ! La seule addition récente dans mon fichier était ma promotion. Je me dis qu'il était un peu étrange qu'il n'ait pas été fait mention de mon retrait de la Section 451, et puis, stupidement, je conclus que, malgré sa banque de données qui occupait cinquante kilomètres carrés d'immeubles, l'Appareil n'était pas à l'abri d'erreurs.

J'ai regardé la porte du bureau de Lombar. La conférence se poursuivait. Toute la banque de données de l'Appareil m'était ouverte et c'était gratuit. Voyons voir ce que tu as à m'offrir, lui dis-je silencieusement.

Je tapai : *Docteur Crobe.*

L'écran dit : *Décédé.*

Bon, très bien. L'Appareil mentait. Ça n'avait rien de nouveau. Essayons autre chose.

Je tapai : *Comtesse Krak.*

J'ôtai ma casquette et la posai sur la console.

L'écran afficha : *Cette personne n'existe pas.*

Je tapai son vrai nom : *Lissus Moam.*

L'écran répondit : *Voir comtesse Krak.*

Aha ! Enfin quelque chose d'intéressant.

Je tapai : *Comtesse Krak.*

La machine dit : *Lissus Moam.*

Je tapai alors : *Pourquoi ces renvois par recoupement ?*

Réponse de la machine : *Vous avez laissé votre doigt sur la touche « Répétition ».*

Oh...

Ce n'était pas mon doigt, mais ma casquette. Je la posai ailleurs et tapai à nouveau : *Lissus Moam.*

Aussitôt, l'écran répondit : *Voir « Tombes ».*

Je tapai : *Tombes.*

Et l'écran m'annonça : *Aucune connexion possible avec ce fichier.*

Par trois fois, j'appuyai sur la touche « Confirmé ? ».

L'engin me dit : *Ne discutez pas, je vous prie. L'ordinateur a toujours raison.*

L'employé criminel qui m'avait autorisé à me servir de la console me demanda :

- Vous êtes sûr de savoir vous servir de cette machine ?

- Un peu plus de respect, rétorquai-je, et il s'éloigna en grognant.

Je savais au moins une chose maintenant : la comtesse Krak n'existait pas et Lissus Moam était portée comme morte. On ne conserve pas les dossiers des personnes décédées. Techniquement parlant, elle n'avait donc plus de casier judiciaire. C'était une information utile. Je décidai de la garder pour moi.

Bon, tout ça c'était bien beau, mais il était temps de me mettre au travail. Jettero Heller ! Si seulement je pouvais tomber sur quelque chose de juteux, peut-être aurais-je alors de quoi le faire chanter et le rendre plus docile. Je tapai donc son nom, suivi de « Sexe ».

L'écran m'annonça : *Masculin.*

Ce qui me rendit furieux. Ces machines prennent tout au pied de la lettre.

Je tapai : *Perversions sexuelles.*

L'écran afficha : *Aucune.*

(Biperie) de machine ! Je lui donnai un coup de poing.

- Vous avez des problèmes ? demanda le vieux criminel.

A son ton, je devinai qu'il n'attendait qu'une bonne occasion de me chasser de là. Je l'ignorai.

L'écran de l'ordinateur de l'Appareil peut afficher soit un résumé de quelques mots, soit un document entier avec le ou les paragraphes requis. Jusque-là, je n'avais demandé que des réponses sommaires. Le mieux était donc de réclamer des documents. Je poussai le levier de commande.

Puis je tapai : *Aventures avec des femmes.*

Ecran vierge.

Aventures avec des officiers.

Ecran vierge.

Aventures avec des mineurs.

Ecran vierge.

Aventures avec des prostituées.

Ecran vierge.

Je me souvins alors de sa ravissante sœur.

Inceste.

Ecran vierge.

Agacé, je vérifiai si la machine était bien branchée, puis je fis un test : *Jettero Heller ?*

L'écran demanda : *Oui ?*

Donc, l'ordinateur fonctionnait toujours. Je restai un instant sans rien faire. Soudain, l'écran afficha :

Avertissement. L'accès aux données est onéreux. Veuillez préparer vos questions à l'avance de façon qu'elles puissent être rapidement traitées. Le Chef de la Section Banques de Données de l'Appareil.

Cet avertissement signifiait que je n'avais plus que cinq secondes avant que l'ordinateur ne me ferme ses banques.

Fébrilement, je tapai : *Examens psychiques.*

J'obtins enfin un document ! J'avais réussi à rester connecté.

Quant au document, c'était un pitoyable gribouillis, griffonné à la hâte par quelque docteur du département des cinglés. Il était intitulé : *Examen de routine avant sortie d'hôpital.*

Je n'avais pas été assez spécifique et je tapai : *Pourquoi ce séjour à l'hôpital ?*

L'écran me montra le haut du document : *Pour cause de blessure pendant le sauvetage d'un vaisseau de guerre.*

Je tapai : *Pourquoi un examen psychique ?*

L'écran afficha une autre partie du document : *Rixe dans l'hôpital avec un infirmier homosexuel.*

Haha ! En toute hâte, je tapai : *Conclusion ?*

Réponse de l'ordinateur : *Infirmier hospitalisé.*

Non, non, non, espèce de machine à la (bip), pensai-je, avant de taper : *Conclusions concernant la condition psychique du patient.*

L'écran me dit : *Aucun symptôme de névrose ou de psychose d'ordre sexuel. Examen négatif.*

Quelle déception ! En hâte, afin de ne pas dépasser le délai d'attente de la machine, je tapai : *Sanctions disciplinaires quelles qu'elles soient.*

Depuis quand ? demanda la machine.

(Bip) d'engin de mes (bips) ! Je tapai sauvagement : *Depuis la petite enfance.*

Ah, enfin ! C'était parti ! De vrais documents ! Un rapport de police alors qu'Heller avait sept ans : arrêté pour usage de speedmobile sur le trottoir - un crédit d'amende. Un autre, à douze ans : pilotage d'un aircar en dessous de l'âge légal - non-lieu. Un troisième rapport, à quinze ans : arrêté pour démonstration illégale d'un piqué au cours d'une parade ; a prétendu avoir voulu montrer une nouvelle technique de piqué - non-lieu. A seize ans : arrêté en tant que passager clandestin à bord d'un transporteur spatial de la flotte expéditionnaire - le juge a usé de son influence pour faire entrer le sujet à l'Académie Royale.

Heller devait avoir un sacré bagou pour obtenir ça d'un juge ! En tout cas, je savais maintenant comment il avait été admis. Pour moi, ça s'était passé différemment : mon père avait tout simplement soudoyé le secrétaire particulier d'un Lord.

Il n'y avait pas grand-chose à tirer de tout ça. C'est alors qu'un nouveau document apparut, intitulé : *Demande de comparution devant une cour martiale.*

Aha ! Je le tenais. Je parcourus les lignes à toute allure. Heller n'est pas le seul à savoir lire rapidement.

A sa première nomination, au sortir de l'Ecole Supérieure du Corps des Ingénieurs, le dénommé Jettero Heller, Grade 1, avait protesté parce que son équipage était entraîné au moyen d'électrochocs, prétextant qu'il n'avait jamais subi ce genre de « traitement » - conformément au règlement, lequel interdit l'emploi d'électrochocs sur des officiers - et qu'il ne voulait pas d'un « équipage d'abrutis au cerveau grillé pour une mission qui était déjà assez dangereuse comme ça ». Il avait résisté à toutes les tentatives pour le convaincre et avait démoli l'officier d'entraînement quand celui-ci avait voulu mettre les hommes dans les machines électriques.

J'attendis avec impatience que le verdict de la cour martiale s'affiche sur l'écran. Mais je n'eus droit qu'à une simple notice. Elle disait :

Le dénommé Jettero Heller étant de trois jours plus ancien en grade que l'officier d'entraînement, le fait d'avoir molesté ce dernier ne saurait constituer un chef d'accusation. Il n'y a donc pas eu « voies de fait sur la personne d'un officier supérieur ». En conséquence, la demande de traduction en cour martiale est rejetée. Le Secrétariat à l'Amiral de la 95e Flotte.

C'était tout. Mais c'était suffisant ! En y réfléchissant bien, était-ce vraiment suffisant ? Car je me trouvais devant une nouvelle énigme. Comment se faisait-il qu'il soit devenu dingue de la comtesse Krak s'il était si violemment opposé à l'utilisation des électrochocs ? Est-ce qu'il se livrait à quelque jeu obscur ?

Il n'y avait rien d'autre le concernant. (Bip) ! A part ce document, je n'avais rien glané d'utile.

- Vous avez fini de monopoliser la machine ou est-ce que vous comptez coucher ici ? demanda le vieux criminel.

Oui, songeai-je, peut-être pourrais-je utiliser cette information pour briser son idylle avec la comtesse Krak.

Je tapai une dernière instruction : *Liste des personnes qui ont effacé des données dans ce fichier.*

Je m'attendais à voir apparaître toute une série de numéros d'identoplaques. Personne ne pouvait être aussi parfait. Mais rien ne vint. (Bip) de (bip) !

- Virez votre (bip) de là ! rugit le vieux criminel. La conférence se termine.

8

C'était la crème des hauts gradés de l'Appareil qui sortait du bureau de Lombar : des visages sévères, grisâtres, aux yeux soupçonneux, des uniformes noirs, râpés, fatigués. Un général de la Division de l'Armée ressemble à un monument illuminé pour un jour de fête. Mais, dans l'Appareil, un général, c'est comme une épave abandonnée dans une poubelle. Tout en échangeant quelques paroles du coin de la bouche à la manière de ceux qui ont la conscience chargée, ils fourraient des paperasses dans leurs mallettes. Ils étaient quinze en tout. Quatre chefs de l'Appareil venus d'autres planètes de la Confédération Voltarienne, et onze commandants militaires. La force militaire de l'Appareil - celle qui est basée sur Voltar, j'entends - s'élève à quatre millions d'hommes et, même si ce chiffre est minuscule comparé à celui de la Division de l'Armée, c'est suffisant pour tenir les autres fractions du gouvernement en respect. A l'évidence, ces onze généraux avaient été convoqués par Lombar afin de protéger quelque chose - quelque chose de secret, de sinistre, dans la meilleure tradition de l'Appareil.

Je pris ma casquette, priai pour que tout se déroule pour le mieux et entrai bravement dans la tanière de Hisst. Il était debout derrière son bureau et rassemblait les papiers épars de la conférence. Ses mains tremblaient. Il paraissait irritable. Aïe, ce n'était pas bon signe !

Il leva les yeux et m'aperçut. Une grimace de colère déforma son visage.

- Qui vous a convoqué ? aboya-t-il. (Inutile de lui dire que c'était lui.) Taisez-vous !

Je n'avais même pas ouvert la bouche pour parler. Qu'était donc devenue la camaraderie dont il avait fait preuve lors de notre dernière entrevue ? Mais ça, c'était typiquement du Lombar.

Il finit de rassembler ses papiers.

- Ah oui, fit-il en dégageant un dossier.

Il était semblable à ceux que ses assistants lui préparaient lorsqu'il désirait s'occuper d'un sujet particulier. Il en sortit un feuillet.

- La facture ! Signez !

Le papier qu'il m'agitait sous le nez était un reçu d'expédition. Je lus :

L'officier ci-dessous nommé accuse réception de la CARGAISON SECRÈTE N° 1 en provenance de Blito-P3 et garantit qu'elle est arrivée en bon état et que rien ne manque.

Signé : Officier Soltan Gris, Chef de la Section 451 (Blito-P3).

C'était donc ça, tout ce trafic de la nuit dernière ! Le premier arrivage en provenance de la Terre !

Une vague de nausée m'envahit. Si Heller s'était livré à sa petite exploration des lieux aujourd'hui, et non pas hier... il aurait découvert toute cette cargaison entassée dans le magasin. J'eus un frisson.

L'un des employés de Lombar fit irruption dans la pièce.

- Ça sera prêt dans quelques minutes, lança-t-il avant de disparaître aussi vite qu'il était apparu.

Je n'avais pas la moindre idée de ce que signifiait ce « ça ». Mais je n'avais pas les idées très claires. C'était pure chance qu'Heller n'ait pas vu la cargaison ! (Bip) de (bip) ! Ce type était vraiment trop difficile à contrôler, ici, sur Voltar.

- Eh bien, signez, signez ! brailla Lombar.

Je le fixai, désemparé. Je n'osai pas le contredire. On ne discute pas avec Lombar Hisst.

Et puis, il parut réaliser ce qui n'allait pas. Il se rassit.

- J'ai oublié de vous dire. Vous êtes toujours chef de la Section 451.

D'un geste, il indiqua que l'argument était clos, s'attendant sans doute à ce que j'émette des remarques. Parler avec Lombar, ça se passe toujours à sens unique. Il arrive à s'imaginer que vous parlez, même quand vous ne dites rien. C'est terrifiant.

- Je sais, je sais, reprit-il. Mais nous avons consulté tous les dossiers du personnel sans trouver qui que ce soit susceptible de vous remplacer à la tête de la Section 451. Il faut dire que, dans l'Appareil, les officiers formés à l'Académie sont très peu nombreux. Et à cause de leurs stupides Codes de Conduite, on ne peut pas leur confier de besognes sales et malhonnêtes. Bref, il ne reste que vous.

C'était un compliment pour le moins douteux.

L'espoir, cependant, me donna le courage de lancer une remarque.

- Ce qui signifie que je suis relevé de mes fonctions de manipulateur pour la Mission Terre.

- Maintenant, dit Lombar, vous vous demandez peut-être si cela vous décharge de votre poste de manipulateur de la Mission Terre. Eh bien, non. Vous conservez ce poste. En même temps.

Ah, on y était enfin. Il se laissa aller en arrière, jouant d'un air irrité avec son stylo.

- Et vous vous demandez peut-être comment vous pourrez continuer à diriger la Section 451 tout en étant sur Blito-P3. Eh bien, c'est très simple. Vous avez votre équipe, ici, sur Voltar, et elle continuera de fonctionner sous les ordres de votre adjoint. Ils vous enverront sur Blito-P3 tout ce que vous devrez signer et vous le leur renverrez. Ce qui me rappelle... Oui, je ne me fie pas à ce commandant de base en Turquie. Vous aurez la tâche supplémentaire de garder un œil sur lui.

J'avais le sentiment d'être écartelé. Lombar n'avait pas fait mention du problème clé : Heller opérerait aux Etats-Unis pendant que je me trouverais en Turquie ! Il était déjà difficile à contrôler quand on était avec lui. Qu'est-ce que ce serait quand un tiers de planète nous séparerait !... Ça, c'était un problème que j'avais intérêt à résoudre le plus vite possible !

- Non, non, non, fit Lombar, comme si j'avais parlé. L'ordre d'expédition de la « marchandise » vous sera envoyé là-bas, vierge, et vous devrez le signer. Tout comme le bon d'expédition, attestant que la « marchandise » a quitté Blito-P3. Et vous y ajouterez un récépissé postdaté attestant qu'elle est arrivée sur Voltar. Simple et pratique.

Ce qui signifiait que, une fois sur Terre, j'allais devoir établir un ordre d'expédition comme si je me trouvais sur Voltar, m'assurer que l'ordre était exécuté à la lettre, signer l'attestation d'expédition *et* l'attestation de réception.

- Il n'y a qu'en votre signature que nous ayons confiance, dit Lombar. Aussi, dans toute cette affaire, c'est la seule que nous accepterons, ainsi que votre identoplaque. Donc, vous allez signer ce reçu que vous avez en main et retourner au travail.

Je n'avais même pas *vu* cette cargaison. Je ne pouvais que supposer qu'elle était arrivée, en me basant sur le trafic de la nuit dernière.

Lombar parut se méprendre sur mon trouble.

- Ah oui, la paye. Je veillerai à ce que vous continuiez d'être payé comme chef de la Section 451. De plus, vous recevrez un deuxième salaire comme manipulateur de la Mission Terre. (Manifestement, il croyait que je n'avais que l'argent en tête.) Ainsi qu'un troisième, comme inspecteur des expéditions. Ce qui vous fera trois payes. (Il m'adressa un regard interrogateur. Mon trouble n'avait en rien diminué.) Sans compter, bien sûr, les petits à-côtés, les parts que vous toucherez sur les divers détournements de fonds et tout le reste... Vous serez à l'abri du besoin. Parfait, je suis content que nous ayons réglé tout cela.

Il était toujours aussi nerveux qu'à mon arrivée. Il se pencha vers un boîtier de communication et aboya :

- Alors, c'est prêt ? Dépêchez-vous !

J'essayai, tant bien que mal, de reprendre mes esprits face à tous ces changements. Je devais probablement donner l'impression d'avoir été frappé par un coup de paralyseur.

- Non, non, ne partez pas, ordonna Lombar en regardant le dossier ouvert devant lui. Il faut d'abord signer le reçu.

Que pouvais-je faire d'autre ? Je le signai donc d'un paraphe raide avant d'y apposer mon identoplaque. Je le tendis à Lombar qui y jeta un bref coup d'œil et le glissa dans le dossier. Il parut en éprouver une courte satisfaction.

- Maintenant, dit-il en agitant une autre feuille, il y a cette histoire de fuite.

Mon sang se figea dans mes veines. Qu'est-ce qui avait bien pu venir à ses oreilles ? Le relevé topographique d'Heller ?... Autre chose ?...

- Regardez cette coupure de presse - (bips) de journaux ! Un de ces jours, il faudra que nous nous débarrassions de ces (enbipés) ! Quelqu'un a renseigné la presse à propos de la Mission Terre.

Il me tendit l'article. C'était celui qu'Heller m'avait lu la veille. *« Le célèbre ingénieur de combat... »* Personnellement, je ne croyais pas à une fuite, car les ordres avaient été enregistrés dans le circuit de données et, même s'ils étaient confidentiels, ils étaient accessibles à de nombreuses personnes.

- Ce n'est pas moi qui ai parlé, lâchai-je d'un trait.

- J'ai donc ordonné une enquête complète sur les origines de cette fuite, qu'elles soient existantes ou potentielles. Et je découvrirai la vérité, je peux vous l'assurer. Nous ne pouvons pas tolérer que les activités de l'Appareil fassent la une des journaux. Quelqu'un, quelque part, a été voir la presse, j'en mettrais ma main au feu. Apparemment, vous ne savez rien à ce sujet. Ça ne m'étonne pas.

Une enquête ? J'avais intérêt à ficher le camp de cette planète ! Les enquêteurs dénichent toujours des faits et en particulier des faits imaginaires. Très dangereux !

J'avais l'impression d'avoir été criblé de coups de paralyseur. Je demeurai là, prostré, incapable de faire un mouvement.

- Non, ne partez pas, reprit Lombar. J'ai ici une lettre du Grand Conseil.

Je la lus à l'envers. Heureusement que j'ai quelques petits talents comme celui-là. C'est indispensable dans un environnement aussi hostile que celui de l'Appareil. Oui, c'était bien une lettre du Grand Conseil. On y félicitait la Division Extérieure pour avoir choisi si judicieusement un ingénieur de combat aussi expérimenté que Jettero Heller. Mais on se demandait pourquoi le Grand Conseil en avait été informé par la presse. On ajoutait que le Grand Conseil apprécierait l'élémentaire courtoisie d'être tenu au courant des progrès de la mission. Et, en particulier, le Grand Conseil souhaitait être avisé de la date du départ de Jettero Heller afin de pouvoir accélérer les choses en cas de retard inopportun.

- Cela signifie, dit Lombar, qu'aussi longtemps que cette mission se trouvera sur Voltar, le Grand Conseil sera en position de mettre son nez dans nos affaires. Si le départ prend du retard, nous aurons des inspecteurs de la Couronne qui fouilleront dans tous les coins.

« Nous ne serons tranquilles que lorsque notre bonhomme aura quitté la planète. A ce moment-là, nous pourrons raconter des histoires au Grand Conseil pendant des années et des années. Sur Voltar, il peut lancer ses inspecteurs où il veut, mais pas sur Blito-P3.

« Votre agent, bien entendu, doit apprendre les langages de la Terre, ainsi que ses coutumes et tout le reste. Si nous décollons sans aucune préparation, nous risquons d'éveiller les soupçons. Mais je vous conseille de bien regarder où vous mettez les pieds. Si des inspecteurs de la Couronne commencent à fourrer leurs vilaines pattes partout, vous pouvez y laisser votre peau, Soltan. Il ne faut pas que ce départ souffre le moindre retard ! Compris ? Parfait.

La tête me tournait. Des inspecteurs de la Couronne ! Mais tout cela cadrait parfaitement avec mes intentions, puisque j'avais déjà pris la décision de déguerpir aussi vite que possible.

J'étais quelque peu irrité. Lombar ne m'aidait guère. Il avait lui-même contribué à retarder la mission en me faisant poireauter la moitié de la matinée.

Je fus sauvé de ses autres « conseils utiles » par l'arrivée d'un docteur à l'apparence sinistre qui portait un plateau. Lombar le regarda avec un soulagement soudain.

- Ah, enfin, laissa-t-il échapper.

Quand je suis repassé devant le vieux criminel, dans l'antichambre, il m'a dit avec un sourire mauvais :

- Alors, on se sent mieux maintenant qu'on a eu son petit entretien ?

Je devais avoir l'air totalement décomposé.

QUATRIÈME PARTIE

Copie d'une lettre insérée dans le manuscrit :

A Sa Seigneurie, le Juge Suprême de la Confédération de Voltar.

Monseigneur !

Moi, Soltan Gris, ex-cadre subalterne de l'Appareil de Coordination de l'Information, Division Extérieure du Gouvernement Royal (Longue Vie à Leurs Majestés et aux Dominions de Voltar), en toute humilité et en toute hâte, je réponds ici à votre missive urgente.

Premièrement, je vous remercie d'avoir accusé réception des trois premières parties de ma narration des événements relatifs à cette singulière affaire. Je suis heureux de savoir que vous êtes satisfait de me voir relater tout ce à quoi j'ai pu être mêlé, et ce, jusqu'au plus petit détail. J'ai conscience que ma confession est d'une importance capitale.

Deuxièmement, je vous remercie de tout cœur pour l'assurance que vous me donnez qu'il existe encore quelque chance d'indulgence à mon égard et je comprends parfaitement que celle-ci ne peut dépendre que de ma sincérité.

Troisièmement, je vous exprime ma profonde gratitude pour avoir réitéré auprès des gardes l'ordre de me ravitailler en nourriture, en eau et en nécessaire d'écriture. Je tiens à vous informer que les séances de torture quotidiennes ont été suspendues et je me confonds en remerciements.

Maintenant, pour en venir au passage souligné de votre message : Oui, je suis au courant de l'existence d'un mandat d'arrêt contre Jettero Heller, ex-ingénieur de combat de la Flotte. Non, je suis désolé de devoir dire que je ne puis donner à la Police Intérieure ni indices ni renseignements quant à sa cachette. Et j'aimerais ajouter que je n'obéis à aucun instinct de protection à l'égard de Jettero Heller - les Dieux m'en gardent. Je ne cesse de rêver que je le retrouve pour l'abattre sur place.

Ainsi que vous me l'avez ordonné, je continuerai à faire le récit détaillé de tout. Peut-être la Police Intérieure découvrira-t-elle dans mes écrits quelque information utile sur les habitudes d'Heller.

Louées soient Votre Seigneurie et Sa Cour !

Votre très Indigne Serviteur,
Soltan Gris

Ici, je reprends mon récit.

1

Je m'étais tellement dépêché pour gagner la salle d'entraînement que, lorsque j'ouvris la porte et bondis à l'intérieur, je crus l'espace d'un instant que je m'étais trompé de section.

L'odeur du savon et des désinfectants était omniprésente ! L'Appareil dérobe tous ses produits de nettoyage à la Division de l'Armée - nous nous en servons si rarement que nous trouvons inutile de nous les procurer honnêtement. L'Armée estime que rien n'est propre aussi longtemps que l'odeur des germicides ne monte pas jusqu'aux Cieux. J'ignore pourquoi, mais il n'est jamais venu à l'idée de qui que ce soit de s'approvisionner dans les magasins de la Flotte - qui est obligée d'employer des produits inodores dans ses astronefs.

A l'intérieur de Répulsos, il n'existe pas de système de circulation d'air. La puanteur qui imprégnait chaque pierre de la salle d'entraînement avait disparu pour être remplacée par l'odeur toute-puissante des produits de nettoyage. On aurait dit que l'endroit avait été gazé.

Du regard, je tentai de percer le brouillard. Il y avait là une quarantaine d'hommes qui devaient appartenir à l'équipe d'entraînement de Krak. Ils étaient répartis dans la grande salle et les pièces attenantes. Tous étaient dénudés jusqu'à la ceinture et - je ne pus en croire mes yeux - ils étaient propres ! Plus une once de crasse sur leurs corps ! Avec des balais, des seaux, des jets, des éponges, tout ce petit monde s'activait à gratter et nettoyer des siècles de saleté et d'immondices. Des poubelles pleines se succédaient dans le monte-charge, descendant vers des lieux connus des Dieux seuls.

Des techniciens finissaient de changer les plaques lumineuses grillées tandis qu'une autre équipe apportait de nouveaux bureaux et des sièges neufs. Quelle activité ! Inhabituelle à Répulsos, incompréhensible même.

Mais des tâches urgentes m'appelaient. Il fallait achever l'entraînement d'Heller et lui faire quitter Voltar. Vite, très vite. Je me mis en quête de la comtesse Krak.

Je finis par la trouver. Tout là-bas, près d'un mur. Elle était en compagnie d'un groupe d'officiers de la forteresse, rassemblés en demi-cercle autour d'elle. Je me dirigeai vers eux, craignant que quelque chose ne soit intervenu qui fût susceptible de retarder la mission. Il y avait là le Commandant en second de Répulsos, le responsable de l'administration interne et plusieurs de ses sous-officiers - tous en uniforme râpé, crasseux. Ils semblaient furieux.

La comtesse Krak était en train de leur parler. Appuyée sur un balai, vêtue d'une salopette informe, humide, qui avait été *lavée !* Je regardai son cou et j'eus une autre surprise : sa peau était propre. Elle avait pris un *bain !* De plus, ses cheveux étaient enveloppés dans une serviette. Elle s'était fait un *shampooing !* Par toutes les prières vouées aux Dieux, que se passait-il donc ?

- Je suis sincèrement désolée, disait-elle au Commandant en second, mais il faudra vous y faire. A l'avenir, je refuserai d'entraîner tous ceux que vous aurez mutilés !

Le Commandant en second était un personnage grassouillet à la mine tourmentée.

- Mais comtesse, protesta-t-il, si on ne leur coupe pas la langue avant de vous les envoyer, ils révéleront l'emplacement de Répulsos quand ils sortiront.

- Je vous l'ai déjà dit, fit la jeune femme, mais je veux bien le répéter. Ceux qu'on nous envoie ici pour être entraînés ne savent pas où ils se trouvent quand ils arrivent. Et ils sont incapables de le découvrir pendant leur séjour. De toute façon, je peux toujours les soumettre à une suggestion posthypnotique qui les rendra incapables de répondre si jamais on leur demande d'où ils viennent. C'est absurde et cruel de leur couper la langue. Et cela les rend plus difficiles à former et entraîner.

Le Commandant en second fit entendre une sorte de gémissement.

- Ce sera comme ça et pas autrement, désormais, poursuivit la jeune femme. J'ai déjà tenté d'imposer cela auparavant, mais cette fois-ci je ne céderai pas, point final. Si jamais vous m'envoyez encore des sujets mutilés, je ne les prendrai pas en charge. Ce qui signifiera la fin de vos programmes de numéros de cirque.

Les militaires qui l'entouraient s'agitèrent nerveusement. Ils fixaient le manche du balai sur lequel elle était appuyée. Ils n'ignoraient pas qu'elle était capable de les embrocher avant qu'ils aient eu le temps de dire ouf.

Et le Commandant en second savait très bien qu'il serait le premier transpercé. Il avait été très mal à l'aise pendant cet échange de paroles et capitula avec un soulagement visible.

Il leva la main en un vague geste de protection.

- D'accord. Il en sera comme vous le dites.

Elle eut un rire bref et franc, ce qui me fit écarquiller les yeux. La comtesse Krak avait ri !

Le Commandant en second se retira avec ses hommes. Ils se mirent à échanger des paroles à voix basse, tout en jetant de fréquents regards en arrière. Ils étaient terrorisés !

La jeune femme balaya un tas de débris qu'elle mit dans un container. Elle alla le placer sur le monte-charge. Elle fredonnait ! Je reconnus le refrain d'une petite ballade populaire.

Les hommes s'étaient mis soudain à travailler deux fois, trois fois plus vite. Leur tâche devait toucher à sa fin. Ils lançaient sans cesse des coups d'œil en direction de la comtesse, terrifiés par le changement qui s'était opéré en elle.

Je redoutais moi-même de m'approcher d'elle. Il semblait bien qu'elle eût perdu la raison. Impossible de prévoir ce qu'elle allait faire la seconde suivante ! Comme on dit dans les hautes terres, au-delà de Kabar : « Les léprodontes ne changent pas de crocs. »

Franchement, j'avais peur de lui adresser la parole, en dépit de l'urgence de ce que j'avais à faire. Pour le moment, je n'avais rien à craindre de Lombar - il était là-haut, dans sa tour. Mais la comtesse, elle, n'était qu'à quelques mètres !

Ses hommes avaient presque terminé. Au bout d'un moment, je m'approchai de l'un des murs. Ce mouvement dut attirer son attention. Elle vint vers moi d'une démarche légère, gracieuse.

- Oh, Soltan ! Je suis si heureuse de vous voir !

Et elle m'adressa un sourire radieux.

En la voyant *sourire,* je perdis tous mes moyens. Contre le mur, il y avait un grand fauteuil rembourré. Il était presque neuf. En face, on avait placé une table basse et un deuxième fauteuil semblable au premier. Le tout était surmonté d'une plaque lumineuse neuve. Un petit coin confortable pour recevoir les amis. Je reculai et tombai plutôt brutalement dans l'un des fauteuils.

La comtesse s'était tournée vers la salle et l'explorait du regard. Elle frappa dans ses mains pour capter l'attention des hommes. Quarante têtes se tournèrent vers elle en un même mouvement.

- Je pense, dit-elle, que cela suffit pour aujourd'hui. Vous avez fait du bon travail. Vous êtes tous en sueur, aussi vous devriez aller prendre un bain et laver vos vêtements. Et comme vous êtes debout depuis le milieu de la nuit... (elle s'interrompit avec un grand sourire) ...vous avez quartier libre pour le reste de la journée !

Elle n'aurait pas produit effet plus spectaculaire si elle avait braqué un canon-éclateur sur eux. Jamais encore un tel événement ne s'était produit dans l'histoire de Répulsos. Ils se regardèrent. Puis ils se tournèrent vers la porte pour voir s'il n'y avait pas des escouades d'exécution qui les attendaient. Ils regardèrent à nouveau la comtesse. Ils travaillaient pour elle depuis trois ans. Ils n'y comprenaient plus rien. Elle émit un petit rire cristallin.

- Allez, courez !

Terrifiés, ils se précipitèrent vers la sortie et disparurent.

Elle fit demi-tour et vint vers moi. Soudain, son sourire s'effaça et ses yeux se mirent à lancer des éclairs !

Je m'en doutais. Je me doutais que ce changement n'était que provisoire. Elle était toujours la comtesse Krak ! Je me préparai aux coups qu'elle n'allait pas tarder à m'assener.

Elle me saisit le bras et m'arracha du fauteuil. J'eus l'impression d'être soulevé par une grue de charge. Elle me rejeta sur le côté.

Puis elle fit une chose parfaitement idiote : elle ôta la serviette qu'elle avait sur la tête et s'en servit pour essuyer consciencieusement le siège dans lequel j'avais été assis quelques secondes plus tôt. Comme si je l'avais sali !

Elle me regarda sévèrement.

- Ceci n'est pas *votre* fauteuil ! Ceci... (elle montra la table basse et les deux sièges) ...a été installé pour Jettero !

Elle se radoucit, modifia légèrement la position de la table et déplaça quelques livres ainsi qu'une machine à langage. Puis elle tapota le fauteuil.

Je m'efforçai de reprendre mon calme.

Elle revint vers moi. Elle était de nouveau toute douceur, mais il y avait une lueur de calcul dans son regard.

- Soltan, je viens juste de me rappeler que vous aussi vous allez partir pour Blito-P3. Vous êtes le manipulateur de Jettero, n'est-ce pas ?

Elle avait dû deviner cela aux cours de langue que j'avais choisis pour Heller et au fait que c'était moi qui prenais ses rendez-vous. Je murmurai vaguement que, oui, tel était bien le cas.

- Et vous avez la charge de le préparer à la mission pour laquelle il a été désigné ?

J'acquiesçai. Elle sourit. Elle avait de très belles dents blanches. Je n'arrivais pas à détacher mon regard de ces dents. Doucement, elle me prit le bras - semblant ignorer mon tressaillement - et elle me guida jusqu'à un banc où elle me fit asseoir.

- Vous avez besoin de réviser un peu vos langues, dit-elle.

Je tentai de trouver assez de courage pour lui dire que mon anglais, mon italien, mon turc, ainsi qu'une demi-douzaine d'autres langues, étaient absolument parfaits. Mais ma bouche refusait de parler. Elle était trop sèche.

D'une démarche nonchalante, elle se dirigea vers les étagères, prit un hypnocasque et revint vers moi. Je ne lui opposai pas la plus timide défense. Après tout, j'avais passé des semaines sous cette chose. Elle me tapota la tête pour me rassurer et mit le casque en place sur mon crâne. Ensuite, elle prit un enregistrement dans une poche de sa salopette.

- Nous allons juste vérifier un peu l'accent, annonça-t-elle avec un sourire charmant.

Elle glissa la bande dans la fente et alluma le casque.

Aussitôt, j'entendis le bourdonnement familier. Brusquement, ce fut le noir total, comme si on venait d'éteindre toutes les plaques lumineuses de la salle.

Je revins à moi. Je fus un peu surpris de voir qu'une demi-heure s'était écoulée. La comtesse entassait des livres sur la table. Elle se dirigea vers « le fauteuil de Jettero » et l'épousseta une fois encore. Elle s'aperçut que j'étais réveillé, prit un livre et s'approcha.

Quand elle eut débouclé et ôté le casque, elle me tapota à nouveau le crâne.

- A présent, dit-elle, lisez ceci et nous verrons comment est votre accent. Le virginien, d'abord.

Je me dis que c'était stupide. Mon anglais commercial était parfait et suffisait largement. Pourquoi devrais-je parler avec l'accent virginien ? Elle sentit mon manque d'enthousiasme.

- Voyons, Jettero va s'exprimer en virginien. Je suppose qu'il s'agit d'une ville ou quelque chose comme ça, pas vrai ? Sur une planète appelée « Terre ». Il faudra bien que vous soyez capable de le comprendre. Lisez.

Elle posa l'index sur la page.

Je lus à haute voix :

L'obéissance est la mère du succès, l'épouse de la sécurité.

Puis :

La crainte des puissances divines et suprêmes crée l'obéissance chez les hommes.

Elle battit des mains comme une enfant.

- Très, très bien, Soltan ! Vous avez un accent virginien parfait.

Je me demandai comment, par tous les Enfers, elle pouvait savoir ça. Est-ce qu'elle avait étudié l'anglais ?

Elle posa l'index sur le bas de la page.

- Maintenant, Soltan, lisez-moi cela avec l'accent de la Nouvelle-Angleterre.

Je pris une intonation légèrement nasillarde.

Celui qui accepte les ordres avec joie échappe à l'amertume de l'esclavage - qui est de faire ce que l'on ne veut pas faire.

- Splendide, splendide, Soltan ! (Elle jeta le livre de côté.) Excellent accent de la Nouvelle-Angleterre.

Pour ma part, je n'avais pas perçu de différence. J'avais juste imité l'« américain » et, pour cela, il suffit de parler du nez. J'avais une impression bizarre.

La porte s'ouvrit à toute volée et notre conversation fut interrompue net. La comtesse Krak courut vers l'entrée et je me levai pour voir ce qui se passait.

Quoi ! L'un des gardes de Snelz avec un grand paquet pour elle ! J'eus tout juste le temps d'entr'apercevoir une étiquette qui disait : *A une étoile resplendissante.*

Elle prit le paquet. Elle paraissait surprise. Troublée. Embarrassée.

- Pour *moi ?* demanda-t-elle.

- C'est ce qu'il a dit, comtesse.

Comme dans un rêve, elle alla poser le paquet sur le bureau et l'ouvrit fébrilement. Puis elle demeura immobile à le regarder.

- Ooooh ! fit-elle enfin en portant une main à sa poitrine.

Et elle se mit à roucouler ! Je m'approchai afin de voir ce qu'il y avait dans le paquet. Une bombe ? Pour qu'elle puisse s'enfuir ?

Elle en sortit quelque chose, courut jusqu'à un miroir et leva ce qu'elle tenait avant de le mettre contre elle.

- Ooooh !

Elle alla prendre autre chose dans le paquet et retourna devant le miroir.

La carte tomba. Elle était signée *Jet.*

Oh, mes Dieux ! Il lui offrait des vêtements ! Offrir des vêtements à une femme non mariée ne pouvait signifier qu'une chose : tentative flagrante de séduction. Je me dis : voilà les ennuis qui arrivent !

Quand elle eut tout sorti, je vis que le paquet avait contenu *trois* combinaisons élastiques moulantes dernier cri. L'une était d'un noir scintillant, l'autre d'un écarlate éclatant et la dernière d'argent brillant. Chacune avait des bottes élastiques assorties qui montaient jusqu'à mi-mollet, avec un motif à fleurs. J'aperçus également trois serre-tête qui s'accordaient avec les bottes. Tout cela était extrêmement féminin. Etait-ce vraiment pour la comtesse Krak ?

Brusquement, je compris. Tout ce qu'il avait dû retenir de mon discours, c'était qu'elle n'avait pas de vêtements !

Quel (bip) !

Et cet (enbipé) de Snelz avait probablement dépêché un garde en ville dès l'aube. Et Heller, qui semblait dormir si paisiblement quand j'avais quitté la chambre, avait dû se lever juste après mon départ !

La comtesse dansait au milieu de la salle en tenant la combinaison argent contre elle.

Je consultai ma montre. Aïe ! Nous avions du retard en ce qui concernait l'instruction ! Je me ruai vers la porte.

- Non, non ! cria la comtesse. Donnez-moi vingt minutes avant de l'amener. Il faut que je prenne un autre bain et que je m'habille !

A cet instant précis, j'eus le pressentiment que tout cela allait se terminer par une horrible catastrophe. Je me dis aujourd'hui que j'aurais dû écouter mon instinct. Parce qu'il ne me trompait pas !

2

Dans ma chambre, je trouvai Heller confortablement installé dans un fauteuil, les yeux mi-clos. Monsieur rêvassait ! La Mission Terre semblait à mille lieues de ses pensées. Les quelques livres que je lui avais donnés à étudier étaient-là, en pile désordonnée sur la table. Une musique douce mais plaintive venait du visionneur et, sur l'écran, je vis une chanteuse. Il écoutait des chansons d'amour !

S'il y a une chose qui heurte mes oreilles sensibles, c'est un soprano qui gémit et sanglote des ballades d'amour avec un orchestre qui joue dans les aigus.

Ces chanteuses vont même jusqu'à se peindre le visage en noir pour exprimer les amours malheureuses et, au moyen de tubes minuscules placés près des yeux, elles versent des larmes rouges - des larmes de sang. Quant aux mélodies, elles sont insipides.

Depuis que tu m'as abandonnée,
Je vais par les rues le cœur déchiré,
Et, sur mes lèvres gercées,
Je cherche le goût de tes baisers.
Dans l'océan glacé de ma détresse,
Je revois l'éclat de tes yeux,
Je sens la douceur de tes caresses
Et je pleure notre dernier adieu,
Seule et mourante dans le noir,
Dans le linceul de mon mouchoir.

A vomir !

C'était donc comme ça qu'Heller comptait déguerpir de cette planète et faire son boulot !

En un éclair, je compris le problème devant lequel je me trouvais. L'amour ! Il y a des mises en garde dans les manuels standard d'espionnage : toutes sortes de tableaux biologiques qui insistent sur le côté irrationnel de l'amour, des exemples historiques de maisons royales qui ont été détruites parce que les mariages d'Etat avaient été rejetés par des jeunes princes et des jeunes princesses qui tombaient stupidement amoureux de quelqu'un d'autre. On ne vous dit pas comment tirer parti d'une passion amoureuse, mais on vous met en garde contre toute aventure entre un agent mâle et un agent femelle. On vous explique aussi qu'il n'y a qu'une façon de remédier à ce genre de situation : en abattant l'un ou l'autre. Il est possible que les professeurs ne sachent pas comment vous devez vous y prendre pour tourner l'amour à votre avantage, mais moi je sais. C'est grâce à mon habileté que j'ai pu grimper les échelons dans l'Appareil.

Et c'était le moment ou jamais de se montrer habile. D'une voix très douce, je dis :

- Vous feriez bien de faire votre toilette. Dans... (je regardai ostensiblement ma montre)... vingt minutes exactement, vous avez rendez-vous avec la comtesse Krak dans la salle d'entraînement.

Dieux sacrés ! Il jaillit de son fauteuil comme s'il venait d'être catapulté !

Il avait lavé sa tenue d'exercice blanche la veille au soir mais, dans mon alcôve sans aération, elle n'avait pas séché et il mit en marche, frénétiquement, un radiateur à air pulsé. Puis il se précipita sous la douche, se sécha, se peigna et s'habilla, le tout en huit minutes environ. Ensuite il nous fallut attendre encore trois ou quatre minutes durant lesquelles il ne cessa de s'agiter nerveusement. J'éteignis le visionneur : je ne pouvais plus supporter cet orchestre et ces ballades d'amour imbéciles. Elles me faisaient l'effet de chants funèbres et je me dis que, si je n'emmenais pas très vite Heller loin de cette planète, ce serait bientôt *mon* chant funèbre qu'on jouerait.

Nous arrivâmes devant la porte de la salle d'entraînement avec une bonne minute d'avance. Heller entra.

J'allais lui emboîter le pas quand une main m'arrêta. C'était l'assistant de la comtesse Krak, une brute hideuse.

- Officier Gris, un message vient d'arriver. Vous êtes demandé au bureau central de la garde de Camp Endurance.

Qu'est-ce que c'était encore que ça ? En proie à un léger sentiment d'inquiétude, je postai deux gardes devant la porte et partis à toute allure.

La traversée du tunnel prend toujours beaucoup de temps et ce ne fut qu'une heure plus tard que j'arrivai au bureau de la garde du Camp.

L'ignoble officier de service parcourut ses papiers d'un air perplexe.

- Ah oui... Il y a eu un appel général qui vous était destiné... Attendez. On l'a inscrit peu avant l'aube. Par tous les Démons, officier Gris ! Est-ce qu'ils ne vous ont donc pas trouvé ce matin ? Désolé, officier Gris, mais c'était destiné à la forteresse, pas au Camp. Nous n'avons rien de plus que l'enregistrement de l'appel...

- J'ai répondu il y a des heures ! l'interrompis-je. Annulez-moi ça immédiatement !

- Mais nous ne l'avons jamais transmis puisqu'il était destiné à la forteresse !

L'angoisse m'envahit. J'avais été dupé ! La comtesse Krak ! Elle avait voulu m'éloigner. Qu'est-ce qu'ils préparaient, tous les deux ? Une évasion ?

A la pensée de ce que ferait Lombar si jamais Heller prenait la fuite, la terreur me submergea ! Je bondis dans un zipbus pour refranchir le tunnel. En fait de zipbus, il paraissait plutôt se traîner. J'atteignis enfin la forteresse et me ruai vers la salle d'entraînement. Les Dieux seuls savaient ce que j'allais trouver !

Je me précipitai à l'intérieur.

C'était la scène la plus tranquille qu'on puisse imaginer. Heller était installé dans le fauteuil qu'elle lui avait préparé. Le diffuseur de bandes était sur la table basse, émettant ses vrombissements paisibles. Quant à la comtesse, elle était dans l'autre fauteuil. Elle portait sa nouvelle combinaison et ses nouvelles bottes argent et elle avait ceint ses cheveux du bandeau argenté décoré de petites fleurs. Je dois dire qu'elle était d'une beauté à vous couper le souffle. Elle avait posé les coudes sur la table et son menton reposait au creux de ses paumes. Elle contemplait Heller avec adoration.

Je me coulai auprès d'elle, absolument furieux.

- Bravo, vous m'avez bien eu, fis-je très bas pour qu'Heller ne m'entende pas.

Elle se tourna vers moi. Ses yeux étaient brillants, d'un bleu fumée. Elle avait un vague sourire sur les lèvres.

- Est-ce qu'il n'est pas merveilleux ? murmura-t-elle, parfaitement détendue.

J'étais écœuré. Je me fis alors la réflexion que même une femelle léprodonte devait tomber amoureuse de temps en temps.

Je suis ressorti. Ils m'exaspéraient, tous les deux. Cette situation devenait vraiment trop dangereuse.

Je pris mon disque de communication et j'obtins une ligne secrète directe avec la Section 451, dans la Cité du Gouvernement. Mon ajoint en chef, un vieux criminel du nom de Bawtch, n'avait pas l'air très heureux que j'aie été maintenu comme Chef de Section. Il me dit qu'ils se débrouillaient très bien sans moi et qu'il espérait que je n'avais aucun ordre à leur donner, car mes ordres étaient toujours synonymes de désordre. Ce n'était pas vraiment de l'insolence : Bawtch est comme ça. Quelques minutes après sa naissance, il était déjà aigri et, depuis, il fait profession de se détériorer.

J'appris que de nouveaux textes et des livres de poche venaient d'arriver de la Terre, de même que des numéros récents du *New York Times* et du *Wall Street Journal,* deux journaux américains. Je dis à Bawtch de mettre le tout dans la navette de Répulsos et il soupira avant d'émettre le souhait que je ne l'appellerais pas avant longtemps.

Je me mis à déambuler sans but dans les couloirs. Ensuite, je pris quelques notes sur les actions qui m'attendaient. Puis je retournai voir comment progressaient les leçons de langues.

Quoi ? Ils n'étaient plus à la table ! Je m'avançai un peu et je les retrouvai au milieu de la grande plate-forme d'entraînement physique.

Est-ce qu'elle lui enseignait le combat à mains nues ? J'avais reçu l'ordre qu'aucune tactique d'espionnage ne lui soit... Je me figeai sur place. Ce n'était pas au combat qu'ils s'exerçaient. Heller lui montrait les dernières danses à la mode ! L'« éclaté » était en vogue depuis plusieurs mois. Le mâle se fend en avant et la femelle fait un saut périlleux arrière, puis la femme se fend à son tour et l'homme roule sur le côté avant de se relever. Et ainsi de suite. Athlétique mais monotone. Ils se servaient d'un rythmeur, un appareil qu'utilisent les acrobates pour synchroniser leurs mouvements. Ils l'avaient réglé sur le tempo de la danse. Heller était occupé à montrer à la comtesse comment placer les pieds et les bras.

Elle avait tué un garde qui avait simplement essayé de la toucher. Et voilà qu'Heller était sur le point de commettre la même erreur. Je regardai, paralysé, glacé, comme quand on s'apprête à assister à un accident inévitable. Cette scène avait quelque chose de fascinant. Tôt ou tard, il allait tendre la main et...

Oui ! Il venait de la toucher ! Il avait signé son arrêt de mort. J'attendis.

- Oh, ça fait tellement longtemps que je suis ici, dit-elle, que je ne suis plus du tout dans le coup. Voyons : quand vous vous fendez, je suis censée rouler sur le côté au lieu de rester plantée là comme une idiote à attendre que mon partenaire me heurte !

Il se fendit une fois encore. Elle oublia de se dérober et la main d'Heller lui toucha l'épaule. La comtesse Krak empotée ? Incapable d'apprendre une figure de danse ? Jamais !

Il acheva son mouvement en la prenant dans ses bras et en la serrant contre lui. Et ils restèrent comme ça.

Et puis, il l'embrassa !

Je m'attendais à un feu d'artifice. Mais en guise de feu d'artifice, il y eut au-dessus d'eux une sorte d'aura, invisible mais palpable, que je pouvais presque sentir physiquement de l'endroit où je me trouvais. Elle laissa aller sa tête en arrière et le regarda.

- Oh, Jet, murmura-t-elle.

Je sortis de la brume où j'étais plongé. Jamais, au grand jamais, ça ne pourrait marcher comme ça. Je claquai dans mes mains, trois fois, très fort. Je dus recommencer, plus fort encore, avant qu'ils s'aperçoivent de ma présence.

Ils vinrent vers moi, main dans la main, en se regardant comme deux adolescents partageant un secret.

- Nous avons rendez-vous avec le docteur Crobe, dis-je sévèrement. Venez, Heller !

3

La section biologique occupait une série complexe de cryptes et de salles en pierre ancienne à une trentaine de mètres de profondeur. A la différence du reste de la forteresse et malgré la pierre noire, les lieux baignaient dans une forte lumière. Je n'avais jamais traversé cette section jusqu'au bout : elle est trop repoussante. On y trouve des bibliothèques, des salles d'opération, des chambres de congélation et des compartiments immenses remplis de fioles, de réservoirs, de fioles, de réservoirs, encore et encore. Répulsos sent mauvais, mais ce n'est rien comparé à l'odeur qui règne dans la section biologique. Ils ont la sale habitude de renverser par terre des bouillons de culture qui finissent par se putréfier et de laisser traîner un peu partout des fragments de chair et de membres qui, à la longue, se décomposent. L'endroit est à peu près aussi sain qu'un égout de la Cité des Bas-Fonds.

Dans la première bibliothèque, une espèce de vieille chouette brassait des dossiers en traînassant et en reniflant bruyamment à cause de la morve qui s'écoulait sur sa lèvre supérieure. Je lui désignai l'une des étagères du haut, puis je lui montrai Heller et criai :

- Blito-P3 !

Elle est à moitié sourde, vu qu'elle est âgée de cent cinquante ans au moins, mais elle m'entendit. Elle alla chercher une échelle branlante et je quittai Heller pour me mettre en quête du chef de la section de cytologie.

Le docteur Crobe était dans l'une des salles d'opération du fond. A l'instant où j'entrai, il leva une main dégoûtante pour m'indiquer qu'il ne voulait pas qu'on le dérange. Aussi, je restai immobile et regardai.

Devant lui, un pauvre diable était attaché sur la table et Crobe achevait son travail. L'homme, qui avait probablement été une personne tout à fait normale quelques semaines auparavant, recevait les ultimes retouches qui feraient de lui un monstre de cirque.

En réorganisant et en greffant des cellules, Crobe avait réussi à remplacer les bras et les jambes de ce pauvre fils de (bip) par de gros tentacules prélevés sur quelque créature de la mer. Il avait aussi greffé des os au-dessus des arcades sourcilières afin de créer deux protubérances. Pour l'instant, il s'assurait de la croissance et de la bonne prise d'une « langue » qui devait venir d'un animal insectivore car elle pouvait se déployer sur cinquante centimètres, et le nouveau monstre semblait voué à devoir attraper des insectes pour survivre.

Crobe avait un don pour créer des monstres mais il ne lui était jamais venu à l'esprit, j'en suis sûr, qu'il en était un lui-même, avec ses bras et ses jambes anormalement longs et son nez en forme de bec. Il travaillait avec, sur le visage, une expression extatique, sinistre ! Quel savant consciencieux, dévoué ! Il aurait donné des frissons à n'importe qui. Le plus monstrueux, c'était qu'il croyait totalement à ce qu'il faisait !

Je surpris le regard de la chose innommable qu'il venait de créer. A son expression, il était évident que le pauvre (bip) était devenu dément. Mais bon, les créatures de Crobe ne vivaient pas très longtemps. Lorsqu'elles mouraient, les cirques en rachetaient de nouvelles. Et puis, de toute façon, le public se lassait rapidement des monstres - c'était très bon pour les affaires.

- Et voilà, déclara Crobe en se redressant et en se massant le dos. Un spécimen unique de la forme de vie principale de la planète de Matacherferstoltzian ! Inconquise à ce jour !

Je connais mon astrographie.

- Cette planète n'existe pas, dis-je.

- Peut-être pas, concéda Crobe, mais n'empêche que vous avez devant les yeux l'un de ses autochtones !

- Venez avec moi. J'ai un agent spécial qu'il faut préparer.

A peine avais-je prononcé ces mots qu'une douleur me déchira l'estomac !

Bizarre, bizarre. Je regardai autour de moi. Peut-être que ça venait de la puanteur qui régnait ici.

J'étais allé sur bien des planètes et j'avais mangé des tas de mets étranges, je faisais partie de l'Appareil depuis des années, avec tout ce que ça impliquait, mais jamais je n'avais eu mal à l'estomac !

Les assistants de Crobe prirent la relève. Le vieux détraqué m'emboîta le pas.

Dans la bibliothèque, Heller s'était trouvé un tabouret et feuilletait les livres que la vieille chouette lui avait remis. Il inclina brièvement la tête lorsque je lui présentai Crobe.

- Je ne me suis jamais posé à la surface de la planète, dit Heller. Ces bouquins sont très intéressants. C'est une belle planète, vous savez.

Il venait de tomber sur une page avec diverses photos d'habitants de la Terre. Il paraissait songeur, tout soudain, et son regard allait d'une photo à l'autre.

Deux des assistants de Crobe nous avaient suivis. L'un tenait une table portative et l'autre un plateau sur lequel étaient disposés différents instruments.

Crobe s'assit et demanda :

- Sur quelle planète allez-vous ?

- Blito-P3, la Terre, répondis-je.

- Ah, fit Crobe.

L'un de ses assistants se mit à ouvrir plusieurs tiroirs et à empiler des dossiers sur le bureau. Crobe en prit un qu'il ouvrit.

- Blito-P3... Humanoïde... Pesanteur... Hmmm... Atmosphère... Hé, Styp ! Passe-moi la table de densité de l'ossature. (L'assistant la lui tendit et, après un instant, Crobe fit :) Aha !

- Cet agent spécial, précisai-je, devra être indétectable selon les normes terriennes.

- Oui, oui, fit Crobe en me repoussant sur le côté. Styp, va chercher une balance.

L'assistant revint bientôt avec un chariot chargé de matériel.

Le vieux timbré dit à Heller de se déshabiller.

Sans raison, je sentis revenir la douleur en même temps qu'une vague de nausée. Qu'est-ce que j'avais donc ?

Heller se dévêtit, s'intéressant beaucoup plus aux livres sur les rayons qu'à ce que Crobe avait l'intention de lui faire. On aurait dit qu'il cherchait un titre particulier. Mais il monta docilement sur la balance et, d'un air distrait, fit ce qu'on lui demandait. Les assistants se mirent à relever des chiffres et des mesures, accompagnés de temps à autre par les grognements de Crobe.

Styp repartit en quête d'un ostéo-densitomètre qu'il avait oublié. On ne pouvait pas dire que Crobe et son équipe étaient très organisés. Juste après que Styp fut revenu avec l'appareil, j'entendis des bruits et des murmures sur le seuil.

Il y avait là cinq femelles de l'équipe du docteur qui observaient la scène en échangeant des commentaires à mi-voix. Je n'avais pas la moindre idée de ce qu'elles pouvaient se raconter, mais elles roulaient des yeux ronds et elles avaient l'air particulièrement surexcitées.

En me retournant, je compris que l'objet de leur conversation n'était autre qu'Heller. Un des assistants de Crobe lui faisait faire des mouvements de flexion pour mesurer sa force musculaire. Oui, il fallait convenir que c'était un bel athlète. Il évoquait un Dieu des grandes forêts entouré de vilains Diables crasseux. Il était aussi déplacé en ces lieux qu'une statue dans une fosse à purin. A bien y réfléchir, il me rappelait cette sculpture de la Galerie de Voltar, cette œuvre célèbre de Dawvaug appelée *Le Dieu de l'Aube.* Hé ! me dis-je. Qu'est-ce qui t'arrive ? Par tous les Démons, tu ne t'intéresses pourtant pas aux hommes... D'ailleurs, quand Crobe en aura fini avec lui... Aussitôt la douleur me vrilla l'estomac et je dus m'asseoir sur un tabouret pour ne pas me plier en deux.

Ils avaient enfin fini. Crobe tenait une grosse liasse de notes.

- *Vous,* dit-il à Heller comme s'il prononçait un verdict, vous êtes originaire de la Planète Manco. Poids, hauteur, densités... Oui, Manco...

Bravo, d'accord, mais n'importe qui aurait pu dire ça au premier coup d'œil. Ce n'est pas que les Voltariens de Manco soient tellement différents, mais chacune des cinq races mancos a des caractéristiques particulières - comme toutes les races de toutes les planètes, d'ailleurs. C'est alors que je pris conscience d'un fait qui m'avait échappé jusqu'ici : la comtesse Krak était native de Manco ! Ils étaient tous deux de la même race !

Crobe consultait ses ouvrages de référence sur Blito-P3. Il chantonnait, se grattait le menton, marmonnait.

- La différence de gravité entre Manco et Blito-P3, dit-il enfin, n'est pas très importante. De l'ordre d'un sixième de moins pour Blito-P3. Ce qui signifie que vous devrez faire de la marche et de la course avant de vous montrer en public.

« Hmmm... Ah oui, l'atmosphère... Elle est moins dense et il faudra vous rappeler de vous aérer régulièrement - une fois par jour environ. Vous devrez respirer plus à fond. Et vous oxygéner avant tout effort physique important. Autrement, vous ressentiriez très vite la fatigue.

« Quel est déjà le nom local de cette planète ?... Ah oui, la Terre... Votre densité osseuse est supérieure à celle des autochtones, à cause de la différence de gravité.

« Maintenant, pour en venir à l'alimentation, vous ne rencontrerez pas de problème particulier. L'eau et les aliments seront parfaitement digestes pour vous. Hmmm... Mais il y a un point précis sur lequel je dois attirer votre attention. On ne sait pourquoi, mais l'alimentation des Terriens ne correspond pas aux normes élémentaires de la nutrition et encore moins aux vôtres. Je vous conseillerai donc de manger souvent et de ne pas attendre d'avoir faim. Hmmm... Oui... Ils ont un aliment appelé « hamburger ». Vous pourrez manger tout ce qu'il vous plaira, mais le hamburger vous procurera une alimentation équilibrée.

« Quant à la boisson... L'eau... Très bien, rien à dire. Ah oui, l'alcool... Ils en absorbent en grandes quantités. Ne touchez surtout pas à ce qu'ils appellent les « alcools forts ». Ils désorganisent les fonctions cérébrales. Hmmm... La bière... Ils ont une boisson appelée « bière ». Vous pouvez en boire sans problème. Mais pas d'alcools forts, quels qu'ils soient.

Crobe rassembla ses notes et je me sentis mieux.

- Donc, reprit-il, faites des exercices quotidiens. Sinon, sous cette gravité plus faible, vos tendons et vos muscles auront tendance à se ramollir. Et oxygénez-vous. Ensuite, mangez des hamburgers et buvez de la bière, et tout ira bien.

Sans raison, je me sentis soulagé.

Mais, soudain, Crobe demanda d'un ton cassant :

- Est-ce que vous m'écoutez ?

Heller paraissait toujours aussi absent. De temps à autre, son regard courait sur les étagères. Mais, après tout, il n'avait aucune raison d'être attentif. Que Crobe le sût ou non, il s'adressait à un spatial - et un spatial faisait ça tous les jours - sauf, peut-être, manger des hamburgers et boire de la bière.

- Je me donne tout ce mal et vous ne m'écoutez même pas ! aboya Crobe.

- Oh, mais si, je vous ai écouté, rétorqua Heller. Il faut que je fasse des exercices, que je m'oxygène et que je me nourrisse de hamburgers et de bière. Je vous remercie pour tout.

Il se pencha en avant et pêcha un livre avec de grandes planches en couleurs - des photos d'habitants de la Terre. Il tapota la page du dos de la main.

- Ce qui m'a frappé, dit-il, ce sont les images de ces races terriennes. Est-ce que vous n'auriez pas, par hasard, un livre intitulé *Dans les Brumes du Temps ?*

Crobe sortit de ses gonds.

- Non ! Bien sûr que non ! Vous n'êtes pas dans la bibliothèque d'anthropologie !

Et, à nouveau, la douleur revint dans mon estomac.

La vieille chouette leva la main pour nous faire signe d'attendre et s'éloigna en traînant les pieds. Elle revint peu après avec un volume qui faisait plus de cinquante centimètres d'épaisseur.

Elle adressa un sourire édenté à Heller et dit :

- Je l'ai trouvé dans la bibliothèque historique.

Il posa le livre sur la table. Crobe rassemblait ses papiers avec un air hostile.

Je lus l'étiquette collée sur la couverture :

Edition abrégée. Dans les Brumes du Temps.
Légendes des planètes d'origine de la
Confédération de Voltar rassemblées par
la Section des Traditions, Division Intérieure

Je me demandais ce que devait être l'édition non abrégée, vu les dimensions du volume.

- Des fables, marmonna Crobe en aparté.

Heller avait trouvé ce qu'il cherchait. A la rubrique *Manco,* il posa le doigt sur un titre : *Légende Populaire 894 M.*

- Je l'ai retrouvée, dit-il. Je ne l'avais pas lue depuis l'école maternelle.

Il se mit à lire :

Légende Populaire 894 : On raconte qu'il y a quelques milliers d'années, durant la Grande Révolte de Manco, le Prince Caucalsia, s'apercevant que sa cause était vouée à la perte, s'enfuit de Manco avec ce qui lui restait de sa flotte, accompagné de nombreux partisans ainsi que de leur famille, et quitta le système de Manco. Il fut relaté plus tard que, neuf années s'étant écoulées, deux vaisseaux de transport revinrent sur Manco et se posèrent dans la Cité Fortifiée de Dar. On dit que leur arrivée fut traîtreusement dénoncée par une femme du nom de Nepogat et que les équipages furent arrêtés dans la nuit. Interrogés par l'Appareil, ils révélèrent, à ce que l'on rapporta plus tard, que le Prince Caucalsia, après sa fuite de Manco, s'était posé sur la planète Blito-P3. On dit aussi que le Prince avait fondé une colonie du nom d'Atalanta avec ses nombreux partisans, et que celle-ci prospérait. Mais, comme ils étaient venus à manquer de carburant et de certaines fournitures, deux transports avaient été envoyés vers Manco dans l'espoir d'un retour pacifique et d'un possible commerce. Cependant, il fut décrété qu'il ne saurait être question de magnanimité. La colonie de Blito-P3 fut déclarée illégale et en violation avec le Saint Calendrier d'Invasion de Voltar. Sur l'insistance de la femme nommée Nepogat, les équipages des deux vaisseaux furent exécutés. Les temps troubles qui suivirent firent oublier toute campagne visant à châtier le Prince Caucalsia. La Cité Fortifiée de Dar fut incendiée durant la Grande Rébellion de l'année suivante, et c'est ainsi que toutes les preuves susceptibles d'étayer la présente légende ont été perdues. Il est à noter que cette légende populaire est à la base du conte de fées intitulée Nepogat l'Abominable *et de la chansonnette enfantine* Brave Prince Caucalsia.

- Des inepties ! s'exclama Crobe. Ce que je voudrais que vous compreniez - quel que soit votre nom -, c'est que, dès l'instant où vous laissez des fables s'infiltrer dans le domaine de la science pure, rien ne va plus ! (Il écumait de rage.) Vous perdez de vue un point important ! Les formes de vie de type humanoïde sont les plus répandues de l'univers ! Elles représentent 93,7% de toutes les civilisations découvertes à ce jour. Apparemment, la forme humanoïde est encore ce qu'il y a de mieux pour survivre sur une planète normale à carbone-oxygène. Pour qu'une forme de vie intelligente apparaisse et s'impose, il faut obligatoirement des mains habiles, des pieds articulés, un corps à structure symétrique droite-gauche, ainsi qu'une peau flexible.

Espèce de vieux faux jeton ! me dis-je. Tu sais tout ça et pourtant tu fabriques des monstres en faisant croire aux gens qu'ils sont des formes de vie d'autres planètes !

- Tout est inscrit dans la structure des cellules ! reprit Crobe, haranguant Heller. Et toute population évoluée d'une planète est apparue *sur* cette planète. C'est un fait *scientifique.* Oubliez donc toutes ces histoires de religion et toutes ces fables ! Oh, bien sûr, il existe des différences au niveau de la structure sanguine, et les races humanoïdes diffèrent entre elles, ce qui est l'unique moyen d'identifier les croisements entre les diverses civilisations.

Heller répondit tranquillement :

- Je m'intéressais juste à la similitude entre les structures osseuses faciales des races de la Terre, du moins certaines d'entre elles, et celles de Manco.

- Je vais vous montrer ! lança violemment Crobe comme si Heller venait de contester ce qu'il avait dit.

Et il sortit en courant. J'avais une petite idée de l'endroit où il allait : les chambres de congélation des corps. J'avais deviné juste, car, l'instant d'après, j'entendis le bruit sourd d'un coup de hache.

Crobe revint au galop, brandissant une main humaine gelée qu'il avait tranchée au poignet. Il chercha dans le fouillis d'un chariot et en sortit un décongélateur instantané. En quelques secondes, la main tranchée se mit à saigner. Ça, c'était bien du Crobe ! Couper une main alors qu'il n'avait besoin que d'un petit échantillon de sang ! Je me sentais de plus en plus mal.

- Du sang *terrien !* annonça-t-il en versant quelques gouttes dans une culture.

Heller parut surpris.

- Soltan, est-ce que vous kidnappez des habitants de la Terre ?

Mais oui, certainement, officier royal Heller.

- Non, répondis-je. Nous avons récupéré des cadavres dans des accidents de véhicules, il y a des années de cela, et nous les conservons ici en congélation pour les étudier.

Crobe me lança un regard bizarre, pour autant que cela lui fût possible. Il jeta la main sur le sol, où elle atterrit avec un bruit mou, et entreprit de placer la culture sous un microscope.

Ensuite, il prit une sonde acérée et crasseuse et, avant que j'aie pu l'en empêcher, il saisit le poignet d'Heller et enfonça la pointe dans son pouce. Je faillis vomir sur place. Par tous les Dieux, pourquoi réagissais-je de la sorte ?

Mais Crobe ne fit rien de plus. Il prit simplement l'échantillon de sang qu'il venait de prélever, le versa sur une autre lamelle qu'il plaça sous un second microscope.

- Maintenant, dit-il en se tournant vers Heller, jetez un coup d'œil ! Vous verrez une fois pour toutes qu'il n'y a jamais eu de croisement entre Manco et Blito-P3 ! Tout ce qui, sur la Terre, est humain, est né sur la Terre. En voici la preuve scientifique !

Heller examina les deux échantillons.

- Ils sont similaires, dit-il.

- Bah ! Observateur incompétent ! (Il repoussa Heller et regarda à son tour. Il se redressa brusquement et rugit :) Officier Gris, était-ce l'un de vos agents décédés sur Terre ? Allez identifier le cadavre dans la chambre froide... Non... (Il changea d'idée, ramassa la main et la plaça sous l'ostéodensitomètre.) Bon sang, c'était bel et bien un Terrien...

Il rassembla ses papiers, interpella un assistant et lui dit de ramener la table et le chariot. Puis il désigna un tabouret et dit à Heller :

- Allez-y, asseyez-vous là et continuez de fabriquer des fables.

Heller sourit légèrement et reprit le grand livre avec les photos en couleurs.

Le docteur gagna le seuil et me fit signe de le suivre d'un geste impératif. Nous entrâmes dans un bureau encore plus répugnant. A tel point que je n'osai m'asseoir, redoutant qu'il y ait des fragments de cadavres sur les sièges. Mais j'étais trop mal en point et je choisis finalement de m'installer sur un tabouret.

Crobe prit place auprès de moi et me montra ses notes. Il se pencha vers moi avec des airs de conspirateur. Qu'est-ce qu'il mijotait ?

- Officier Gris, nous avons des problèmes avec cet agent. Des ennuis sérieux.

Jusqu'ici, rien dans son attitude n'avait laissé transparaître qu'il pût y avoir un quelconque problème. La douleur redoubla dans mon estomac.

- Officier Gris, il va falloir travailler sur cet agent. (Il regarda brièvement ses notes.) Pour le poids, ça ira. Il pèse environ cent kilos, ce qui est l'équivalent de quatre-vingt-cinq kilos sur Blito-P3. Personne ne le remarquera. C'est son âge qui pose un problème. (Il consulta des tables.) Maintenant, à cause de leur mode de nutrition ou d'une malfonction organique inhérente, la durée de vie des habitants de la Terre est exceptionnellement courte. Normalement, sur n'importe quelle planète digne de ce nom, la structure cellulaire a un temps d'existence égal à six fois sa période de croissance.

Là, il ne m'apprenait rien. Où voulait-il en venir ?...

- Sur Blito-P3, reprit-il en se penchant de nouveau sur ses tables, la pleine croissance et la maturité interviennent à l'âge de vingt ans. Ce qui est sans doute trop rapide pour eux. Quoi qu'il en soit, ils devraient donc vivre jusqu'à cent vingt ans. Mais ce n'est pas le cas. Ils décèdent généralement aux environs de soixante-dix ans ou même avant.

- Crobe... commençai-je, avec l'intention de lui dire que, de toute manière, Heller ne resterait pas aussi longtemps sur la planète - avant de me rappeler que, en fait, il y demeurerait pour le restant de ses jours !

Mais qu'est-ce que l'âge avait à voir dans tout ça ?

- Ce qui complique notre problème, poursuivit le docteur, c'est que la période de croissance d'un humanoïde de Manco est de trente-deux ans et que sa durée de vie est *réellement* six fois supérieure. Donc, à moins qu'il ne lui arrive quelque chose, votre agent spécial devrait vivre jusqu'aux alentours de cent quatre-vingt-douze ans.

Je ne voyais toujours pas où il voulait en venir.

- Votre agent spécial doit avoir dans les vingt-huit ans. Et il mesure actuellement un mètre quatre-vingt-huit. La croissance diminue avec les années, mais à trente-deux ans, il fera un mètre quatre-vingt-seize !

J'étais malade, rempli d'appréhension. Je savais que ce qui allait suivre serait tout sauf agréable.

- Sur la Terre, continua Crobe en consultant de nouveau sa table, pour les gens dont la couleur de peau est la même que celle de votre agent, c'est-à-dire... blanche ?... - moi, je dirais plutôt bronze - la taille moyenne est d'un mètre soixante-quinze. (Il jeta ses notes et me regarda.) Il est trop grand ! Là-bas, il va avoir l'air d'un géant !

J'allais réfuter cet argument, mais Crobe ajouta :

- Attendez. Il va également paraître très, très jeune. Il aura l'apparence d'un garçon de dix-neuf ou même dix-huit ans. (Il prit des photos et me les montra.) Vous voyez ? (Il sourit.) Mais tout n'est pas perdu. On peut encore rattraper ça.

Il se pencha vers moi, tout près. Il avait cette expression démente qu'il arborait dès qu'il était question de monstres.

- Nous pourrions réduire ses bras et ses jambes en prélevant des parcelles d'os. Et aussi diminuer le volume de son crâne... Officier Gris ! Qu'est-ce qui vous arrive ?

J'étais plié en deux, les mains crispées sur mon estomac. Jamais je n'avais éprouvé une telle souffrance ! Je me mis à vomir. Sur le sol et sur mes jambes. Je rendis tout ce que j'avais pu manger depuis une semaine. Et quand je n'eus plus rien à vomir, je continuai d'avoir des spasmes à vide.

J'avais dû faire un boucan terrible. Je pris conscience qu'Heller était là et me soutenait la tête.

L'un des assistants de Crobe prit un tube et tenta de m'injecter un liquide dans la gorge. Je le vomis avec violence. Un autre me vaporisa le visage avec de l'eau, mais cela ne fit qu'empirer mon état.

Heller aboya des ordres à l'intention de quelqu'un que je ne voyais pas. Deux gardes entrèrent. Ensuite, il sortit un chiffon rouge d'ingénieur de sa poche et nettoya le plus gros des souillures de mon visage. Puis il saisit la civière qu'apportait un assistant et m'y étendit avec douceur. Les deux gardes me soulevèrent et nous sortîmes.

4

Dans ma chambre, Heller m'ôta mes vêtements et me mit dans la baignoire. Quand je fus nettoyé, il me porta jusque dans mon lit. Il était d'une sollicitude stupéfiante. Il alluma une lampe pour me réchauffer l'estomac, probablement avec l'espoir que cela apaiserait mon malaise.

Je demeurai là, immobile, misérable. Jamais, de toute ma vie, je ne m'étais senti aussi mal. C'était pire qu'une entrevue avec Lombar.

Heller ramassa quelques-uns de mes vêtements et déclara :

- Ils sont fichus.

Je me raidis sous l'effet de l'angoisse : il vidait mes poches ! Et je ne voyais pas comment je pouvais l'arrêter. Quand on ne se rend pas régulièrement à un lieu de travail précis, on a tendance à devenir une sorte de bureau ambulant, et j'avais dans mes poches des carnets de notes, de vieilles enveloppes, des messages et je ne sais quoi. S'il épluchait tout ça, il risquait de découvrir la machination de la Mission Terre !

Ouf ! Il se contentait de tout mettre en pile sans même y jeter un regard. Malade ou pas, je ressentis néanmoins un peu de mépris en constatant une fois de plus sa totale ignorance du jeu de l'espionnage. Quel enfant !

Il fit une seconde pile avec mes nombreuses armes, avant d'examiner mon uniforme, ma casquette et mes bottes afin de s'assurer qu'il ne s'y trouvait plus rien. Puis il les jeta dans le vide-ordures. Bof... De toute façon, ils avaient été sales et puants bien avant l'« accident » d'aujourd'hui.

L'un des gardes était demeuré dans la chambre, prêt à aider. Heller préleva mon identoplaque dans la pile de papiers et la lui tendit.

- Non ! protestai-je faiblement.

- Allez au camp, dit Heller au garde, et trouvez-moi un uniforme complet des Services Généraux dans leur magasin d'habillement.

Le garde le salua à la manière de la Flotte, les bras croisés sur la poitrine - moi, on ne me salue jamais -, et s'éclipsa avec mon identoplaque.

- Heller, gémis-je, avec cette plaque, il va se payer la moitié des prostituées du Camp des Macchabées ! Vous m'avez ruiné !

- Je ne le pense pas, Soltan. Vous devriez apprendre à faire confiance aux gens.

Faire confiance à la racaille, à des criminels ?

- Je suis trop malade pour écouter une leçon de conduite ! Epargnez-moi vos discours moralisateurs !

Il régla la lampe chauffante braquée sur mon estomac, puis posa un linge humide et frais sur mon front.

- Vous vous sentez mieux ?

Non, je ne me sentais pas mieux. Il nettoya le sol à l'endroit où il avait jeté mes vêtements. Ces spatiaux de la Flotte sont toujours d'une propreté stupéfiante. Ensuite, il se déshabilla et prit une douche. Il lava son chiffon rouge d'ingénieur et sa tenue d'exercice et rangea la chambre. Après quoi il enfila un costume de soirée une pièce - le genre décontracté. Puis il se peigna et, aussi impeccable qu'un modèle surgi de la vitrine d'un tailleur, il alluma le visionneur et s'assit.

Mon cœur faillit bien cesser de battre : il s'était penché sur les deux piles d'objets divers qu'il avait prélevés de mon uniforme. Il s'apprêtait à fouiller mes papiers !

Non. Il prit simplement un bâton-éclateur.

- C'est un sacré arsenal que vous trimbalez là, dit-il. (Il ouvrit la culasse et vérifia la cartouche énergétique.) Il faut être prudent avec ces machins. Ils sont livrés avec une charge à blanc exactement semblable aux vraies. Celle-ci est bonne.

Je m'attendais à tout moment à ce qu'il commence à fouiller dans mes papiers. Mais il prit juste le paralyseur dont il vérifia la charge. Il tendit à nouveau la main. Je retins mon souffle. Cette fois-ci, ce fut la longue lame de vingt centimètres de la Section Couteau qu'il préleva dans la pile. Il l'examina avec curiosité.

Ce type d'arme n'est pas très courant. Peut-être en avez-vous déjà eu une entre les mains. Alors vous savez sans doute qu'on peut lui arracher une note musicale en donnant une pichenette sur la pointe. C'est ce que fit Heller. Il écouta et dit :

- Très bon alliage.

Il leva la main et, avant même que j'aie pu deviner ce qu'il allait faire, il lança le poignard avec une force telle que la lame siffla. Je tressaillis. Est-ce qu'il m'avait visé ?

Il y avait un melon posé sur une étagère. Le poignard s'enfonça en plein dans le centre et le traversa avec un bruit mat avant de se planter dans le mur juste derrière ! Heller se leva, dégagea la lame avec une espèce de double torsion du poignet et me présenta une tranche de melon impeccablement découpée.

- Vous en voulez un peu ? me demanda-t-il. (A la pensée de manger, j'eus à nouveau la nausée.) Oh, désolé. Mais le melon, ça peut faire du bien, parfois.

Il reposa la part de melon et retourna s'asseoir. Chose étrange, il ne toucha pas à mes papiers. Il nettoya le poignard et son fourreau.

Le garde revint avec un ballot d'uniformes. Il rendit l'identoplaque et Heller lui tendit un billet d'un crédit.

- Est-ce que ce sera tout, monsieur ?

A moi, on ne dit jamais « monsieur ». Mais, me dis-je avec une hargne mauvaise, on peut acheter tant de choses avec un billet d'un crédit.

Mais ils n'avaient pas fini. Le garde se pencha pour murmurer quelque chose à l'oreille d'Heller qui sourit et lui répondit de la même façon. Ils échangèrent un nouveau sourire. Qu'est-ce qu'ils mijotaient ? Une évasion ?

Le garde fit un pas en arrière pour saluer. Heller désigna le sol.

- Vous avez laissé tomber l'argent.

- Effectivement, fit le garde en se baissant pour ramasser le billet.

Il le glissa dans sa poche, salua et sortit. Donc, me dis-je, ce n'est pas seulement l'argent qui l'intéresse. Conclusion : ces deux-là trament *vraiment* quelque chose.

Heller prit un manuel sur Blito-P3 et se mit à lire. Il n'avait toujours pas touché à mes papiers. Quel idiot ! Sur Terre, il ne durerait pas dix jours !

J'ignore pourquoi, mais cette pensée fit empirer un peu plus mon état. Je commençais à m'inquiéter à mon propos. Jamais encore je n'avais eu d'ennuis d'estomac. Et le plus étrange était que je n'avais pas de fièvre. De quoi pouvais-je bien souffrir, par tous les Dieux ?

Si j'allais voir Crobe, il me dirait simplement que le mieux était de me greffer un nouvel estomac. Je me mis à réfléchir. Non, pas question. Jamais, au grand jamais, je ne me laisserais endormir entre les mains de ce cinglé ! Je risquerais de me réveiller avec une tête de vache !

Et ce qu'il avait suggéré pour les jambes d'Heller...

La nausée me reprit ! Encore plus forte qu'avant ! Et je n'avais plus rien à vomir. J'étais plié en deux, à moitié hors du lit, tordu de spasmes.

Heller alla chercher une cuvette, mais c'était inutile. Il m'appliqua une autre serviette mouillée sur le front. Mais c'est tout juste si je le remarquai. J'étais effondré. Je ne pouvais pas rester comme ça ! Si je ne menais pas cette mission à bien, ce n'est pas malade que je serais, mais mort !

Je restai là, immobile. Heller s'était replongé dans son manuel. Je tentai de réfléchir de façon calme et rationnelle. Quand cette crise avait-elle commencé ?

Je me concentrai pour y repenser. Cela avait commencé dans le département de Crobe. Ce type avait quelque chose de malsain, de vénéneux !

Oui ! Chaque fois que mes pensées revenaient sur lui, j'avais la nausée !

Mais oui !... C'était l'évidence même ! Jamais plus je ne devrais m'approcher de Crobe ! Jamais, jamais, jamais !

Brusquement, je me sentis tout à fait bien !

L'instant d'avant, j'avais été malade comme un chien et voici que je me sentais en pleine forme ! Plus la moindre trace de douleur ou de nausée !

Je m'assis, heureux, soulagé.

- Vous vous sentez mieux ? demanda Heller. (J'acquiesçai vigoureusement.) Excellent. Quelquefois, ces choses passent très vite. Après tout, vous êtes jeune et en bonne santé. Sans doute un microbe qui est apparu brusquement pour aussitôt disparaître. Je suis très heureux de vous savoir mieux.

Je bondis hors du lit, me lavai le visage et enfilai le nouvel uniforme. Puis je fourrai mes papiers dans mes poches et récupérai mes armes.

La vie me paraissait absolument merveilleuse !

5

Mais, ainsi que le disent les prêtres de Voltar : « N'appréciez jamais trop le bonheur, sinon les Dieux vous le retireront. » Et c'est ce qui se passa le soir même.

Heller s'activait dans la pièce. Il mettait de l'ordre, nettoyait, polissait la table. Je restais indifférent à cette démonstration de la passion des spatiaux pour l'ordre et la propreté. Même l'orchestre à effets d'écho qui passait sur l'écran du visionneur ne me dérangeait pas. J'étais trop occupé à remettre de l'ordre dans mes papiers.

On frappa à la porte et j'allai ouvrir. Il y avait là deux gardes avec une grande boîte posée sur un chariot à roulettes.

- C'est pour vous, dit l'un d'eux.

La boîte était vraiment très volumineuse. Je ne me rappelais pas avoir commandé quoi que ce fût.

- Pour moi ?

- Pour vous et personne d'autre. Regardez.

Il faisait trop sombre dans le couloir pour que je puisse lire l'étiquette, aussi ils poussèrent le chariot à l'intérieur et refermèrent la porte.

Effectivement, c'était écrit en gros caractères sur le dessus de la boîte :

URGENT. OFFICIER GRIS. SRICTEMENT PERSONNEL !

La solennité de leur expression, la façon dont Heller nous observait, tout cela aurait dû me mettre la puce à l'oreille. Mais je me sentais tellement bien !

Je tendis la main, pris la poignée et levai le couvercle de la boîte. Ce que je m'attendais à voir, je n'en sais trop rien. Mais ce que je découvris était le cauchemar absolu !

La tête d'un zitab ! Le reptile venimeux le plus dangereux de Voltar, la gueule ouverte, les crocs prêts à mordre. On voulait m'assassiner !

Le couvercle bascula subitement et s'ouvrit complètement.

Je bondis en arrière, comme si j'avais été catapulté.

Je volai littéralement à travers la pièce et atterris brutalement dans la douche, arrachant le rideau au passage ! Les flacons de savon et de lotions s'abattirent en cascade sur ma tête !

Je reculai frénétiquement, avec l'espoir que le mur derrière moi s'ouvrirait pour me laisser le passage.

Le zitab se dressa de toute sa hauteur. Il mesurait près de deux mètres ! Je savais que, d'un instant à l'autre, il allait s'élancer à travers la pièce et attaquer. Attendez un peu... Pourquoi restait-il immobile comme ça ?

Et c'est alors que le cauchemar se transforma en horreur pure : brusquement, quelqu'un vêtu de rouge flamboyant surgit de la boîte. La comtesse Krak !

Ils éclatèrent tous de rire : les gardes, Heller, la comtesse. Tous !

D'une main, elle tenait le zitab par le bas de la tête. Je compris alors ce qui s'était passé : elle avait repoussé le couvercle, puis elle avait fait jaillir la tête de l'animal.

A présent, elle riait tellement fort qu'elle était obligée de se tenir l'estomac de sa main libre. D'ailleurs tout le monde était plié en deux. L'un des gardes s'écroula sur le sol en hoquetant. Je crus qu'il allait mourir. Heller, quant à lui, riait tant qu'il avait dû s'appuyer contre le dossier d'un fauteuil. Des larmes roulaient sur ses joues.

Leur hilarité dura dix bonnes minutes.

Personnellement, je ne trouvais pas ça drôle du tout. Dieux du Ciel ! Il y avait là, dans les niveaux supérieurs, une prisonnière de la forteresse ! En totale liberté ! C'était un jeu terriblement dangereux qu'ils jouaient là ! Ils risquaient d'y laisser leur tête. Et tout ce qu'ils trouvaient à faire, c'était de *rire !*

Je regardai la tête du zitab dans la main de la comtesse. J'avais cru pendant un instant que la bête était empaillée. Et puis, j'eus un nouveau choc : le zitab se tortillait entre les doigts de la jeune femme. Et on ne lui avait même pas arraché les crocs ! Une morsure et vous étiez mort. Et la comtesse qui riait !

Le chahut se calma peu à peu. Krak sortit de la boîte, tourna la tête du reptile vers elle et pointa un doigt sur le nez de l'animal. Il ferma sa gueule. Puis elle le posa dans le fond de la boîte et agita l'index pour lui commander d'être « gentil ». Elle remit le couvercle.

Les rires avaient cessé. Heller s'avança vers elle et ils se tinrent par la main, immobiles, les yeux dans les yeux.

Les gardes avaient retrouvé leur souffle. Ils adressèrent un signe de victoire à Heller, poussèrent le chariot dans le couloir et refermèrent la porte derrière eux.

J'étais toujours étendu dans ce qui restait de la douche. J'essayai de me remettre sur mes pieds. Je dus faire du bruit, car Heller tourna la tête dans ma direction. A regret, il lâcha la main de la comtesse et s'approcha de moi.

- Je sais que ce n'était pas très gentil de vous faire ça, Soltan. Mais vous admettrez que c'était une blague particulièrement tordante.

Il m'aida à me relever et remit de l'ordre dans la douche.

Je ne trouvais pas ça tordant du tout. Ces crétins jouaient avec le feu en amenant la comtesse ici.

- Ainsi, c'est ici que vous vivez ? fit-elle. Je me suis souvent demandé si les niveaux supérieurs de la forteresse étaient occupés. (Elle se promenait dans la pièce, touchant certains objets.) Si l'on excepte les parades de Hisst, je n'ai pas quitté les oubliettes depuis trois ans ! Mais il n'y a pas de fenêtres... (Elle parut un instant intriguée.) J'y suis ! C'est la chambre de Soltan, n'est-ce pas ?

Comment avait-elle pu deviner ? Heller avait nettoyé la pièce de fond en comble.

Jettero alla jusqu'au visionneur et trouva une chaîne qui passait de la musique douce. Puis il retourna auprès de la comtesse et, en hôte parfait, la fit asseoir devant la table. Il ouvrit le placard et je découvris avec stupéfaction qu'il renfermait des mets appétissants et de séduisantes boissons en quantité. Il posa une chope d'eau pétillante rose devant la jeune femme comme si elle était de sang royal. Puis, comme s'il obéissait à une arrière-pensée, il ajouta deux autres chopes remplies devant les deux sièges vides. Ensuite, il apporta quatre variétés de cake et il la servit. Il prit place à côté d'elle. Il parut soudain s'apercevoir de ma présence et me montra le siège vacant, de l'autre côté de la table.

- Venez, Soltan. Ne soyez pas timide.

Mais, avant même d'achever sa phrase, il s'était de nouveau tourné vers elle.

Ils restèrent assis là, à se regarder, tellement heureux qu'ils paraissaient illuminés de l'intérieur.

Je m'assis et bus prudemment quelques gorgées d'eau pétillante. C'est une boisson coûteuse. Elle contient beaucoup de minéraux et de protéines, et elle fait des bulles qui montent à plus de dix centimètres au-dessus de la chope en explosant comme de petites bombes. L'assimilation est instantanée et ça peut vous faire tourner la tête assez vite.

Sans même m'adresser un regard, Heller poussa un plateau de cake vers moi.

Ils se regardaient toujours en souriant, les yeux brillant de bonheur. La musique douce emplissait la pièce. Ils ne mangeaient ni ne buvaient, préférant visiblement se nourrir l'un de l'autre.

Un très long moment s'écoula ainsi avant qu'Heller tende la main vers une petite part de cake qu'il mit dans la bouche de la jeune femme. Puis il prit sa chope et l'approcha des lèvres de la comtesse et, en réponse, elle prit la sienne et l'approcha des lèvres d'Heller.

Il fallait être aveugle pour ne pas voir que j'étais de trop !

Ils se mirent à manger et à boire, mais je savais bien que, sous la table, leurs pieds étaient entrelacés.

Quand ils eurent fini leur souper, Heller se laissa aller en arrière sur son siège et, après un instant, dit :

- Ah oui, il y a quelque chose que je voulais vous montrer.

Il se pencha vers une table basse et y prit un jeu de cartes *Identification des Races*. Il l'avait sans doute ramené de la bibliothèque. Ces cartes comportent un visage au recto et un petit texte descriptif au verso.

Il en présenta une à la comtesse.

- Quelle race ? demanda-t-il.

Je voyais le dos de la carte, d'où j'étais placé :

JEUNE FEMME, ANGLAISE,

BLITO-P3 (TERRE, EUROPE)

Elle parut très intéressée. Mais je me dis qu'elle se serait intéressée à n'importe quoi venant d'Heller, même à une feuille blanche.

- On dirait une fille de la campagne des hautes terres d'Atalanta, sur Manco, dit-elle enfin. Je suis native de ce pays, vous savez. Ma famille y avait des terres, il y a quelques centaines d'années - on les lui a confisquées.

- Merveilleux ! s'écria Heller. Moi aussi, je suis né dans la province d'Atalanta. A Tapour, la capitale.

Et ils partirent dans l'un de ces interminables dialogues dont sont coutumiers les gens qui découvrent qu'ils viennent de la même région. « Est-ce que vous avez connu Jem Vis ? » « Vous vous souvenez de la vieille Mme Blice ? » « Le palais de justice est toujours là ? » Entrecoupés de : « Vraiment ? » « Ça alors ! » « Que l'univers est petit ! »... et ainsi de suite. Crispant. Manco par-ci, Manco par-là ! On aurait dit la réunion hebdomadaire des Anciens de Manco ! Et ça n'en finissait pas.

Ils finirent par épuiser le sujet - du moins provisoirement - et Heller prit une autre carte qu'il montra à la jeune femme. Au dos, je lus :

VIEIL HOMME, POLYNÉSIEN,
BLITO-P3, (TERRE, OCÉANIE)

- Un pêcheur du port de Dar ? proposa la comtesse.
- Et celle-là ? demanda Heller en lui en montrant une autre.
Au verso, je vis :

STAR DE CINÉMA, FEMELLE, AMÉRICAINE,
BLITO-P3 (TERRE, AMÉRIQUE)

- Une chose est sûre : ce n'est pas votre sœur, déclara la comtesse.
Heller lui montra une quatrième carte. L'inscription au dos disait :

MALE, CAUCASIEN,
BLITO-P3 (TERRE)

- Est-ce un membre de votre famille ? Il me rappelle vaguement un de mes oncles. (Elle prit un air faussement sévère.) Que signifie ce petit jeu, Jettero Heller ? Est-ce que vous essayez de me dire que vous revenez d'un séjour sur Manco ? Ces clichés ne sont même pas tridimensionnels et les couleurs sont vraiment mauvaises. Oh... Ça y est, j'ai trouvé. Ce sont des cartes d'identification anthropologique. Donnez-les-moi !

Elle lui prit les cartes des mains d'un geste enjoué et lut les inscriptions portées au dos. Elle les tourna et les retourna un bon moment.

- Blito-P3 ? fit-elle.
- Est-ce que vous vous souvenez de cette vieille fable ?

Et sans attendre sa réponse, Heller récita la Légende Populaire 894 M mot pour mot et intégralement.

- Attendez, dit la comtesse en réfléchissant intensément.

Elle prit sa chope et se mit à la balancer selon un certain rythme. Alors elle chanta, d'une voix rauque mais plaisante, avec une prononciation volontairement enfantine :

Si tu veux fuir les ennuis
Ou si un roi cruel te poursuit,
Pars là-bas
Avec moi
Dans le grand vaisseau de lumière
Qui traversera l'univers
Vers le nouveau monde promis.

Heller chanta avec elle :

Brave Prince Caucalsia,
C'est toi qui brilles dans le ciel,
C'est toi ce feu, cette étincelle,
Tout là-haut, au-dessus de la Lu-u-u-u-ne !

Ils éclatèrent de rire, ravis de leur duo. Ils avaient dû apprendre cette chanson dans leur enfance.

- Mais quelle est donc l'étoile que nous montrions quand nous étions petits et que nous appelions « Prince Caucalsia » ? demanda la comtesse.

- Blito, dit Heller.

- Vous voulez dire qu'il est vraiment parti là-bas ? s'exclama-t-elle, enthousiasmée.

Personnellement, je pense que lorsqu'un ingénieur se lance dans l'anthropologie historique, c'est-à-dire très loin de sa spécialité, il se fiche complètement dedans.

Heller se tourna vers moi et me montra l'une des cartes.

- Pourquoi les Terriens qualifient-ils cette race de « caucasienne » ? Est-ce qu'il y aurait un continent *caucasien ?*

- Je pense que c'est juste un type de race, répondis-je.

Puis je me mis à réfléchir. Et je me souvins. Heller n'est pas le seul à avoir une mémoire phénoménale. De plus, vu mon poste, j'avais été obligé d'étudier Blito-P3 sous toutes ses coutures.

- Il existe une région appelée « Caucase » dans le sud de la Russie. C'est-à-dire au nord de la Turquie. Elle constitue une sorte de frontière entre deux continents : l'Asie et l'Europe. Mais je ne pense pas que cela ait un rapport avec le nom de cette race. Peut-être est-elle originaire de cette région, peut-être pas, mais il existe effectivement une race caucasoïde qui a effectué diverses migrations et qui s'est répandue partout. On trouve ses représentants sur toute la planète maintenant. Elle est caractérisée par une pigmentation minimale, des cheveux raides ou bouclés, un nez étroit et busqué. On note souvent, dans le sang « caucasoïde », la présence de ce que les Terriens appellent « rhésus négatif », ainsi qu'un autre élément spécial. Je pense que vous en avez vu un échantillon aujourd'hui.

- Bien, dit Heller. Et « Atalanta ? » Existe-t-il un pays appelé comme ça ou une région ?

Je réfléchis. Je dus aller prendre, dans la pile de livres, un ouvrage volumineux appelé « encyclopédie ». Je lus à haute voix :

Atlantide : Autres noms : Atlantis, Atlantica. Ile légendaire de l'océan Atlantique située au-delà du détroit de Gibraltar. On a supposé que sa civilisation était très avancée. On pense qu'elle a été engloutie sous la mer.

- Aha, fit Heller. Ce que le Prince Caucalsia a fondé a été détruit et le peuple a dû émigrer ailleurs.

- Heller, dis-je patiemment, un ingénieur n'est *pas* un anthropologue.

- Oh, mais si ! s'écria la comtesse. Ils peuvent reconstituer les cycles géologiques d'une planète et, pour ça, ils ont besoin de connaître les fossiles et les ossements !

Elle avait dit cela avec raideur et dignité. J'en conclus qu'elle avait dû drôlement potasser le sujet dernièrement !

- Bon, peut-être, convins-je. (Ça pouvait être vrai, après tout.) Mais deux noms ne constituent pas un fait historique. Simple coïncidence ! il y a des humanoïdes partout. Il n'y a aucune raison de croire que votre Prince Caucalsia, ou quel qu'ait pu être son nom, ait été à l'origine d'une race de Blito-P3. Je peux vous montrer quinze planètes dont les habitants vous ressemblent ou me ressemblent.

- Les pôles ont bougé, intervint Heller. Ils se sont probablement déplacés vers des régions océaniques, les calottes glaciaires ont fondu et la colonie a été submergée. Pauvre Prince Caucalsia !

- Oui, renchérit la comtesse, le pauvre !
- Donc, nous savons ce qui a dû se passer, reprit Heller. *Bien !* Dans ce cas, nous ferions bien de nous assurer que ça ne se reproduira pas et que ses descendants ne seront pas noyés à leur tour !
- Ce serait vraiment honteux ! lança la jeune femme.
Je me dis que je ferais bien de me faire examiner le cerveau. Ils étaient en train de se mettre d'accord sur l'objectif de la mission !
Mais je suis un partisan acharné des *faits* - sauf, bien entendu, lorsque je m'occupe d'une affaire pour l'Appareil - et je ne pus supporter plus longtemps cette sentimentalité stupide et illogique.
- Mais Heller, nous n'avons pas de données solides, de preuves concrètes que ce Prince Caucalsia d'Atalanta, Planète Manco, aurait colonisé une île de la Terre et l'aurait baptisée Atlantide ! Les vôtres n'ont jamais mis les pieds là-bas !
Heller me dévisageait, les yeux mi-clos.
- C'est plus poétique comme ça, dit-il.
Oh, mes Dieux ! Est-ce que j'avais vraiment affaire à un ingénieur ? Un ingénieur pur et dur, spécialiste des roches, des métaux et des explosifs ?
- Et puis, ajouta-t-il dans un nouvel élan d'illogisme, ça lui plaît à *elle*.
La comtesse hocha la tête énergiquement.
La conversation s'arrêta là. Je crus tout d'abord que c'était parce que je les avais contredits. Ils restèrent là un bon moment à me regarder, immobiles, silencieux. Je sentis peu à peu que j'étais de trop dans le paysage.
- Est-ce qu'il n'y a pas, quelque part dans le couloir, une chambre où vous pourriez dormir ? me demanda finalement Heller.
Je ressentis un choc dans la tête. Si l'une des patrouilles occasionnelles visitait les chambres cette nuit, trois têtes tomberaient, dont la mienne.
Il n'y avait pas d'autre chambre prête ni même propre, même si la plupart étaient vides.
Ils continuaient de me fixer. En fait, du regard, ils me poussaient quasiment hors de la pièce. Je me levai, sortis et refermai la porte derrière moi.
Les deux gardes étaient à leur poste dans le couloir faiblement éclairé, de part et d'autre de la porte, assis par terre, tirant sur une fumette. A l'odeur, je reconnus une marque coûteuse. Il y avait de l'argent qui circulait ici ! Je me demandai si Snelz se souviendrait de ma part.
Je m'appuyai contre le mur et, après un moment, je m'assis. J'étais préoccupé. Préoccupé, pas indigné. En effet, comme vous le savez, il est courant, au sein de la Confédération Voltarienne, qu'un mâle et une femelle vivent ensemble pendant deux ou trois ans avant de se marier. Non, ce qui m'inquiétait, c'était le danger que ces deux idiots couraient et me faisaient courir. On dit que la marge est faible entre le courage et la stupidité. A mon sens, leur audace relevait de la (biperie) pure et simple.
Je réalisai brusquement que j'avais réussi, indirectement, à obtenir leur accord de principe sur la mission et que je n'en avais pas tiré parti. Est-ce que c'était à cause de l'eau pétillante rose ?
J'entendis soudain des sons étouffés. Ils venaient de ma chambre. Des chuchotements ? Ma vue s'était accoutumée à la pénombre ambiante et j'observai les deux gardes. Je m'étais attendu à surprendre une expression lubrique sur leur visage, celle qu'ont les soldats dès qu'il est question de sexe. Mais non : ils avaient plutôt l'attitude de proches parents du fiancé et

de sa promise. Ils étaient sérieux, pleins d'espoir. Ils avaient l'oreille collée à la porte et échangeaient fréquemment des regards.

A l'intérieur, un bruit couvrit la musique douce : des sièges raclant le sol. Puis un silence prolongé. Le tintement d'une boucle de ceinture qui tombait.

En espionnage, on distingue quatre types d'opérations : ouvertes, clandestines, couvertes et secrètes. Mais eux, apparemment, avaient perdu tout sens commun. Ils se livraient à quelque chose de secret de façon ouverte ! Ils n'avaient même pas monté la musique pour étouffer le bruit qu'ils faisaient.

Qu'est-ce qu'ils pouvaient bien fabriquer là-dedans ? Mon imagination s'affolait. Les gardes, à en juger par les regards qu'ils échangeaient, en avaient quelque idée : on aurait dit qu'ils se rassuraient mutuellement.

Le lit grinça. Une fois. Deux fois. Dix fois. Le visionneur diffusait toujours la même musique douce. Sachant ce que la comtesse avait fait à cet agent spécial qui avait porté la main sur elle, je n'aurais nullement été surpris d'être obligé de me précipiter dans la pièce, le paralyseur à la main, pour sauver ce qui restait d'Heller. Les réactions de la comtesse étaient imprévisibles.

C'est alors que j'entendis sa voix, claire et nette :

- Chéri, il faudra que tu sois doux avec moi. Je n'ai encore jamais eu d'homme.

Heller émit un murmure rassurant. Mais pour qui se prenait-il donc ? Si j'en croyais son dossier, il n'avait jamais connu de femme ! Mais la race se perpétue et il naît chaque jour des bébés. Je me raidis, pris d'une soudaine appréhension. Et s'il venait à la mettre enceinte ? Et puis, je me détendis : nous serions loin depuis longtemps si le pire venait à se produire.

Les grincements étaient rythmés, à présent. Ils semblaient ne jamais devoir s'arrêter.

A nouveau, j'entendis la voix de la comtesse :

- Oh, Jet !... (Puis, de plus en plus vite :) Oh, Jet ! Oh, Jet ! Oh, Jet ! Oh-jet-oh-jet ! OH, JET !

Et Heller laissa échapper un gémissement frémissant.

Instantanément, les gardes bondirent sur leurs pieds, dans un silence absolu. Ils levèrent les bras au-dessus de la tête, à la manière des spectateurs de boule-balle après un tir victorieux. Puis ils cognèrent leurs poings l'un contre l'autre en sautant sur place. Ils avaient sur le visage une expression d'extase. Ils se serrèrent la main avec enthousiasme. Et tout ça sans un bruit ! Qu'est-ce qu'ils étaient heureux !

Finalement, ils se rassirent et allumèrent une nouvelle fumette. La musique douce filtrait toujours de la pièce.

Le lit recommença à grincer en cadence. Mêmes cris, mêmes gémissements. Les gardes recommencèrent leur manège.

Le silence revint. Je me dis que ces deux-là, à l'intérieur, étaient jeunes et forts, et aussi très amoureux, et que cela risquait de durer toute la nuit.

Un bruit nouveau et sourd m'arracha à mes réflexions. Cela semblait se passer sous moi. Je baissai les yeux. Grands Dieux ! J'étais assis sur la grande boîte et le serpent zitab venait de se réveiller.

Je m'élançai dans le couloir !

J'entrai dans une chambre et allumai. L'endroit était sale, en désordre. Il n'y avait même pas de lit. Epuisé, je fermai la porte, éteignis la lumière et, avec ma casquette en guise d'oreiller, m'étendis sur le sol pour dormir.

Quelqu'un a écrit que tout le monde aime les amoureux. C'était sans doute vrai pour les deux gardes, mais pas pour Soltan Gris.

Qu'allait-il advenir de la Mission Terre ?

6

Si le « sauvetage de la colonie du Prince Caucalsia » était si important, cela n'apparaissait certainement pas dans le comportement de Jettero Heller et de la comtesse Krak. Mais ce n'était nullement parce que, comme moi, ils considéraient l'existence du Prince Caucalsia comme douteuse ou même absurde. Non, c'était tout simplement qu'ils avaient la tête ailleurs. Et, suivant plus ou moins la même routine - la journée dans la salle d'entraînement et d'éducation et la nuit dans ma chambre -, ils laissaient s'écouler les jours, merveilleusement heureux dans leur monde à eux.

J'étais de plus en plus pressé de quitter Voltar. Il y avait tant de choses à faire qui n'avaient pas encore été faites. L'une d'elles consistait à opérer Heller afin de lui implanter un « mouchard organique » : il fallait que je puisse le surveiller en permanence sur Blito-P3. D'où la nécessité de l'équiper d'un petit engin dont il ignorerait l'existence. Ce qui impliquait de le coucher sur une table d'opération dans la section cytologie. Mais, dès que j'envisageais cette étape, j'étais repris de nausées. Elles n'étaient pas tout le temps violentes, mais elles persistaient. C'était pénible, à la limite du supportable. Pour tout dire, j'étais dans un sale état.

Si seulement je pouvais avoir l'autorisation de l'emmener en ville, je pourrais alors y trouver un cytologiste auquel je le confierais. Mais lui faire quitter cette forteresse et l'arracher à Krak ? Je n'osais penser aux conséquences !

Cinq jours s'écoulèrent. L'ombre de Lombar semblait planer à nouveau au-dessus de moi et se rapprocher peu à peu. Et je n'avais toujours pas trouvé de solution.

Un soir, j'appris que Lombar venait de partir et qu'il était allé passer deux jours dans la somptueuse demeure de campagne d'Endow. Personne n'était censé être au courant de son absence. Le matin suivant, je prétendis avoir rendez-vous avec lui à son bureau. Bien entendu, je savais qu'il ne serait pas là et, bien entendu, je savais que ses employés n'avaient pas le droit de me le dire. Et je pourrais alors mettre à profit ma fausse attente pour me servir de la console centrale.

Le vieux criminel qui avait la charge de la console aurait soupçonné sa propre mère de haute trahison si elle s'était aventurée à lui dire « bonjour ». A la seconde même où je m'installais devant le pupitre, il se mit à pester et à tempêter, comme d'habitude. Mais comme je faisais semblant d'attendre le retour de Lombar et comme il ne pouvait pas me dire que Lombar s'était absenté deux jours, il se trouva coincé et dut me laisser la console.

Ce que je désirais savoir, c'est si la mission m'avait réellement été confiée. Je glissai donc mon identoplaque dans la fente, tapai mon nom et demandai : *Postes actuels ?*

L'écran répondit : *Chef de la Section 451 sur Voltar. Manipulateur de l'agent spécial ou des agents spéciaux pour la Mission Terre. Responsable de la Mission Terre. Inspecteur-Superviseur Général de toutes les Opérations et Actions menées sur Blito-P3 pour le compte de la Division Extérieure et de l'Appareil de Coordination de l'Information.*

L'écran clignotait. Mais il n'était pas le seul. *Quatre* salaires ? Lombar était vraiment généreux avec moi. Et, en plus, ainsi qu'il me l'avait dit, il y aurait toutes les commissions et les ristournes, ainsi que tous les pots-de-vin. Je me voyais déjà finir mes jours dans un cottage au milieu des Montagnes de Vaux. Peut-être même aurais-je ma propre réserve de chasse !

Mais l'ordinateur ajouta rapidement un chapelet de mots : *Tous ces postes ont été attribués à l'officier Soltan Gris sur son insistance et ils ont été ratifiés, comme à l'ordinaire, par le personnel administratif.*

Durant un moment, j'ai fixé l'écran, perplexe. En quelque sorte, cela voulait dire qu'Endow pas plus que Lombar n'avaient proposé ou ratifié ces nominations. Cela me rendait totalement responsable, à titre personnel, de tout ce qui concernait Blito-P3, de tout ce qui se produirait, bon ou mauvais. Ouille... Mais, finalement, je n'étais pas mécontent : cela signifiait en fait que j'étais le patron de la Terre !

Sur l'écran apparut l'avertissement d'extinction pour retard dans l'utilisation.

- Est-ce que vous comptez nous rembourser pour l'usure des chaises ? grommela le vieux criminel.

Rapidement, je pressai les touches « Copie » et « 10 » afin de garder la machine occupée pendant quelques instants et aussi afin de pouvoir utiliser ce document pour l'autorité qu'il me conférait en attendant que ma feuille d'affectation me soit envoyée.

Bon, comment allais-je utiliser cette console pour résoudre les problèmes que j'avais en ce moment ? Peut-être que si je fournissais à Heller des informations sur Blito-P3, il s'intéresserait davantage à la mission.

Dès que l'imprimante eut fini de cracher les dix copies, je tapai : *Blito-P3, Prince Caucalsia.*

Aussitôt, l'écran afficha : *Dans les Brumes du Temps, Légende Populaire 894 M.*

Là, il ne m'apprenait rien. (Bip) !

- Pour les idiots, les heures de console comptent double, lança le vieux criminel.

J'essayai fébrilement de trouver autre chose. Ah oui !... Je tapai : *Successions royales. Prétendants.*

La machine répondit : *Sans blague ? Vous désirez vraiment connaître l'histoire de 125 000 années de lutte pour le trône ?*

Je tapai rapidement : *Forteresse de Dar, Manco, et Atalanta, Manco.*

Aussitôt, des listes se mirent à défiler sur l'écran, à une vitesse telle que je n'arrivais pas à suivre. Grands Dieux, était-il possible qu'il y ait eu autant de révoltes et de prétendants au trône dans une unique région d'une seule planète ? Je me souvins de ce vers : *La tête qui ceint la couronne est criblée de trous.* Incapable de lire à cette vitesse, j'appuyai une fois encore sur la touche « Copie » et l'imprimante se mit aussitôt à débiter, page après page, des mètres et des mètres de papier.

Ce qui me donna le temps de penser à autre chose. Quand ce fut fini, je tapai : *Nepogat.*

L'écran répondit : *Dans les Brumes du Temps, Légende Populaire 894 M.*

(Bip) de (bip) ! J'étais revenu à mon point de départ. Je tapai alors : *Dossiers de l'Appareil, Forteresse de Dar, concernant l'interrogatoire des équipages des deux transporteurs de retour de Blito-P3.*

L'ordinateur me dit : *Dans les Brumes du Temps, Légende Populaire 894 M.*

Je demandai : *Forteresse de Dar, Manco.*

Réponse de la machine : *Puisque vous vous intéressez tant aux fables, nous vous suggérons de consulter un poète compétent.*

Ce qui était une façon de me faire savoir qu'elle ne répéterait plus : *Dans les Brumes du Temps, Légende Populaire 894 M.*

Il fallait que je trouve quelque chose, *n'importe quoi,* susceptible d'intéresser Heller !

Je tapai rapidement : *Toutes missions et observations effectuées sur Blito-P3 avant les cent dernières années.*

Ça se mit à défiler à toute allure sur l'écran ! Pas de doute, Blito-P3 était sous observation depuis très, très longtemps ! Avec un soupir de soulagement, j'appuyai sur la touche « Copie ». L'imprimante se remit à débiter des mètres et des mètres de papier. Je me demandais si elle s'arrêterait jamais. En toute hâte, je recueillis les feuilles avant qu'elles n'envahissent toute la console. Cela continua comme ça pendant plusieurs minutes.

- Hé, vous là-bas ! hurla le vieux criminel. Vous allez nous bouffer tout le papier ! Arrêtez tout !

Et il se rua sur moi en poussant des cris aigus. Mais quand un programme est lancé, impossible de l'arrêter. Les ordinateurs ne se trompent jamais.

Ce ne fut pas une mince affaire que d'empiler toutes ces pages. Mes Dieux ! J'allais avoir besoin d'un chariot !

L'imprimante s'arrêta. Je crus un instant que le vieux débris allait me taper dessus. Mais j'avais eu le temps de réfléchir. C'est très bien de dire aux opérateurs qu'ils doivent préparer leurs questions avant d'utiliser la console, mais ça tue l'inspiration. Et, cette fois, j'en avais une, d'inspiration !

C'était grâce à *l'argent* qu'Heller parvenait à retarder le départ. Aussi longtemps qu'il pourrait soudoyer les gardes, je resterais impuissant. Si je trouvais un moyen de lui couper les vivres...

Je repoussai le vieux criminel et tapai : *Jettero Heller. Situation financière et crédit.*

Sur l'écran apparut aussitôt : *Salaire d'officier de la Flotte. Salaire d'ingénieur. Primes de danger. Voir barèmes.*

Pas besoin de barèmes, me dis-je. Rien qu'avec ces informations, je sais qu'Heller touche dix fois mon ancien salaire des Services Généraux.

La machine ajouta : *Habitudes financières : ne dépense pas beaucoup étant donné qu'il est en mission la plupart du temps. Envoie la moitié de sa paie à sa mère et à son père, mais ceux-ci ne sont pas dans le besoin et sa mère reverse l'argent sur un compte qu'elle a ouvert pour lui. Elle fait de même avec l'argent envoyé par sa très riche sœur, Hightee Heller, la star du Visionneur. Logement gratuit au Club des Officiers.*

Malédiction ! Ça faisait beaucoup d'argent, tout ça, bien au-dessus des revenus d'un officier subalterne moyen.

Crédit : très honnête dans le règlement de ses factures. Aucune dette connue. Totalement digne de confiance.

Misère, misère, misère. De plus en plus mauvais.

C'est alors que l'ordinateur ajouta quelque chose d'étonnant : *Attention ! N'accorder ni avances ni crédits à cet officier.*

J'étais réellement stupéfait. La machine ne paraissait pas vouloir ajouter autre chose, aussi j'appuyai sur la touche « Confirmé ? ».

L'ordinateur dit : *Chances de remboursement nulles. Les ingénieurs de combat ont une espérance de vie moyenne de deux ans. Le sujet a dépassé cette durée du triple. Moyenne statistique de survie largement excédée. En cas de décès d'un ingénieur, la Flotte ne verse qu'un dernier salaire pour couvrir les frais de la cérémonie funéraire symbolique.*

Eh bien, tout ça ne me laissait *aucune* option - je ne pouvais pas le tuer. Et ça ne résolvait pas non plus mon problème puisqu'il était *encore* vivant et qu'il *avait* de l'argent.

J'eus soudain une idée brillante. Si je parvenais à m'emparer de son argent, il serait ruiné.

Le vieux criminel avait sombré plus ou moins dans l'apathie et avait arrêté de récriminer.

Je tapai : *Des mauvaises habitudes financières ?*

Vu ce que l'ordinateur venait de m'apprendre, je n'entretenais pas trop d'espoir.

La machine me répondit : *Joue à l'occasion. Aux dés et autres jeux. Courant chez les officiers en catégorie haut risque. Cette habitude n'est pas répertoriée comme négative car, d'après les dossiers fiscaux, il gagne généralement aux jeux de hasard.*

Ça y était ! Je le tenais ! Heller était un joueur ! Ha, ha, ha !

Entre-temps, plusieurs gardes, sans doute alertés par le boucan qu'avait fait le vieux criminel, étaient arrivés pour voir ce qui se passait. Je m'en sortis de façon magistrale en disant :

- Je m'en vais sur-le-champ !

7

Je jubilais. J'étais sûr et certain d'avoir trouvé la faille d'Heller ! Il jouait !

Si je parvenais à le défaire de tout son argent, il ne pourrait plus soudoyer les gardes, ceux-ci n'amèneraient plus la comtesse dans ma chambre et Heller, dégoûté, partirait accomplir sa mission. Je n'aurais plus sur le dos la menace des inspecteurs de la Couronne et je n'aurais plus rien à craindre de Lombar. L'idéal, quoi.

J'ai foncé jusqu'à la Section 451, en ville, en battant tous les records de vitesse.

J'ai ouvert l'un des tiroirs de mon bureau et j'ai trouvé ce que je cherchais dans le double fond : des dés pipés.

Deux mois auparavant, l'un des employés de la Section 451 s'était fait tuer dans un tripot. Il avait essayé de régler une dette de jeu avec de la fausse monnaie. En le fouillant, j'avais trouvé sur lui un petit sac de dés. Connaissant bien le personnage, je les avais examinés de près.

C'était l'habituel lot de six dés à douze faces. Ils semblaient parfaitement normaux. Mais ils étaient creux. Le densitomètre révéla que chaque cavité était enduite d'une substance collante et recelait un grain de plomb. En présentant les points voulus face en l'air et en imprimant au dé une légère secousse, le grain de plomb se collait à cette substance et, quand on lançait le dé, les points choisis sortaient, sous l'effet du poids.

Le vieux Bawtch, l'employé en chef de la Section 451, me demanda ce que je faisais là. Je lui donnai une copie de ma nouvelle nomination et, au lieu de me féliciter, il secoua tristement la tête et dit :

- Maintenant je sais que tout est foutu.

Je ne connais personne qui ait jamais réussi à s'entendre avec Bawtch.

La chaleur dévorante du Grand Désert transforma mon aircar en un véritable four ambulant, mais je n'y fis même pas attention. Je me posai au Camp des Macchabées dans une véritable explosion de poussière et m'élançai droit vers la tanière de Snelz. Je déboulai si vite que la sentinelle postée à sa porte eut à peine le temps de bondir sur ses pieds. Mais comme il faisait grand jour, elle me reconnut et elle ne fit aucune difficulté pour me laisser entrer.

Snelz était dans son lit, étendu sur le dos, les mains croisées sous la nuque. Une prostituée, plutôt jolie, était en train de disposer de la nourriture sur la table. Elle portait une robe neuve et elle avait l'air de faire partie des meubles. De la nourriture à gogo, une petite femme pour le servir... Ç'avait l'air d'aller pour lui.

Lorsqu'ils virent que c'était moi, ils tressaillirent tous les deux. Je désignai la fille.

- Sors d'ici et n'écoute pas à la porte.

- Ne me cassez pas la main ! fit-elle.

Mais c'était du mépris plus que de la terreur qu'il y avait dans sa voix. La racaille, ça n'apprend jamais, surtout la racaille du Camp. Elle cracha sur le sol, devant moi, et sortit. Peut-être l'autre prostituée était-elle l'une de ses amies. Drôle de race, les catins !

- Snelz, dis-je, vous avez l'air de bien vous débrouiller, mais je vais faire de vous un homme riche.

Aussitôt, il fut sur ses gardes.

- Combien d'argent reste-t-il à Heller ?

- Oh non, fit-il, c'est un chic type. Ne comptez pas sur moi pour le voler.

- Non, non. Dites-moi simplement.

Il réfléchit pendant quelques instants.

- En fait, il n'a pas beaucoup dépensé. Ici, un crédit, ça dure pas mal de temps. Il n'en a dépensé que deux cents environ.

- Ce qui veut dire qu'il doit lui en rester huit cents. Il va falloir les lui gagner et c'est *vous* qui allez les gagner. (J'ajoutai après coup :) Bien entendu, vous partagerez avec moi.

Snelz a une nature soupçonneuse. J'ai sorti le sac de dés et je les ai tous disposés dans ma paume de façon que le 12 soit face en l'air. J'ai refermé la main, je l'ai cognée contre la table et j'ai lancé. Les 12 sont sortis tous les six.

- Des dés pipés ! s'écria Snelz. Et qu'est-ce que j'y gagnerai quand il m'aura cassé la tête ? Ce gars-là sait se bagarrer ! Et puis, avec un jeu de dés pipés qui sort les 12 à chaque fois, il faut tout le temps faire l'échange avec un autre lot non pipé, et la manipulation, ça n'est pas mon fort.

- Snelz, nous vivons dans un monde moderne. La science a fait des progrès. Est-ce que vous ne me feriez pas confiance, par hasard ?

- Non.

Je repris les six dés et refermai les deux paumes en coupe, avant de les secouer et de lancer à nouveau. Bien sûr, à l'intérieur, les grains de plomb s'étaient décollés et je sortis des points au hasard.

Snelz fixa un instant les dés, éberlué. Il croyait probablement que j'avais substitué un second jeu au premier. Il les ramassa, mit les 12 face en l'air dans sa paume, frappa les phalanges contre la table et lança. Il sortit tous les 12. Il recommença, mais cette fois-ci en secouant les dés avant de lancer, et sortit n'importe quoi.

- Excellent, parfait, dis-je. (Il me regardait avec des yeux ronds.) Comme vous le voyez, la science a triomphé une fois de plus. Allez, entraînez-vous un peu.

Il choisit cette fois des combinaisons différentes qu'il obtint à chaque fois, après avoir cogné les phalanges contre la table. Ensuite, il lança les dés plusieurs fois après les avoir secoués et les points sortirent au hasard.

Ce jeu se joue à deux. Chaque joueur jette les dés une fois et c'est celui qui fait le plus de points qui gagne.

- Maintenant, Snelz, comme vous le savez, le score maximum est de 72. La moitié de 72, c'est 36. Donc, si vous vous arrangez pour que le total excède 40 à chaque fois, vous serez vainqueur à la longue. L'autre joueur, avec ces mêmes dés, sortira ses points au hasard. En vous débrouillant pour que vos combinaisons soient toujours supérieures à 40, vous raflerez tout l'argent de votre adversaire. Et il ne soupçonnera jamais rien.

- Je refuse. Mis à part le fait que je fraternise avec les prisonniers (est-ce qu'il se moquait ?), j'aime bien Heller. J'ai été officier dans les marines de la Flotte avant d'être cassé. Il n'est que sous-officier de la Flotte, mais il aurait largement sa place parmi les officiers supérieurs. Je n'ai pas envie de perdre un ami, donc je refuse.

- Ou bien vous faites ce que j'ai dit, ou bien c'est votre tête.

Il regarda ma main serrée sur l'éclateur et soupira. Il savait qu'il était vaincu. Mais il se rebiffa encore un peu.

- J'accepte, mais il n'est pas question que je mise mon propre argent. Vous ne pouvez pas me l'ordonner. Il faudra me fournir les fonds.

Ça, c'était un hic que je n'avais pas prévu. Je réfléchis un peu et réalisai que c'était un bon investissement après tout. Je portai la main à mon portefeuille, mais Snelz leva la main.

- Je doute, dit-il, que vous ayez suffisamment sur vous. Vous avez mal calculé ce dont Heller dispose. Je suis absolument certain qu'on lui a fait parvenir au moins cinq mille crédits. Je le vois sortir son argent tous les jours.

Aïe ! Si nous commencions avec des enjeux trop faibles, les chances seraient contre nous. Il fallait que la partie dure longtemps, avec de nombreux jets de dés, afin de ne pas éveiller les soupçons d'Heller.

Ce que Snelz ne manqua pas de me confirmer :

- Dans une partie comme celle-là, pour être convaincant, il faut tout d'abord perdre, puis se refaire peu à peu. J'en sais quelque chose, j'ai été cassé des marines pour tricherie. Alors, le mieux que vous avez à faire, c'est d'aller tirer de l'argent. De quoi affronter son magot. Cinq mille au moins, pour être à l'abri. Sinon nous ne jouerons pas longtemps.

Oh, douleur ! Mais je me souvins brusquement que j'avais quatre salaires à présent. Comme j'appartenais aux Services Généraux et que mon crédit était bon, il me serait facile d'obtenir une avance. J'avais même sur moi mes nouvelles nominations, signées en bonne et due forme.

Snelz finit par me convaincre et nous nous rendîmes donc au bureau de la trésorerie. Je graissai la patte à l'employé pour qu'il fasse son travail et, avec mon identoplaque, j'obtins une avance de cinq mille crédits. Ça représentait une année de salaire !... Mais ma confiance ne tarda pas à revenir lorsque je réalisai que, d'ici peu, je serais riche de quelques milliers de crédits de plus et que je n'aurais plus alors à redouter quoi que ce soit, puisque Heller serait obligé d'accomplir sa mission.

Mon estomac me faisait de nouveau souffrir, mais j'avais foi en l'avenir.

Je confiai à Snelz l'argent et les dés. Je lui dis de continuer à s'entraîner.

Heller serait bientôt en route pour la Terre !

8

Jettero Heller était assis dans ma chambre, regardant distraitement le visionneur. Chaque jour, il y avait trois heures creuses entre le moment où il terminait ses séances de langues et celui où la comtesse Krak venait le rejoindre clandestinement pour dîner et passer la nuit avec lui.

Apparemment, la comtesse était obligée de consacrer deux heures, à la fin de la journée, à la formation de ses assistants. Après quoi, avec l'absence de logique qui caractérise les femelles, elle prenait encore un peu de temps pour se baigner et s'habiller avant son rendez-vous nocturne.

Heller avait jeté un coup d'œil sur la pile haute d'un mètre cinquante de rapports d'observation concernant Blito-P3, plus pour voir de quoi il s'agissait que pour en tirer des informations. Il avait eu un sourire en parcourant la liste des révoltes successives et des prétendants au pouvoir dans une seule province de Manco, mais il l'avait rapidement posée de côté. Une seule chose l'intéressait : attendre la comtesse. Il jeta un coup d'œil à sa montre. Il restait presque trois heures avant qu'elle n'arrive. Il soupira.

Je m'étais installé dans un siège, tout près du mur, et j'affectais de lire des « notes » dans mon carnet - en fait, je n'avais sous les yeux que des pages blanches. Ce soir, tout allait changer !

Il y eut un coup à la porte. Et Snelz entra. Il enleva sa casquette pour bien montrer qu'il s'agissait d'une visite de courtoisie et me dit :

- Officier Gris, est-ce que vous accepteriez que je parle un instant avec l'officier Heller ?

Tout avait été soigneusement répété entre nous et je répondis :

- Faites, faites.

Heller leva les yeux avec une expression languide et désigna un fauteuil à Snelz. Il s'assit et dit :

- Jettero, j'ai besoin d'un coup de main. Comme vous le savez, on joue beaucoup aux dés à Camp Endurance et il y a des joueurs plutôt coriaces là-bas. J'ai entendu dire une fois, du temps où j'étais encore dans la Flotte, que vous étiez un champion aux dés. J'ai une faveur personnelle à vous demander : est-ce que vous pourriez m'enseigner quelques rudiments ?

Heller lui adressa un regard bizarre, du moins c'est l'impression que j'eus. Je retins mon souffle. Est-ce que ça allait marcher ?

Mais Heller se mit à rire.

- J'aurais cru qu'un officier des marines de la Flotte n'avait pas grand-chose à apprendre dans ce domaine.

- Oh, allez... le supplia Snelz de façon très convaincante. J'ai presque tout à apprendre. Je viens de toucher un peu d'argent et je ne tiens pas à me faire plumer. Je ne comprends rien à ces histoires de probabilités et de relance.

Dans la version la plus populaire, celle qui était à la mode à cette époque-là, les joueurs pariaient toujours deux fois. On se mettait d'accord sur une mise de départ et le premier joueur lançait les dés. Puis il y avait une autre mise - une relance - pour parier sur le lancer du deuxième joueur.

Avant de lancer, le premier joueur chantonnait une formule qui disait à peu près : « Dix crédits contre un que tu ne peux pas battre ça. » Ensuite l'autre lançait et, s'il faisait mieux que son adversaire, il ramassait les deux mises.

- Ah bon ? fit Heller.

Un instant, je crus qu'il allait refuser. Puis il haussa les épaules et prit dans sa mallette une feuille de papier, sur laquelle il se mit à inscrire très vite, en bas, de gauche à droite, tous les nombres de 6 à 72.

- Avec six dés qui font de 1 à 12 points, le total de chaque lancer peut aller de 6 à 72.

- Oui, exact, fit Snelz, affectant un vif intérêt.

A gauche de la feuille, Heller inscrivit une autre série de chiffres, en colonne.

- Ça, dit-il, ce sont les combinaisons qui donnent le score final. Comme vous pouvez le voir, il y en a beaucoup.

- Intéressant, lâcha Snelz, jouant à la perfection son rôle de novice enthousiaste, alors qu'il était un vétéran des dés.

- Maintenant, si nous traçons une courbe en nous servant de ces deux facteurs, nous obtenons une cloche.

Il joignit le geste à la parole et, effectivement, la courbe ressemblait vraiment à une cloche, très renflée en haut.

- Fascinant, dit Snelz qui avait dû dessiner cette courbe au moins une centaine de fois.

Patiemment, Heller traça deux lignes verticales à partir du 28 et du 50, en bas de la feuille, de façon qu'elles fassent intersection avec la courbe en forme de cloche.

- Les chances que vous sortiez moins de 28 ou plus de 50 sont assez faibles. Les chances que vous fassiez n'importe quoi entre 28 et 50 sont très bonnes. Donc, c'est de ça que vous devez tenir compte pour la relance. Il y aurait encore beaucoup de choses à dire, mais ça ira pour commencer. Vous êtes sûr de ne pas déjà savoir tout ça ?

- Oh, ce sont des tuyaux très précieux que vous venez de me donner là, déclara Snelz, qui avait probablement appris « tout ça » à l'âge de cinq ans.

Il se tourna vers moi :

- Officier Gris, est-ce que vous verriez un inconvénient à ce que Jettero et moi fassions une petite partie ? (Il regarda Heller.) J'aimerais beaucoup essayer, juste pour voir. Avec de petites mises, bien sûr.

- Vous êtes sûr ? demanda Heller. Je ne voudrais pas qu'on m'accuse de plumer un débutant.

- Non, non, non, répliqua Snelz. C'est clair et net : si je perds, je perds, et si vous gagnez, vous gagnez. D'accord ? J'ai justement des dés sur moi.

Ils prirent place de part et d'autre de la table et Heller prit les dés que Snelz lui tendait.

- Il y a une chose que je fais toujours, dit-il. Parce que je ne veux pas qu'on m'accuse d'avoir changé les dés en cours de partie. Je les marque. (Il ouvrit sa trousse à outils, en sortit une petite bouteille d'encre et un pinceau et fit un point minuscule sur la face du 1 de chaque dé.) Cette encre disparaît au bout de quelques heures. C'est simplement pour être certain de jouer avec les mêmes dés tout le temps. Je ne fais pas ça pour vous vexer. C'est juste une précaution.

Je me frottai les mains mentalement. S'ils ne jouaient qu'avec ces dés-là, j'allais devenir riche, très riche. Je me mis à calculer combien j'allais donner à Snelz après la partie. Cent crédits ? Cinquante ? Même quarante-cinq, c'était beaucoup pour un officier de l'Appareil.

Ils commencèrent avec une mise modeste d'un demi-crédit. Snelz fit 20. Heller refusa de parier qu'il pouvait faire mieux et sortit 51. Il avait gagné. Bonne stratégie. Il fallait qu'il gagne pendant un moment.

- Allez, parions un crédit, proposa Snelz. Je me sens en veine.

Heller prit les dés. Les joueurs ont tous la même manie, parfaitement inutile : ils prennent les dés dans leurs mains qu'ils referment en coupe et ils les secouent d'abord près de leur tempe droite, puis près de leur tempe gauche. Ensuite ils cognent les phalanges contre la table, main gauche ou main droite, et lancent les dés avec un mouvement particulier, comme s'ils maniaient une pelle. Heller fit tout cela. Mais il avait deux tics qui lui étaient propres : il soufflait sur les dés, puis il les secouait très longtemps, très fort et à toute allure - si vite qu'on ne voyait plus ses mains ! Ensuite seulement, il lançait.

Il fit 62 et dit :

- Un crédit contre cent que vous ne ferez pas mieux. Je vous conseille franchement de refuser.

- Non, je relève le défi, dit Snelz.

Il mit avec soin les dés dans ses mains. Il les secoua, mais en évitant qu'ils roulent, et cogna les phalanges sur la table avant de lancer.

Je songeai : Hé ! Il est encore trop tôt pour gagner. Bien entendu, le coup sur la table avait fait tomber les grains de plomb sur la colle, à l'intérieur des dés.

Il fit 10 !

Oh, oh, pensai-je. Petit malin ! Tu poursuis notre stratégie.

- Aïe, fit-il. On dirait que je ferais mieux de monter la mise pour me refaire. Vous êtes d'accord pour deux cents crédits ?

Bien entendu, ç'aurait dû être à Heller d'ouvrir les paris, puisqu'il ne lançait pas en premier. Mais il se contenta de hausser les épaules et ne releva pas cette petite entorse à la règle, faisant montre de tolérance comme on le ferait avec n'importe quel débutant.

Snelz lança. Et fit 50. Un joueur chevronné sait compter les points d'un seul coup d'œil et je me dis que Snelz avait commis une erreur en annonçant instantanément : « 50 ! » Il était tellement pris par la partie qu'il oubliait de dissimuler sa maîtrise du jeu.

- Cinquante contre cinquante que vous ne me battez pas ! s'écria-t-il.

Heller était tout au jeu, à présent. Il souffla sur ses dés, les secoua à droite et à gauche et se mit à chanter :

Tout mon argent sur le tapis,
Des cadeaux pour ma chérie.
Que la chance me sourie
Cinquante et mieux, c'est du tout cuit !

Il lança. Les dés roulèrent.
- Cinquante-cinq ! cria-t-il dès qu'ils se furent immobilisés.
- On peut dire que vous avez de la chance, dit Snelz. Je sais que je ne suis qu'un débutant, mais j'ai bien peur d'avoir à doubler la mise une fois encore. Vous marchez pour quatre cents crédits ?
- Je vous préviens, doubler, c'est un jeu de démons... Je vous le déconseille.
- Je crains de devoir insister.
Heller eut un haussement d'épaules et ramassa les dés. Il souffla très longtemps dessus, puis se mit à chanter :

Allez, à toi le gros lot.
C'est le moment de rafler le pot.
Lance-moi les plus gros points
Et le monde t'appartiendra demain !

Il avait secoué les dés vraiment très fort. Il les lança en leur donnant de l'effet et, en bout de course, ils roulèrent en arrière.
- Quarante ! Essayez de battre ça ! Dix crédits contre trois cent soixante-quinze que vous n'y arriverez pas !
Lentement, Snelz prit les dés, souffla dessus, fit semblant de les secouer et chanta :

Mes dés, vous êtes les meilleurs.
Je suis à deux doigts du bonheur.
Faites-moi un quarante et un au moins
Et que le pacson me tombe dans les mains !

Il lança.
- Trente-cinq !
Heller ramassa l'argent.
Bien. Snelz continuait d'appliquer notre stratégie. D'un moment à l'autre maintenant, il allait faire basculer la partie et se mettre à gagner. Et ce cher officier Heller se trouverait ratiboisé et ne pourrait plus s'acheter les faveurs des gardes. Et alors, hop ! En route pour la Terre !
On frappa à la porte. Un garde entra sur la pointe des pieds et chuchota à mon oreille :
- Le docteur Crobe vous fait dire que si vous n'allez pas immédiatement le voir, vous le regretterez.
J'aurais dû m'y attendre. J'étais censé lui ramener Heller depuis... depuis combien de temps déjà ? Sept jours ? Et je ne l'avais pas fait. Je n'avais pas envie de quitter la partie mais je me dis que Snelz n'avait pas besoin de moi pour gagner. Il ne pouvait pas perdre avec ces dés. Je sortis.

Mais à la seconde même où je pénétrais dans le tube, je ressentis une douleur à l'estomac. Un malaise violent accompagné d'une nausée qui ne l'était pas moins.

Je trouvai Crobe dans son ignoble bureau, occupé à gratter des cellules sur un pied sectionné. A mon entrée, il leva la tête et ses yeux chassieux se posèrent sur moi, de part et d'autre de son nez en bec d'aigle.

- Vous mijotez quelque chose, déclara-t-il tout de go. Vous ne m'avez pas ramené cet agent spécial pour que j'installe le mouchard.

Je me sentais de plus en plus malade.

- J'ai été occupé.

- J'ai reçu l'ordre direct de Lombar Hisst de préparer cet agent. Vous ne me l'avez pas ramené. Vous tramez quelque chose.

Je dus m'asseoir. Ma nausée avait redoublé. C'était sans doute ce pied sectionné. Dans la lueur des plaques lumineuses, il semblait vert. Il devait être en état de putréfaction.

- Officier Gris, reprit Crobe, est-ce que vous voyez un moyen de m'empêcher de signaler ça à Lombar ?

Mon estomac se tordit à nouveau. J'eus beaucoup de peine à relever la tête. Je vis alors la main dégoûtante du docteur, paume ouverte. On ne pouvait se méprendre sur le sens de ce geste.

Faiblement, je pris mon portefeuille dans ma tunique. Il ne me restait que trente-cinq crédits. Je sortis un billet de dix.

Crobe le prit, se pencha par-dessus mon bureau et extirpa les autres billets de mon portefeuille. Il les compta et dit :

- Trente-cinq crédits. Ce n'est pas assez.

Il jeta les billets de côté.

Pourtant, cela faisait beaucoup d'argent pour Répulsos. Ici, les gens n'avaient jamais d'argent. Mais je me dis que, d'ici peu, j'aurais des milliers de crédits.

- Disons cent. Je vous paierai le solde plus tard.

Crobe prit un couteau visqueux et le pointa sur moi.

- Officier Gris, je suis persuadé que vous mijotez quelque chose. Est-ce que vous réalisez que je serai personnellement en danger si je n'exécute pas les ordres de Lombar Hisst ?

J'étais trop mal en point pour réfléchir normalement. Chaque élan de douleur était comme un coup de poignard dans le ventre !

- Deux cents, dit Crobe.

Oh, non !... Mais j'allais bientôt être riche. Je souffrais horriblement et je voulais partir. J'acquiesçai faiblement.

Crobe prit les trente-cinq crédits et les recompta.

- Vous me devez encore cent soixante-cinq crédits. Vous me les donnerez demain, sinon j'irai trouver Hisst !

Je réussis à dire : « Très bien » et sortis. Dès que je fus dans le tube, mon malaise disparut complètement ! Curieux. Quel était donc ce mal étrange ?

En arrivant devant ma chambre, je me dis que cet apaisement était probablement dû aux gains que Snelz allait m'annoncer.

Heller, quand j'entrai, finissait de chanter. Il lança les dés en vieux pro qu'il était.

- Soixante-cinq ! cria-t-il.

Il ramassa la mise.

Il me fallut un moment pour enregistrer la scène. Snelz était tendu, nerveux. De grosses gouttes de sueur perlaient sur son front. Et la pile de billets, devant Heller, était énorme !

Je lançai un regard furieux à Snelz. Il jouait au perdant depuis trop longtemps ! Il avait intérêt à ramener les gains dans mon camp, et vite !

- Je mise mille crédits ! lança-t-il.

Heller mit les dés dans sa paume, referma les mains et souffla très longtemps. Puis il chanta :

La main est chaude, la tête est froide.
Tu ne peux pas louper la parade !
Sors tous les dix, sors tous les douze
Casse la baraque et prends le flouze !

Je ne voyais pas ses mains tellement il les secouait vite. Ses phalanges claquèrent sur la table.

- Soixante-dix !

Snelz regardait, abasourdi.

- Je refuse la relance, balbutia-t-il.

- C'est en effet plus sage, dit Heller.

Snelz prit les dés. Mais qui pouvait battre un 70 ? Il examina chaque dé attentivement. Il cherchait les points d'encre.

- Snelz, j'espère que vous ne pensez pas que j'ai échangé les dés, s'enquit Heller.

- Non, non, fit Snelz d'une petite voix ténue. Ce sont bien les mêmes dés.

Heller éclata de rire.

- J'en suis très heureux ! Les duels, ça peut être fatal et, en tant qu'ex-marine, vous devez probablement être une bonne gâchette.

Snelz était à la torture. Cette plaisanterie l'avait salement secoué. Même avec un canon-éclateur, il n'aurait eu aucune chance contre Heller. Très soigneusement, il disposa les dés dans sa paume et referma les mains. Je savais ce qu'il avait fait. Il prenait un risque terrible : il voulait sortir un 72. Tous les 12 ! J'eus un choc en voyant à quel point son argent avait diminué. *Mon* argent ! Il se mit à chanter :

C'est pas l'moment d'craquer,
C'est pas l'moment d'louper.
Fais sortir tous les points
Et ratisse-moi l'butin !

Il lança. Les dés s'immobilisèrent ; il les fixa comme s'il avait devant lui une tête de zitab.

- Seize ! souffla-t-il.

Heller rafla les crédits.

- Etant donné que je suis le gagnant, ce n'est pas à moi de vous dire d'arrêter. Mais vous feriez bien d'y songer sérieusement. Je n'avais nullement l'intention de vous nettoyer.

Snelz paraissait complètement perdu. A son regard, on voyait nettement qu'il ne comprenait pas ce qui avait bien pu clocher. Il était désespéré.

- Il ne me reste que douze cents crédits, dit-il finalement. Je vais tout miser.

- Oh, non ! gémit Heller.
- Oh, si ! cria Snelz, en poussant devant lui ce qui restait de mon argent, *de mes cinq mille crédits !*
Il empauma les dés avec le plus grand soin, puis il souffla dessus en se recueillant comme pour une prière. Il commença à les secouer tout doucement et chanta :

C'est l'moment ou jamais,
D'gagner, gagner, gagner.
Je réclame le maximum.
Soixante-douze, je suis ton homme !

Il lança avec douceur, dans l'espoir de ne pas déranger les grains de plomb. Les dés s'immobilisèrent. Il n'annonça même pas le chiffre. C'était un *8 !* N'importe quoi pouvait battre ça !
- Pas de relance, dit Heller, vu que vous n'avez plus d'argent.
Il secoua à peine les dés et ne prit même pas la peine de chanter. Il les déversa nonchalamment sur la table.
- Je suis sincèrement navré, fit-il. Quarante-neuf.
Il ratissa l'argent.
- Je ne devrais pas prendre votre argent. On pourrait m'accuser d'avoir ratiboisé un débutant.
Je priai silencieusement pour que Snelz dise : « D'accord, je le reprends. » Mais il demeura silencieux. A dire vrai, il s'en tenait aux règles. Heller avait juste dit ça par politesse.
- C'est moi qui ai voulu faire cette partie, dit enfin cet abruti, en évitant de regarder dans ma direction.
- Ça fait un sacré paquet d'argent, remarqua Heller en entassant les billets.
Ça, il pouvait le dire ! Il avait devant lui de quoi acheter tous les officiers de Répulsos *et* une réserve de chasse ! Il ne se donna pas la peine de les compter. Il fit une liasse de mes cinq mille crédits et la tendit à Snelz.
- Vous feriez mieux de les reprendre.
Silencieusement, je me mis à hurler : « Prends-les, prends-les, idiot ! »
Snelz était effondré. Il se ressaisit brusquement et sourit pour faire bonne figure - en gentleman qui sait se montrer bon perdant.
- Vite gagné, vite perdu, lâcha-t-il négligemment. (Il reprit les dés, ramassa sa casquette et prononça la formule de politesse consacrée :) Merci pour cette agréable partie, officier Heller.
Il sortit.
Heller haussa les épaules. Il voulut mettre l'argent dans sa trousse à outils, mais il y avait tellement de billets qu'il dut les tasser. Ensuite, il bâilla, prit l'un des listings imprimés par la console et, parfaitement détendu, se mit à lire.
C'est probablement ce bâillement qui me ramena à la réalité. Ça ne lui faisait ni chaud ni froid d'avoir gagné une fortune ! Les conséquences de cette mésaventure m'apparurent brusquement dans toute leur horreur.
Je devais une année de salaire ! Non, plus ! Il y avait aussi les cent soixante-cinq crédits de Crobe ! Et impossible de demander plus d'une année de salaire d'avance ! Non seulement j'étais ruiné, mais j'étais endetté ! Je n'avais même plus de quoi m'acheter un claque-bulle !

Une deuxième vague de pensées déferla sur moi. Je touchais quatre salaires. Ces cinq mille crédits représentaient mes quatre payes annuelles ! Si jamais je perdais les trois salaires supplémentaires que Lombar m'avait alloués, il me faudrait cinq années de privation absolue avant de pouvoir toucher une nouvelle paye. S'il me retirait la Mission Terre, adieu les trois nouvelles payes ! Je risquais même d'être cassé pour dettes ! J'étais paralysé, incapable de bouger.

Une demi-heure plus tard, les gardes introduisirent la comtesse. Heller et elle s'étreignirent longuement devant moi sans la moindre honte. La jeune femme rayonnait dans sa combinaison argent. En fait, elle illuminait littéralement la pièce. Qu'elle était belle ! Je la haïssais ! Heller, désormais, allait rester éternellement sur Voltar ! J'étais coulé !

9

Le lendemain, vers le milieu de l'après-midi, je me rendis tout en haut des remparts de Répulsos. Devant moi s'étendait le Grand Désert, un panorama d'une beauté impressionnante, quoique austère. Jadis, cette contrée avait été un jardin, une région verdoyante et féconde, avec des arbres, des fleurs et des champs magnifiques, vibrants de vie. Mais, dépouillée de son humus, dépourvue désormais de vie et même d'espoir, elle était devenue une étendue de sable jaune, de sel et de minéraux - une tombe plus qu'autre chose.

Et pourtant, malgré tout, il en émanait une espèce de majesté, de noblesse. Le désert brûlant se déployait sur près de trois cents kilomètres jusqu'aux lointaines montagnes qui se dressaient entre cette contrée de mort et le monde civilisé de Voltar.

Des danseuses du soleil - piliers de poussière hauts de plus de soixante mètres - montaient avec une grâce paresseuse du sol brûlant avant que le vent aux langues de flamme ne les torde. Dans la poussière, il y avait des étincelles de mica, des éclairs de feldspath, ainsi que des sels de cuivre verts et mortels. En cet instant, il y avait six danseuses, dont les sommets étaient presque fixes, leur base se déplaçant çà et là sur le fond du désert. Parfois elles se rapprochaient les unes des autres, parfois elles s'éloignaient. Oui, elles portaient bien leur nom, paradant gracieusement - on aurait dit qu'elles appartenaient à quelque revue clinquante -, mais, en vérité, c'était le chagrin qui les faisait se tordre et c'était une mélopée de deuil qu'elles chantaient.

Une scène funéraire tout à fait appropriée à la situation : Crobe venait juste de me dire qu'il allait me dénoncer à Lombar. J'envisageais de me jeter du haut de la tour pour aller m'écraser à des centaines de mètres plus bas, au fond de la crevasse où j'irais rejoindre les ossements des Anciens et les restes plus récents des malheureux employés de l'Appareil qui s'étaient fourvoyés.

Lorsqu'on est submergé par le désespoir au point de vouloir mettre fin à ses jours, on n'aime pas être interrompu.

- Ah, je vous trouve enfin. Je vous ai cherché partout.

C'était Snelz.

Son ton était trop guilleret et ne convenait guère à mon humeur, pas plus qu'à ce lugubre désert.

Il entra dans mon champ de vision. Il portait des gants noirs tout neufs assortis à son uniforme, flambant neuf lui aussi. Dans une main, il tenait deux petites boîtes, et, dans l'autre, un vieux livre très abîmé.

- Vous en faites, une tête ! On dirait un croque-mort ! Allons, allons, reprenez-vous !

Dans une des boîtes, il prit un claque-bulle. Je vis la marque : cela venait d'une des boutiques les plus chères de la Cité du Commerce. Mais il ne le fit pas claquer : ç'aurait été stupide avec le vent qui soufflait.

- Non ?... Une fumette, alors ?

Et il ouvrit le couvercle de la seconde boîte. C'était des fumettes de trente-cinq centimètres, réservées aux riches. Ce serait tout aussi stupide d'essayer d'en allumer une ici.

Je tentai d'imaginer comment j'allais m'y prendre pour le pousser du haut des remparts. Mais cela n'éclaircit en rien les noires pensées qui m'agitaient. Je songeai : Est-ce qu'il ne peut donc pas foutre le camp ? Et me laisser tranquillement dans mon malheur ?

Il fourra les deux boîtes dans les grandes poches à grenades de sa tunique et brandit le vieux livre.

- Je suis sûr, dit-il en l'ouvrant, que vous crevez d'envie de savoir ce qui s'est passé.

Je n'en avais pas fermé l'œil de la nuit. Mais je n'allais certainement pas lui donner cette satisfaction. Si je le frappais à la nuque du tranchant de la main tout en le poussant du pied, peut-être arriverais-je à le faire basculer dans les profondeurs de la crevasse.

- Après mon départ, hier soir, reprit-il d'un ton enjoué, j'ai couru tout le Camp des Macchabées à la recherche d'un spécialiste des dés pipés. Et j'en ai finalement trouvé un. Malheureusement, pour qu'il me dise ce qui s'était passé, j'ai dû lui donner une partie de la part quotidienne qui vous revient sur les achats d'Heller. Car je savais que vous teniez absolument à avoir l'explication de ce mystère. Le gars m'a donc donné ce livre.

Dès que tu auras fini de parler, tu mourras, me dis-je. Attends un peu que j'aie retrouvé suffisamment d'énergie dans cette chaleur pour t'administrer le coup du lapin et une petite poussée du pied...

- Vous m'avez donné des « dés toc », continua Snelz. C'est comme ça qu'on appelle ces dés dans ce livre. Parce que si vous les secouez très fort tout près de votre oreille, vous entendez distinctement le « toc » que font les grains de plomb à l'intérieur. (Il prit les dés dans une de ses poches et les agita près de mon oreille.) Vous entendez ?

Oui, me dis-je, et je vais bientôt entendre le « toc » que tu feras en t'écrasant en bas.

- Le gars m'a dit que des tas de gens se sont fait tuer en essayant de se servir de ce genre de dés. Autrement dit, nous avons eu de la veine !

Oui, une sacrée veine, songeai-je. Cinq mille crédits perdus en un tour de main. Je vais écouter tout ce que tu as à me dire. Profites-en bien, car tu vis tes dernières minutes.

- Il semble qu'il y ait de la colle à l'intérieur, reprit Snelz. Ce qui fait que le grain de plomb demeure momentanément en place contre le chiffre choisi. Mais dans ce paragraphe, ici, il est écrit : *Attention. N'utiliser ces dés que pour quelques lancers seulement.* Apparemment, la matière collante finit par se réchauffer et fondre quand on souffle trop sur les dés. Et quand on les secoue trop fortement pendant une période de temps prolongée, le grain de plomb s'échauffe sous l'effet de la friction. Une fois que la cavité est très chaude, le plomb n'adhère plus à la colle et les dés se comportent comme n'importe quels dés ordinaires.

Il me mit le livre sous le nez pour que je puisse voir la référence. Mais je ne pris même pas la peine de la lire.

- Bref, Heller a cru qu'il s'agissait d'une partie de dés honnête. Il ne s'est douté de rien. Donc, il ne cherchera pas à nous faire la peau. Bonne nouvelle, non ? C'est juste un bon joueur de dés qui a de la chance. Il ne me tombera pas dessus à bras raccourcis et je ne serai pas obligé de lui dire à qui appartiennent les dés ni que vous avez essayé de le truander.

Quand tu te seras écrasé en bas, me dis-je, tu ne diras plus rien à personne. Plus jamais. Je tendis mes muscles, prêt à frapper.

Quelque chose brillait sous mes yeux. Snelz agitait devant mon visage une liasse de crédits dorés. Je lui pris la main.

Ce matin, j'avais retiré les cent cinquante-cinq crédits qui me restaient sur mon année de paye et je les avais donnés à Crobe. Il m'avait dit avec un grognement qu'il manquait encore dix crédits et que si je ne les lui remettais pas avant la tombée de la nuit, il irait voir Lombar. Et, bien entendu, pour couronner le tout, j'avais été de nouveau malade en sa présence. Je ne voulais plus, je ne pouvais plus m'approcher de lui.

Mais voilà que Snelz brandissait dix crédits ! Les dix crédits qui manquaient.

- Ce matin, dit-il, Heller a envoyé un homme - un dénommé Timyjo - à l'extérieur pour qu'il lui achète tout un tas de bricoles. Un voleur très habile, ce Timyjo. Il a dérobé la plupart des achats, ce qui fait qu'il n'a presque rien dépensé de l'argent qu'Heller lui a remis. Donc, votre part est élevée. Il y avait onze crédits pour vous et comme ce livre n'en a coûté qu'un... Hé, qu'est-ce qui vous arrive ?

Brusquement privé de forces, je venais de m'asseoir sur un muret. Après un instant, je parvins à lui dire :

- Snelz, je dois dix crédits à Crobe. Descendez et allez les lui donner.

- Ah bon ?... A vos ordres !

- Attendez ! (Je retrouvai un peu de vie.) Donnez-moi ces dés.

- Avec plaisir ! Pour rien au monde je ne m'en resservirais !

Je pris les six dés, prononçai une prière funèbre blasphématoire et les jetai dans les profondeurs. Que les fantômes des Anciens et de tous ceux que l'Appareil avait exécutés s'amusent avec, là-bas, dans leur crevasse noire, et que les vivants continuent de vivre !

CINQUIÈME PARTIE

1

Une demi-heure plus tard, j'étais dans la salle d'entraînement, assis près du bureau. J'étais sur le point de recevoir l'un des pires chocs de mon existence. Mais, pour le moment, mes seules préoccupations étaient une vague nausée au creux de l'estomac ainsi qu'une sombre pensée qui venait sans cesse me hanter : si jamais la mission m'était retirée, je me retrouverais complètement ruiné et je serais traduit en cour martiale. Il fallait absolument que je trouve une solution pour arracher Heller à Répulsos. Je regardai les différentes activités auxquelles on se livrait sous mes yeux, espérant y trouver une éventuelle inspiration.

Divers programmes se déroulaient simultanément dans la vaste salle. En quatre endroits, quatre assistants de la comtesse essayaient de mettre au point quatre numéros. Le premier était un numéro de lutte, le second, un numéro de jonglage. Quant aux deux autres, ils n'en étaient encore qu'au tout premier stade et je ne voyais pas très bien en quoi ils consistaient.

La comtesse Krak était sur la droite, tout au fond. Elle apprenait à l'un des assistants à faire travailler le jongleur. Celui-ci devait jongler avec six lézards de taille moyenne, le dos hérissé de lames acérées comme des rasoirs. Une fois au point, le numéro promettait d'être spectaculaire, mais le jongleur avait peur de se taillader les mains et l'assistant avait besoin d'un peu d'aide pour amener son élève à triompher de sa peur et à avoir confiance en son habileté.

Je ne pouvais entendre ce que la comtesse disait, mais de temps à autre, elle lançait deux lézards qu'elle rattrapait correctement avant de les passer à son assistant pour qu'il fasse à son tour la démonstration au jongleur. Je ne l'enviais pas : avec ces bestioles, on pouvait facilement perdre un doigt. Mais la jeune femme se montrait très patiente et rassurante. Elle semblait porter de nouveaux vêtements et je priai pour qu'elle n'ait pas la stupidité de les mettre lors de la prochaine parade de monstres, car Lombar fondrait sur nous comme un oiseau de proie et ordonnerait immédiatement une enquête.

Je n'avais guère accordé d'attention à Heller, si ce n'était pour m'assurer qu'il était bien là, comme me l'avaient assuré les deux gardes à la porte. Je décidai de l'observer un peu.

Il avait terminé ses cours pour la journée. Dans l'autre coin de la salle, à l'opposé de la comtesse, il faisait quelques exercices aux anneaux pour garder la forme.

Il se livrait à ce qu'on appelle « le coup de la frousse » - parce que le public retient toujours son souffle à cet instant-là, persuadé que le trapéziste a perdu prise et va tomber.

Le numéro s'exécute avec un seul anneau, à environ trois mètres du sol. Le gymnaste, d'une seule main, se dresse à la verticale, tête en bas, parallèlement à la corde. Rien que ça, c'est un sacré exploit physique - je sais que je n'y arriverai jamais. Mais la suite - ce qu'on appelle « le coup de la frousse » - est encore plus difficile.

La main d'Heller lâchait l'anneau et il commençait à tomber tout droit. Mais, dans la même seconde, il pliait les talons et les refermait sur le haut de l'anneau, de part et d'autre de la corde, stoppant brusquement sa chute. C'est très, très difficile d'empêcher les talons de glisser sur le métal de l'anneau, mais Heller le faisait avec la plus grande aisance. Ensuite, il recommençait, mais avec l'autre bras, et ainsi de suite.

Tout cela sans effort. Et avec beaucoup de grâce. Pour lui, ce n'était qu'un simple exercice de rien du tout. Il le recommençait sans cesse, changeant de bras à chaque fois. En fait, il paraissait penser à autre chose - sans doute à la soirée et la nuit qu'il allait passer avec la comtesse.

Je reportai mon attention sur le numéro de lutte, qui se déroulait non loin d'Heller. L'assistant entraîneur en bavait. C'était un grand type musclé, vêtu de l'habituel pagne. Ses deux élèves ne se montraient pas coopératifs. L'un était un primate, une bête velue, sans doute capturée dans la jungle de quelque planète sauvage, et l'autre était un homme-jaune, probablement originaire des Montagnes de Deepst. On voit souvent des représentants de cette race dans ce qu'on appelle les « numéros de force » des cirques - vous savez, le genre mastodonte avec un corps glabre et des muscles volumineux qui prend des poses en grondant et en rugissant. Le primate et l'homme-jaune avaient à peu près la même taille - deux mètres - et ils devaient peser dans les cent cinquante kilos. Des géants.

Je me mis à observer leur numéro avec intérêt. Apparemment, ils étaient censés se battre à propos d'un fruit factice, très gros et rouge. En fait, il s'agissait tout simplement d'une parodie de lutte acrobatique, réglée avec précision. Mais, pour le public, cela aurait l'air d'un vrai combat, avec des moments amusants. Au début, le primate se baissait pour croquer le fruit. Alors arrivait l'homme-jaune qui lui sautait dessus pour lui prendre le fruit et tous deux devaient bondir et tourner pendant un moment avant que, finalement, le primate trouve la solution en partageant le fruit - et ils s'asseyaient pour manger ensemble. Ce qui rendait drôle le numéro, c'était que la solution venait du primate, c'est-à-dire d'un singe, en fait.

Ce n'était pas avec le primate que l'assistant avait des problèmes. Comme tous les grands singes, il pouvait sauter et virevolter avec agilité. Non, les problèmes venaient de l'homme-jaune. Et je dois dire que je n'aurais pas aimé le rencontrer au détour d'une ruelle. Il obéissait tellement à sa force brutale qu'il infligeait une véritable punition au primate, et la créature velue semblait en avoir un peu assez de recevoir des coups de poing et de pied qui n'étaient pas prévus dans le scénario.

A un moment du numéro, l'homme-jaune était censé faire une prise d'étranglement au primate. Et le singe devait se dégager d'un saut périlleux avant. Mais l'homme-jaune ne desserrait pas suffisamment sa prise pour permettre au primate de bondir. En fait, les yeux chargés de haine, il refermait de plus en plus son bras, avec l'intention manifeste d'étrangler le singe et de le tuer.

Dans le brouhaha des cris et des bruits, j'entendais à peine l'assistant-entraîneur.

- Bon, écoute, disait-il à la brute, je vais prendre la place du singe, tu me feras ta prise et je te montrerai exactement comment serrer pour qu'il puisse faire son saut périlleux.

Je me dis : Ho, ho, l'entraîneur... A ta place, je ne m'y risquerais pas. Cet homme-jaune est cinglé et il aime tuer.

Le primate était mécontent. Il se mit sur le côté tout en se massant la gorge. L'assistant prit sa place et fit signe à l'homme-jaune de commencer.

J'avais vu pas mal de regards meurtriers dans mon existence, mais je dois dire que celui de l'homme-jaune les battait tous. C'était sans doute un assassin qu'on avait déniché dans une cellule de la Police Intérieure, autrement il n'aurait pas atterri à Répulsos. Il avait probablement été victime, selon lui, d'injustices et de mauvais traitements - ce qui est tout à fait normal quand on se trouve à Répulsos. Et maintenant, *il tenait sa vengeance !*

Il se rua sur l'assistant comme une bête féroce.

Avec un grognement animal, il referma son bras sur le cou de l'assistant, saisit son propre poignet dans son autre main et serra.

Il y avait le désir de tuer dans ses yeux et de la haine dans les grondements qui montaient de sa bouche. Le cou de l'assistant allait craquer d'une seconde à l'autre. Il ne pouvait plus crier.

Le tumulte était tel que personne ne prêtait attention à la scène. Et puis, ce genre de chose devait être courant. J'étais certain que l'homme-jaune allait ajouter un nouveau crime à une liste déjà longue. C'est alors que mon regard surprit un mouvement sur le côté.

Heller n'avait pas attrapé les anneaux avec ses talons. Il s'était laissé tomber et avait effectué un saut périlleux avant de retomber sur ses pieds.

En un éclair, il fut dans la lutte !

Il abaissa la main avec indifférence et pinça le coude du géant avec le pouce et l'index. C'est une parade classique qu'on emploie pour se dégager d'une prise. Elle provoque à la fois la souffrance et la paralysie. Mais je ne voyais pas comment Heller pouvait savoir où toucher précisément un homme-jaune dont la constitution est différente de la nôtre.

Le grondement du géant se changea en hurlement.

Il relâcha brusquement sa victime comme si elle avait été un fer porté au rouge et pivota pour faire face à Heller.

Celui-ci, calmement, lança alors la jambe et, du pied, frappa l'homme-jaune sous la nuque. Ce n'était pas un coup mortel. La brute tomba en avant, foudroyée.

L'assistant essayait tant bien que mal de se relever. Heller l'aida. L'autre était incapable de parler pour le remercier mais la reconnaissance se lisait sur son visage.

Avec beaucoup de sollicitude, Heller se mit à lui masser le cou.

Le primate se leva alors et vint vers eux. Solennellement, il secoua la main d'Heller, ce qui les fit beaucoup rire. C'était effectivement très drôle, car qui se serait attendu à une telle réaction de la part d'un singe ? Moi-même, je ris - mais ce devait être la dernière fois ce jour-là !

L'assistant alla prendre un fouet électrique. Le géant était toujours étendu sur le sol, évanoui. Heller vit que tout était rentré dans l'ordre et décida apparemment que cela suffisait comme exercice pour la journée. Il alla récupérer le haut de sa tenue de sport et l'enfila. Puis il traversa la salle en trottant, lança un baiser à la comtesse et quitta la salle.

Je savais que les gardes, à l'extérieur, ne le lâcheraient pas d'une semelle et que, de toute façon, il se rendait simplement dans ma chambre pour prendre un bain et se changer. Je décidai donc de m'attarder un peu et d'observer la comtesse. C'était *elle,* mon ennemi, *elle* qui retardait la mission.

Elle semblait avoir fait quelque progrès dans l'éducation de son assistant, mais, à en juger par son attitude, il semblait qu'elle eût attendu le départ d'Heller. Elle traversait la salle, à présent, venant dans ma direction.

Il faut reconnaître que Timyjo le voleur avait plutôt bon goût dans ce qu'il dérobait. Ou alors, Heller lui avait donné des instructions précises. Car la comtesse était absolument splendide dans sa nouvelle tenue.

Elle portait des cuissardes neuves, scintillantes, qui lui arrivaient presque aux hanches, avec des talons de cuivre étincelants. Sa combinaison était couleur chair. Elle avait passé par-dessus une veste ajustée, très courte, de cuir noir, avec des lanières. Sur ses cheveux mi-longs et blonds, elle avait posé un petit chapeau à visière, conique, décoré de disques noirs brillants, avec une petite plume sur le devant, au milieu. C'était une tenue inspirée de celles qu'elle avait toujours arborées jusqu'à maintenant, mais beaucoup plus coûteuse ! Quelle différence !

Dieux, qu'elle était belle ! C'était indiscutable. Fabuleusement, somptueusement belle. Mon ennemie.

Elle se laissa tomber dans un grand fauteuil en face de moi, dos à la salle. Elle tourna vers moi son visage parfait.

- Soltan, dit-elle, il faut que vous m'aidiez !

Des larmes tremblaient dans ses yeux.

Une petite sonnette d'alarme résonna dans ma tête. Etait-ce bien la comtesse Krak, si froide, si dépourvue d'émotions ? Quelle était donc cette nouvelle ruse ? Jamais je n'avais fait confiance aux femmes, et encore moins à la comtesse.

- Soltan, reprit-elle, Jettero en a terminé avec l'anglais. Il possède à la perfection les accents de Virginie et de la Nouvelle-Angleterre. J'ai même vérifié son comportement social et sa pratique de l'argot, et là aussi, il n'y a rien à dire. Je lui ai fait apprendre la géographie et la géologie de la Terre, ainsi que ses caractéristiques démographiques et ses structures politiques. Il a étudié toutes les particularités du système solaire...

Une larme roula sur la peau lisse de sa joue. Ce fut presque une plainte qui sortit de sa bouche :

- Soltan, je n'ai plus rien à lui apprendre !

Haha ! me dis-je. C'est donc ça ! Tu n'as plus aucun moyen de retarder son départ !

- Soltan, est-ce que vous ne pourriez pas obtenir l'autorisation de lui enseigner l'espionnage ? Il faut absolument qu'il étudie cette matière, sinon il sera en danger. Il n'en connaît même pas les rudiments.

Ma chère demoiselle, me dis-je, c'est l'euphémisme du siècle !

- Comtesse, déclarai-je, en espérant qu'elle ne percevait pas mon dédain et ma condescendance, Lombar a donné à ce sujet des instructions très précises.

- Mais pourquoi, Soltan ? Pourquoi ? Jettero va courir un danger immense s'il ignore tout d'une discipline aussi fondamentale !

Elle versa une autre larme.

- Lombar a ses raisons. (Sans raison aucune, je me sentis soudain malade.) Et les raisons de Lombar sont toujours bonnes. Je pense qu'il veut simplement qu'Heller agisse avec naturel. Vous savez comment sont les agents secrets : toujours à fouiner partout, à soulever les couvercles des poubelles - ce qui est le meilleur moyen d'attirer l'attention sur eux. Rien qu'avec ce que j'autorise actuellement, Lombar pourrait nous faire tuer. C'est une mission toute simple, vous savez. Il s'agit juste d'introduire un peu de technologie sur la planète...

Mon attention fut soudain attirée par un mouvement derrière elle.

L'homme-jaune avait repris conscience. L'assistant n'était plus là. Ni le primate. Le géant se dirigeait droit sur nous. Il se massait le coude, l'air particulièrement furieux. Une vague de peur me submergea.

La comtesse réfléchissait intensément, cherchant un moyen de me convaincre. Elle ne s'était pas rendu compte que j'avais les yeux rivés sur l'homme-jaune. Peut-être cela ne se voyait-il pas sur mon visage. Et peut-être aussi avais-je le vague espoir que cette brute meurtrière allait la tuer et résoudre ainsi tous mes problèmes. La jeune femme était sans arme. Je gardai mes mains bien à l'écart de mes armes personnelles.

Elle n'était pas en bonne position : elle était assise et l'un des bras du fauteuil la gênerait si elle se levait brusquement. Le géant était tout près, maintenant. Il continuait de se masser le coude, l'air sombre. La comtesse n'avait toujours rien remarqué. Il s'arrêta derrière elle. A en juger par son expression, il allait la tuer. Mon espoir grandit.

Elle était sur le point de me parler à nouveau, l'air suppliant, quand l'homme-jaune lui assena une violente bourrade dans l'épaule !

- Dites à cet (enbipé) d'Heller de ne plus jamais s'approcher de moi ou je lui arrache les (bips) ! gronda-t-il.

Elle pivota dans son fauteuil et contempla la masse impressionnante de la brute.

- Ose encore parler de Jettero sur ce ton !

Il y eut comme un chuintement : cinquante personnes venaient de retenir leur souffle. Un silence de mort s'abattit sur la salle.

Lentement, le géant abaissa les bras pour la saisir et l'étrangler. Il répondit d'un ton rauque, et la mort était dans chaque mot :

- Je dirai ce qui me plaît sur lui ! Ce n'est qu'un (enbipé) d'officier royal ! Une sale pourriture, un petit (bip) prétentieux !

Il abattit les bras. La comtesse était livide. Sa main jaillit vers le dossier de son fauteuil, qu'elle envoya dinguer.

En une fraction de seconde, elle fut à droite de l'homme-jaune !

Il y eut un bruit pareil à un coup d'éclateur. Je n'avais même pas vu son geste. Le poignet gauche du géant pendait, cassé !

Alors commença une danse démoniaque que j'espère ne plus jamais revoir.

La comtesse n'était plus une statue froide comme le marbre. C'était une furie déchaînée !

Elle le frappa au visage d'un revers de la main gauche.

Puis elle tourna et son bras droit décrivit une large courbe pour s'abattre à nouveau sur le visage de la brute. A la même seconde, son pied droit martela le sol et le talon de cuivre claqua comme une détonation - ce qui parut donner à sa main la puissance d'un fouet. Il y eut un craquement d'os brisés.

Ce mouvement l'avait propulsée vers la droite. Elle lança son bras gauche en un large revers tandis que son pied gauche explosait sur le sol. Le dos de sa main frappa la joue de l'homme et d'autres os craquèrent.

Cela l'avait déportée sur la gauche. Elle lança le bras droit. Sa botte martela le sol et sa main s'abattit sur la mâchoire du géant !

Revers de la main gauche, revers de la main droite... Inlassablement, elle frappait, telle une machine impitoyable, repoussant peu à peu son malheureux adversaire.

Derrière l'homme-jaune, il y avait une vingtaine de mètres jusqu'au mur du fond. A chaque coup que lui assenait la jeune femme, il reculait de quelques pas. Le sang ruisselait sur son torse et il hurlait comme un animal pris au piège.

C'était un effrayant ballet de souffrance et de sang, réglé au quart de tour, rythmé par les bruits qui résonnaient aux quatre coins de la salle : le claquement d'une botte, le bruit mat de la main qui frappait et le hurlement rageur du géant.

Il parcourut ainsi une quinzaine de mètres et la vie s'échappait peu à peu de lui.

C'est alors que, dans un ultime sursaut de rage, il tenta de contre-attaquer !

Il lança un pied ! S'il avait fait mouche, il aurait défoncé la poitrine de la comtesse. Mais elle lui happa le talon avec un réflexe parfaitement calculé et, utilisant l'élan du monstre contre lui, elle tira ! Il se retrouva dans les airs, à l'horizontale ! Le pied de la jeune femme vint fracasser ce qui restait de la mâchoire du géant.

Il fut propulsé en arrière, bras déployés, telle une flèche vivante. Les machines à électrochocs se trouvaient non loin derrière, et sa tête alla cogner contre un levier.

Le bruit fut pareil à celui d'un melon qui éclate. L'homme-jaune s'écrasa sur le sol.

La fureur de la comtesse parut redoubler. Elle se précipita sur son adversaire et lui piétina la poitrine, les bras et le visage !

Puis elle recula, haletante, encore ivre de colère. Elle pointa le doigt vers son équipe qui était figée sur place, silencieuse, épouvantée.

- Toi ! Emmène-le au dispensaire. Qu'on le rafistole !

L'un des assistants se glissa jusqu'à l'homme-jaune et lui palpa le torse, qui n'était plus qu'une bouillie infâme. Puis il releva la tête et annonça :

- Il est mort.

La comtesse était occupée à remettre la bride de son chapeau qui avait glissé de son menton.

- Ça lui apprendra à menacer Jettero ! lâcha-t-elle.

Jusqu'à cet instant, j'avais seulement été paralysé. Mais en l'entendant prononcer ces mots pendant qu'elle rajustait son chapeau et en voyant ses bottes neuves maculées de sang, j'éprouvai un élan de pure terreur.

Je ne sais comment je réussis à sortir. Mais l'instant d'après, j'étais dans un tube, loin d'elle.

Je me suis arrêté à l'angle du couloir qui menait à ma chambre et j'ai tenté de me reprendre. J'avais envie de vomir et mes mains tremblaient. J'ai pris un claque-bulle et j'ai essayé de l'ouvrir, mais mes doigts ne répondaient plus et il est tombé par terre.

J'étais dominé par une seule et unique pensée. Il fallait absolument que je trouve un moyen, n'importe lequel, de faire quitter Voltar à Heller. J'avais l'intime conviction que si je restais ici un jour de plus, j'étais un homme mort. Car si jamais la comtesse Krak avait le moindre soupçon sur le sort que nous réservions à Heller, ce qu'elle avait fait à l'homme-jaune ne serait qu'une aimable faveur en comparaison de ce qu'elle me ferait subir.

Je dus faire de gros efforts pour me convaincre que je n'étais pas déjà mort. Certains prétendent que la peur de mourir peut vous rendre très intelligent. C'est ce qui se passa pour moi.

J'ai tiré sur ma tunique et je me suis redressé. Puis, en respirant aussi naturellement que possible, je suis passé devant les gardes et j'ai pénétré dans ma chambre.

Heller avait pris son bain. Il était confortablement installé dans un fauteuil, jambes tendues, pieds croisés, et écoutait la musique que diffusait le visionneur.

J'ai jeté ma casquette sur le lit et je me suis assis à la table. Je n'ai pas osé ouvrir une boîte d'eau pétillante de crainte qu'il ne remarque le tremblement de mes mains. Mais il y a une chose que je sais contrôler : ma voix. Dans l'Appareil, on nous entraîne à le faire.

- Jettero, dis-je, est-ce que vous ne trouvez pas que cette chambre est horriblement sale ?

Il m'adressa un regard languide, prêtant toujours l'oreille à la musique. Puis il sourit et répondit :

- C'est à un spatial de la Flotte que vous dites ça ?

- Ce n'est pas un endroit pour vous. Vous êtes habitué à des conditions de vie meilleures.

Il réfléchit un instant. J'avais réussi à capter son attention : il n'écoutait plus la musique.

Est-ce que ça allait marcher ? Tout au fond de ma tête, je priais en silence et j'espérais bien que les Dieux m'entendraient.

- Vous avez achevé toutes vos études, repris-je en m'efforçant de conserver mon ton serein. Il n'y a plus aucune raison de rester ici.

Heller explora la pièce du regard, comme s'il la découvrait pour la première fois. Le sol noir, les meubles branlants, les murs noirs et fissurés.

Il se tourna vers moi.

- Soltan, vous avez raison ! Cette forteresse manque totalement de confort !

Il bondit hors de son fauteuil, fit trois pas dans un sens, se retourna, et fit trois pas dans l'autre sens, prenant appui sur le lit, comme le font tous les spatiaux même quand ils sont au sol.

Je fus décontenancé par la soudaineté de sa réaction. Ses processus mentaux étaient pour moi un mystère. Je crus stupidement que j'avais réussi, comme par magie, à redémarrer cette mission !

Pendant tout le reste de la soirée, il ne dit rien de plus. Il se contenta de sourire, de rire, de fredonner et se montra le plus charmant des hommes.

Il rendit même sa bonne humeur à la comtesse Krak : lorsqu'elle était arrivée, escortée par les gardes, elle paraissait mécontente. Elle avait le sentiment de s'être donnée en spectacle, mais elle ne voulut pas dire pourquoi. Elle lui avoua cependant qu'elle avait abîmé les nouvelles bottes qu'il lui avait offertes.

Heller lui répondit qu'il y avait des tas de bottes comme celles-là à l'endroit où il les avait fait acheter, puis il se mit à raconter quelques histoires drôles à propos de bottes spatiales. J'en conclus que ses pensées étaient maintenant tournées vers le voyage. Un bon présage.

Il y eut même un signe plus encourageant encore. Il alla chercher la liste des « révoltés et prétendants » de l'histoire de Manco et, bientôt, leurs deux têtes furent l'une contre l'autre et ils se mirent à lire ensemble, une chope d'eau pétillante verte dans la main tandis que le visionneur déversait sa musique.

J'étais tellement heureux à l'idée de ne plus revoir la comtesse Krak que j'en appréciai presque l'histoire de Manco !

- Tu vois, là ? s'exclama-t-elle en posant un de ses jolis doigts sur une ligne. Il a bien existé une Nepogat ! C'est écrit noir sur blanc : *Et la servante Nepogat, qui avait suborné la morale princière, fut bannie de la Forteresse de Dar, et il lui fut enjoint de ne jamais y reparaître.*

- Ho, ho ! fit Heller. On ne dit pas de quel prince il s'agissait, mais est-ce que tu crois que ça pourrait être le Prince Caucalsia ?

- Ce ne peut être que lui. Une femme dont on repousse les avances peut faire des choses affreuses.

Je ne suivais plus. Ils étaient en train de refaire l'histoire.

Après un instant, Heller reprit :

- Voici toute une liste de princes condamnés, mais pas un seul nom. Tu penses que le Prince Caucalsia a pu être l'un d'eux ?

- J'en suis certaine ! La période correspond !

- Tu as parfaitement raison ! La preuve est faite !

Et ils éclatèrent de rire, ravis.

Intérieurement, je ricanais. Quel ingénieur brillant ! Si c'était comme ça qu'il raisonnait, j'espérais ne jamais avoir à traverser un pont construit par lui.

Je les laissai à leurs délires. Je sortis et regagnai le réduit crasseux qui me servait de chambre à coucher, avec l'espoir idiot que, bientôt, je serais hors d'atteinte de la comtesse Krak !

2

Une lumière brillait devant mes yeux.

- Officier Gris, il est l'heure de se lever.

Je poussai quelques grognements et me redressai au milieu des détritus qui jonchaient le sol. Je jetai un coup d'œil à ma montre. Une demi-heure avant l'aube !

- Allez, c'est l'heure, insista le garde.

Je cherchai à tâtons autour de moi et retrouvai ma casquette sous de vieux résidus de nourriture. Je suivis le garde en titubant et entrai dans ma chambre.

Il y régnait le plus incroyable remue-ménage. L'endroit était plein de cartons et d'éclats de voix.

L'escouade de Snelz se composait de quatorze hommes. D'ordinaire, il y avait sept gardes postés dans les parages pendant douze heures, puis ils étaient relevés par la seconde équipe. Mais là, il y avait beaucoup plus de sept hommes.

Snelz était assis à califourchon sur une chaise. Il tenait une chope de s'coueur chaud qu'il pointait dans telle ou telle direction pour indiquer tel ou tel objet à ses hommes. Ils étaient en train de tout emballer ! Les rires et les conversations bruyantes allaient bon train.

Heller achevait de ficeler un ballot. Il portait une tenue de pilote de course blanche ornée de petites stries rouges, ainsi qu'une casquette rouge qu'il avait rejetée en arrière sur sa tête - vous savez, le genre de casquette qu'on met sous un casque de course. Il semblait frais et dispos, bourré d'énergie. Comment faisait-il, si tôt le matin ?

Il m'aperçut, prit une chope de s'coueur chaud et me la tendit. Lui aussi riait. A cause de mon allure dépenaillée ?

En anglais et avec un accent virginien particulièrement épais, il me dit :

- J'm'appelle Rover. Et mon George, y s'appelle chien.

Ce n'était pas du tout ça et, patiemment, je rectifiai :

- Il faut dire : « Je m'appelle George. » C'est le *chien* qui s'appelle Rover.

Je ne sais pourquoi, mais cela déclencha chez lui une crise de fou rire. Il était vraiment trop tôt à mon goût pour rire d'aussi bon cœur.

- Vous gardez cette chambre ? me demanda Snelz. Sinon, nous emballons aussi vos affaires.

Est-ce que je comptais garder cette chambre ? J'avais l'habitude de conserver quelques affaires ici, à Répulsos, au cas où. A peine de quoi remplir un sac. Une pensée me vint brusquement : je n'aurais plus besoin de cette chambre avant une éternité. En fait, je n'avais pas la moindre intention de revenir à Répulsos !

- Je déménage aussi ! lançai-je.

Snelz se tourna vers ses hommes.

- Emballez ses affaires !

C'était surprenant de voir ce qu'Heller avait pu accumuler en aussi peu de temps. Les placards à provisions étaient pleins à craquer. Et il y avait des couvertures pour les lits, des serviettes de bain...

Il était occupé à débrancher le visionneur. Un garde le prit et le fourra dans un carton.

- Faites vos paquets, on embarque ! lança Heller.

Tous les gardes éclatèrent de rire. Je ne compris pas tout de suite la raison de leur hilarité, puis je réalisai qu'Heller avait cité les premières paroles de la célèbre chanson *En Route pour l'Espace.*

Pour la première fois depuis que j'avais été réveillé, cette possibilité joyeuse m'apparut. Etions-nous vraiment sur le point de partir ? Je bus une gorgée de s'coueur chaud et puis je me dis : attends. Pourquoi emmène-t-il ce visionneur ? Sur la Terre, il ne lui servira à rien. Et est-ce qu'il s'était lâchement séparé de la comtesse en se contentant d'un petit « salut, môme, à la revoyure » ? Non, impossible. Et pourquoi les gardes avaient-ils ri aux éclats lorsqu'il avait prononcé les paroles de cette vieille chanson des spatiaux ? Etaient-ils au courant de quelque chose que j'ignorais ? L'attitude d'Heller avait-elle quelque chose de secrètement amusant ? Quand on sert depuis longtemps dans l'Appareil, on apprend à noter avec soin tous les détails d'une scène. Et ici, il y avait quelque chose qui n'allait pas.

Les gardes avaient fini de tout emballer. Ils posèrent les cartons sur des chariots et, peu après, nous montâmes tous à bord d'un zipbus qui s'enfonça dans le tunnel, avec bagages et tout.

On ne faisait attention à moi que lorsque nous arrivions aux diverses barrières : les gardes, invariablement, nous interrogeaient sur les raisons de tout ce tohu-bohu. Chaque fois, Heller me désignait du pouce et je devais présenter mes ordres ainsi que mon identoplaque. La curiosité des sentinelles pouvait s'expliquer : une tenue de pilote de course n'était pas très habituelle à Répulsos ou à Camp Endurance. Heller n'avait vraiment aucun sens de la sécurité. S'il avait été entraîné, il aurait porté de vieux habits usagés qui convenaient mieux au cadre. Il ne se serait pas promené dans des vêtements aussi visibles qu'un phare d'alerte ! Il rendait les choses encore pires en offrant des fumettes aux sentinelles, en leur serrant la main et en leur disant au revoir. Et il faut reconnaître que ces sentinelles laissaient plutôt à désirer : elles plaisantaient et riaient avec lui. Dans l'espionnage, on évite de laisser des souvenirs ! Ce gars-là ne durerait pas deux minutes dans cette mission - si toutefois il quittait Voltar, ce dont je commençais à douter sérieusement.

Nous atteignîmes enfin mon aircar, sur l'aire de départ de Camp Endurance. Mon chauffeur avait à l'évidence été prévenu, car il nous attendait. Il accueillit les gardes comme de vieux amis et salua Heller avec un large sourire, les bras croisés sur la poitrine. Pourquoi ce sourire ? Mes soupçons envers tous ces gens croissaient de minute en minute. L'aube pointait à peine.

Mon chauffeur avait ouvert l'accès arrière à l'intention d'Heller, mais celui-ci déclina son invite. Les gardes déposèrent les cartons et les bagages sur le siège arrière. Il y en avait tellement qu'il n'y avait presque plus de place pour s'asseoir !

- Monte là-dessus, dit Heller au chauffeur qui grimpa sur le chargement.

Heller, pour sa part, s'installa dans le siège de pilotage et me fit signe de faire le tour et de s'installer à ses côtés.

C'était lui qui allait piloter !

Aucun des gardes ne monta à bord. De toute manière, il n'y avait plus de place. Ils ne semblaient pas avoir l'intention de prendre un autre aircar. Mais je ne voulais pas révéler à Snelz que je n'avais pas la moindre fichue idée de ce que tout cela signifiait. Je me dis confusément que je pourrais toujours revenir plus tard pour lui donner d'autres instructions quand j'en saurais davantage.

- A tout à l'heure ! lui criai-je.

- Je sais, fit-il.

Je finissais par me demander si je n'étais pas en train d'aider Heller à s'évader. Par bonheur, j'étais armé. Il lançait le moteur. Vraoum ! Vraoum ! Vraoum ! Je pris place à côté de lui.

Les hommes de Snelz nous entouraient, souriants. Ils ne nous dirent pas au revoir. L'aircar décolla et ils ne furent bientôt plus que des points minuscules dans la semi-clarté de l'aube qui baignait le désert. Tandis que nous prenions de l'altitude, le soleil rouge nous arriva en plein visage, aveuglant.

On ne pilote pas un aircar comme le faisait Heller. Du moins quand on a toute sa raison. Surtout que les véhicules de l'Appareil ne sont pas très bien entretenus. Il était confortablement calé dans son siège, une main sur le levier de pilotage, un orteil sur la barre d'accélération.

- Tu es bien installé ? lança-t-il par-dessus son épaule à l'intention de mon chauffeur.

L'homme s'était niché entre les cartons et on ne voyait plus que ses pieds. Il leva la main en un geste joyeux, brandissant une chope de s'coueur. Où donc s'était-il procuré ça ?

- Comme un chef, officier Heller, répondit-il.

Pour ce qui est de saboter la discipline, pensai-je amèrement, Heller semble en connaître un rayon.

Il se tourna vers moi. C'était l'occasion ou jamais de reprendre un peu en main cette opération de départ insensée.

- L'aire de départ des transporteurs de l'Appareil est exactement au sud-ouest de la Cité du Gouvernement, dis-je. Vous avez tout le temps. Le prochain départ n'aura pas lieu avant le milieu de l'après-midi.

- Transporteur ? fit-il comme si je venais de prononcer un gros mot.

J'avais déjà la bouche ouverte pour dire : oui, bien sûr, un transporteur. Une fois par semaine, il y avait un départ en direction de la Terre. Et puis, je me tus. Il était encore trop tôt et mon esprit ne fonctionnait pas très bien. Je ne devais pas révéler à Heller, ni à personne d'ailleurs, que l'Appareil disposait d'une liaison régulière de ravitaillement avec Blito-P3. Si cela venait à se savoir, les questions allaient pleuvoir comme des projectiles sur tout l'Appareil ! Le Grand Conseil et le gouvernement ne manqueraient pas de nous tomber dessus à bras raccourcis.

Heller avait amené l'aircar à six mille mètres d'altitude. C'était très dangereux. Ce type d'engin a tendance à basculer pour un oui ou pour un non et à s'écraser. Il fallait être un pilote chevronné pour le maintenir droit. J'étais très nerveux.

- Eh bien ? insista Heller. Vous avez parlé d'un « transporteur »... (Il dut comprendre que je n'avais rien à ajouter, car il continua pour moi :) Soltan, est-ce que vous voulez dire que le vaisseau destiné à notre mission est un *transporteur ?* Mais c'est stupide, Soltan ! Il lui faudrait au moins six semaines pour se traîner jusqu'à Blito-P3. Et nous n'avons rien à transporter. De plus...

- Nous n'avons pas de vaisseau pour cette mission, le coupai-je.

- Ah, fit-il simplement.

Il repoussa sa casquette encore un peu plus en arrière sur sa tête et se mit à réfléchir. D'un doigt, il maintenait l'équilibre précaire de l'aircar. Est-ce qu'il ne savait donc pas que ces trucs pouvaient s'écraser ? Au-dessous de nous, le désert, plus éclairé à présent, se déployait entre Camp Endurance et la Cité du Gouvernement. D'un instant à l'autre, les détecteurs de trafic gouvernementaux allaient nous demander ce que nous fabriquions à une telle altitude et à une telle allure. C'était insensé d'attirer comme ça l'attention sur nous.

A nouveau, il demanda par-dessus son épaule :

- Ça va toujours, là-derrière ?

Un filet de fumette s'élevait de la pile de cartons.

- Au poil, officier Heller.

- Pourtant vous avez pas mal d'engins dans le hangar de l'Appareil, pas vrai ? reprit Heller en tournant brièvement la tête vers moi. (Il vit que je hochais la tête.) Parfait. Alors, on va aller jeter un coup d'œil.

Dans un rugissement qu'il n'aurait pas dû supporter, l'aircar accéléra brutalement. Heller, qui pilotait toujours d'une main et d'un orteil, se mit sur la fréquence du contrôleur de trafic.

- Aircar 469-98 BRY en provenance de Camp Endurance, à destination des hangars de l'Appareil.

Il avait lu le numéro d'immatriculation sur le disque de communication. Il me le lança. Je sortis mon identoplaque et l'appliquai sur le disque, avec le sentiment atroce que, jusqu'à la fin de cette journée, ma seule fonction serait de présenter mon identoplaque ! Et de me rendre complice du stratagème dément qu'Heller avait en tête. Mais, au moins, nous étions loin de la comtesse Krak !

Le désert défilait rapidement sous notre véhicule et Répulsos s'estompait au loin. Là-bas, à l'horizon, à l'endroit où nous aurions dû apercevoir la Cité du Palais, une montagne couronnée de neige se dressait. Dans la direction opposée, la Cité du Commerce se déployait comme une grande flaque. Quand nous eûmes traversé le désert et franchi les montagnes, la Cité du Gouvernement nous apparut brusquement, semblant venir rapidement à notre rencontre.

- Il faudrait réparer cet engin, remarqua Heller. Je n'arrive pas à dépasser les huit cents à l'heure.

- Oui, je n'arrête pas de le répéter à l'officier Gris, renchérit mon chauffeur en expirant une bouffée de fumée qui monta en spirale.

Ils étaient aussi idiots l'un que l'autre. La vitesse de pointe d'un aircar est de sept cents kilomètres à l'heure. Celui-ci était secoué comme s'il avait une crise d'épilepsie. Pas étonnant, remarquez, vu la relique que c'était. Je fermai les yeux. C'était plutôt cruel de mourir au moment même où j'avais la possibilité d'arracher Heller à cette planète, d'échapper à tous les dangers qui me menaçaient et de le fourrer dans le pétrin jusqu'au cou !

Le plancher s'ouvrit !

Je regardai en bas pour voir ce qui allait être ma tombe. Mais ce n'était que le cercle d'atterrissage du terrain des hangars de l'Appareil. Heller posa l'appareil plein centre, sur le X.

Les hangars de la Section Espace de l'Appareil se dressaient devant nous. Ils étaient de dimension respectable mais, comparés aux hangars de la Flotte, ils paraissaient minuscules. Ils étaient hauts de cent cinquante mètres et l'ensemble, sale et délabré, occupait près de deux kilomètres carrés. Alentour, des plates-formes de traction et des ponts roulants étaient dispersés çà et là, à divers stades d'usure et de détérioration.

Des sentinelles en uniforme noir se ruaient déjà dans notre direction, l'éclateur au poing. L'astroport de l'Appareil est un endroit très secret et extrêmement bien gardé.

- L'officier Gris et deux personnes ! lança Heller.

D'un geste, il me fit signe d'apposer mon identoplaque sur le tableau que me tendait un sergent.

- Toi, tu restes ici, fit-il à l'intention de mon chauffeur. Nous n'en aurons pas pour longtemps. (Et il ajouta en se tournant vers moi :) Allez, venez.

Nous descendîmes. Les gardes avaient perdu tout intérêt pour nous et s'éloignaient pesamment. Ils avaient l'habitude de voir des choses autrement bizarres que l'arrivée impromptue d'un pilote de course. En dépit d'ordres impitoyables pour une vigilance de tous les instants, les hangars spatiaux de l'Appareil respirent l'apathie, la tristesse et l'abandon.

Heller trottait à petites foulées décidées en direction du hangar principal. Je le suivais, mais d'un pas mou et fatigué. La situation avait totalement échappé à mon contrôle. J'étais une identoplaque ambulante.

Nous entrâmes. Il y avait là des vaisseaux qui venaient d'arriver, des vaisseaux qui allaient repartir, d'autres qui étaient en réparation et quelques-uns qui ne repartiraient plus jamais. Ils attendaient, monstres gigantesques, obscurs, emplis de noirs secrets, de taches de sang anciennes et de moteurs qui fonctionnaient tant bien que mal. Je gémis à l'idée de devoir me promener interminablement entre ces géants hideux. Déjà, j'avais mal aux pieds.

Heller explorait les alentours du regard. Ce qui était bizarre puisqu'on ne pouvait guère voir au-delà des trois premiers vaisseaux. Il parut avoir trouvé quelque chose. Que cherchait-il donc ? Ah... Il avait les yeux fixés sur une grue gigantesque destinée à soulever des poids formidables. Qu'est-ce qu'il mijotait ?

Le grutier était tout là-haut, dans sa cabine, immobile, désœuvré, à moitié mort d'ennui.

Heller l'appela. Dans la Flotte, les officiers servent souvent dans des vaisseaux géants vastes comme des granges et ils acquièrent peu à peu un timbre de voix particulier, aigu, fort, perçant, qui domine le grondement des moteurs. Heller employait ce type de voix en cet instant.

- Hé ! Grutier ! Prépare-toi à lever !

D'ordinaire, à l'intérieur de ce hangar, un homme de l'Appareil n'acceptait jamais d'ordres, même de son supérieur. Je fus donc abasourdi en voyant le grutier, qui n'était qu'une toute petite tache là-haut, agiter la main en réponse.

Heller prit une paire de gants dans sa poche et m'en tendit un avant d'enfiler l'autre.

Le crochet de la grue était posé sur le sol. Avec un choc, je compris ce qui allait se passer. Heller plaça le pied dessus et saisit une poignée sur la plaque supérieure. Le crochet était énorme et il y avait largement la place pour y loger un deuxième pied. Il voulait que je monte moi aussi !

J'avais vu des ouvriers faire ça sur des ponts mobiles. Mais jamais l'idée ne m'aurait effleuré de monter sur un de ces crochets !

Heller me faisait signe, mais son attention était ailleurs. Pour lui, grimper sur un crochet de grue, c'était aussi naturel que de respirer. Avec un gémissement étouffé, je me dis que ce n'était vraiment pas une vie que d'être avec un ingénieur de combat. J'enfilai le gant qu'il m'avait donné, plaçai un pied près du sien, m'agrippai à une poignée et fermai les yeux.

- Enlève ! cria Heller au grutier, de la voix spéciale et impérieuse dont il s'était servi quelques instants auparavant.

Et nous montâmes, telle une fusée ! Mon estomac resta en bas. Sans rien d'autre au-dessous de nous que ce crochet d'acier et ces câbles qui grinçaient, nous fûmes amenés en un éclair jusqu'au plafond du hangar. Nous nous arrêtâmes brutalement en rebondissant sous l'effet de ressort des câbles.

Avec prudence, j'entrouvris un œil et le refermai aussitôt. Heller avait un pied dans le vide. De ma main libre, je saisis la poignée.

- Regardez par là-bas, dit-il. (Il dut s'apercevoir que j'avais les yeux fermés.) Hé, ouvrez les yeux. On n'est qu'à cent cinquante mètres de hauteur.

On dit qu'il ne faut jamais regarder en bas. Mais je ne pus m'en empêcher. Je fus épouvanté en découvrant tout ce vide et le sol de ciment, dur, si dur, là, tout en bas.

- Il faut que nous trouvions un vaisseau pour cette mission, ajouta Heller. Examinez bien tous ces astronefs.

En moi-même, je maudis les consignes de sécurité qui m'interdisaient de lui dire que nous partirions obligatoirement à bord d'un transporteur régulier.

- Les hangars de Blito-P3 peuvent abriter un vaisseau de quelle taille ? me demanda-t-il en se balançant nonchalamment dans les airs.

- Cinq transporteurs et deux vaisseaux de combat, balbutiai-je.

- Alors on peut y mettre un gros vaisseau.

Il étudiait attentivement chacun des astronefs au sol. Mais, malgré notre point de vue avantageux, il y en avait encore quelques-uns que nous ne pouvions pas voir, car ils étaient dissimulés par d'autres vaisseaux plus gros.

- Vers la droite ! lança-t-il en direction de la cabine qui, maintenant, se trouvait immédiatement derrière nous.

Le crochet décrivit une courbe horrible vers la droite. A présent, nous apercevions tous les vaisseaux sans exception, y compris ceux qui avaient été cachés à notre vue.

- Des cargos, des transporteurs, soupira Heller. Quelques vieux vaisseaux de guerre. (Il se tourna vers moi.) Où donc l'Appareil s'est-il procuré ces reliques ? A la casse ?

- Nous ne sommes pas la Flotte, parvins-je à répliquer.

- Ça, ça ne fait aucun doute ! Bon, il va falloir que je réfléchisse rapidement à la question.

Est-ce que ça ne serait pas mieux si tu réfléchissais sur la terre ferme ? suppliai-je en silence. Le crochet se balançait toujours, mais Heller semblait bien décidé à rester suspendu dans les airs. J'étais à bout. Malgré les consignes de sécurité, je dis :

- Nous sommes censés embarquer à bord d'un transporteur.

- Oh, non ! Non, non, non. Ça nous prendrait six semaines et plus. Et je ne vois ici aucun vaisseau qui conviendrait à la mission. Il va falloir que je vous fasse changer d'idée.

C'est déjà fait, songeai-je. Je suis prêt à accepter n'importe quelle suggestion, mais, pour l'amour des Dieux, ramène-moi en bas. Mais il était toujours plongé dans ses réflexions.

- Tout ça n'est qu'un amas de ferraille, dit-il enfin. Ça ne fera jamais l'affaire. Et il n'est pas question de voyager dans un transporteur. Je suppose que vous êtes d'accord pour que nous ayons un vaisseau correct pour cette mission.

Ma main était tellement moite qu'elle glissait dans le gant. Quant à l'autre, elle avait déjà perdu prise ! Je criai :

- Oui, oui ! Nous avons besoin d'un vaisseau correct ! Je suis d'accooooord !

Il se retourna et agita la main à l'adresse du grutier, paume vers le sol.

Nous piquâmes brutalement vers le sol, comme deux sacs remplis de plomb ! Les câbles hurlèrent. Nous redescendîmes les cent cinquante mètres si vite que mon pied glissa du crochet.

Le crochet d'acier claqua sur le sol du hangar. Heller avait sauté juste avant qu'il ne s'abatte sur le ciment et se tenait immobile, la décontraction même. Je titubai et m'assis par terre, incapable de bouger les jambes.

Heller ne parut pas s'en apercevoir. Il explorait le hangar du regard. Ses yeux s'arrêtèrent sur un immense espace vide et il s'exclama :

- Aha !

Puis il cria de la même voix sonore et aiguë en direction de la cabine du grutier :

- Merci ! Bon travail !
Le grutier agita la main en réponse.
- Venez, me dit Heller en partant au pas de course.
Où allions-nous maintenant, par tous les Enfers ? Je le regardai courir. Qu'est-ce qu'il tramait ? Désespérément, j'essayai d'imaginer un moyen de reprendre le contrôle de la situation. Je sentais que le couperet était juste au-dessus de ma tête, prêt à tomber. Mon prisonnier se promenait à droite et à gauche comme une star, sans un seul garde pour le surveiller. Il pouvait aller où bon lui semblait !... Mais il ne me vint pas la moindre idée. Je n'arrivais même pas à deviner ce qu'il pouvait bien avoir en tête. Si jamais Lombar avait vent de tout ceci...
Impuissant, désespéré, je suivis Heller en direction de l'aircar.

3

Nous redécollâmes. Il était tôt et la circulation entre les cités n'était pas encore dense. Le soleil était très bas sur l'horizon et les ombres s'étiraient sur le sol comme de longs doigts noirs. Je n'avais pas la moindre idée de notre destination.
- Ce truc a suffisamment de carburant ? demanda Heller à mon chauffeur.
- Il peut aller n'importe où sauf au Club des Officiers, répondit l'autre.
Je me retournai vers lui et secouai la tête. Heller ne devait pas connaître cet incident. En tout cas, une chose était sûre : il brisait la discipline autour de lui. Mon chauffeur avait ouvert une boîte d'eau pétillante et la sirotait tout en admirant le panorama.
- Rendez-moi mon gant, dit Heller.
Je le lui tendis. Il allait le glisser dans sa poche quand il s'aperçut que le poignet était humide.
Nous étions à environ six mille mètres d'altitude et nous volions à huit cents à l'heure. Il y avait un peu de circulation - même à cette hauteur. Heller ôta sa main du levier et se mit à piloter avec le genou ! Il roula l'ouverture du gant, souffla dedans pour le retourner, prit son chiffon rouge d'ingénieur et entreprit de le sécher et de le nettoyer.
- On dirait que vous vous êtes senti plutôt nerveux là-haut sur le crochet, dit-il d'un ton consolateur. J'oublie toujours qu'il y a certaines choses auxquelles vous n'êtes peut-être pas habitué.
Il retourna le gant à l'endroit et le glissa dans sa poche avec le chiffon.
- Vous n'avez aucune inquiétude à avoir, Soltan. Nous allons trouver quelque chose de bien et de sûr pour cette mission.
Déclaration qui n'avait rien de rassurant, venant de quelqu'un qui pilotait avec un genou et un orteil et qui, tout en étant parfaitement calme, je l'admets, ne prêtait pas la plus petite attention au trafic. L'aircar, poussé à une vitesse pour laquelle il n'était pas conçu, semblait prêt à éclater !
Nous étions au nord de la base principale de la Flotte. Un vaste plateau isolé défilait au-dessous de nous. Le véhicule était tellement secoué que je n'arrivais pas à voir nettement.

- Nous y sommes, annonça Heller en faisant ce qui, dans n'importe quel manuel, aurait été considéré comme un atterrissage en catastrophe.

Le nuage de poussière retomba. Nous nous trouvions devant un bâtiment administratif peu élevé, décoré d'antiques canons-éclateurs. L'endroit était très paisible. Apparemment, il n'y avait personne alentour. Derrière le bâtiment, je distinguai une haute clôture qui semblait s'étendre jusqu'à l'horizon et sur laquelle un vaste panneau proclamait :

Réserve de Secours de la Flotte

Heller sauta à terre et je le suivis jusqu'en haut de l'escalier d'accès. Le hall était vide, avec de nombreux bureaux désertés, des tableaux d'affichage vides et des échos nombreux.

Heller savait apparemment où il allait. Il courut jusqu'à l'extrémité du hall et, sans même frapper, pénétra en trombe dans une pièce pareille à un tombeau.

Un vieil officier grisonnant était installé dans un fauteuil gravifique, penché sur des listes, une chope de s'coueur chaud dans la main gauche. Sur le bureau, un écriteau éteint annonçait :

Commandant Crup

L'officier leva la tête avec une expression ombrageuse, qui se changea aussitôt en un sourire ravi.

- Jettero ! s'exclama-t-il en bondissant sur ses pieds.

Ils entrèrent en collision comme deux astronefs, se martelant mutuellement le dos, riant aux éclats. Le commandant recula d'un pas.

- Laisse-moi te regarder ! Ça fait un an que je t'ai pas vu !

Soudain, il s'aperçut de ma présence et il fronça les sourcils.

- Un « ivrogne » !

Mais comment faisaient-ils donc pour savoir ?

Heller sortit ses ordres : ceux du Grand Conseil et les siens. Il les tendit au commandant qui me fixait toujours d'un regard dur.

- C'est un brave garçon, dit Heller. Commandant Crup, je vous présente l'officier Gris.

Mais Crup ne me tendit pas la main. Il lut simplement les ordres et parut se détendre quelque peu.

- Eh bien, Jet, qu'est-ce que je peux faire pour toi ?

- Je suis venu faire un peu de shopping, commandant. Est-ce que je peux avoir la permission de survoler les lieux ?

- Mieux que ça, dit Crup. Je vais t'accompagner.

Il prit sa casquette ainsi qu'une mallette pleine de documents et nous sortîmes.

L'endroit, qui avait été si désert un instant auparavant, commençait tout doucement à se peupler. Six marines de la Flotte, du genre pas commode, entouraient l'aircar, la main sur leurs dagues électriques. Mon chauffeur était toujours assis à l'arrière, un peu pâle, l'air inquiet.

- Tout va bien, sergent, dit Crup. C'est Jettero Heller.

Le plus grand des marines se détendit avec un large sourire. Il salua nonchalamment, à la façon des marines, d'un seul bras.

- Qu'est-ce que vous faites en compagnie d'un « ivrogne » ?

Je retins mon souffle.

Si Heller racontait à ces brutes qu'il avait été retenu prisonnier et que, en fait, il était toujours sous bonne garde, j'étais certain d'être massacré, et mon chauffeur avec.

- Je suis ici sous une identité d'emprunt, dit Heller, imperturbable.

Je ne sais pourquoi, mais ils trouvèrent cela très drôle.

- Sergent, dit Crup tandis que nous nous installions sur le siège avant, appelez le périmètre de défense et dites-leur que cet aircar a l'autorisation de survoler la zone.

Heller décolla, passa au-dessus de la clôture et, lentement, à basse altitude, il entama son parcours. J'avais déjà vu cet endroit à haute altitude et je m'étais souvent demandé ce que ça pouvait être. Sur quelque cent kilomètres carrés, des milliers et des milliers de vaisseaux à la coque noire étaient alignés, reposant sur leur queue. Les ombres longues du matin donnaient l'impression qu'ils étaient encore plus nombreux. Il y en avait des hauts, des trapus, des massifs, des élancés. Quel étalage !

Je ne perdis pas de temps pour détruire le peu de crédit que le commandant Crup avait bien voulu m'accorder.

- La Réserve de Secours de la Flotte, ricanai-je. On dirait plutôt un cimetière d'astronefs !

Crup me foudroya du regard. Tout d'abord, il parut ne pas vouloir répondre, et puis l'orgueil l'emporta.

- Ces vaisseaux ne sont pas des épaves ! Ils sont en état d'« activité suspendue » ! Quand des vaisseaux sont encore en bon état, mais plus assez modernes, on les met dans la Réserve de Secours de la Flotte !

- Mais je ne vois personne, pas d'équipage, rien.

- Pour ces bâtiments, nous disposons de suffisamment d'officiers de réserve et d'hommes à la retraite. Et croyez-moi, en cas d'alerte planétaire, la Flotte serait heureuse de les avoir !

Heller intervint pour changer de sujet.

- Eh, voilà le vieux *Juba !* Je ne savais pas qu'on avait retiré les « Cinq mille » du service !

Je regardai dans la direction qu'il indiquait. Je vis un colosse noir, couvert de poussière. Il pouvait contenir cinq mille spatiaux, d'où son surnom. Il ressemblait à un bâtiment administratif de la Cité du Commerce. Mais je n'eus pas le temps de l'admirer : Heller le survola en rase-mottes et le ventre de notre appareil frôla les antennes du gigantesque vaisseau.

C'était incroyable tous ces vaisseaux alignés là, rangée après rangée, à perte de vue. Tandis que nous les survolions, Heller les examinait, l'un après l'autre. J'aurais préféré qu'il accorde plus d'attention au pilotage.

- Si tu me disais ce que tu cherches, fit Crup, je pourrais peut-être t'aider. C'est pour quel genre de mission ?

Je crus pendant une seconde qu'Heller, avec ses énormes lacunes en espionnage, allait tout déballer. Mais il se contenta de dire :

- Assez particulière. Je vais continuer de regarder.

Nous avions atteint le périmètre extérieur.

- Soltan, vous voyez cette merveille, là-bas, dans le coin ?

Un monstre monstrueux. C'était un amas de cubes qui semblaient avoir été entassés les uns sur les autres au hasard. L'ensemble avait la hauteur d'une montagne. Le vaisseau le plus informe que j'eusse jamais vu.

- C'est le *Monte-en-l'Air,* dit Heller. Vous avez sous les yeux le dernier des tout premiers vaisseaux de guerre intergalactiques. C'était un vaisseau d'immigration qui faisait partie des forces d'invasion qui ont attaqué Voltar.

Il a cent vingt-cinq mille ans. Il a dû s'enfoncer d'au moins dix mètres dans le sol, depuis le temps.
Sarcastique, je répliquai :
- Je croyais que tous ces vaisseaux étaient opérationnels.
Crup me regarda avec dédain et dit d'un ton cassant :
- Celui-ci est équipé des propulseurs temporels d'origine qui ont permis les transmigrations intergalactiques. Les cadets de l'Académie qui étudient les moteurs viennent ici pour le visiter.
- Ce n'était pas ma matière forte, avouai-je, penaud.
Je me souvenais maintenant de ces visites. J'avais régulièrement été privé de sortie à chacune de ces occasions.
Un cri d'Heller m'arracha brusquement à mes réflexions moroses.
- Là ! C'est lui ! Oui, c'est bien lui ! Oh, qu'il est beau !
- Quoi ? fit Crup. Où ça ?
- Mais là, là ! insista Heller en pointant l'index.
Il plongea vers le sol et posa l'aircar.
- Oh, non ! s'écria le commandant Crup. Jettero ! Je t'aime bien, mon garçon, mais tu ne peux pas vouloir *ça !*
Je finis par admettre qu'ils regardaient bien ce que nous regardions tous.
C'était une espèce de pygmée au milieu de tous ces mastodontes. La chose la plus laide, la plus poussiéreuse que j'eusse jamais vue. L'engin était posé sur sa queue. Il ressemblait à une vieille femme sans tête, bras tendus de part et d'autre, et dont la robe noire tombait jusqu'au sol. Il ne devait pas dépasser trente-cinq mètres de hauteur et il était incroyablement rebondi. Autour de lui, je ne voyais que des engins de patrouille et des croiseurs à la ligne gracieuse et svelte. N'importe lequel d'entre eux était préférable à cette abominable petite boursouflure.
Heller avait sauté à terre et lui caressait les flancs, au comble de l'extase.
- Oh, mon bébé ! Ma petite merveille !
Frénétiquement, il fit signe à Crup d'apporter les clés afin d'ouvrir le sas d'accès.
Le commandant secouait tristement la tête.
J'arrivai à la hauteur d'Heller et contemplai l'épave avec consternation.
- C'est quoi ? demandai-je.
- Comment, vous ne savez pas ? Mais c'est le *Remorqueur 1,* voyons ! Le bâtiment amiral de la Section Remorquage !
Il vibrait comme un gamin qui vient de recevoir le cadeau dont il rêvait depuis toujours. Il dut lire mes sentiments sur mon visage, car il ajouta :
- Soltan, il n'y a que des moteurs là-dedans ! Rien d'autre que des moteurs ! Et, comme pour n'importe quel remorqueur, ces moteurs sont plus gros encore que ceux des plus gros vaisseaux de guerre. C'est l'engin le plus rapide de l'univers !
Ah, nous y voilà, songeai-je. La vitesse. Maintenant je connais ta faille, champion. *C'est la vitesse.*
Il pensait toujours que je n'avais rien compris.
- Soltan, vous connaissez ces moteurs qui équipent les locomotives sur les autoroutes, celles qui peuvent traîner une demi-douzaine de remorques ? Eh bien, si vous détachez la locomotive et que vous la conduisez sans aucune remorque derrière, vous aurez le véhicule à roues le plus rapide qui soit. Pour un remorqueur spatial, c'est la même chose ! Il n'est fait que de moteurs d'astronefs avec une coque pour protéger le tout. Vite ! Ouvrez le sas, commandant ! Il faut qu'il voie !

- Jet, dit Crup, je crois qu'il y a dans ce secteur un garde que tu connais bien.

Il sortit un petit tableau de contrôle et appuya sur divers boutons pour donner notre position. Puis il trouva une échelle et grimpa vers la porte du vaisseau.

De la poussière ! De la poussière partout ! Et l'obscurité. Mais déjà Heller avait gravi l'échelle, m'entraînant de force derrière lui. D'abord, il descendit. Je distinguai confusément une cabine de vastes dimensions, d'innombrables rampes, des boutons de contrôle par centaines. Tout était recouvert d'une croûte de crasse noirâtre à l'aspect affreux. Plus loin, il y avait d'autres cabines. Nous avons escaladé les échelles qui deviennent des coursives une fois que le vaisseau est à l'horizontale. De la poussière, encore de la poussière ! Nous avons enfin pris pied sur une passerelle encombrée de panneaux de commande, tous couverts de crasse.

Heller avait sorti une lampe de poche. Pas trop tôt !

Apparemment, il n'y avait plus d'électricité à bord. Il ouvrit une porte et nous pénétrâmes dans une petite salle des machines regorgeant de moteurs.

- La propulsion auxiliaire, expliqua Heller. On se sert de ces moteurs pour les manœuvres dans l'atmosphère et à vitesse infra-luminique. (Rapidement, il vérifiait les panneaux et les boîtiers de contrôle.) Tout cela me semble en ordre.

Nous descendîmes à nouveau et il ouvrit une porte qui accédait à un second compartiment de machines. Il promena autour de lui le faisceau de sa lampe. Je découvris alors des moteurs monstrueux. En fait, je n'avais jamais rien vu de semblable. Ces éléments de propulsion étaient utilisés d'ordinaire sur des vaisseaux de guerre, mais c'est tout ce que je savais.

Heller semblait de plus en plus joyeux. Il dévala une coursive et ouvrit une porte au fond de la salle des machines. Je vis de grands cylindres de métal à l'aspect étrange.

- Ce sont les générateurs de rayons tracteurs ! lança Heller. Ils comptent parmi les plus puissants jamais construits ! C'est avec ça que le remorqueur s'amarre sur les choses et qu'il les tire !

Il sortit par une porte latérale et darda de nouveau le faisceau de sa lampe sur la cabine principale. Tout était tellement enduit de noir que je ne distinguais rien de précis. Ce vaisseau n'était qu'un horrible tas de crasse !

Nous ressortîmes. Un vieux, un très vieux spatial descendait d'un trimobile dans un bruit de grincements. C'était le garde que Crup avait appelé. En voyant Heller sauter de l'échelle, il le fixa longuement avant de s'exclamer :

- Par tous les Dieux !

Ils volèrent l'un vers l'autre et se bourrèrent affectueusement de coups de poing.

- Atty ! s'écria Jettero.

Le vieil homme - qui devait avoir au moins cent soixante-dix ans - s'écarta en essuyant une larme du dos de la main.

- Jet, mon garçon... Ça me fait tellement plaisir de te savoir encore en vie !

Heller me présenta et le vieux garde dit :

- J'étais le mécano en chef quand Jet a battu son record de vitesse à l'Académie.

- Jet veut prendre le *Remorqueur 1,* annonça Crup.

Le vieil Atty se roidit.

- Jettero Heller, tu sais aussi bien que moi qu'il a été remisé ici pour pourrir lentement.
- Je sais que j'ai piloté avec succès son frère jumeau. Et que c'était un vaisseau parfait ! protesta Heller.
- Ah, oui, bien sûr, la vitesse, fit Atty tristement. Jet, est-ce que tu sais pourquoi le vieux *Remorqueur 1* est ici ?
- Il n'y est pas depuis plus de trois ans.
- Deux, rectifia Crup.
- J'ai été à bord du *Remorqueur 1* il y a trois ans et demi. Après que l'amiral Wince en a fait son vaisseau amiral.
- Ah, oui, dit Crup. Il l'avait entièrement retapé. (Il se pencha sur une feuille.) Il a dépensé deux millions de crédits pour le faire spécialement réaménager. Je me rappelle l'avoir entendu dire que tous les autres amiraux de la Flotte avaient un vaisseau amiral de plaisance et qu'il ne voyait pas pourquoi il n'en aurait pas un lui aussi. Evidemment, il ne s'en est jamais beaucoup servi. Il ne m'écoutait pas plus que tu ne m'écoutes en ce moment.
Mes cheveux commençaient à se dresser sur ma nuque. Heller affichait une expression entêtée. Dans quelle histoire allait-il nous fourrer ?
- Qu'est-ce qu'il a de spécial, ce vaisseau ? demandai-je.
- Il est dangereux, répondit Crup.
Atty se tourna vers moi.
- Il n'est pas équipé de moteurs à distorsion ordinaires, mais du système de propulsion Y avait-Y aura.
Je crus que c'était le nom du constructeur.
- Ce sont des moteurs *temporels,* ajouta Crup. Ils ont été prévus pour les voyages intergalactiques dont les distances sont énormes et pour fonctionner directement avec le temps. Quand vous utilisez ces moteurs à l'intérieur d'une galaxie sans une lourde charge, ils absorbent plus d'énergie qu'ils n'en peuvent dépenser. Ils sont parfaits pour un vaisseau de guerre avec tous ses moteurs auxiliaires pour consommer le surplus d'énergie, mais pas pour un remorqueur. Et Jet le sait très bien.
Je ne suis pas un expert dans le domaine des moteurs. Un jour, il faudra que quelqu'un m'explique tout ça. La seule chose que je retins fut que ce (bip) de remorqueur avait des moteurs qui étaient *dangereux !*
Mais mon moral tomba vraiment à zéro lorsque j'entendis Atty expliquer :
- Quand on a dit à l'amiral Wince que le frère jumeau du *Remorqueur 1* avait explosé avec tout son équipage, à pleine vitesse et sans remorque, il a aussitôt ordonné que celui-là soit remisé dans la Réserve de Secours. Et il y est depuis.
- Ce qui règle le problème, dis-je. Pas de *Remorqueur 1 !*
- Parfait, fit Heller. Remplissez les papiers. Je le prends !

4

Frénétiquement, j'essayai de penser à un moyen d'arrêter ce fou. Mais mon esprit semblait incapable de fonctionner. Ce refus qu'Heller m'avait lancé en pleine face m'avait ôté toute volonté. Il m'avait contredit si calmement et sa contestation de mon autorité avait été si absolue que j'avais l'impression qu'il venait de m'abattre d'un coup d'éclateur.

Je voulus chercher des arguments mais n'en trouvai aucun. Aussi, j'inspirai profondément et me préparai à hurler : « NON ! »

Il avait dû entendre mon inspiration car, avant que j'aie pu proférer le mot, il me dit :

- Soltan, vous savez aussi bien que moi que nous ne devons pas discuter des secrets de l'Appareil devant des personnes non autorisées.

C'était une menace ouverte, non voilée. Nous étions sur le territoire de la Flotte. Il était avec ses amis. Je me souvins alors avec un choc qu'il connaissait l'un des secrets les mieux gardés de l'Appareil : l'existence de Répulsos. Il ne savait sans doute rien d'autre, mais c'était suffisant ! J'avais le sentiment que quelque chose était en train de craquer en moi. J'avais *vraiment* perdu le contrôle des événements. Mais ça ne durera pas, Heller, me dis-je, ça ne durera pas. Quand nous serons sur le territoire de l'Appareil, et plus sûrement encore quand nous aurons quitté Voltar, méfie-toi : tu me paieras tout ça !

Je me tus donc.

Le commandant Crup et Atty murmuraient à l'écart. Ils n'avaient pas remarqué ce petit intermède entre Heller et moi.

Crup posa sur Heller un regard plein de tristesse.

- Jet, j'ai trop d'affection pour toi pour te laisser prendre ce vaisseau.

Instantanément, je retrouvai l'espoir.

- Jet, mon garçon, poursuivit le commandant en tapotant l'ordre du Grand Conseil, tu sais très bien que le *Remorqueur 1* voyagera à vide. N'importe quel autre vaisseau fera l'affaire pour cette mission. Le *Remorqueur 1* accumulera beaucoup plus d'énergie qu'il ne pourra en consommer. Et alors... BOUM ! Ça fera comme pour le *Remorqueur 2 !* Donc inutile de nous supplier. On te connaît.

Heller eut un sourire désarmant.

- Qu'est-ce que vous diriez si je vous annonçais que j'ai trouvé un moyen d'absorber l'excédent d'énergie ?

Mon espoir diminua.

- Tu veux dire, demanda Crup, que tu te chargerais de modifier ce vaisseau avant de partir ?

- Je promets de le modifier, dit Heller.

Attends, attends, attends ! criai-je tout au fond de moi. Ça va prendre du temps !

Crup regarda Atty et tous deux haussèrent les épaules.

- Il y a un autre hic, dit Crup.

Mon espoir remonta en flèche.

- D'ordinaire, poursuivit-il, mais cette fois en posant son regard sur moi, quand Jet veut un vaisseau, il lui suffit de signer et il décolle. Mais, dans le cas présent, c'est impossible.

J'attendais la suite avec impatience.

- Pour une raison ou une autre, continua-t-il en montrant l'ordre du Grand Conseil, cette mission relève de la Division Extérieure. Je ne comprends pas comment la Division Extérieure a réussi à se faire prêter un élément de la Flotte...

- Ils n'avaient probablement personne capable de piloter un astronef, railla le vieil Atty. Et certainement pas quelqu'un de la classe de Jet.

- Quoi qu'il en soit, reprit Crup, je ne peux transférer un vaisseau de la Réserve de Secours de la Flotte à la Division Extérieure, et encore moins aux « ivrognes ». Les Lords de la Flotte auraient ma peau.

J'étais sauvé ! Quel soulagement !

- Mais... ajouta Crup en sortant divers papiers.

Mon espoir replongea.

- ... nous avons coutume de vendre les bâtiments en surnombre à des sociétés spécialisées dans le commerce interplanétaire pacifique. Nous nous contentons de supprimer l'armement et les équipements top secret avant de procéder au transfert de propriété. Et le type de transaction auquel nous nous livrons avec des sociétés commerciales peut très bien s'appliquer à la Division Extérieure. Le *Remorqueur 1* n'a ni armement ni équipement secret, donc... (Il consulta une liste.) Le coût de construction de ce vaisseau a été d'environ quatre millions de crédits... Les frais de la réfection ordonnée par l'amiral Wince se sont élevés à deux millions... Ce qui nous donne un chiffre rond de six millions de crédits.

L'espoir revint. Nous ne disposions que d'une allocation de trois millions. Six, c'était bien au-delà de nos possibilités.

De l'index, le commandant parcourait une colonne de chiffres.

- Mais, bien entendu, le prix de revente ne peut être aussi élevé.

Une fois encore, je retins mon souffle. Je le suppliai en silence d'annoncer un chiffre supérieur à trois millions.

- Ah ! fit Crup. Voici une note concernant le *Remorqueur 1 :* « Etant donné que la Flotte a un excédent de deux mille remorqueurs du type ordinaire, et si l'acquéreur atteste sur les documents de vente de ne pas rendre la Flotte responsable de l'explosion éventuelle de ce vaisseau, le prix de revente a été fixé à un demi-million de crédits. »

Mon espoir s'écrasa avec tout son équipage.

- C'est d'accord, déclara Heller.

- Tu es certain que tu vas le modifier ? insista Crup.

- Absolument.

- Très bien.

Et le commandant se mit en devoir de griffonner les chiffres et les conditions sur le document fatal qui allait officialiser le transfert du *Remorqueur 1* à la Division Extérieure. Mais, juste avant de me demander mon identoplaque, il ajouta :

- Je ne crois pas que vous puissiez l'emmener aujourd'hui. Vous n'avez pas de mécano.

Dans les cendres mortes de mon espoir, il n'y eut pas le moindre frémissement de vie.

Le vieil Atty intervint :

- Mais il aura seulement besoin de quelqu'un pour s'occuper des moteurs auxiliaires. Ils sont très simples ! Commandant, si vous me donnez le reste de ma journée, je suis son homme ! (Il gloussa de rire.) A condition qu'il reste branché sur la propulsion planétaire et qu'il ne se serve pas des moteurs Y avait-Y aura, je veux bien lui servir de chef mécano ! Pour aujourd'hui seulement.

J'ai appris à dissimuler parfaitement mes émotions. Et j'étais certain que mon visage n'avait trahi aucune de mes réactions. Aussi, je ne compris pas pourquoi Atty se tourna vers moi et dit d'un ton sarcastique :

- J'ai une épouse, des enfants et même des petits-enfants et des arrière-petits-enfants. Mais je suis encore beaucoup trop jeune pour laisser ma peau dans une explosion de moteurs temporels !

C'était une remarque idiote, mais il semblait en tirer un amusement hors de proportion. Il s'éloigna précipitamment pour aller chercher des barres de carburant dans un vaisseau non loin de là.

Crup dut me secouer deux fois. Il me tendait les documents dûment remplis.

J'apposai mon identoplaque avec le sentiment de sceller ma propre sentence de mort.

Le *Remorqueur 1* devenait officiellement le vaisseau de la Mission Terre ! Et je ne pouvais rien faire contre. En tout cas, pas ici.

5

Heller avait regagné l'aircar. Il semblait que mon chauffeur eût festoyé généreusement sur les vivres à l'arrière. Il écoutait attentivement les instructions qu'Heller lui donnait. Que lui disait-il ? Quelque chose ne paraissait pas tout à fait clair à mon chauffeur, car Heller sortit un bloc-notes, écrivit rapidement quelques mots, arracha la page et la lui tendit. Je m'apprêtais à interrompre ce qui pouvait bien être une violation des règles de sécurité mais, avant que je les eusse rejoints, Heller lui avait donné un peu d'argent. Et, sans même m'en demander l'autorisation, mon chauffeur décolla. Tant pis, je le questionnerais plus tard - de très près.

Le commandant s'était installé sur le trimobile du vieil Atty. Heller retourna jusqu'à lui et ils se serrèrent la main. Je surpris les dernières paroles de Crup avant qu'ils ne se séparent :

- ... si tu sais ce que tu fais. Rappelle-toi que tu as promis de le modifier. Bon, eh bien, bonne chance, même si nous ne nous revoyons jamais.

J'eus un frisson. Crup s'éloigna sur le trimobile jusqu'à une distance prudente pour assister à notre départ.

Heller me poussa à bord un peu comme on ramène du bétail qui s'est éloigné du pâturage. Il me força à escalader l'échelle jusqu'au poste de pilotage. Il n'avait que sa lampe pour nous éclairer et l'intérieur ressemblait à de l'eau boueuse. Juste en dessous, j'entendais le vieil Atty qui jurait en donnant des coups de marteau dans la chambre des moteurs auxiliaires. Il semblait avoir quelques difficultés à les faire marcher.

Il y avait deux sièges dans la cabine de pilotage. Heller m'installa avec précaution tout au fond de l'un d'eux. Un geyser de flocons de poussière s'éleva tout autour de moi.

- Vous êtes dans le siège du navigateur interstellaire, mais nous n'allons pas rallier une autre étoile aujourd'hui. Moi, je vais m'asseoir ici, dans le siège de navigation locale. Nous n'avons pas le temps de déverrouiller les hublots et tous les écrans se trouvent devant l'autre siège. Mais ne vous inquiétez pas si vous ne voyez pas où nous allons.

Il bouclait déjà les ceintures autour de moi. La densité de poussière était atroce. Je me mis à tousser et tentai de me redresser, mais il me repoussa en arrière.

- Maintenant, écoutez bien. Ceci est un remorqueur. Question manœuvre, les remorqueurs sont les vaisseaux les plus rapides qu'on ait jamais construits. Surtout ne sortez pas votre tête de ses oreillettes, sinon vous risquez d'avoir le cou brisé. Un remorqueur, on peut le faire aller à gauche, à droite, en haut, en bas, en avant, en arrière, en une fraction de seconde. C'est obligatoire, parce qu'il doit pouvoir se mettre en position rapidement autour des bâtiments de guerre. Donc, *ne bougez pas la tête !* Même en auxiliaire, ces machins ont une accélération terrible. Compris ?

Tout ce que je comprenais, c'est que la poussière me suffoquait.

Pourquoi avait-il pris toutes ces précautions pour me coller dans ce siège ? Lui-même avait juste posé une fesse sur l'accoudoir du siège de pilotage local.

Atty continuait de cogner dans la chambre des moteurs auxiliaires. Il cria :

- Tu as du jus ?

Heller leva le doigt et le promena sur une longue rangée de touches, comme un musicien qui essaie son clavier.

- J'ai tout branché. Pas de lumières !

De nouveaux jurons montèrent de la chambre des machines. Puis :

- (Bip) de (bip) ! Jet, il va falloir qu'on branche le circuit de secours !

Une faible clarté apparut. Les flocons de poussière qui voletaient dans la cabine lui donnaient l'aspect d'une soupe verdâtre.

- J'ai mis ces (bips) de barres en place ! cria Atty. (Il y eut encore deux coups violents.) Je crois que les leviers vont fonctionner maintenant. Attends que je descende là-dedans pour les atteindre.

Suivit une longue quinte de toux : ça devait être aussi poussiéreux qu'ici, en bas !

- Voyons voir, dit Heller. Ça fait plus de trois ans que je n'ai pas touché à un panneau de commande de remorqueur.

Toujours perché sur le siège, il examinait les boutons. Il y en avait au moins deux mille.

- Paré, Atty ? lança-t-il.

- Paré.

- Envoyez-moi le jus et le contrôle local !

Atty lança les moteurs et tout le remorqueur vibra.

Heller promena un regard pensif sur les voyants.

- Hé ! Les écrans s'allument. Qu'est-ce que vous dites de ça ?

Il appuya sur une touche.

Mes cheveux se dressèrent sur ma tête. Je venais de déduire de ses paroles qu'il avait eu l'intention de piloter ce truc à l'aveuglette !

Mais, à mon grand soulagement, le *Remorqueur 1* s'éleva doucement dans le ciel. Je sentis la main d'Heller dans la poche de ma tunique : il cherchait mon identoplaque. Il demanda l'autorisation de pénétrer dans le périmètre de la base de l'Appareil, transmit les coordonnées de mon identoplaque et la reglissa dans ma poche.

J'aurais dû savoir qu'il préparait quelque chose mais, franchement, j'étais trop effrayé par ce remorqueur et, de plus, je n'arrêtais pas de tousser à cause de la poussière. Plus tard, je pris conscience qu'il aurait facilement pu rallier une base de la Flotte, me faire mettre aux arrêts et déballer tout ce qu'il avait appris sur l'Appareil. Mais ce ne fut que quelques heures plus tard, ce même jour, que je compris qu'Heller avait ses propres plans.

Le système de communication du remorqueur fonctionnait et Heller eut une discussion orageuse avec le hangar de l'Appareil à propos d'une plate-forme qu'il fallait mettre en place pour nous réceptionner. Une fois encore, il eut recours à mon identoplaque.

Nous ralliâmes la base si vite qu'il fut obligé de plafonner quelques minutes jusqu'à ce que la plate-forme soit en position. Puis, je sentis le vaisseau tomber à la verticale. Nous avions dû être très haut, car j'éprouvai un début de nausée. Les flocons de poussière se mirent à monter autour de nous. Je commençais à étouffer. Je me dis : attends un peu, dès que nous serons sur le territoire de l'Appareil, tu vas m'entendre, Jettero Heller. Je n'avais pas plus tôt émis cette pensée que ma nausée redoubla. Je crus que j'allais vomir.

Nous nous posâmes !

Heller déboucla mes ceintures. Il descendit l'échelle et sortit. Lentement, douloureusement, je le suivis et émergeai dans le soleil du matin. Nous étions de retour sur la base de l'Appareil. Le *Remorqueur 1* se dressait sur la plate-forme mobile dans toute sa sinistre laideur.

Heller parlait avec le contrôleur des atterrissages qui agita les drapeaux de signalisation. La plate-forme roula lentement en direction du hangar. Le poids du *Remorqueur 1* était tel qu'elle ployait dangereusement.

Je continuais d'éternuer et de tousser tout en m'efforçant de ne pas vomir. Pendant un moment, je ne fis pas attention à ce qui se passait. Appuyé contre la fenêtre du bureau du hangar, j'essayais de reprendre mes esprits. Je me dis tristement que si c'était là un exemple des possibilités du *Remorqueur 1*, comment Diables allions-nous gagner la Terre ? Vivants, je veux dire !

Heller était déchaîné ! On aurait pu croire qu'il venait de prendre possession de quelque château féodal. Il fit placer la plate-forme mobile sous la grue et demanda au grutier de placer le crochet de levage dans les gros anneaux d'acier, sur le dos de la coque. Sous sa supervision attentive, le vaisseau fut alors enlevé dans les airs. Cette grue était sacrément puissante !

On ressortit la plate-forme et Heller montra aux hommes comment disposer les cales pour former un berceau. La grue pivota et déposa le *Remorqueur 1* sur le ventre, entre les cales. Il était maintenant en position de vol, à l'horizontale, comme cela se faisait couramment. Le grutier dégagea le crochet.

Le chef du hangar s'approcha d'Heller. Comme tous ceux de l'Appareil, il n'avait rien d'amène - son visage était couvert de cicatrices et de cloques.

- Vous prenez une des meilleures places du hangar, dit-il.

- Je veux une équipe de nettoyage, ordonna Heller. Une très grosse équipe, tous les hommes dont vous disposez.

- Une quoi ? éructa le chef du hangar.

Croyez-moi sur parole : la dernière chose dont devait disposer l'Appareil, c'était d'une équipe de nettoyage.

- Je veux que ça soit fini aujourd'hui, en milieu d'après-midi, ajouta Heller.

L'autre parut sur le point de cogner. Il était évident qu'il pensait : « Qui c'est, cet oiseau dans sa tenue de sport qui me donne des ordres ?... A moi ! Dans mon propre hangar ! »

- C'est quoi votre nom, déjà ? demanda Heller.

- Stipe ! gronda l'autre. Et je...

Heller lui tendit la main.

L'autre la prit, avec l'intention, probablement, de lui faire une prise au bras. Mais il se figea brusquement. Et, quand il lâcha la main d'Heller, j'entrevis un éclat doré. De l'argent !

Sur le visage de Stipe apparut une expression des plus étranges. Il regarda dans sa paume pour lire le chiffre sur le billet. Il releva la tête. Jamais je n'avais vu quelqu'un d'aussi rayonnant !

- Il va falloir de l'eau, des tuyaux d'arrosage, des aspirateurs, déclara-t-il. Une équipe de nettoyage, vous avez dit ? Eh bien, mon gars, on n'en a encore jamais eu, mais on va vous en rassembler une !

Et il s'éclipsa en vociférant des ordres à l'intention des contremaîtres et des ouvriers.

Mon chauffeur arriva en vacillant sous le poids de cartons et de bidons.

- Et voilà, officier Heller. Le nécessaire de nettoyage de la Flotte. Je vais aller chercher les chiffons.

Il déposa son fardeau et partit en courant vers l'aircar.

Le vieil Atty, à l'écart, observait avec curiosité cette soudaine agitation qui ne ressemblait guère à l'Appareil. Il s'approcha d'Heller, qui le remercia et le serra dans ses bras.

Puis le vieux spatial vint vers moi.

- J'ai comme dans l'idée que vous allez partir loin avec Jet. Il y a quelque chose qu'il faut que vous sachiez. Jet est un gentil garçon. Tout le monde l'aime. Mais il est complètement fou. Fou de vitesse. Pour lui, c'est aussi nécessaire que de manger ou de boire. Je pense à lui de temps en temps - parce qu'un garde n'a pas grand-chose à faire - et ce dont je me souviens me fait souvent sourire mais, en même temps, cela ravive mes inquiétudes. Je deviens vieux. J'ai comme le sentiment que je ne reverrai pas Jet vivant. Ce *Remorqueur 1* est un engin de mort.

Il me fixa de ses grands yeux humides et appuya chacun de ses mots d'un regard pénétrant.

- Il vous faudra le contenir. Il vous faudra l'obliger à retenir un peu le levier de vitesse. Et vous devrez veiller à ce que le *Remorqueur 1* ne le tue pas. Parce que, officier Gris - oui, j'ai vu votre nom sur les documents et je sais aussi que vous êtes un « ivrogne » -, si jamais quelque chose arrivait à Jettero Heller, quelque chose dont vous soyez responsable, il y en aurait pas mal d'entre nous qui sauraient vous retrouver pour vous faire la peau, officier Gris.

C'était tellement illogique ! Tellement injuste ! C'était *moi* qui avais essayé d'empêcher Heller de prendre ce vaisseau ! Le vieux radotait peut-être et il perdait sans doute un peu l'esprit, mais on ne pouvait se tromper sur la menace qu'il y avait eue dans sa voix. Est-ce que son intuition lui avait soufflé que j'étais l'ennemi d'Heller ?

En toute hâte, je mis Atty dans un aircar et dis à un chauffeur de le ramener à la Réserve de Secours de la Flotte. J'espérais avec ferveur que jamais il ne découvrirait ou ne devinerait ce qui attendait Heller. Je les regardai partir.

J'étais à nouveau malade.

6

J'aurais dû me montrer plus soupçonneux. Ma seule excuse est que j'étais un peu troublé et déconcerté par les événements du début de la matinée. Je me souviens d'avoir regardé ma montre et de m'être étonné de voir qu'il était encore si tôt.

Mais Heller, lui, n'était pas dans le cirage. Chacune de ses actions était rapide, déterminée. Il contrôlait tout et encourageait les hommes à travailler plus vite.

A un moment, il se rendit auprès du capitaine de la garde de sécurité du hangar. Ils échangèrent une poignée de main avec argent à la clé et je lus sur le visage du capitaine la même expression de respect que j'avais observée chez Stipe.

- Oui, *monsieur !* s'exclama-t-il en glissant une liasse de papier doré dans sa tunique. Je vais poster des gardes et m'assurer que rien ne sera dérobé dans ce vaisseau. C'est comme si c'était fait, monsieur !

Et il partit en courant mettre les gardes en place.

Une foule bigarrée de mécaniciens et d'ouvriers en tout genre avait été rassemblée par le chef du hangar. A l'évidence, ils allaient tenir lieu d'équipes de nettoyage.

Mon chauffeur, à côté d'une pile de bidons et de cartons, distribuait des chiffons et autre matériel de nettoyage à la ronde. Les hommes commencèrent à s'engouffrer dans le vaisseau.

Avec l'aide d'un mécanicien, Heller faisait passer des buses d'aspirateurs par les sas et les hublots. Une autre équipe installait les branchements d'eau, le tout-à-l'égout et les câbles d'alimentation électrique dont le vaisseau aurait besoin tant qu'il demeurerait au sol.

Il y avait tant de monde qui s'agitait dans tous les sens que la tête me tournait.

Pour couronner le tout, un énorme camion pénétra en grondant dans le hangar. Mon chauffeur courut vers lui et parla brièvement avec le conducteur. Plusieurs hommes en descendirent l'instant d'après et commencèrent à le décharger.

Un camion de livraison ? Je lus l'inscription en lettres énormes :

BUVEZ DU TUP !
C'EST STUP' !

Du tup ! C'était cette boisson fermentée, peu alcoolisée, qui passait pour être la grande folie des travailleurs.

Les hommes du camion se procurèrent une longue plaque de blindage de coque, la placèrent sur des supports, dressant une sorte de bar improvisé. Puis ils déchargèrent des caisses de tup en boîte qu'ils alignèrent sur la plaque. Cette compagnie de tup, je l'avais lu dans les publicités, fournissait « tout ce qu'il faut pour un pique-nique réussi ». Et, justement, ils sortaient maintenant des stands portables dépliants, décorés de fanions aux couleurs criardes, qu'ils disposèrent tout autour du bar avant de remonter dans le camion qui repartit en rugissant.

Heller émit un sifflement perçant, comme on le fait sur les vaisseaux de guerre. Toute activité cessa brusquement à l'intérieur du *Remorqueur 1* et dans le hangar. De sa voix perçante et aiguë d'officier de la Flotte, il cria :

- Votre attention à tous, s'il vous plaît. Si ce vaisseau est parfaitement propre à quatre heures de l'après-midi - et je vérifierai personnellement avec un gant blanc - tup pour tout le monde !

Des têtes apparurent aux hublots, l'air incrédule. Dans le hangar, des hommes se retournèrent, stupéfaits. Ils aperçurent le bar, avec les fanions qui flottaient et les caisses de tup.

Une clameur d'enthousiasme monta brusquement de toutes parts. Et, si auparavant tout le monde s'était activé, à présent c'était la frénésie ! Jamais rien de tel ne s'était produit dans ce hangar !

La voix du chef s'éleva derrière moi et je me retournai brusquement, m'attendant presque à une attaque. Ce n'était pas moi qu'il regardait, mais Heller. Et il y avait de l'admiration dans son regard.

- Qui c'est, ce gars ? demanda-t-il. Je sais que c'est un officier royal. Mais j'ai comme l'idée que je l'ai déjà vu avant.

Je n'étais pas vraiment moi-même ce jour-là et, sans réfléchir, je répondis :

- Jettero Heller.

- Non, c'est pas vrai ! s'exclama le vieux chef de hangar. Jettero Heller, le fameux coureur ? Ouaaah ! Quand ma femme et mes gosses apprendront que j'ai rencontré Jettero Heller en chair et en os !...

Oh, mes Dieux ! S'il arrivait aux oreilles du Grand Conseil que nous n'avions toujours pas quitté Voltar... J'avais envie de l'empoigner par sa tunique, de l'attirer tout contre moi et de l'invectiver. Mais il était trop costaud. Et je me contentai de dire :

- Il accomplit une mission absolument secrète. Sous aucun prétexte, on ne doit savoir qu'il est ici !

Je voyais déjà les inspecteurs de la Couronne se répandant partout afin de découvrir pourquoi nous étions encore ici et pas sur Terre !

- Vous allez oublier son nom ! ajoutai-je. C'est un ordre !

Vu l'attention qu'il m'accordait, j'aurais aussi bien pu m'adresser au Grand Désert. Il avait toujours les yeux rivés sur Heller.

- C'est vraiment un type formidable ! Si amical, si efficace !

Et c'est alors, et seulement alors, qu'il porta le regard sur moi. Il me toisa.

- Je souhaiterais qu'on en ait des comme lui dans l'Appareil ! dit-il.

Et il s'éloigna.

Ça ne fit rien pour me remonter le moral. Et en regardant le *Remorqueur 1,* je me sentis encore plus déprimé. Je me laissai tomber sur une vieille caisse de barres de carburant sans quitter le vaisseau des yeux. Tel qu'il était à présent, posé sur le ventre, on voyait que ses douze mètres de haut et ses dix-huit mètres de large étaient disproportionnés par rapport à ses trente-cinq mètres de long. Et les bras massifs qui pointaient de part et d'autre de l'avant avaient une apparence ridicule.

Non loin de moi, le conducteur de la plate-forme mobile se préparait à faire avancer son engin. Je lui demandai :

- Qu'est-ce que c'est que ces deux bras à l'avant ?

Il regarda le vaisseau.

- Ils font office de butoir. C'est un remorqueur spatial et il a la sale habitude de buter contre la coque des bâtiments de guerre et des astronefs à remorquer. Sans ces larges bras, le remorqueur défoncerait les coques des vaisseaux. Sa poupe a parfois la même fonction que les bras, vu sa largeur. Ces bras servent aussi à pousser et à déplacer les vaisseaux. Je n'avais jamais vu un remorqueur de cette catégorie. Il me semble plus puissant que les modèles ordinaires. Et ça, c'est pas rien, l'ami. Les moteurs auxiliaires de ces engins sont les mêmes que ceux qui équipent les vaisseaux de guerre de nos jours. Les Dieux seuls savent quelle peut être la puissance de celui-ci. En plus, il a un dispositif de rayons tracteurs. Il faut faire très attention avec les rayons tracteurs : une traction un peu trop brutale, et ça vous déchire le vaisseau remorqué en deux. Dans un remorqueur, il n'y a que des moteurs. Il y a quelques années, j'ai entendu dire qu'il y en avait un qui avait explosé. Pas un seul survivant. Epouvantable. Jamais je ne servirai à bord d'un remorqueur. A propos, qu'est-ce que ce machin fabrique ici ?

Ça, j'aurais bien aimé le savoir ! Mais il y avait une chose que je savais en tout cas : c'était le plus laid de tous les vaisseaux de l'espace qu'il m'eût été donné de voir.

Heller semblait avoir fini d'organiser le travail. Je le vis entrer dans les bureaux de l'administration du hangar, de l'autre côté. Malgré la distance, je vis qu'il consultait un carnet de notes tout en marchant. La peur déferla sur moi quand je réalisai qu'il se dirigeait vers la cabine de communication : il était sur le point de faire des appels personnels à l'extérieur ! Et avec son absence totale de sens de la sécurité, il pouvait nous faire plonger tous ! Je m'élançai à sa poursuite.

Il était là, impavide, sa casquette rouge de coureur rejetée en arrière sur ses cheveux blonds. Il consultait la liste toujours très longue des entrepreneurs que l'on trouve dans les bureaux de tous les hangars de la planète. Celle-ci était froissée et sale avec, tout autour, les petites cartes de visite que les entrepreneurs laissaient à titre de publicité. Il avait déjà la main tendue vers les leviers du balai de commutation pour appeler un numéro. Je lui pris le bras.

- Ce que vous faites est une infraction aux règles de sécurité, dis-je.

Il m'adressa un regard absent. Il avait encore l'esprit dans son carnet.

- Vous savez aussi bien que moi que tous ces entrepreneurs sont parfaitement dignes de confiance. Ils travaillent tous sur des installations top secret. Et ils savent parfaitement qu'à la moindre fuite on ne les réengagerait plus jamais.

Il libéra son bras et le tendit à nouveau vers les leviers.

Mais j'avais entr'aperçu la longue liste de noms qu'il avait préparée.

- Nous ne disposons que de trois millions de crédits, dis-je. Nous en avons déjà dépensé un demi-million pour ce remorqueur. Si nous dépassons notre budget...

- Cette liste représente moins d'un demi-million, me coupa-t-il.

Mais j'avais réussi à en lire un peu plus.

- Je ne vois aucune mention à propos de l'évacuation du surplus d'énergie qui provoque l'explosion des remorqueurs.

- Oh, ça... Je n'ai pas encore trouvé le moyen d'y remédier. Personne n'y est jamais arrivé, vous savez.

Une fois encore, il libéra sa main et composa un numéro. Il obtint aussitôt la communication.

- Allô, allô ? Alpy ? Salut, vieux. C'est moi, Jet... Oui, moi aussi je suis heureux de t'entendre. Comment va ton père ? Ecoute, j'ai le *Remorqueur 1 !*... Mais non, je ne plaisante pas. Il est superbe !... Ecoute,

Alpy, je voudrais que tu m'envoies une équipe de conception et d'estimation demain matin, au hangar de l'Appareil... Non, c'est juste un petit boulot sur les commandes... Moi aussi, je serai heureux de te revoir...

Il repoussa le levier.

Je tentai d'imaginer de nouvelles objections à lui jeter à la face. Heller consultait la liste apposée au mur. Il abaissa d'autres leviers.

- Allô... Je voudrais parler à Petalv... Enii ? C'est toi ?... Non, tu ne te trompes pas, c'est moi, Jet. Enii, est-ce que tu pourrais m'envoyer une équipe de conception et d'estimation au hangar numéro un de la base de l'Appareil ?... Demain matin... Ha, ha, ha ! Mais non, je ne suis pas tombé sur la tête. Je te rassure tout de suite : je ne me suis pas engagé dans l'Appareil... Non, je ne veux qu'une révision générale des machines... Bien. A demain.

Un autre appel, puis un autre, et un autre encore. Il les appelait tous par leur prénom, c'étaient tous de vieux copains. Des spécialistes en gyroscopes, des câbleurs, des techniciens antidétection, et ainsi de suite. Il épuisa presque toute la liste.

Finalement, entre deux appels, je n'y tins plus :

- Mais enfin, Heller ! Ces travaux vont prendre des mois !

- Des semaines. Malheureusement.

Le spectre de Lombar revint planer au-dessus de moi.

- Heller ! insistai-je, désespéré. Il faut que nous partions ! Il faut que nous accomplissions cette mission !

Il m'adressa un regard surpris.

- Je sais ! Vous vouliez prendre un transporteur. Il faut des semaines et des semaines à un transporteur pour rallier Blito-P3. En admettant que nous ayons embarqué aujourd'hui, nous serions arrivés *après* le *Remorqueur 1,* même si celui-ci ne décolle que dans quelques semaines. Bref, je nous fais gagner du temps !

En nous faisant sauter au beau milieu de l'espace, grinçai-je en moi-même. Oh, que j'aimerais te tordre le cou ! Mais, aussitôt, mon estomac se retourna et je fus trop malade pour demeurer plus longtemps dans le bureau.

Je m'éloignai et découvris un petit coin à l'écart de tout où je m'installai, morose.

Après un moment, cependant, l'ironie de toute cette histoire m'apparut. Heller était parfaitement à l'abri ici, près de ses amis. Le danger commencerait pour lui dès que nous aurions atteint la Terre. Mais je ne pouvais certainement pas lui dire *ça !* Il fallait absolument que je trouve un moyen, n'importe lequel, de nous faire quitter cette (bip) de planète. Et, comble de malheur, je ne comprenais toujours pas pourquoi le seul fait d'y songer me rendait à ce point malade.

Peut-être que c'était cet abominable remorqueur à la (bip) !

7

La journée passa rapidement. A quatre heures, Heller inspecta le vaisseau. Quand il ressortit, tous les regards étaient anxieusement fixés sur lui.

- Du très beau travail ! lança-t-il. Rien à redire ! Qu'on serve à boire !

Un cri d'enthousiasme s'éleva de deux cents bouches, faisant vibrer le hangar. Une foule excitée et joyeuse convergea vers le bar improvisé et les boîtes de tup commencèrent à claquer. Il y avait aussi des brioches, des chapeaux de fête et des serpentins. Durant deux heures, ce fut un concert assourdissant de cris, de chansons et de toasts portés à Heller, au *Remorqueur 1,* à n'importe qui et à n'importe quoi - à l'exception de l'Appareil.

Les gardes du hangar étaient restés à leurs postes mais on leur avait apporté du tup à eux aussi. Leur capitaine, qui vacillait légèrement, la bouche pleine de brioche, essaya de passer un bras autour de mes épaules.

- Ce Heller, c't'un gars fantastique !

Je me dégageai.

Heller n'était nulle part en vue. Quelques instants auparavant, je l'avais vu porter dans le vaisseau les bagages et les cartons de l'aircar, ainsi que quelques nouvelles caisses qui m'étaient inconnues. Il s'était fait aider de mon chauffeur. Donc, Heller devait se trouver dans le vaisseau en ce moment.

J'aperçus mon chauffeur - si je pouvais encore l'appeler comme ça, car c'était plutôt celui d'Heller maintenant. Il avait eu une journée chargée. Il avait bien dû faire une dizaine d'aller et retour entre le hangar et la ville. De plus, c'était lui qui avait servi le tup au début de la fiesta. Il semblait avoir fini, à présent. Il s'était procuré une boîte et la sirotait tranquillement. Il vint vers moi avec un sourire de satisfaction imbécile sur le visage.

- Vous avez des ordres pour moi ?

- Non, dis-je froidement.

- Alors, je vais aller faire un petit somme dans le vieil aircar.

A en juger par sa prononciation pâteuse, il ne devait pas en être à son premier tup. Heller avait le chic pour casser la discipline. Le chauffeur ne m'avait même pas demandé la permission de se retirer, pas plus qu'il ne m'avait salué. Quant à dire « officier Gris »...

Combien d'argent Heller avait-il dépensé pour cette journée ? Pas moins de trois cent cinquante crédits, ça c'était sûr. Son argent ? *Mon* argent, oui ! Et tout ça pour cet horrible tas de quincaillerie !

La petite fête se termina enfin. Les gens de l'Appareil se dispersèrent, souriants, l'air béat. Le crépuscule approchait. Au moins, songeai-je, c'est fini pour aujourd'hui. Comme je me trompais !

Soudain j'entendis des « Han, dé ! Han, dé ! » lancés en cadence. Des militaires ? Un instant je crus que c'étaient des marines qui arrivaient au pas de charge pour secourir Heller. Seuls les marines de la Flotte marchaient sur cette cadence.

Boum, clac ! Boum, clac ! Oui, des bottes militaires. Et Snelz surgit alors, par la porte du hangar, à la tête d'une moitié de son escouade, c'est-à-dire huit hommes. Sur le sol, leurs lourdes bottes de combat faisaient le bruit d'un régiment. L'écho était fracassant !

Je me souvins brusquement que Snelz était un ex-marine. Il brandissait son bâton d'officier - qui était en fait un éclateur - et il le faisait tourbillonner dans ses mains. L'image même du parfait instructeur militaire.

Quant à ses hommes... Bon sang, ils avaient des casques anti-émeute et ils étaient armés de fusils-éclateurs ! Le parfait exemple d'une troupe d'élite.

Seul le capitaine de la garde était demeuré à son poste, appuyé contre la coque du *Remorqueur 1,* une boîte de tup dans la main. Il se redressa, surpris. Sa surprise se changea en stupéfaction lorsqu'il vit qu'il avait affaire à des soldats de l'Appareil.

- 'ction, halte ! cria Snelz. 'posez... armes !

Avec la perfection et la précision légendaires des marines, ils firent tournoyer leurs fusils à l'unisson, les firent passer par-dessus le bras puis derrière le dos, les ramenèrent devant eux, avant de les poser, dans un claquement simultané, à côté de leur botte droite. Je n'avais pas vu ça depuis les défilés de marines à l'Académie.

- Repos !

Avec un accord parfait, les fusils-éclateurs jaillirent en avant et les bottes gauches se déplacèrent de cinquante centimètres sur la gauche avant de frapper le sol avec fracas.

Snelz s'adressa au capitaine qui le regardait avec des yeux ronds :

- Relève de la gaaaarde, CA-pitaine !

Et il salua martialement avec son bâton.

Je n'en revenais pas. Avais-je bien sous les yeux ces soudards et ces criminels crasseux du Camp des Macchabées ? Mais, malgré mon désarroi, j'étais quand même content de les voir. C'étaient eux qui allaient être de garde cette nuit. Ils seraient relevés à l'aube par l'autre demi-escouade. Et il en serait ainsi chaque jour. Ils avaient dû arriver ici par transporteur. Ouf, ça au moins, ça se déroulait bien. Heller serait surveillé de près. Mais je m'interrogeai quand même un peu à propos des casques anti-émeute et de la précision avec laquelle ces huit hommes avaient effectué les figures militaires.

Huit ? Ils n'auraient dû être que sept, si l'on éliminait celui dont j'avais fracassé le crâne. Un officier de l'Appareil digne de ce nom remarque toujours ce genre de détail. Je les examinai un à un d'un œil attentif, mais la visière du casque dissimulait les visages. Ma foi, Snelz avait dû trouver un remplaçant, voilà tout.

Le capitaine des gardes, incrédule, venait de rendre son salut à Snelz en levant la boîte de tup.

- A vooous... laaa... garde ! fit-il en imitant la façon de parler des marines.

Snelz se retourna. Il fit adroitement tourner son bâton et le leva.

- Prrréparez-vooooous... à prrreeendre voos... pooostes !

Un autre moulinet de son bâton et il le pointa droit sur le centre de son escouade.

- Soldat Ip ! Prenez votre poste à bord du vaisseau. Eeeexécution !

Le soldat Ip, d'un geste précis, ramena son fusil contre lui tout en claquant des talons. Il répéta le complexe maniement que le poids de l'arme ne facilitait pas - fusil par-dessus le bras, derrière le dos, etc. -, remit l'arme sur l'épaule et, d'un pas militaire et martial, il s'avança, pivota à angle droit et se dirigea vers le sas d'accès, avant d'entrer dans le vaisseau et de claquer la porte derrière lui.

Alors, avec une soudaineté qui me fit sursauter, une chose étrange se produisit : tous les hommes de l'escouade, de même que Snelz, poussèrent un cri d'exultation ! La discipline militaire avait disparu en un souffle ! Ils sautèrent sur place, applaudirent, lancèrent leurs fusils en l'air. Puis ils s'attrapèrent par les épaules et exécutèrent une sorte de ronde folle, sans cesser de brailler.

Disparue, la belle discipline militaire dont ils avaient fait preuve tout à l'heure ! Snelz lui-même était tordu de rire et dansait tout seul.

Depuis le bar, le capitaine de la garde leur cria :

- Il reste encore un peu de tup !

Et tout le groupe se précipita, riant toujours, vers la boisson. Ce n'est qu'à cet instant précis que je soupçonnai ce qui s'était tramé durant cette journée.

Je me ruai vers le sas du *Remorqueur 1*. J'ouvris et bondis à l'intérieur. La porte claqua bruyamment derrière moi. J'ouvris la deuxième porte et m'arrêtai net sur le seuil. Heller était là, dans la coursive. Il sortait de son bain, propre, bien peigné, en tenue d'intérieur bleu poudre.

Et, devant lui, il y avait le « garde » qui ôtait son casque anti-émeute. Une masse de cheveux blonds s'en échappa et je la reconnus : la comtesse Krak ! Qui riait aux éclats !

8

Ils s'étreignirent comme s'ils ne s'étaient pas vus depuis des années. Cela dura une éternité.

Finalement, après un baiser prolongé, Heller fit un pas en arrière et dit :

- Attends. La soirée ne fait que commencer.

Il réussit à maîtriser son excitation. Pendant un moment, j'avais bien cru qu'ils allaient finir sur le divan, un peu plus loin.

- Chérie, dit-il, quelque peu haletant, il faut que je te fasse visiter ce merveilleux vaisseau !

Durant une seconde, je crus qu'il plaisantait. Je regardai autour de moi. Tout était propre. Mais cela ressemblait aux habituels quartiers d'officiers ou d'équipage de n'importe quel vaisseau de la Flotte.

Il sortit, ouvrant la marche.

- Là-bas, dit-il, c'est la passerelle de contrôle.

L'endroit était rutilant, à présent, et, bien que rien ne fût activé, tout était bien éclairé. Il y avait plus de boutons et de commandes que sur les passerelles habituelles mais, malgré tout, ça restait une passerelle de contrôle.

Il ne s'y attarda pas. La comtesse ne semblait pas aussi enthousiaste que lui. Même dans l'uniforme noir de l'Appareil, elle restait merveilleusement belle, mais elle semblait penser que cet endroit allait lui prendre Heller - c'était presque comme si je lisais dans son esprit.

Il ouvrit une porte tout près du sas atmosphérique.

- Voici la salle à manger des officiers et de l'équipage, annonça-t-il.

L'endroit était plutôt exigu pour huit personnes. Heller surprit l'expression perplexe de la comtesse et ajouta :

- Oh, l'équipage est très réduit sur ce vaisseau. Un capitaine, deux astropilotes et deux mécaniciens. Ce qui laisse trois places ! Tu penses sans doute aux gros vaisseaux de guerre avec leurs cinq mille hommes d'équipage.

Il alla en direction de l'arrière du *Remorqueur 1,* ouvrit une autre porte, entre la coursive et la paroi.

- Ça, c'est la cabine du commandant. (C'était très petit, en vérité, mais très bien conçu.) De l'autre côté du vaisseau, il y a une autre cabine de même dimension. C'est une bibliothèque pour l'équipage où l'on peut aussi consulter des textes de référence et des cartes.

La jeune femme se tenait immobile, balançant son casque par la bride, s'efforçant de paraître intéressée. Et peut-être qu'elle l'était vraiment et qu'elle essayait de comprendre, à la manière des femelles, cet enthousiasme qu'il éprouvait pour ce vaisseau et qu'il refrénait tant bien que mal. Mais peut-être aussi considérait-elle le *Remorqueur 1* comme une sorte de rival...

Heller poursuivit son chemin et ouvrit une nouvelle porte.

- Voici la cambuse où l'on prépare les repas. C'est minuscule mais on y trouve tous les appareils nécessaires. Est-ce que ça n'est pas mignon ?

La comtesse admit que, en effet, c'était mignon.

- Il y a également un autre compartiment comme celui-ci qui fait office de buanderie.

Et je me dis : pourquoi ne lui expliques-tu pas que cette cloison, là, juste derrière toi, cache les moteurs principaux, ces engins mortels qui explosent quand des gens fous comme toi sont aux commandes ?

- Ces trois portes, expliquait Heller en en ouvrant une, sont celles des cabines des hommes d'équipage.

Là aussi, tout était petit. Il n'y avait qu'un lit gravifique qui pouvait pivoter à trois cent soixante degrés, un placard mural et une petite douche avec des toilettes.

- Il y a trois autres cabines identiques et symétriques de l'autre côté du vaisseau. Ce qui fait *beaucoup* de place pour les hommes.

Je lus sur le visage de la comtesse qu'elle se demandait comment quiconque pouvait s'habiller dans un espace aussi réduit.

- Et, au-dessus de vos têtes et sous vos pieds, il y a des réduits et des compartiments de rangement, poursuivit Heller. On y accède en faisant glisser ces plaques. C'est la même chose sur l'autre bord. Ce qui représente des *tonnes* de cargaison stockable ! Est-ce que ça n'est pas formidable ?

La comtesse Krak acquiesça. Elle paraissait nerveuse.

Nous nous étions avancés encore un peu plus vers l'arrière et, à présent, une porte étanche de grandes dimensions nous barrait la route.

- Jusque-là, nous avons vu le quartier des officiers et de l'équipage, continua Heller. Fermez les yeux, tous les deux.

Elle obéit docilement. Pas moi. Heller posa les mains sur une grosse roue manuelle, la fit tourner, et le verrou de la porte s'ouvrit avec un petit déclic.

Tout était tellement brillant, soudain, que je crus un instant que quelqu'un avait augmenté le courant. J'en avais mal aux yeux ! Qu'est-ce que cela voulait dire, par tous les Diables ?

- Ouvre les yeux, dit Heller à l'intention de la comtesse.

Ce qu'elle fit. Aussitôt, elle s'exclama :

- Oooooooh !

C'était une autre coursive, mais tout y était différent !

Les roues des portes, les rampes, les rails, tout était fait d'un métal étincelant et blanc. Quant aux lampes, elles diffusaient un éclairage somptueux qui mettait en valeur le motif bleu et noir qui ornait les parois.

Avec quelque réticence, je formulai la question qui me trottait dans la tête. Je connaissais déjà la réponse.

- Qu'est-ce que c'est que ce métal ? Ce matin, tout était noirâtre.

- C'est de l'argent. De l'argent massif. Quand on a remisé le vaisseau, on a oublié de le traiter à l'antioxydant. Ce sera fait demain. Une ou deux couches et jamais plus ce ne sera noirâtre.

- De l'argent massif ? fit la comtesse Krak en promenant son regard dans la coursive.

- Mais oui. Le poids importe peu dans un remorqueur. En fait, on en manque toujours. A partir d'ici jusqu'à l'arrière, tout est en argent massif.

Elle se baissa pour palper le sol.

- Je n'arrive pas à le croire ! s'écria-t-elle. Est-ce que ce n'est pas de la dalle d'Astobol, cette pierre impérissable que l'on trouve dans le Palais de l'Empereur ?

A présent, ses mains exploraient les parois.

- C'est exact, dit Heller. Ça ne s'effrite jamais, c'est incombustible et absolument isolant. Pas la moindre répercussion du bruit des moteurs. Tout l'arrière du vaisseau est totalement insonorisé.

Et c'était vrai. Quand il eut refermé la porte sur nous, les bruits du hangar, à l'extérieur, furent effacés.

- C'est la solution que l'amiral avait trouvée au grondement des moteurs. Mais je crois que je ferais mieux de te raconter l'histoire de ce vaisseau.

Et il donna à la comtesse un rapide résumé de l'histoire de l'amiral Wince qui avait fait du *Remorqueur 1* son bâtiment amiral, mais sans faire allusion au système de propulsion Yavait-Y aura et au destin du *Remorqueur 2.*

- J'ignorais même qu'il se trouvait dans la Réserve de Secours de la Flotte, ajouta Heller. En fait, au départ, je cherchais un patrouilleur amiral. La plupart du temps, ils sont aménagés luxueusement. Et voilà que je tombe sur le *Remorqueur 1 !* Quelle chance ! Mais tu n'as encore rien vu. Wince a dépensé deux millions de crédits pour ce vaisseau. Et il n'a que dix ans et n'est presque jamais sorti dans l'espace. Viens.

Au lieu de toucher la porte suivante, pour l'ouvrir, il dit :

- Ouvre-toi. (La porte obéit.) Les synthétiseurs alimentaires, annonça-t-il. Sur l'autre bord, dans l'espace opposé, il y a un synthétiseur d'uniformes et le reconvertisseur. (Il gagna la porte suivante et dit :) Ouvre-toi... Ici, on stocke le matériel et les pièces de rechange. Et l'homologue, de l'autre côté, abrite les banques de données.

Nous nous arrêtâmes devant une autre porte étanche. Quand nous étions montés à bord la première fois, la porte était ouverte et tout ce que j'avais pu apercevoir, c'était une caverne poussiéreuse et sombre, revêtue de métal noir.

- Fermez les yeux, nous demanda Heller une fois encore.

La comtesse s'exécuta. Quant à moi, je gardai les yeux ouverts, tout comme la fois d'avant.

Heller commanda l'ouverture de la porte et je ne pus croire ce que je vis.

- Ouvre les yeux, dit-il à la comtesse.

Et, cette fois, elle cria plus qu'elle ne s'exclama. Car, devant nous, il y avait une salle à manger spacieuse, avec des gyrotables, des chaises, une banquette et un meuble-bibliothèque gravifique ainsi que des appareils à servir et à réchauffer. Le tout était d'un goût exquis. Mais le plus étonnant, c'étaient les plats, les vases, les carafes et même les coins de la table et des chaises : ils étaient en or.

- De l'or ? m'exclamai-je.

- Oui, de l'or massif. Maintenant vous comprenez pourquoi j'ai fait poster des gardes aujourd'hui. Dans les placards muraux, il y a toute la vaisselle du bord et quelqu'un aurait pu les ouvrir.

Il prononça alors un mot :

- Reflet !

Je n'avais pas vu jusqu'alors les miroirs. Ils s'illuminèrent et renvoyèrent l'image multipliée de la pièce, de telle sorte qu'elle semblait prolongée à l'infini. Puis Heller dit encore :

- Lumières !

Et, immédiatement, des couleurs dessinèrent des motifs mouvants dans les miroirs.

- Oooooh ! fit la comtesse.

- Mais vous êtes loin d'avoir tout vu, reprit Heller. Cette section arrière a été construite autour des générateurs de rayons tracteurs. Ils ne fonctionnent pas à proximité des propulseurs principaux. Donc, l'amiral a fait construire ici ce que l'on appelle en architecture un « cercle de boîte ». Dans chacune des pièces, vous verrez ce qui vous semblera une marche vers la pièce suivante. C'est pour recouvrir les câbles de retour des générateurs. Il a exploité tout l'espace disponible. Plutôt intelligent, non ? Allez, venez.

Nous suivîmes la paroi, descendîmes une marche et débouchâmes dans une autre pièce spacieuse. C'était une chambre entièrement décorée d'or et d'argent avec un vaste lit à suspension gravifique. Sur les murs, je vis des scènes avec des nymphes des bois. Les draps du lit étaient neufs et fraîchement bordés.

Heller et la comtesse échangèrent un regard entendu.

- Viens, dit-il enfin. La nuit est encore jeune.

Nous montâmes une marche et franchîmes une autre porte. Un gymnase ! Il n'était certes pas très grand et l'on aurait pu se briser le crâne en sautant trop haut, mais c'était tout de même un gymnase.

- Exercice ! lança Heller.

Des barres et des appareils de gymnastique sortirent doucement des parois.

- Soleil ! ordonna Heller.

Une table se déplia. On pouvait s'y allonger. Une lampe solaire s'alluma au plafond.

- Massage !

Aussitôt, une machine masseuse se glissa vers la table, vibrant déjà.

- Combat !

La machine et la table réintégrèrent leur logement.

J'ignore ce que je m'étais attendu à voir, mais ce ne fut pas du tout ce que j'aurais imaginé. Un placard s'ouvrit et ce qui en jaillit ressemblait tout à fait à un vrai lutteur. Je vis la comtesse se mettre instinctivement en position de combat. La chose semblait redoutable. Heller s'avança et porta un coup rapide, du tranchant de la main. Le lutteur esquiva !

Je vis alors ce que c'était réellement : une illusion tridimensionnelle. Au travers de son corps, je discernais la pièce. Il était fait d'une trame lumineuse complexe. Je vis que les faisceaux venaient du plafond. J'avais déjà entendu parler de ce genre de gadgets. On les utilisait principalement pour l'entraînement au combat.

Heller lança un coup de pied expert. Il y eut un éclair. La chose parut s'effondrer sur le sol et une voix s'éleva de quelque part :

- Maître, épargne-moi !

- Stop ! lança Heller. (L'illusion s'effaça.) Il peut se battre à la dague électrique, à l'épée, à la masse d'armes aussi bien qu'à mains nues. Je ne l'avais encore jamais vu tomber. Habituellement, ils lancent juste un petit éclair quand on touche un point vital.

« Maintenant, vous allez me demander pourquoi la table n'était pas montée sur cardans. Eh bien, c'est parce que toute cette partie arrière du vaisseau... (il tapota la cloison derrière nous, puis le sol, et désigna le plafond) ...est équipée d'un système de simulation gravifique à compensation automatique. Ce système consomme tellement d'énergie qu'on ne l'installe pas sur les vaisseaux, mais le *Remorqueur 1* a justement un excédent d'énergie à écouler.

Et si tu ne l'écoules pas, songeai-je avec amertume, tout saute, et toi avec !

- Ce qui fait qu'on peut s'y déplacer et prendre de l'exercice en toute sécurité, ajouta Heller à l'intention de la comtesse. Les énormes fluctuations gravifiques propres aux remorqueurs sont instantanément annulées. Il n'y a ici ni « flottement » ni « apesanteur ». On ne se cogne jamais la tête.

- Une bonne chose, commenta la comtesse.

Je me demandai comment elle réagirait si elle apprenait qu'il ne lui disait qu'un dixième de la vérité. Elle utiliserait probablement tout son pouvoir de persuasion pour essayer de l'arracher à ce dangereux vaisseau. Je me promis avec force que jamais elle ne découvrirait que son bien-aimé allait piloter un engin de mort.

Heller chuchota alors à notre adresse :

- Je n'ose pas prononcer le mot suivant à haute voix. Il ferme cette porte et transforme toute cette pièce en sauna !

Il nous précéda vers le niveau suivant.

C'était une salle de bain décorée. Il prit une serviette et, aussitôt, des poissons multicolores se mirent à nager en trois dimensions, dans les murs tout comme au plafond. On avait l'impression de se trouver au fond de la mer. C'était sans doute très salutaire pour le moral d'un spatial ! Heller remit la serviette en place et les poissons s'évanouirent.

Nous escaladâmes ensuite un petit escalier. Nous devions nous trouver tout au fond de la poupe, à présent.

Une fois encore, la comtesse laissa échapper un « Ooooh ! » de ravissement. Tout à fait justifié, d'ailleurs. Car cette pièce était immense ! Elle était revêtue d'une moquette sombre, à motif floral. Les meubles étaient de bois noir et luisant. Il y avait aussi un bureau monté sur cardans avec un fauteuil assorti, ainsi qu'un canapé et des fauteuils de cuir noir. Du cuir ? Mais oui, du cuir véritable ! Et chacune des cloisons noires semblait être faite de verre.

- Asseyez-vous, dit Heller. Maintenant, vous allez *vraiment* assister à quelque chose !

Je me demandai ce qu'il pouvait bien y avoir encore à découvrir. La comtesse, curieuse, se laissa tomber dans un des fauteuils, balançant toujours son casque au bout de ses doigts.

Heller se mit à jouer les maîtres de cérémonie et leva la main.

- Forêt d'automne ! commanda-t-il.

Instantanément, sur toutes les parois, un paysage se matérialisa, en couleurs vives et en trois dimensions, plus vrai que nature, avec tous les tons de l'automne. Les arbres frémissaient sous un vent léger. Par tous les Dieux, je percevais même l'odeur de l'herbe des champs. *On s'y croyait vraiment !*

- Ooooooh ! fit la comtesse, extasiée.

- Regarde maintenant. Hiver !

Un paysage absolument différent remplaça le premier : des montagnes majestueuses, des plaines enneigées, des arbres dénudés. Et la douce plainte du vent d'hiver. J'eus si froid tout à coup que je vérifiai si la température de ce salon n'avait pas changé.

- Printemps ! ordonna Heller.

Et la pièce tout entière ne fut qu'une explosion de couleurs : des vergers, un jeune animal qui s'ébrouait dans un pré. La senteur de la terre humide et des bourgeons.

- Eté !

Des chants d'oiseaux retentirent de toutes parts. Je sentis le parfum des fleurs, le soupir d'un léger zéphyr. Il y avait des feuilles éparses sur le sol et, dans un sentier, deux amoureux s'éloignaient, main dans la main.

- Comme c'est beau ! s'exclama la comtesse.

- Il y a encore des tas d'autres saisons sur des tas d'autres planètes, dit Heller. Mais ce soir, j'ai spécialement choisi Manco car je savais que cela te ferait plaisir.

- Et tu as eu raison ! Tu ne peux pas savoir à quel point ça me plaît !

Mais elle semblait sur le point de fondre en larmes et Heller se précipita pour la réconforter.

- Non, non, protesta-t-elle, en s'essuyant les yeux. Je ne suis pas triste. C'est juste que je n'avais pas revu le ciel et la campagne depuis trois ans - si l'on excepte mon petit voyage de cet après-midi. (Elle versa encore quelques larmes.) Je suis idiote, je te gâche ton spectacle.

Heller attendit qu'elle se fût remise, avant d'annoncer :

- L'espace !

Je sursautai. L'espace, ce n'est pas mon truc. Même lorsqu'il y a des hublots près de moi, je ne regarde jamais au-dehors. La violence fantastique, brutale des éléments, les distances inimaginables, les ténèbres cruelles qui vous font mesurer votre solitude, tout cela m'inspire un sentiment de crainte religieuse. Je me sens écrasé.

Tout autour de nous, il n'y avait plus que *l'espace*. Clouté d'étoiles et de nébuleuses, avec une planète proche, sans lune, appartenant à je ne sais quel système. L'espace comme si vous y étiez. Seule la vue des meubles me permit de demeurer maître de moi-même.

Je dis alors, avec le même volume de voix qu'Heller :

- Automne !

Je pensais que le tableau de tout à l'heure allait revenir. Après tout, ce n'était qu'un projecteur à animation vocale. Mais il ne se passa rien. Je fis une nouvelle tentative :

- Hiver !

Toujours rien. L'espace était toujours là, nous enveloppant dans ses ténèbres, comme avide de nos existences. L'espace impitoyable, cruel. Je me tournai vers Heller.

- Pourquoi ça ne change pas ?

- Toute la section arrière du *Remorqueur 1* est accordée sur les fréquences et les harmoniques de ma voix. Et il n'y a pas deux voix semblables. (Il regarda la comtesse.) Mais il est possible de réaccorder cela pour deux tonalités ou plus. Je vais mettre la tienne dans les banques.

- Et moi ? m'écriai-je. Il va falloir que vous me montriez comment régler et changer les commandes de voix. Parce que moi aussi je vais voyager à bord de ce vaisseau.

Il se contenta de me regarder sans répondre. Et jamais il ne me montra, à moi ni à quiconque, comment modifier les réglages de réponse vocale du *Remorqueur 1*. Et jamais je ne réussis à ouvrir, à fermer ou faire fonctionner quoi que ce fût dans la poupe de ce vaisseau. Je pense qu'il avait changé toutes les modalités de telle façon que même un officier de la Flotte n'aurait rien pu faire. Mais, sur le moment, je fus submergé par la colère. Quand j'aurais quitté cette planète... Aussitôt, la douleur revint dans mon estomac. Ce devait être à cause de cette maudite scène qui me donnait l'impression d'être suspendu dans l'espace.

- A présent, dit gentiment Heller à la comtesse, j'ai une petite surprise pour toi. C'était très à la mode il y a environ un demi-siècle, et le chauffeur de Soltan a réussi à trouver un enregistrement.

Il sortit une petite tige de sa poche et se pencha pour l'introduire sous le canapé sur lequel il était assis. Au moins, je savais maintenant comment on alimentait le projecteur !

L'espace disparut. Quel soulagement !

A la place, et tout autour de nous, il y avait à présent un théâtre. Nous étions des spectateurs, parmi quelques centaines d'autres. Ils paraissaient vraiment vivants.

Devant nous, il y avait la scène. Le décor représentait une forêt, totalement artificielle. Les arbres avaient dû être découpés dans du carton. Il y avait aussi un sentier. Le tout était éclairé par des projecteurs. Une musique s'éleva. Un acteur surgit des coulisses. Il était déguisé en animal, en léprodonte. Il portait des guêtres, ainsi qu'un chapeau, et tenait une canne. Il faisait sembler d'épier les bois. Puis, esquissant quelques pas de danse et jetant de fréquents coups d'œil en direction de la forêt, il se mit à chanter et tous les arbres commencèrent alors à se balancer au rythme de la musique :

C'est dans les bois que je l'ai rencontrée.
Et mon cœur a craqué quand elle m'a montré
Tous ces trésors qu'elle gardait cachés.
Et mes pauvres pattes en ont tremblé.
Oh, ma jolie léprodonte,
Viens danser sans honte,
Viens danser sans honte,
Viens danser sans honte !
Oh, ma jolie léprodonte,
Viens danser sans honte !
Ce soir, nous allons jouer !
Oh, ma jolie léprodonte,
Ne t'en va pas,
Ne t'en va pas,
Ne t'en va pas.
Oh, ma jolie léprodonte,
Ne t'en va pas,
Car maintenant mon cœur est à toi !

C'est alors que deux yeux immenses et phosphorescents apparurent dans les arbres, clignèrent deux fois, et qu'une voix aguichante dit en ronronnant : « Pourquoi pas ? »

Le rideau retomba. Le public se déchaîna en applaudissements.

La comtesse riait si fort qu'elle tombait constamment sur Heller et il lui fallut quelques instants pour reprendre son souffle. Puis elle passa un bras autour de son cou et dit :

- Oh, tu es un amour !

Ensuite elle le repoussa légèrement et répéta la dernière réplique avec les mêmes intonations que la femelle léprodonte :

- Pourquoi pas ?

Ils tombèrent dans les bras l'un de l'autre en riant.

- Il y en a des tonnes comme ça, dit Heller. Et aussi des jeux. Mais tu n'as toujours pas tout vu. J'ai une autre surprise pour toi.

Ces surprises n'auraient-elles donc pas de fin ? J'avais trouvé cette chanson idiote. Peut-être avait-il voulu rappeler leur rencontre, lorsqu'elle avait mis en cage un vrai léprodonte ? Oui, ça devait être ça. Et cette chanson décrivait parfaitement la comtesse Krak. C'était une véritable femelle léprodonte !

Nous avons descendu quelques marches et nous sommes retrouvés de l'autre côté du vaisseau, près de l'endroit où nous avions commencé notre visite. Il y avait là une petite douche décorée d'un paysage : un lac avec des canards qui se mirent à nager quand Heller prit une serviette.

Il guida la jeune femme au long d'une galerie en surplomb pour passer dans une autre pièce mais, avant qu'elle n'y pose le pied, il lui mit la main sur les yeux.

- Maintenant, regarde, fit-il en ôtant sa main.

La comtesse laissa échapper une autre exclamation de ravissement. C'était une chambre avec un gyrolit et des placards à vêtements. Sur le lit, il y avait une chemise de nuit translucide faite de dentelle d'argent et une robe de bal dorée !

La comtesse les serra contre elle et se remit à pleurer. Puis elle embrassa Heller.

- Jamais de toute ma vie je n'ai eu des choses aussi jolies !

Heller l'embrassa tendrement. Puis il dit :

- L'amiral avait une épouse qui voyageait avec lui. Tout est à toi maintenant.

Il lui donna un nouveau baiser et me prit par le bras.

- Nous avons tout visité. Descendons à la salle à manger et laissons la jeune dame se débarrasser de sa tenue militaire, prendre une douche et s'habiller.

- Je ne serai pas longue ! lança-t-elle en regardant son Jettero avec adoration.

- Prends ton temps. Le temps, c'est ce qui nous manque le moins !

Nous retournâmes dans la salle à manger avec son service en or. Le temps, pensai-je avec amertume. Oui, tu crois que tu as du temps devant toi. Tu m'as bien piégé ! Tu n'as jamais voulu quitter cette planète ! Tout ce que tu voulais, c'était un vaisseau de plaisance !

- Je crois, déclarai-je avec une certaine raideur, que vous avez un sacré culot ! Vous n'avez pas cessé de m'abuser aujourd'hui !

Il haussa les épaules avec un vague sourire.

- Ecoutez, Soltan, vous m'avez dit vous-même que Répulsos était trop inconfortable.

Il prit une carafe d'eau pétillante rosée. Mais je savais bien qu'ils ne souhaitaient pas ma présence et je dis :

- A demain.

Je sortis.

Je savais que je n'avais plus aucune chance, désormais, d'arracher Heller à cette planète, même avec une tonne d'explosifs. J'étais fait comme un rat !

SIXIÈME PARTIE

1

Partir comme ça, c'était une chose stupide à faire. Mais je ne supportais pas de me trouver à proximité de la comtesse Krak. A bord du vaisseau, je n'avais cessé d'avoir des douleurs d'estomac. A présent, dans la pénombre du hangar, je me sentais mieux. J'avais faim.

Tout était redevenu calme : la fête était bien finie. Le camion de tup avait dû revenir récupérer les boîtes vides et les ornements. Il ne restait même pas une miette de brioche sur le bar improvisé.

Subitement, je compris l'étendue de ma stupidité. J'étais *ruiné.* Non seulement je n'avais plus un seul crédit en poche mais mon identoplaque ne pouvait plus m'obtenir le moindre sou : si j'essayais de l'utiliser pour tirer de l'argent ou payer des achats, on me débiterait sur ma paie de l'année suivante et je risquerais d'être cassé pour dettes.

Etre officier offre quelques avantages : on a un salaire et une identoplaque. Quand on est simple soldat ou simple employé, il arrive souvent que l'officier des finances refuse de verser la paie. Mais un officier a aussi des désavantages : il doit acheter sa nourriture et ses vêtements, et payer pour son logement, qu'il soit à la base ou au front.

Si je ne me procurais pas rapidement un ou deux crédits, je ne mangerais pas ce soir ! Ni demain non plus, d'ailleurs.

Près de l'endroit où avait été dressé le bar, j'aperçus quelqu'un, assis dans un ancien fauteuil gravifique. Dans la faible clarté, je reconnus Snelz. Ha, ha ! Un plan se forma dans mon esprit. J'allais lui soutirer un peu d'argent par la menace !

Je m'avançai et il ne bougea pas. Il était affalé dans son siège, faisant machinalement tourner son bâton, fredonnant une chanson très populaire chez les marines de la Flotte et dont le titre était *Les filles de Kibou ont quatre doudounes.*

Le calme du personnage, rassasié et imbibé de tup, me rendit encore plus mauvais.

- Snelz, dis-je d'un ton très menaçant, est-ce que vous vous rendez compte que non seulement vous avez laissé une prisonnière s'évader de Répulsos mais que vous l'avez armée d'un fusil-éclateur ?

- Oh, oh, fit-il tranquillement. Voilà les foudres de l'autorité.

Son courage s'expliquait peut-être par le fait que le bâton qu'il faisait tourner était en réalité un éclateur. Ignorant son mépris, je revins à la charge :

- De toute évidence, vous aviez de l'argent pour soudoyer les gardes du tunnel. Autrement vous n'auriez jamais réussi à faire sortir la comtesse Krak, et je ne parle pas de vos chances de la ramener à Répulsos.

- De l'argent ?

Il posa son bâton et alluma une fumette.

- Ce serait trop dangereux d'acheter ces types. Hisst en entendrait parler à tous les coups.

Il me regarda à travers la fumée. Il vit que je ne le croyais pas. Je regardais longuement son visage viril, plutôt beau même : il n'affichait plus cette peur que j'avais réussi à faire naître chez lui lors de nos rencontres passées. Je ne pensais pas que cela venait de ce qu'il était armé. D'ailleurs il venait de poser son arme. Alors pourquoi cette attitude vis-à-vis de moi ? Est-ce qu'il avait retrouvé une nouvelle dignité ? Est-ce que son association avec Heller lui avait donné envie de se sortir de la fange ? Il ne bronchait même pas !

D'un ton patient, il dit :

- Oh, je vois. Vous ne comprenez pas comment nous nous y prenons pour la faire sortir et la ramener. Ma foi, je suppose qu'il vaut mieux que je vous le dise si ça peut vous soulager. Voyez-vous, nous avons trouvé ce travesti...

- Snelz, l'interrompis-je d'un ton menaçant, je vous préviens charitablement que vous n'avez pas intérêt à me débiter un chapelet de mensonges !

Il eut un petit rire sec.

- Venant de vous, c'est plutôt savoureux. Pour en revenir à notre histoire, vous savez certainement que Camp Endurance sert de couverture pour les livraisons destinées à Répulsos, mais qu'on s'y débarrasse aussi des employés de l'Appareil jugés « impropres », quoique je me demande comment il est possible de tomber plus bas lorsqu'on a atteint le fond. Comment quiconque pourrait-il être « impropre » pour l'Appareil ? J'en fais partie. Vous aussi.

Je portai la main à mon arme. Il se contenta de rire en soufflant un nuage de fumée.

- A votre poste élevé, vous savez, ou vous ne savez peut-être pas, que les autres unités de l'Appareil, qu'elles appartiennent ou non à cette planète, envoient à Camp Endurance des contingents entiers pour qu'ils reçoivent un « entraînement spécial ». Cet « entraînement spécial » se limite à leur montrer comment mourir le plus vite possible en tombant dans la grande crevasse.

- Oh, ça suffit, Snelz. Je sais tout ça. C'est la raison pour laquelle on l'a surnommé le Camp des Macchabées.

- Ah, je suis heureux de constater que vous savez au moins quelque chose. Je commençais à me poser des questions. (Je me fis la réflexion qu'Heller pourrissait vraiment toutes les personnes qui le fréquentaient.) Bref, poursuivit Snelz d'un ton nonchalant, quand j'ai deviné que vous alliez bientôt quitter Répulsos, Heller et vous, j'ai dit à mon escouade d'ouvrir l'œil. Et quand le dernier contingent de futures victimes est arrivé, mes gars ont repéré exactement ce qu'il nous fallait.

Il tira une nouvelle bouffée, lâcha un nuage de fumée et poursuivit :

- Le type s'appelait Tweek. Il était dans ce qu'ils appellent un « transport-poubelle ». Timyjo avait réussi à jeter un coup d'œil sur les fiches.

Apparemment, Tweek avait dit « non » alors qu'il aurait dû dire « oui » à un officier supérieur qui voulait se l'envoyer. Et comme on ne peut pas tolérer ce genre de truc si on veut maintenir la discipline - et continuer à avoir des petits camarades dans son lit -, Tweek avait été expédié au Camp des Macchabées.

« Nous, ce qu'on cherchait, c'était quelqu'un qui avait la corpulence et la taille de la comtesse Krak. Tweek faisait exactement l'affaire. Il était blond, il avait les yeux de la même couleur qu'elle et il était même assez joli, quoique, bien sûr,... (Snelz laissa échappa un soupir d'adoration) ...la comparaison ne soit guère possible avec la comtesse qui est une des plus belles femmes que j'aie jamais vues.

- Au fait ! lançai-je.

En entendant vanter la beauté de la comtesse Krak, j'avais ressenti un élancement douloureux dans l'estomac.

- Donc, on a suivi ce contingent. Et quand ils les ont mis au bord de la crevasse, un seul s'en est tiré : Tweek !

- Acheter un peloton d'exécution, ça a dû représenter pas mal d'argent ! dis-je en me rappelant pour quelle raison je lui parlais.

- En fait, non. On les exécute toujours le soir pour éviter les observations aériennes. Timyjo a simplement réussi à glisser un filin de sécurité à Tweek. Quand les gardes de la corvée d'exécution sont repartis, nous avons juste eu à remonter Tweek à la force des bras. Comme on le lui avait dit, il s'était laissé tomber avant que les mitrailleuses n'ouvrent le feu et il s'en est finalement tiré avec une ou deux éraflures.

« On l'a remis sur pied - vous n'avez pas idée de la façon dont ils les affament dans ces transports-poubelles -, et, quand le moment est venu, il était assez en forme pour marcher. Il avait les cheveux très longs, d'abord parce qu'il aimait bien ça, ensuite parce qu'il avait fait le long voyage depuis la planète Flisten. Pour le rôle, il était absolument parfait.

« Donc, cet après-midi, un détachement de quatre hommes a franchi le tunnel. Tweek en faisait partie. Ils ont rejoint la comtesse Krak, Tweek s'est déshabillé et elle a revêtu son uniforme. Puis il s'est glissé dans le lit de la comtesse et il y ronfle tranquillement à l'heure qu'il est.

Aha ! Je sentais que je le tenais !

- Mais il a bien fallu que vous lui donniez de l'argent, à ce Tweek, pour qu'il accepte de rentrer dans votre combine !

- De l'argent ? Je crains d'avoir à dire que ce que nous lui avons offert a beaucoup plus de valeur que ça : nous lui avons sauvé la vie. Et quand nous en aurons fini avec cette opération de substitution, nous trouverons un cadavre dans l'un des contingents de Camp Endurance - il y en a toujours car ils se battent parfois pendant le trajet pour venir ici - et nous prendrons ses papiers pour les donner à Tweek. Après quoi, nous le mettrons tout simplement dans l'escouade. Il nous manque quelques hommes, y compris celui dont vous avez fracassé le crâne. Il va mieux, soit dit en passant. Un de ces jours, il faudra que je vous apprenne à taper plus fort. Mais où en étais-je, déjà, avant que vous ne rameniez cette histoire d'argent sur le tapis ?

« Ah, oui... A l'aube, à l'heure de la relève, nous ramènerons la comtesse dans notre transporteur et nous repasserons par le tunnel. Elle donnera son uniforme à Tweek. Et nous continuerons comme ça tous les jours. La comtesse sera visible pendant la journée, dans sa salle d'entraînement, et, la nuit, personne ne se hasardera à proximité de sa chambre. Elle a une réputation, vous savez.

- Bien, bien, dis-je. Mais comment a-t-elle pu apprendre aussi vite le maniement d'armes des marines de la Flotte ? Et leurs figures de parade ?

- Vous ne m'avez pas vu l'entraîner, l'autre après-midi ? Mais si, je me souviens : nous étions juste derrière les grosses machines à électrochocs, mais vous ne vous montriez pas souvent. Elle apprend très, très vite. Sans doute parce qu'elle est elle-même une excellente instructrice. Mais c'est surtout grâce à moi : parce que je suis un très bon instructeur. Vous ne trouvez pas que j'ai fait du bon travail ? Vous n'y avez vu que du feu aujourd'hui !

Ça me mit vraiment hors de moi.

- (Bip) ! Il vous a obligatoirement fallu de l'argent pour franchir le tunnel. Les unités militaires ne peuvent pas circuler sans autorisation.

- Oh, mais nous avons une raison valable. Nous acheminons du matériel d'entraînement prêté pour la nuit et nous le ramenons tous les matins sur ordre du département de l'entraînement qui en a besoin pendant la journée.

- Vous avez quand même besoin d'argent pour passer ! On ne peut pas entrer et sortir de Répulsos sans une autorisation dûment tamponnée !

- Mais vous ne vous rappelez pas ? Vous avez apposé votre identoplaque sur un laissez-passer permanent pour notre escouade. (Il m'adressa un regard amusé.) Et, en cas d'expiration, vous avez aussi tamponné une autorisation permanente de fourniture de matériel.

- Je n'ai jamais rien fait de tel !

- Oh, si. Ce matin. Avant de vous réveiller !

J'étais abasourdi. Le garde qui m'avait tiré de mon sommeil ! Ce sale voleur avait pris mon identoplaque dans ma poche et il l'avait remise avant de me réveiller !

J'étais furieux.

- Ne me dites pas qu'Heller ne vous paie pas grassement pour tout ce que vous faites, Snelz !

Il me regarda avec une expression perplexe.

- Ma foi, je suppose qu'il le fera un jour. Gris, qu'est-ce que c'est que toutes ces (biperies) à propos d'argent ? Est-ce que vous croyez que je prends tous ces risques rien que pour de l'argent ? Gris, vous avez de la vie une idée très particulière. On ne fait pas toujours les choses pour de l'argent. Parfois, comme aujourd'hui, on les fait pour le plaisir. Vous devriez essayer un de ces jours.

Je tournai les talons et m'en allai. J'étais désespéré. Ses conseils, il pouvait se les garder. J'étais affamé et j'étais fauché !

2

Mon chauffeur dormait paisiblement dans l'aircar. Je le regardai. Il n'avait pas arrêté de manger et de boire durant toute cette (bip) de journée !

Brusquement, il me vint une idée. Heller n'avait pas cessé de lui donner des monceaux d'argent pour acheter toutes sortes de choses. Autrefois, il avait été pilote de navettes commerciales. Il avait tué un assistant-navigateur et s'était enfui sur une autre planète. Là, il avait rejoint une bande de contrebandiers. Il leur avait dérobé des marchandises volées un peu trop souvent et il avait été condamné. L'Appareil l'avait sorti de prison et lui avait fourni de faux papiers avec l'intention de l'utiliser dans la Section Voleurs. Mais il ne s'était pas montré à la hauteur et on me l'avait assigné comme chauffeur. Avec son passé de criminel, j'étais sûr et certain qu'il avait détourné la majeure partie de l'argent qu'Heller lui avait confié.

J'ouvris la portière et je le frappai. Ça n'avait rien de particulièrement dangereux car il était plutôt petit. Sans lui laisser le temps de reprendre ses esprits, je l'apostrophai :

- Donne-moi la part de l'argent que tu as piqué à Heller aujourd'hui !

Il s'assit. Il était encore imbibé de tup. Sans réfléchir, il me dit :

- Oh, mais certainement, officier Gris.

Sauvé !

- Allez, donne !

- Mes Dieux, je suis navré, officier Gris. Il ne me reste rien.

Il essayait de se réveiller. Je l'aidai d'une bonne bourrade.

- Par tous les Dieux, officier Gris, ne faites pas ça. J'ai mal à la tête... L'argent ?... L'argent ? Ah, oui, l'argent !

- N'essaie pas de m'embobiner ! Donne-le-moi tout de suite !

Il farfouillait dans sa tunique. Il en sortit quelques papiers.

- Ça y est ! Je me rappelle maintenant ! J'ai tous les récépissés. Mes Dieux, officier Gris, vous n'avez pas idée de ce que coûtent les choses ! Vous savez quoi ? Il a dépensé trois cent deux crédits aujourd'hui. La Flotte lui a fourni le matériel de nettoyage gratuitement - il a un copain là-bas et il s'en est tiré avec un simple bon de réquisition. (Il cherchait parmi les récépissés.) Le camion de tup a coûté cent soixante-quinze crédits. Ah, oui ! Ce sont les robes qui ont coûté une fortune !

« Officier Gris, je ne me marierai jamais. Vous n'allez pas le croire, mais rien qu'en vêtements, il en a eu pour cent crédits ! Ça posait un problème. J'avais dépensé vingt-cinq crédits pour diverses bricoles...

Je lui donnai une nouvelle bourrade.

- Droit au but ! Arrête de tergiverser !

- C'est ce que je suis en train de faire ! gémit-il. Où en étais-je... Vous m'avez embrouillé les idées et j'ai perdu un papier. Ah, le voilà ! C'était un magasin très chic et tout le monde me regardait comme un moins-que-rien. J'avais choisi les vêtements et il ne me restait que quatre-vingt-dix-huit crédits sur l'argent qu'il m'avait donné. Et je savais qu'il comptait vraiment sur moi. J'avais deux crédits à moi, alors je les ai ajoutés pour qu'il y ait le compte et je suis ressorti avec les robes. Ce qui fait qu'il me doit deux crédits.

Il réfléchit un instant.

- Demain, je vais lui donner tous les récépissés et je suis certain qu'il me rendra mes deux crédits. Mais ce n'est pas important. (Je perçus une note d'admiration dans sa voix.) Est-ce qu'il n'est pas fantastique, officier Gris ?

Quelle insolence ! Je le frappai. De toutes mes forces.

Un filet de sang coula de sa bouche. Il rassembla tranquillement ses papiers. Sans un mot, il s'installa dans le siège de conduite. C'est comme ça qu'il faut traiter la racaille. Il n'y a que comme ça qu'elle comprend. Lombar avait raison : on devrait tous les exterminer pour le bien de la Confédération.

Je montai à l'arrière et lui ordonnai :

- Conduis-moi à mon hôtel en ville.

Au moins, j'avais un endroit où dormir.

Nous nous sommes envolés en direction du quartier nord de la Cité du Gouvernement, dans le trafic du début de soirée. Depuis longtemps, ce quartier était un amas de taudis. C'est pour cette raison que l'Appareil y avait installé ses bureaux. Ils étaient situés sur une falaise, dans une boucle de la rivière Wiel. Derrière eux, tout en bas d'une colline, il y avait une espèce de bouge où les employés de l'Appareil passaient leur temps libre. Certains officiers de l'Appareil habitaient dans un « hôtel » un peu plus haut. Tout le secteur est nauséabond, non pas tant à cause de la saleté du fleuve que des maisons à l'abandon.

Mon « hôtel », à vrai dire, n'en était pas un au strict sens du terme. Longtemps auparavant, ç'avait été la résidence d'un notable. On y avait ajouté quelques baraques en planches, et sur tout cela régnait une femme qui se faisait appeler Meeley. J'habitais une petite chambre.

Mon chauffeur me déposa devant l'entrée latérale, dans ce qui avait été autrefois une petite cour et qui était à présent une décharge. Mon chauffeur dormait toujours dans l'aircar. Je sautai à terre, entrai et grimpai les marches fatiguées qui conduisaient à ma chambre.

Elle était verrouillée. Non pas seulement verrouillée, mais barrée.

Je me rendis jusqu'à la cage d'escalier principale et appelai Meeley. Je fus récompensé par un bruit de pas pressés. Elle arrivait en courant. Durant un instant, je me sentis rassuré par son empressement.

La lumière était faible et je ne discernai pas grand-chose. J'étais incapable de lire une quelconque expression sur son visage ridé et marqué de plusieurs cicatrices de coups de couteau.

- Où est mon argent ? aboya-t-elle.

- Mais Meeley ! Vous savez que je paie toujours !

- Toujours, avec vous, ça veut dire jamais !

Elle ne m'avait jamais aimé.

- Vous avez été pendant des jours et des jours sans m'avoir dit un mot. Je croyais que nous avions enfin eu le bonheur d'être débarrassé de votre indésirable personne et que quelqu'un vous avait tué comme vous le méritiez ! Vous autres, les crapules de l'Appareil, vous êtes tous les mêmes ! Allez vous faire (enbiper), sale (bip) !

Et elle me frappa !

- Ouvrez ma porte ! criai-je en reculant prudemment.

Elle sortit une clé, ôta la barre et ouvrit avec une violence inouïe. Elle alluma.

Puis, sans dire un mot, comme une furie, elle se mit à rassembler mes affaires. Elle sortit, courut vers le balcon qui donnait sur la cour et jeta tout ce qu'elle tenait sur l'aircar.

- Chauffeur ! hurlai-je.

Meeley était retournée dans ma chambre et revint avec d'autres affaires qu'elle lança également au-dehors !

Elle refit un aller-retour pour une vieille paire de bottes et mon unique couverture, qui suivirent le même chemin !

- Et maintenant, cria-t-elle, fichez le camp ! Je vais dire à tous les propriétaires de ce quartier que vous n'avez pas réglé le moindre loyer depuis un an ! Allez, DEHORS !

Je me dis que je ferais bien d'aller jeter un coup d'œil dans ma chambre pour voir si elle n'avait rien oublié. Mais je me ravisai. Il y a des moments où il faut se battre et d'autres où il vaut mieux fuir. Elle m'avait toujours eu en grippe pour je ne sais quelle raison.

Avec mon chauffeur, nous avons récupéré mes affaires dans la décharge et nous les avons nettoyées comme nous avons pu avant de les entasser dans l'aircar.

- Où on va ? me demanda-t-il.

Je n'en avais pas la moindre idée.

- Et votre bureau ? suggéra-t-il.

- Le vieux Bawtch n'aime pas ça.

- C'est le seul endroit qui vous reste. Si vous voulez mon avis, un bureau, ça vaut quand même mieux que le caniveau. Dans cet aircar, il n'y a vraiment pas de place pour dormir confortablement à deux. Je vais vous conduire à votre bureau.

Dans le *Remorqueur 1,* il y avait des cabines. Mais à cette seule pensée, mes douleurs d'estomac revinrent, plus fortes que jamais.

(Bip) de mission ! Et (bip) d'Heller ! Il méritait que je le tue !

Ma nausée redoubla. Un peu plus tard, avec l'aide de mon chauffeur, je m'étendis sur la dure surface du bureau.

Cette journée avait été atroce !

3

Je me réveillai brutalement en tombant sur le sol avec un bruit fracassant. Il faisait jour. Quelqu'un venait de me faire basculer du bureau.

- Vous savez que vous n'avez pas le droit de dormir ici, fit le vieux Bawtch d'un ton mauvais.

- C'est mon bureau, non ? marmonnai-je, le nez contre ses grands pieds.

- Ecartez-vous ! Il faut que je pose ces papiers sur ce bureau.

Et c'était vrai. Il portait une pile de documents et de formulaires qui devait bien faire un mètre de haut. Aussitôt, je compris la situation. Il m'avait éjecté pour pouvoir poser sa paperasse.

Je rampai sur le côté et réussis à me remettre sur mes pieds.

- Ça fait beaucoup, remarquai-je.

Il était déjà occupé à trier la pile et à répartir les papiers par catégories.

- Vous pourriez quand même passer ici de temps en temps pour valider tout ça. Je peux assumer le reste de votre travail, mais je ne peux pas vous prendre la main pour apposer votre identoplaque. Vous n'avez quand même pas oublié comment on tamponne un papier, non ?

Je détectai une note de sarcasme dans sa voix.

Je ne sais pourquoi, Bawtch ne m'avait jamais porté dans son cœur. Il mesurait environ un mètre quatre-vingts en position voûtée - car il était voûté comme ce n'était pas permis. De part et d'autre de ses oreilles, il y avait deux touffes hirsutes de laine grise. Son nez était assez acéré pour trancher une feuille et deux énormes rabats noirs, sur ses tempes, protégeaient de la lumière ses gros yeux noirs et protubérants. Il ne parlait jamais vraiment, il aboyait. Quatre-vingts ans auparavant, il avait dû nourrir l'ambition d'être officier. Mais il n'avait réussi à gravir que peu d'échelons et avait fini secrétaire en chef de la Section 451. Son attitude vis-à-vis de moi était donc explicable. Il était jaloux.

Il restait là, menaçant, attendant que je m'asseye et que je valide tous les documents.

- Vous pourriez au moins m'apporter un peu de s'coueur chaud, dis-je.

- L'office est complètement démuni. La rumeur a couru que vous aviez été muté et on a arrosé ça. Ensuite, on nous a dit que vous étiez maintenu et on a bu pour oublier. Bref, il ne reste plus une goutte de s'coueur, chaud ou froid.

Je m'assis, sortis mon identoplaque et me mis à estampiller les documents. J'étais affamé et j'en vins à me demander si le papier était comestible. Si tel était le cas, j'avais un festin devant moi. L'Appareil fonctionne aux formulaires, aux papiers. Il en vit, il s'en nourrit. Il en édite sans cesse - et presque tous ne sont qu'un ramassis de mensonges.

Il y avait là des manifestes pour des marchandises qui n'arriveraient jamais à destination, les fiches de salaires qui ne seraient jamais versés, des bons de paiement pour des informateurs dont le montant irait dans la poche des agents, des listes de personnel qui indiquaient des chiffres multipliés par deux, des « notes de frais » provenant du chef de la base de Turquie, sur Blito-P3, et qui couvraient l'argent qu'il dépensait en prostituées. Des tonnes de documents falsifiés : le lot quotidien de l'Appareil.

En une demi-heure, je parvins à réduire de moitié la pile de paperasse. J'étais sur le point d'apposer mon identoplaque sur un nouveau document quand mon attention fut attirée par la longue colonne de chiffres qui figurait dessus. Des sommes d'argent. J'étais sans le sou et tous ces gens s'engraissaient. Mon regard resta fixé sur une ligne. *Rénovations : 764,9 crédits.* Là, tout en bas de la page.

- Des frais pour ici ? demandai-je. Rénovation ? Pour ce local ?

Bawtch marmonna quelque chose qui avait trait à ma mémoire et à celle d'un insecte, avant de répondre à haute voix :

- Il s'agit des réparations de la toiture, l'an dernier. De *cette* toiture. La pluie tombait sur les papiers. Le travail a été fait. Vous vous êtes même plaint du bruit. Et la facture a été présentée plusieurs fois déjà. Mais vous trouvez toujours quelque chose d'autre à faire avant d'en avoir fini avec cette pile, ce qui fait que ce papier n'a jamais été tamponné. L'entrepreneur m'appelle deux fois par jour. Allez, tamponnez !

- C'est quoi, cette « allocation inutilisée » de 231 crédits, là, en bas ?

- J'ai eu la bonté de penser, quand nous avons adressé la demande de subvention, que vous aimeriez qu'on refasse votre bureau. Comme vous n'avez jamais dit ce que vous désiriez, on a mis « inutilisé ».

Je regardai autour de moi. La peinture commençait à s'écailler sur les murs et, au plafond, il y avait une tache laissée par une fuite.

- Je n'ai jamais trouvé quoi que ce soit qui cloche, ici, dis-je.

Une pensée venait de s'insinuer en moi. Une infime particule qui serait peut-être à l'origine du noyau d'une idée. Quand on le leur demandait, les entrepreneurs vous accordaient toujours une ristourne.

- Donnez-moi l'original de la subvention, ordonnai-je d'un ton sévère. (Et j'ajoutai très vite :) Je vais tamponner le reste.

Alors seulement, il me laissa.

Quand il revint, j'avais fini le reste de la pile. Il essuyait un filet de s'coueur chaud de sa bouche. Mais j'avais d'autres préoccupations. Il me présenta l'allocation de 231 crédits et je la pris.

- Je vais m'en occuper, lui dis-je.

Il emporta la pile de paperasse et je restai là, devant les deux papiers. D'abord, il fallait que je voie si je pouvais obtenir une ristourne de l'entrepreneur qui avait réparé le toit. Il avait certainement très envie de toucher son argent, après tout ce temps.

Je fis son numéro et fus bientôt en communication avec lui.

- Vous voulez que ces travaux de réfection de la toiture vous soient payés ? lui demandai-je.

Je lui donnai le montant.

- Qui me parle ?

- L'officier Gris.

Il raccrocha.

Bon, c'était une impasse. Il était évident que Bawtch avait parlé dans mon dos.

Je réfléchis pendant quelques instants. Redécorer cet endroit, c'était une perte de temps. Qui se souciait d'avoir de jolis murs ? Il me fallait quelque chose qui cadre davantage avec mes activités.

J'eus subitement envie d'aller aux toilettes. L'un des privilèges d'un responsable de section, c'était de disposer de toilettes privées auxquelles il pouvait accéder directement à partir de son bureau. Une fois installé, je regardai autour de moi. Il y avait des bouts de papiers de tous les côtés. Quand j'eus fini, je regardai par la fenêtre. Et c'est alors que la particule acheva sa trajectoire et fit bang !

La fenêtre des toilettes de mon bureau était à cent cinquante mètres de hauteur, sur la même ligne que la paroi de la falaise surplombant la rivière Wiel. En me dressant sur la pointe des pieds, je parvenais presque à distinguer la berge.

Je regagnai mon bureau et appelai un entrepreneur qui n'avait encore jamais travaillé pour nous. Et, pour le prouver, il arriva sur les lieux en moins d'un quart d'heure.

- Je suis un cadre qui a de l'influence, lui annonçai-je.

Il regarda autour de lui.

- Oui, je vois ça, dit-il.

- Je dispose d'une allocation non utilisée de 231 crédits.

- C'est peu, dit-il.

Mais je savais qu'il voulait se donner des airs de gros entrepreneur. Ces types-là ont faim d'argent. Moi, j'avais faim tout court.

- Venez avec moi, lui dis-je. (Je le précédai dans les toilettes.) Vous voyez cette paroi ? (Je la tapotai.) Je veux que vous l'avanciez un peu et que vous y installiez une porte secrète. Et, derrière, je désire une échelle ainsi qu'une trappe d'accès au toit.

Il inspecta les lieux et haussa les épaules. Cela lui paraissait un travail facile.

- Maintenant, ajoutai-je, vous voyez cette fenêtre ? Je veux qu'on y mette une vitre du type insonore à la casse.

- Aucun problème. Mais pourquoi toutes ces modifications ?

- Il arrive que des gens soient à mes trousses.

- Ah, vous faites partie de l'Appareil. Je comprends. (Mais il hésitait.) Je ne saisis toujours pas.

- Il n'y a pas de sortie de secours dans mon bureau. Si j'étais pourchassé jusqu'ici, je n'aurais aucun moyen de m'enfuir. Mais si vous faites ce travail, je pourrai me réfugier dans les toilettes, briser la vitre, franchir la porte secrète et, en empruntant l'échelle, gagner le toit.

Il ne comprenait toujours pas.

- Si cette vitre est du type insonore quand elle se brise, ça me laisse le temps d'emprunter la porte secrète, de la refermer et de m'enfuir. Ni vu ni connu.

Il grimpa sur le siège des toilettes et regarda au-dehors.

- Eh ! La rivière est au moins à cent cinquante mètres en contrebas !

- Exactement. Ils penseront que j'ai tenté le tout pour le tout. On ne retrouve jamais aucun cadavre dans cette rivière. Nous en savons quelque chose dans l'Appareil. Ils ne me chercheront même pas ! En fait, je serai sur le toit. Et maintenant, arrêtez de vous casser la tête avec ces histoires d'espions. C'est mon boulot. Est-ce que vous pouvez me faire ce travail ?

Il me dit que oui, bien que l'allocation lui parût un peu mince.

- Très bien. Alors donnez-moi vingt crédits et le boulot est à vous.

Et alors commença une longue discussion plutôt enflammée. Ces types adorent marchander. Mais je ne suis pas mauvais non plus à ce sport-là. Nous nous entendîmes finalement pour dix crédits. Je tendis la main et il dit :

- Oh, on ne paie les ristournes que lorsque votre comptabilité règle les factures. Des bruits ont couru sur vous. (Il sourit, toujours amical.) Je vais commencer les travaux immédiatement et, dans six mois, vous aurez vos dix crédits.

Je ne pouvais plus annuler cette commande. Cela aurait trop ressemblé à un stratagème pour rafler un peu d'argent.

Il partit.

Un peu amer, je m'assis derrière mon bureau. Par dépit, je n'apposai pas mon identoplaque sur la facture du premier entrepreneur. Ça leur apprendrait ! Un officier a sa dignité, après tout. Même dans l'Appareil.

4

Plusieurs fois, je fus sur le point d'aller au hangar pour voir ce que fabriquait Heller. Chaque fois, je ressentis une douleur à l'estomac.

Mais douleur ou pas, j'avais faim et je me résolus finalement à gagner mon aircar.

Le spectacle qui m'attendait me laissa pantois : mon chauffeur avait vidé le véhicule et était occupé à le nettoyer. Du jamais vu. C'était la première fois qu'il le faisait. Il avait étendu toutes mes affaires un peu partout sur le parking pour les aérer et les débarrasser de leur puanteur. Il sifflait joyeusement mais s'arrêta net quand il m'aperçut.

- Vous allez voir Heller ? me demanda-t-il.

La douleur m'assaillit à nouveau. Je secouais la tête après quelques secondes. Je me dis que je pouvais toujours l'envoyer à ma place. Mais

Heller l'avait évidemment surpayé et cette histoire à propos des deux crédits était un mensonge. Je n'avais rien à gagner à remettre ça sur le tapis : je n'étais pas en état pour une prise de bec.

Je lui interdis de s'approcher du hangar. Heller l'avait déjà envoyé chercher des produits d'entretien aux quartiers de la Flotte. Allez savoir quels autres messages Heller transmettrait à la Flotte ? J'aurais voulu mourir, en finir une fois pour toutes, car, à l'évidence, la foudre n'allait pas tarder à me frapper. Krak se ferait prendre. Ou Lombar s'apercevrait que nous n'étions pas encore partis. Ou les inspecteurs de la Couronne viendraient fouiner. Et je ne pouvais rien faire pour empêcher ça. Rien. Aux Diables l'échelle de secours qui menait au toit ! Ce que j'avais de mieux à faire, c'était de sauter par la fenêtre des toilettes pour en finir.

Je fis demi-tour et rentrai. La Section 451 comprend de nombreuses pièces, à cause de tous nos fichiers. Je n'ai jamais su combien de gens y travaillaient vraiment, vu que la liste du personnel était falsifiée, ce qui permettait à Bawtch et à quelques-uns de ses supérieurs de s'en mettre plein les poches. Mais, dans le bureau principal, il y avait quarante et un employés occupés à brasser de la paperasse. Je connaissais assez bien certains d'entre eux et j'en savais long sur les autres. Ils ne m'adressaient jamais la parole. Je retournai dans mon bureau.

Mon estomac continuait de me faire souffrir. J'étais déprimé.

Peut-être cela venait-il de ce que j'avais faim et soif. A part une gorgée de s'coueur chaud, je n'avais rien avalé depuis la veille au matin. Et, cela me revenait maintenant, le jour d'avant je n'avais rien avalé non plus. Quarante-huit heures sans boire ni manger. Mon estomac me torturait. Une hallucination étrange commença à s'insinuer dans mon esprit. J'eus l'impression d'être dans l'un des bureaux souterrains de notre station turque, sur Blito-P3. J'étais assis à mon bureau personnel. Quelques-uns de mes sous-fifres se tenaient là et me considéraient avec un sourire amical. J'estampillais les manifestes d'un cargo et chaque fois que mon identoplaque s'abattait sur l'un des documents, les sous-fifres applaudissaient à tout rompre. Bref, tout allait pour le mieux. J'étais loin, très loin de Voltar. Une superbe créature turque, une danseuse, entra dans la pièce et se mit à danser, lentement, d'une façon suggestive, s'approchant peu à peu de moi, m'invitant des lèvres et du regard. Dans l'une de ses mains, elle tenait des pièces de monnaie et dans l'autre, QUELQUE CHOSE A MANGER, quelques-uns de ces délicieux baklavas*.

J'allais ouvrir la bouche pour lui parler en turc quand, brusquement, je repris mes esprits. J'avais bel et bien *vu* la fille ! J'avais entendu les pièces tinter ! J'avais senti l'odeur des baklavas !

Je sus aussitôt que j'étais en train de perdre la boule.

Comment pouvais-je le savoir ? C'est très simple.

Le mieux serait que je m'explique.

A l'Académie Royale, j'avais été un très mauvais élève, mais lorsque je me suis mis à suivre les cours des écoles de l'Appareil, je suis devenu un crack, surtout en langues.

Bien entendu, dans ces écoles, il y a d'excellents professeurs. C'est impératif, car on y enseigne plus de quatre cents langues, c'est-à-dire toutes les langues parlées sur les quelque cent dix planètes de la Confédération de Voltar. Le voltarien standard est la langue officielle enseignée dans toutes

* Gâteaux d'origine grecque, au miel et aux amandes. (N.d.T.)

les écoles de la Confédération, mais lorsqu'on travaille dans l'Appareil, on se retrouve fréquemment dans un trou perdu où personne ne connaît le voltarien standard.

Et à cela il faut ajouter au moins dix mille langues parlées sur les planètes ennemies et sur celles qui seront un jour envahies.

Dans les écoles de l'Appareil, ils ont un système d'enseignement très futé : l'approche graduelle. On commence avec des cubes, puis on poursuit avec des manuels pour enfants, et ainsi de suite. En ce qui concerne l'anglais, l'une des langues de Blito-P3, l'étudiant passe par les étapes suivantes : cubes, livres du niveau maternelle, bandes dessinées, manuels techniques.

J'avais choisi une bande dessinée intitulée *Bugs Bunny.* Je me rappelle la première erreur que j'avais commise. Quand j'y repense, je ne puis m'empêcher de sourire. J'avais cru que le personnage appelé Bugs Bunny était un échantillon de la race terrienne. Il faut dire qu'à l'époque, je n'avais encore jamais été sur Blito-P3. Qu'est-ce que mon professeur avait ri ! Il avait dit ensuite qu'il existait dans cette même bande dessinée un authentique échantillon de Terrien. Il s'agissait d'Elmer.

Mais je dois dire que Bugs Bunny est très habile. C'est un drôle de roublard. A n'en pas douter, il sait s'y prendre avec les gens. J'en avais donc conclu que les Terriens devaient être des malins. Et puis, un jour, l'un des savants qui enseignaient dans nos écoles m'avait dit qu'il n'y avait pas tellement de différence entre les bandes dessinées des Terriens et leurs livres techniques. Une façon détournée de me faire savoir que je ne progressais pas assez vite. Je ne me le fis pas dire deux fois. Nous avions le droit de choisir, pour la lecture, les sujets techniques que nous voulions et j'optai pour un sujet que les Terriens appellent « psychologie ».

La « psychologie » est un monopole gouvernemental, mais elle est enseignée dans les universités. Les « psychologues » affirment que tout le monde est mauvais et malfaisant. Ils disent que les êtres doués d'intelligence sont des animaux et qu'ils n'ont pas d'âme. Bien que cette dernière affirmation soit propre à la Terre et qu'on la rejette sur toutes les autres planètes de l'Univers, j'étais néanmoins tout prêt à l'accepter, car très souvent je prie avec ferveur qu'il ne me soit jamais donné de vivre une autre vie. De plus, tout comme Lombar, je considère bien entendu que tout le monde est malfaisant.

Bref, ces textes de « psychologie » constituaient pour moi une véritable mine d'or. Je les lisais et les relisais. Comme Bugs Bunny, les psychologues vous apprennent à berner *tout le monde.*

En vérité, c'est de l'étude exhaustive de ces ouvrages que me vient cette faculté remarquable à manipuler les gens.

J'ai longuement hésité avant de parler de cela dans ce récit. Pour deux raisons. D'une part, je craignais que les gens me prennent pour un cinglé, et d'autre part, la psychologie est ma spécialité secrète dans le cadre de mes activités au sein de l'Appareil, ici sur Voltar. Même les races primitives ont des sciences secrètes.

Donc, après avoir vu cette danseuse turque, je sus exactement ce qui s'était passé : j'avais été victime d'une « hallucination psychogène causée par une dénégation d'assouvissement ».

J'en déduisis naturellement que je voulais fuir cet ignoble endroit le plus vite possible. Cette conclusion me vint en un éclair.

Je savais à présent de quoi je souffrais exactement et la chose m'apparaissait avec une absolue clarté. Pourtant, de temps à autre, mes pensées continuaient de dériver et je me retrouvais à nouveau sur Terre, à la base turque. A une ou deux reprises, il m'arriva même de tendre la main pour prendre les gâteaux que la fille turque avait déposés sur le bureau.

Une pensée en entraînant une autre, j'en vins à me demander comment j'allais faire, sur Terre, pour estampiller toute la paperasse qu'on m'enverrait - et comment les monceaux de formulaires allaient être acheminés vers la Terre puis réacheminés sur Voltar. Il ne fallait surtout pas qu'ils reviennent endommagés ou cornés, autrement Bawtch piquerait sa crise.

La journée passa lentement, très lentement. J'avais de plus en plus soif et de plus en plus faim. Selon toute vraisemblance, je pouvais abandonner tout espoir de manger quoi que ce soit avant un an, c'est-à-dire quand je serais à nouveau en mesure de toucher ma paye - et à condition de ne pas être rayé des registres de salaire, auquel cas il me faudrait attendre cinq ans ou peut-être éternellement. J'étais de plus en plus angoissé.

Sur Blito-P3, je serais complètement coupé de la Confédération. Je n'aurais plus la possibilité de fouiner et de mettre mon nez partout, car je n'aurais pas de console centrale. Mes beaux rêves d'une vie paisible sur Terre commencèrent à être entachés par le fait que, une fois là-bas, je serais dans l'ignorance la plus totale de ce qui se passerait sur Voltar.

Qu'aurait fait Bugs Bunny dans des circonstances similaires ? Je me mis à réfléchir à la question. Il aurait approuvé la sortie de secours secrète que je venais de faire installer dans les toilettes. Mais, en dépit de ma fabuleuse mémoire, je ne me souvenais d'aucune histoire où Bugs Bunny résolvait ce genre de situation, à part celle où il est sur une plate-forme et où, pour observer quelqu'un qui le pourchasse dans une voiture de police, il prend un télescope qui, par un système de manettes, s'allonge démesurément en épousant tout un tas de coins et de virages. De toute évidence, je n'avais pas un télescope aussi long.

Surmontant ma faim en un ultime effort, et grâce à mon incroyable intelligence, je trouvai soudain la solution.

C'était Endow qui relayait les informations qui circulaient entre l'Appareil et le Grand Conseil. Lombar était obligé de tout faire passer par Endow. Et celui-ci avait une faiblesse : les jolis garçons !

Je sortis mes dossiers de chantage - ceux qui concernaient nos employés de bureau.

J'appuyai sur plusieurs bourdonneurs et donnai des ordres. Quelques instants après, deux employés de la Section 451 entrèrent avec un sourire vaguement amusé et bon enfant.

Les deux garçons étaient surnommés « Chochotte » et « Ma Chère ». Leur vrai nom était Twolah et Odur. Ils étaient originaires de la planète Mistin, exactement comme Endow. Enfants, ils avaient manifesté d'excellentes dispositions à l'école. Leurs mères respectives, gâteuses et possessives à l'extrême, les avaient littéralement pourris. Ils étaient entrés à l'Université de Mistin avec d'excellentes notes et avaient été de brillants étudiants. L'un d'eux tomba amoureux d'un vieux professeur de cytologie et l'autre du doyen de la faculté. Ils se firent prendre et ce fut l'expulsion. Ils étaient finis, brisés.

Ces deux zigotos allaient servir à merveille les desseins que j'avais en tête : ils étaient mignons tout plein. Et d'ici quelques minutes, j'aurais gommé ce petit sourire amusé de leur joli minois.

- Toi, Twolah, et toi, Odur, vous venez d'être promus à l'instant.

La nouvelle leur fit plaisir, mais je pus lire une certaine méfiance sur leur visage.

- Par le pouvoir qui est le mien, en tant que chef de section, je vous nomme tous les deux courriers pour Blito-P3. Vous alternerez. Vous vous relèverez mutuellement après chaque aller-retour de la navette. L'un de vous m'apportera tous les papiers que je dois signer, puis il les ramènera. Puis ce sera au tour de l'autre. Et ainsi de suite.

Ils ne souriaient plus. Ils étaient inquiets. J'ai une certaine réputation dans le bureau. Ils savaient que ce n'était pas tout. Trois mois de traversée suivis de trois mois de congé, c'était presque trop beau pour être vrai, même si le voyage à bord d'un cargo spatial n'était pas spécialement confortable.

- Pendant votre période de congé sur Voltar, vous porterez en personne des messages à Endow. Des messages venant d'ici. Peu importe leur contenu, à vous de faire travailler votre imagination. Et vous resterez avec Endow jusqu'à ce qu'il ait rédigé une réponse. Vous vous maquillerez et vous vous habillerez de façon aguichante, puis vous le séduirez de façon que chacun de vous, à tour de rôle, devienne son amant. Et vous lui soutirerez toutes les informations courantes concernant Blito-P3 et me les ferez parvenir.

- Et si Lord Endow refuse de se laisser piéger ? demanda Chochotte d'une voix timide.

- Je ne crois pas qu'il refusera. Car chacun de vous va faire tout ce qu'il faut pour qu'Endow parle. Vous avez déjà entendu parler des lettres magiques ?

Le système des lettres magiques fait partie des ficelles du métier. Chochotte et Ma Chère avaient fait l'école d'espionnage, mais ils n'étaient pas rompus aux techniques supérieures de notre art.

- Je vais vous expliquer de quoi il s'agit, dis-je.

- Je n'en doute pas, susurra Ma Chère.

- Une lettre magique est un message ou un ordre qui est mis en place sur un toboggan postal. Elle y reste fixée durant un temps bien déterminé - dans votre cas, trois mois. Il faut qu'une carte émettant une certaine fréquence soit expédiée par ce même toboggan et passe devant la lettre magique avant que le délai expire. A ce moment-là, la lettre reste en place trois mois de plus. Si jamais la carte qui prolonge le délai n'est pas expédiée à temps, la lettre magique se détache et tombe parmi les lettres ordinaires, et elle est alors délivrée au destinataire.

Leur visage était blanc, à présent. Joli, mais blanc.

- *En plus* des formulaires que chacun de vous me remettra sur Blito-P3, il faudra aussi me donner *toutes* les nouvelles concernant la Terre qui seront en possession de l'Appareil, du Grand Conseil, d'Endow et de Lombar Hisst. *Si* je vois que les informations que vous me transmettez sont authentiques et que, pendant votre période de congé, vous faites votre travail d'espionnage avec assiduité, je vous remettrai un reçu contenant une certaine fréquence et vous pourrez l'envoyer par le toboggan postal, ce qui maintiendra la lettre magique en place.

Ils étaient pâles comme la mort. Leur joli visage n'était plus aussi joli.

- A qui sera adressée la lettre magique ? demanda Chochotte.

- Elle concernera qui ? bredouilla Ma Chère.

- La lettre magique sera adressée au Commandant de la Section Couteau, sur Mistin. Comprenez bien que cette lettre ne partira jamais si vous faites votre travail avec toute l'application voulue.

Je vis qu'ils m'avaient parfaitement compris. C'était le moment de mettre la touche finale. La psychologie est un merveilleux instrument.

- Vous aimez votre mère, tous les deux, pas vrai ?

Je le savais car tous les garçons et tous les mâles passent par des stades précis. Je l'avais appris dans les livres terriens. Tout d'abord, il y a le stade oral passif, puis le stade oral érotique, suivi du stade anal passif et du stade anal érotique. Ensuite c'est la « période latente » et, finalement, la formation des parties génitales. A l'évidence, les deux garçons étaient restés coincés dans leur période anale érotique. Normal, puisque les mères changent les couches. D'où l'on pouvait naturellement conclure, aussi sûr que deux et deux font quatre, qu'ils adoraient leur mère.

- Vous n'iriez quand même pas jusqu'à donner l'ordre d'*assassiner* nos mères ? s'exclama Chochotte, incrédule.

D'un geste vif, je sortis un poignard de la gaine fixée sous mon cou - le genre de poignard qu'on trouve dans la Section Couteau. Je le lançai et il alla se planter entre leurs pieds en vibrant. J'avais fait cela pour ajouter le symbole phallique. Exactement comme il était dit dans les livres terriens. Les deux garçons tombèrent dans les bras l'un de l'autre et fondirent en larmes.

J'appelai Bawtch et lui dis de les faire sortir de mon bureau. Ils pleuraient tellement fort que même Bawtch fut impressionné. Pendant une bonne minute, il resta devant la porte et me dévisagea. Pas de doute, il était intimidé. Finalement, ils sortirent tous les trois.

Tout cela m'avait remonté le moral. La psychologie est un outil fabuleux. Pas étonnant que les gouvernements terriens y recourent tout le temps !

Ma foi, une chose au moins avait bien tourné aujourd'hui.

Je tendis la main pour prendre l'un des baklavas que la danseuse avait laissés sur le bureau mais, une fois de plus, je ne rencontrai que le vide.

5

A minuit, alors que je dormais sur mon bureau, je fus brutalement réveillé par l'intrusion bruyante d'un visiteur. La pièce était plongée dans l'obscurité. Le visiteur était un diable manco. Je sus immédiatement qu'il venait de Manco, car les diables de là-bas ne ressemblent pas aux diables des forêts si répandus sur les autres planètes. Les diables mancos ont des cornes, une longue queue qui se termine par une fourche, et leur peau est d'un rouge sombre flamboyant.

Pendant quelques instants, je me demandai pourquoi Bawtch l'avait laissé entrer sans l'annoncer, mais un coup d'œil à ma montre m'apprit qu'il était minuit et que Bawtch, bien sûr, ne travaillait pas à pareille heure.

Je dis au diable manco de faire moins de bruit : il risquait d'alerter les « bouteilles-bleues » - la police intérieure - ou bien, pire, d'attirer un inspecteur de la Couronne. Mais il sembla ignorer mon avertissement, dès lors je me façonnai une attitude aussi courtoise que possible afin de le traiter avec tous les égards dus à un visiteur.

Dans une main, il tenait un formulaire, et dans l'autre, un stylo. Il s'assit sans attendre dans le siège des hôtes, se tortilla un peu afin d'être confortablement installé et posa la première question.

- Votre nom ?

Je le lui dis et, bien entendu, il l'inscrivit tout en haut du formulaire.

Mais j'éprouvais une certaine curiosité.

- De quel formulaire s'agit-il ? lui demandai-je.

- Du formulaire 345-678-M.

Je lui dis que je ne connaissais pas ce formulaire. Il croisa les jambes et se rencogna dans le siège. Il parla d'un ton affable :

- C'est le formulaire qu'on remplit pour voir si la personne sait.

- Sait quoi ? demandai-je, car je suis moi-même un as des interrogatoires.

- C'est ce que nous devons déterminer, rétorqua le diable manco.

Ma perspicacité semblait l'irriter. Mais sa réponse m'avait mis hors de moi :

- Comment voulez-vous que je réponde si je ne sais pas ce que je suis censé ne pas savoir ?

Ma question ne le démonta pas le moins du monde. Sa longue queue en forme de fourche s'agita. Apparemment, c'était un signal, car la porte des toilettes s'ouvrit et l'équipage du Patrouilleur B-44-A-539-G - celui qui avait conduit Heller sur Blito-P3 pour sa première mission - entra dans la pièce. J'éprouvai une légère surprise, car je croyais ces hommes enfermés en lieu sûr dans les entrailles de Répulsos. Je réalisai alors que Sneltz avait dû leur donner un laissez-passer, donc tout était en ordre. Ils étaient une bonne vingtaine, mais je me dis qu'ils avaient dû emprunter l'issue de secours secrète que j'allais faire installer le lendemain et je me désintéressai aussitôt de la question.

Ils s'étaient disposés en cercle tout autour de la pièce. Sur un geste de leur capitaine, ils s'assirent promptement en se mettant au garde-à-vous.

Le diable manco leur dit :

- Il prétend ne pas savoir ce qu'il n'est pas censé savoir.

Le capitaine me considéra d'un œil critique et dit au diable manco :

- Très bien. Alors nous ne le lui dirons pas.

Les hommes se levèrent et se mirent à manger les baklavas que la fille avait laissés sur le bureau. Puis ils prirent chacun un fouet électrique et entreprirent de me frapper.

Je me recroquevillai, implorant du regard le diable manco. Mais celui-ci avait changé d'apparence. Il avait pris les traits de Lombar Hisst !

Il ne me restait plus qu'une solution. J'essayai de dégainer mon paralyseur. Horreur ! Impossible de le sortir de son étui !

J'entendais les fouets électriques grésiller. Pris de panique, je tournai la tête vers Lombar. Mais ce n'était plus Lombar, c'était Crobe ! Si seulement ce visiteur pouvait arrêter de changer sans cesse d'apparence. Comment voulait-il que je réponde à ses questions ? Il se transformait tout le temps !

Les hommes avaient fini les baklavas. Ils se tournèrent vers le visiteur, attendant ses ordres. Celui-ci avait maintenant les traits du vieil Atty.

- Il ne sait pas qu'il ne sait pas, dit-il.

Le capitaine se redressa et adressa au vieil Atty le salut de la Flotte. Je trouvai cela très chic de sa part. C'était une marque de respect pour le grand âge d'Atty.

- Monsieur, fit le capitaine, soyez assuré que nous ne lui dirons rien à moins qu'il ne nous graisse généreusement la patte.

Le vieil Atty parut satisfait, mais c'était à nouveau le diable qui occupait le siège. Il dit :

- Venons-en maintenant à votre paye de manipulateur de la mission secrète que vous accomplissez pour le compte du Roi des Bas-Fonds.

L'équipage du patrouilleur avait disparu.

- Il va me falloir une meilleure paye, fis-je remarquer, car je suis endetté jusqu'au cou. En fait, j'ai déjà touché ma paye pour les cinq années à venir. Lorsqu'ils m'ont dégagé de la mission, je n'avais plus un rond et je n'ai pas réussi à emprunter le moindre sou à mon chauffeur. Et quand j'ai été cassé, Meeley m'a dénoncé aux bouteilles-bleues.

- En fait, dit le diable, c'est pour cela que je suis ici. Pour encaisser les honoraires de cet interrogatoire.

Je tentai de lui expliquer que ses calculs clochaient, qu'il avait ajouté par erreur le prix d'une citerne de tup, mais il ne voulut rien entendre. Il se leva brusquement et son stylo devint un chalumeau.

Le mur se trouvait juste derrière moi. Je ne pouvais pas reculer davantage ! Le diable m'enfonça la torche ardente en plein dans le ventre. La douleur était intolérable !

Je me mis à courir, mais plus j'allais vite, plus je faisais du sur place. D'un bond, le diable manco fut à nouveau devant moi. Il m'enfonça une fois encore le chalumeau dans l'estomac.

Je tentai désespérément de dégainer mon paralyseur mais ne parvins pas à le dégager de son étui.

Je sautai sur le bureau. Mais le *Remorqueur 1* traversa la pièce avec un bruit assourdissant et me fit tomber par terre. Puis il explosa en plein vol et tout son équipage périt.

- C'est votre faute, dit le commandant Crup. Je m'en lave les mains.

Le diable réapparut. Il était encadré de deux léprodontes qu'il avait beaucoup de mal à retenir.

- Si jamais vous découvrez la vérité, me cria-t-il, je lâche ces animaux et ils se feront une joie de vous dévorer les entrailles !

La peur me saisit.

- Attendez ! hurlai-je. Je vais vous payer vos honoraires !

Je me précipitai vers un meuble-classeur et en sortis une grosse liasse de faux crédits. Je les lui lançai.

Mais il avait subitement disparu ! La pièce était vide !

Avec un gémissement, je me recouchai sur le bureau. Lorsque je me fus un peu remis de mes émotions, je regardai par terre et constatai avec intérêt que le chalumeau n'avait pas brûlé les documents secrets que je transportais pour l'Empereur.

En remerciant les Dieux, je sombrai dans un sommeil agité.

6

Je tombai du bureau et heurtai le sol avec fracas. La matinée était déjà bien avancée. La voix de Bawtch me parvint, lointaine. J'avais l'impression qu'il était à des kilomètres.

- Hier vous n'en avez tamponné que la moitié, car je ne voulais pas vous surmener. Mais il y a des mois et des mois de travail en retard.

J'ouvris les yeux. Bawtch était là avec une pile de paperasse haute d'un mètre et essayait de m'enjamber pour la déposer sur le bureau.

J'essayai péniblement de me lever. Je dus m'évanouir, car lorsque je revins à moi, je vis que Bawtch conversait avec deux employés :

- S'il nous fait le coup de mourir, jamais ces formulaires ne seront tamponnés.

Je m'évanouis à nouveau. Quand je repris conscience, je constatai qu'on m'avait traîné contre le mur et qu'il y avait maintenant quatre employés dans la pièce.

- A mon avis, il est malade, dit l'un d'eux. Son front est brûlant.

- Tel que je le connais, grogna Bawtch, il a attrapé une de ces nouvelles fièvres et il va la refiler à tout le bureau.

- Je pense qu'on devrait appeler un médecin, dit un autre employé.

- Ouais, on peut pas le laisser crever ici, acquiesça un troisième employé. La puanteur serait intenable. L'endroit empeste déjà assez comme ça.

Après ce qui me sembla être des heures, je repris à nouveau conscience. On était en train de m'étendre sur le dos. Un médecin était là. Je le reconnus. C'était l'un de ces gus qui font du trafic de médicaments et qu'on appelle « docteur ès médicaments ». Les prostituées du coin allaient le voir à chaque fois qu'elles étaient enceintes car il leur donnait des pilules abortives. Il avait posé sa sacoche sur mon bureau et en extrayait divers objets.

Il se pencha sur moi et me mit une espèce de courroie autour de la tête. Je tentai de m'échapper en rampant sur le dos, croyant qu'il allait m'administrer des électrochocs. Peut-être se moquait-il pas mal du châtiment qui était réservé à ceux qui usaient d'électrochocs sur un officier. Ces « docteurs ès médicaments » sont tous des criminels.

La courroie se révéla être un thermomètre.

- Il a de la fièvre, déclara le docteur.

- Il va sans doute tous nous infecter, dit Bawtch.

- Ouvrez la bouche ! ordonna le médecin. (De ses deux mains, il me desserra les mâchoires.) Aha ! La langue est enflée ! (Il se redressa et, s'adressant vraisemblablement à Bawtch, il annonça d'un ton pédant :) A l'évidence, nous avons affaire à un cas de *diploduckus infernam*. La nouvelle maladie qui vient de Flisten. Dans deux ou trois jours, il aura une éruption de boutons noirs qui se mettront rapidement à suppurer.

- C'est contagieux ? demanda un employé.

- Très, répondit le médecin.

Les employés quittèrent précipitamment la pièce.

- Qui va me tamponner toute cette paperasse ? grinça Bawtch.

La chose ne relevait pas de son domaine, aussi le docteur ignora la question et dit :

- Je vais vous faire une liste de pilules, de poudres et de drogues miracles. Elles sont parfaitement inefficaces mais il se sentira moins mal.

- Nous ne pouvons pas vous les acheter, dit Bawtch. Il n'a pas d'argent sur lui. Je l'ai fouillé.

- Quoi ? rugit le docteur. Vous voulez dire que vous m'avez fait faire tout ce chemin pour...

Il était vert de rage !

Il déchira la liste, jeta son matériel dans sa sacoche et s'en alla. Ses pas résonnaient lourdement sur le sol. Il claqua violemment la porte.

- Et voilà ! fit Bawtch. Vous voyez la situation dans laquelle vous me fourrez ?...

Il sortit en claquant la porte lui aussi.

Je restai là, allongé, immobile, attendant l'éruption des boutons noirs purulents. Je restai sans doute inconscient de nombreuses heures, car lorsque je me réveillai, la journée était déjà avancée. Les rayons du soleil couchant pénétraient dans la pièce par l'encadrement ouvert de la porte des toilettes : les hommes du patrouilleur avaient oublié de la fermer.

Mon chauffeur était agenouillé à mes côtés. Il me secouait par les épaules. L'espace d'un instant, il se transforma en inspecteur de la Couronne, puis il reprit son apparence normale.

- Je sais que vous m'avez interdit de retourner là-bas, mais quand j'ai appris ce midi que vous étiez malade, je me suis dit qu'il valait mieux que j'aille au hangar pour les mettre au courant.

Je perdis à nouveau conscience. Il me secoua pour me réveiller.

- Quand j'ai appris à Heller que vous étiez malade, il a dit qu'il en était sincèrement désolé et qu'il vous souhaitait un prompt rétablissement, et il a demandé s'il y avait quelque chose qu'il pouvait faire pour vous.

Une fois de plus, je dus tomber dans les pommes car mon chauffeur me secouait de nouveau. J'ouvris les yeux. Il s'était changé en danseuse turque. Elle passa un bras sous mes épaules et me souleva un peu.

- Heller vous fait envoyer ceci, dit-elle. Une caisse entière de boîtes d'eau pétillante et dix livres de pains sucrés. Regardez, voici l'une de ces boîtes à tube qu'on utilise dans l'espace. Là, mettez vos lèvres autour du tube. C'est de l'eau pétillante verte. Maintenant aspirez... C'est ça.

Ça avait le goût de la boza, une boisson fabriquée en Turquie à partir de blé fermenté. Ce qui prouvait que la fille était réelle, que c'était *vraiment* une danseuse turque. Pendant un moment, j'avais cru que j'étais à nouveau victime d'une hallucination.

Je dus m'évanouir à nouveau car lorsque je me réveillai, il me sembla que pas mal de temps s'était écoulé depuis la dernière fois où j'avais été conscient. Le chauffeur avait un bras sous mes épaules et continuait de me donner à boire.

Cela faisait sans doute une ou deux heures qu'il était là, car il n'y avait plus de soleil.

- Voilà, dit-il. Vous avez fini la boîte.

Il enleva son bras et m'aida à m'allonger. Ma langue avait désenflé.

- Où est passée la danseuse ? chuchotai-je. Est-ce qu'elle est partie lorsqu'elle a su que je ne pouvais pas la payer ?

Je sombrai une fois encore dans l'inconscience. Lorsque je revins à moi, il faisait nuit. L'obscurité régnait dans la pièce. Ma langue n'était plus du tout enflée. Mon chauffeur me soutenait à nouveau.

- Tenez, voici l'un des pains sucrés qu'Heller vous a envoyés. Il y en a des tas. Prenez-en une petite bouchée et mâchez bien. Faites attention à ne pas vous étrangler avec les miettes.

Je parvins à faire descendre quelques bouchées. Très vite, mes idées devinrent plus claires. Mais à présent, j'avais mal à l'estomac.

- Je ne peux pas payer le docteur pour les pilules, dis-je sans détour à mon chauffeur.

- Quel docteur ? rétorqua-t-il, visiblement étonné. Oh ! Vous voulez dire l'autre rigolo... Vous savez, nous avons réfléchi et nous nous sommes dit que vous n'aviez sans doute rien bu ni rien mangé durant les trois derniers jours. Quelqu'un qui ne boit pas la moindre goutte d'eau pendant quarante-huit heures peut devenir fou. Et il peut aussi avoir de la fièvre. C'est ce que m'a dit Heller. Il m'a expliqué ce qu'il fallait faire. Snelz lui a fait remarquer que vous seriez dans tous vos états s'il quittait le hangar, vu qu'il s'agit d'une mission secrète et tout ça. C'est pour ça qu'il n'a pas pu venir en personne et qu'il m'a expliqué ce qu'il fallait faire.

Mon chauffeur farfouillait dans sa tunique. Il en extirpa quelque chose.

- Regardez, dit-il, Heller m'a remboursé les deux crédits que j'avais payés de ma poche et il m'a donné vingt crédits pour toutes les courses et tout le travail que j'ai faits. Voici votre part.

Il agitait un billet de cinq crédits devant mon nez.

Je décidai aussitôt de ne pas tuer Heller aujourd'hui.

Ma douleur à l'estomac disparut !

7

Pendant deux jours, Bawtch attendit que ma peau se couvre de boutons noirs purulents. Il avait dû percer un trou dans la porte pour m'observer car lorsqu'il entra, il affichait son arrogance coutumière et se montra, comme à son habitude, parfaitement déplaisant.

Mes hallucinations avaient cessé. J'avais juste fait quelques cauchemars. J'avais passé ces quarante-huit heures à dormir et à me gaver d'eau pétillante et de pains sucrés.

Bawtch posa une grosse pile de documents sur le bureau.

- Je suis très heureux de constater que ces papiers vont *enfin* être tamponnés, dit-il. Tout le monde ici se tue au travail pour remplir les formulaires. C'est très mauvais pour le moral des employés quand la paperasse s'accumule sans avoir été estampillée.

J'étais requinqué, aussi je me mis joyeusement au travail. Je finis toute la pile en une heure.

- Nous n'avons plus de travail pour vous, fit Bawtch avec une note d'hostilité dans la voix. Alors quand allez-vous vider les lieux ? (Il vit sans doute que je ne l'écoutais pas, car il ajouta avec insistance :) Votre chauffeur a été voir Meeley et lui a donné cinq crédits, ce qui fait que vous avez récupéré votre chambre.

J'explorai fébrilement mes poches. Effectivement, ce chauffeur de mes (bips) ne m'avait pas donné les cinq crédits ! Il les avait refilés à Meeley ! J'allais être obligé de quitter le bureau et de me promener à l'extérieur où tout le monde pourrait me voir !

Ma bonne humeur s'évanouit. Il me sembla voir le spectre de Lombar se profiler autour du bâtiment.

- Ce n'est pas un appartement ici ! aboya Bawtch presque sauvagement.

Il avait prononcé ces mots avec tant de force que les rabats sur ses tempes claquèrent.

Je décidai de le remettre à sa place. Si je m'étais installé ici, c'était pour me cacher. Comme je ne venais jamais au bureau, personne n'aurait l'idée de m'y chercher. Je dis à Bawtch :

- J'ai plusieurs décisions stratégiques à prendre. Après tout, c'est *mon* bureau ici ! Je suis parfaitement en droit de rester ici pour penser !

Pour toute réponse, Bawtch émit une sorte de « pfft » et sortit en claquant la porte.

Il me fallut à peine quelques secondes pour comprendre pourquoi Bawtch ne voulait pas que je reste dans le bureau. Les ouvriers ! Ils entrèrent bruyamment, me jetant au passage quelques regards furieux : à cause de ma présence, ils avaient perdu une partie de la journée. Sans attendre, ils se mirent à prendre des mesures et à jouer du marteau dans les toilettes.

Je haussai les épaules. Ce n'était pas une broutille comme celle-là qui me ferait mettre le nez dehors et m'exposer au danger.

Cette sortie de secours que les ouvriers étaient en train de construire me fit songer à ce cher Bugs Bunny. Qu'aurait-il fait, *lui,* s'il s'était trouvé dans la même situation que moi ? J'avais beau repasser dans ma tête toutes ses aventures, l'inspiration ne vint pas. Pire, cela me fit penser à Heller et à la mission.

De toute façon, je ne pouvais *rien* changer à la situation dans laquelle je me trouvais. Mais il fallait absolument que je fixe mes pensées sur un sujet quelconque. Je déteste que mon esprit vagabonde car lorsque je le laisse dériver, il a tendance à jeter son dévolu sur des pensées terrifiantes.

De temps à autre, j'étais repris par la douce euphorie que j'avais éprouvée quelques jours plus tôt à l'idée d'être bientôt en sûreté sur Terre. Ce même matin, j'avais connu à nouveau l'une de ces périodes de bien-être en réglant tous les détails administratifs concernant les lettres magiques. Bawtch ne changerait pas mes ordres car cela sèmerait la pagaille dans ses bordereaux. Si jamais je parvenais à rallier la Terre, j'aurais au moins la certitude d'avoir un courrier régulier qui m'apporterait toutes les nouvelles top secret et Bawtch ne viendrait pas me casser les pieds avec ses histoires de documents cornés.

Je m'ennuyais ferme. Je n'arrivais pas à me trouver une occupation. Je décidai de me remémorer le mauvais rêve de l'autre nuit. Au début, le courage me manqua un peu et puis, brusquement, je compris pourquoi : ce rêve, je ne l'avais pas analysé !

Mais je dus en premier lieu résoudre un problème crucial : est-ce qu'il s'était agi d'un rêve ou d'une hallucination ? J'optai pour le rêve, car il est impossible d'appliquer une analyse de rêves aux hallucinations. Je commençai mon analyse.

Tout en faisant travailler mon esprit, je me mis à tracer des figures sans queue ni tête sur une feuille de papier. C'est un truc que je tiens d'un professeur d'ethnologie primitive. On appelle cela « griffonner ». Ça n'a rien à voir avec l'analyse des rêves.

Bien entendu, le diable représentait le père. C'était l'évidence même. Et les fouets des hommes du patrouilleur étaient des symboles phalliques. Oui, oui, je brûlais !... La torche que brandissait le personnage du père démontrait que j'étais jaloux de lui et de la dimension de sa (bip). Conclusion logique : je voulais coucher avec ma mère, d'où la haine que j'éprouvais pour mon père. Victoire ! J'avais trouvé l'explication ! Ce rêve ne viendrait plus jamais me troubler.

Malheureusement, même avec les griffonnages, mon analyse avait pris à peine quelques instants. La psychologie est un sujet que je maîtrise trop bien. Je suis capable d'obtenir des résultats en un éclair. Peu à peu, mon esprit se tourna à nouveau vers mes problèmes.

Brusquement, j'eus une prémonition qui m'emplit d'horreur ! Le patrouilleur ! J'avais survolé le Grand Désert en long et en large à plusieurs reprises et je n'avais pas vu la moindre épave ! La terreur me saisit. Qu'était-il advenu de l'équipage ? Si ces hommes parvenaient à recouvrer leur liberté et si la Flotte apprenait qu'ils avaient été kidnappés, le sort qui m'attendait ferait apparaître pour rien ce que j'avais enduré au club des officiers !

Ma main s'abattit sur les bourdonneurs et je lançai des ordres. Un employé renfrogné apparut bientôt avec les journaux des derniers jours. Je les parcourus frénétiquement. Rien ! Pas le moindre article sur un patrouilleur qui se serait écrasé ! Pas même un entrefilet !

Que s'était-il passé ? Le commandant du 2e Bataillon de la Mort avait pourtant placé des hommes à lui à bord... Est-ce qu'il avait vendu le vaisseau et l'équipage à des contrebandiers ? La Flotte effectuait constamment des rondes autour des planètes pour empêcher la contrebande. Si jamais elle interceptait l'un de ses propres vaisseaux, cela suffirait à déclencher une guerre civile. Et avec moi au beau milieu !

J'essayai de surmonter la terreur qui m'étreignait. La psychologie vous dit comment faire. Vous comptez lentement. Ça marche à tous les coups. Arrivé à vingt, je me levai d'un bond et je me mis à arpenter la pièce. Je me cognai dans l'un des ouvriers. Il portait un bleu de travail et ressemblait au capitaine de patrouille que j'avais rencontré dans mon rêve.

Tremblant comme une feuille, je me rassis : je ne voulais pas attirer l'attention sur moi et, surtout, cela me permettait de presser mes mains sur mon bureau pour cacher le tremblement qui les agitait.

Je me forçai à examiner une nouvelle fois mon rêve. Le capitaine avait dit : « Monsieur, soyez assuré que nous ne lui dirons rien à moins qu'il ne nous graisse généreusement la patte. » Aha ! Les mots clés étaient « graisser la patte ». D'ailleurs, il y avait d'autres preuves. Le diable n'avait consenti à s'en aller qu'après avoir empoché les faux crédits. Des pots-de-vin !

En serrant les dents pour me donner du courage, je continuai l'exploration en profondeur de mon mental. Je pris conscience que les personnages de mon rêve croyaient tous que je savais quelque chose que j'ignorais. Oui, mais quoi ?

Je savais aussi qu'ils voulaient que je les soudoie.

A nouveau, je fis défiler le rêve dans ma tête. Je compris soudain que les hommes du patrouilleur possédaient sans doute des renseignements sur Heller. Pourquoi pas, après tout ? N'avaient-ils pas passé quinze semaines avec lui ?

Donc ils voulaient que je leur graisse la patte ?...

Oui, mais j'ignorais en premier lieu s'ils étaient vraiment enfermés à Répulsos.

Et avec quoi allais-je les soudoyer ? Je n'avais pas un sou !

J'avais pressé mes mains si fort l'une contre l'autre que mes jointures étaient devenues blanches. C'est un des trucs que j'emploie pour me calmer les nerfs. Il fallait absolument que je remette de l'ordre dans mes idées et que je réfléchisse !

Le Bataillon de la Mort... Cela me faisait penser à quelque chose...

Subitement, je me souvins que, dans mon rêve, j'avais soudoyé le diable avec de la *fausse* monnaie.

J'éclatai de rire. Je ne m'étais pas rendu compte que je refoulais le contenu de mon subconscient. En fait, la solution, je la possédais depuis longtemps ! Elle était imprimée dans les profondeurs du cerveau primordial reptilien qui est l'attribut fondamental de tout être doué de raison. Je m'étais autocensuré à cause de ma peur - parfaitement normale - de l'onanisme.

Ces derniers jours, j'avais été effrayé à l'idée de mettre le nez dehors. Mais à présent, j'étais encore plus effrayé à l'idée de rester enfermé ici.

Je mis au point une histoire complexe pour expliquer mon absence. Je dirais à Bawtch que je partais à la chasse. La chasse est le seul véritable luxe coûteux que je me permets. J'adore tuer les petits oiseaux-chanteurs. Comme on en trouve partout, personne ne saurait quel endroit je choisirais pour chasser. Bref, personne ne pourrait me retrouver.

Je sortis de mon placard mon attirail de chasse et quittai nonchalamment le bureau. Je fis très attention à ce que tout le monde remarque ma gibecière et mon éclateur à faisceau aiguille. En passant devant la cabine où Bawtch était installé, je lançai d'une voix forte :

- Si on m'appelle au bureau, dites que je suis parti à la chasse pour me refaire une santé.

- Bon débarras, marmonna Bawtch.

Ma ruse avait marché.

SEPTIÈME PARTIE

1

L'aircar avait été nettoyé de fond en comble et resplendissait comme un sou neuf. Les produits d'entretien de la Flotte sont d'une rare efficacité. Mon chauffeur portait un uniforme flambant neuf et il avait poussé le vice jusqu'à prendre un bain. Sans doute l'influence d'Heller. (Bip) d'Heller ! Je ressentis une douleur à l'estomac.

- Content de voir que vous allez mieux, dit le chauffeur.

Je savais qu'il était sarcastique - on ne me la fait pas. D'une voix glaciale, je lui ordonnai :

- Section Provocation !

Il ferma la portière, s'installa aux commandes et fit décoller l'appareil. Je n'avais repéré aucun espion dehors. Vu mon entraînement, cela ne m'aurait pas échappé. J'étais rassuré : personne ne nous filait. Je n'étais pas en danger pour le moment.

Je suis un homme de ressources : six mois plus tôt, mû par quelque intuition heureuse, j'avais décidé d'aller fouiner du côté d'une beuverie organisée par quelques galonnés de l'Appareil. Ces beuveries n'ont pas lieu souvent car, en général, elles dégénèrent en partouzes innommables, et tout un tas de scandales doivent alors être étouffés. Ils avaient choisi pour leur orgie un hôtel minable à la campagne. C'était une véritable ruine. Elle était perdue au milieu de plusieurs hectares de broussailles et d'arbres morts. J'avais emporté l'un de ces minuscules appareils photo que l'on fixe sur le revers de sa veste. Quelques jours plus tôt, j'avais été extrêmement déçu d'apprendre que plusieurs officiers de l'Appareil qui étaient du même rang que moi avaient monté en grade. J'avais alors décidé de fourrer mon nez un peu partout dans l'espoir de glaner des informations compromettantes qui me permettraient de monter quelques jolis chantages et de donner un coup de pouce à ma carrière.

J'avais vu avec intérêt une silhouette se glisser furtivement à l'extérieur et s'enfoncer dans les broussailles. Je l'avais aussitôt suivie. Quelle veine ! Assise sur un banc dissimulé au milieu d'un bouquet d'arbustes, une femme attendait. La silhouette apparut brusquement derrière le banc. Un homme ! Il s'ensuivit une violente querelle. Au début je ne saisis pas grand-chose, à cause du vacarme infernal qui venait de l'hôtel. Mais je finis par comprendre que la femme attendait un officier supérieur et que l'homme qui était avec elle était un intrus ! Elle menaça de le dénoncer. Peut-être céda-t-il à la panique ou peut-être était-il simplement plein comme une barrique, toujours est-il qu'il la viola. Dissimulé non loin de là derrière un buisson, je pris quelques clichés. Et puis, comble de bonheur, il sortit un poignard et lui trancha la gorge, la réduisant définitivement au silence. Bien entendu, j'avais... mitraillé la scène.

J'avais pris d'autres clichés prometteurs au cours de la soirée. Je me rendis dans un laboratoire et développai moi-même la pellicule. L'appareil que j'avais utilisé était très sensible. Les photos se révélèrent être d'une excellente qualité.

Vint ensuite la tâche fastidieuse de l'identification de chacun des officiers qui avaient pris part à la soirée. Ce n'est pas une mince affaire d'obtenir les dossiers-portraits des gens qui travaillent pour l'Appareil mais, finalement, je parvins à mettre un nom sur chaque visage que j'avais photographié.

Et ô merveille des merveilles ! je découvris que la femme avait été la maîtresse du commandant du Bataillon de la Mort ! Et l'homme qui l'avait violée puis égorgée était le chef de la Section Provocation !

Je fis tout d'abord une petite enquête pour m'assurer que ce n'était pas le commandant du Bataillon de la Mort lui-même qui avait monté le coup pour se débarrasser d'une femme encombrante. Je découvris qu'il menait, de son côté, une investigation discrète. L'affaire n'avait jamais été publiée dans les journaux : l'Appareil n'aime pas ça. Mais ce commandant avait été jusqu'à rendre visite aux bouteilles-bleues - la police intérieure - pour obtenir la liste des violeurs meurtriers fichés ou recherchés. J'étais donc fixé sur ce point.

Aussi, un jour où je n'avais rien à faire, je m'étais rendu à la Section Provocation. Le chef était un dénommé Raza Torr. Les bouteilles-bleues de Flisten l'avaient arrêté à plusieurs reprises pour viol et meurtre mais, faute de preuves, ils avaient dû le relâcher à chaque fois. Finalement, il avait été recruté par l'Appareil et s'était hissé jusqu'au poste de chef de la Section Provocation. Je le pris à part et je lui donnai un jeu complet des photos que j'avais prises - j'avais des tas d'exemplaires dans un endroit caché. Je lui dis :

- Vous ne risquez absolument rien. J'ai été obligé, dans l'exercice de mes fonctions, de tuer le gars qui a pris ces clichés. Les négatifs sont en ma possession. Je ne les ai pas introduits dans la banque centrale de données. Je ne désire pas d'argent (je savais qu'il était endetté jusqu'au cou et qu'il n'hésiterait pas à tuer s'il était acculé). Je veux juste vous offrir mon amitié. Et pour vous prouver que je suis sincère, j'ai tenu à vous faire savoir que j'avais protégé votre réputation.

Il s'était empressé de détruire les photos. Grâce à ce coup de maître, je commande pratiquement la Section Provocation. Malheureusement, les autres clichés que j'avais pris lors de la soirée ne me furent d'aucune utilité pour obtenir de l'avancement. Aussi je dus me contenter de ma mainmise sur la Section Provocation.

Cette section est spécialisée dans les coups montés. Quand le gouvernement veut se débarrasser de quelqu'un ou d'un groupe, il fait appel à la Section Provocation. Des agents s'infiltrent dans le groupe et exhortent ses membres à commettre des crimes d'une audace grotesque pour lesquels ils sont sûrs de se faire arrêter et exécuter. Ou bien, la Section engage des prostituées pour compromettre des types qui pourraient s'avérer dangereux, puis elle détruit leur réputation en faisant éclater le scandale et en publiant tous les détails dans la presse. Bref, les méthodes policières classiques. Les bouteilles-bleues donnent aussi dans ce genre de choses, mais pas à l'échelle de l'Appareil, dont les activités sont surtout d'ordre politique.

Le long de la rivière Wiel, là où elle s'élargit pour couler entre des berges boueuses, s'étend une immense rangée d'entrepôts délabrés. Il paraît qu'à l'époque où la rivière contenait encore du poisson, ces entrepôts servaient pour le stockage de la pêche. A présent, quelques-uns sont utilisés par des grosses industries. Ce que les gens ne savent pas, c'est que l'un de ces édifices abrite la Section Provocation.

L'aircar survolait les eaux jaunâtres et bouillonnantes de la rivière. Mon chauffeur bifurqua brusquement et engagea le véhicule dans le tunnel qui conduisait à la Section. Je sautai à terre et montai quatre à quatre l'escalier branlant qui menait au bureau de Raza Torr.

Il vit que c'était moi et se rembrunit. J'avais déjà eu recours à ses services en une ou deux occasions. Je savais qu'il ne se sentirait pas menacé.

- Je vois que vous avez monté en grade, dit-il avec une note d'amertume dans la voix.

Raza Torr est un type extrêmement sournois. Quand il vous parle, il garde toujours une main dans un tiroir.

Effectivement, je portais l'insigne de mon nouveau grade. Mon chauffeur m'avait suggéré soit de le vendre, soit d'y faire mettre de fausses pierres et de vendre les vraies, mais cela n'aurait pas échappé à Lombar, surtout avec sa tendance à vous prendre au collet et à vous attirer contre lui. Il vaut mieux mourir de faim que se faire remarquer inconsidérément par Lombar Hisst. C'est moins douloureux !

Je décidai de me montrer affable.

- Vous avez rencontré des jolies filles ces temps-ci ?

Je lui avais demandé cela histoire de me montrer amical. Je voulais le mettre à l'aise. Mais à vrai dire, Raza Torr n'est pas un gars très amical. Sa main s'enfonça un peu plus dans le tiroir.

- Qu'est-ce que vous voulez ? grogna-t-il.

- Oh, juste la jouissance des lieux pendant quelques instants.

Avec une grimace, il appuya sur un bourdonneur.

- Donne-lui tout ce qu'il demande, dit-il à l'employé qui se présenta.

Je lui emboîtai le pas. Derrière moi, j'entendis claquer le tiroir. Puis un juron : « (Bip) ! » Raza Torr avait dû se coincer un doigt.

Je savais exactement ce que je voulais. L'un des trucs favoris de la Section Provocation, c'est de refiler de la fausse monnaie aux gens. Les billets sont rudement bien imités. L'homme de la rue n'y voit que du feu. Mais un vendeur à l'œil exercé ou un employé de banque qui dispose d'un détecteur les repèrent tout de suite. En général, l'employé de banque vous demande de patienter un instant, le temps de vous faire de la monnaie, tout en plaçant le pied sur un bouton fixé au sol et directement connecté à la Police du Trésor. Deux minutes après, on vous embarque et on vous emmène dans les prisons du Trésor. Là, on vous torture un peu, puis on vous juge à la va-vite avant de vous exécuter. Ce coup des faux billets est d'une efficacité absolue et permet à l'Etat de se débarrasser des mécontents, des ronchonneurs et des opposants. La fausse monnaie vous donne un pouvoir inouï !

Nous passâmes devant les interminables rangées de costumes et de tenues en tout genre, devant le département des bottes, devant de multiples cagibis renfermant des trésors aussi nombreux que variés. Ces affaires proviennent pour la plupart de morgues, de champs de bataille et de lieux d'accidents. Les gars de la Section prennent rarement la peine de les envoyer au nettoyage et la puanteur est infernale, même pour quelqu'un de l'Appareil. Nous avions atteint le secteur des effets personnels - des centaines de meubles à tiroirs s'étendant sur plusieurs milliers de mètres carrés. On y trouve tous les accessoires possibles et imaginables, prélevés dans la plupart des cas sur des cadavres un peu partout dans la Confédération. Tous ces objets sont évidemment indispensables car ils apportent une note d'authenticité aux personnages incarnés par les agents de la Section Provocation. J'explorai discrètement du regard les tiroirs contenant les portefeuilles, car il y traîne parfois de l'argent véritable. Mais un employé était passé avant moi.

Nous traversâmes l'armurerie - elle s'étend sur près de deux cents mètres. Y sont entreposées les armes les plus meurtrières et les plus dingues que vous puissiez imaginer. La Section les refile aux « forces révolutionnaires » pour les aider à perpétrer quelque coup de main insensé. La plupart des armes explosent, et le tour est joué. Du grand art. Seuls les poignards sont fiables et, encore, vous avez intérêt à examiner l'intérieur du manche pour vérifier s'il n'y a pas une charge d'explosifs qui se déclenche au moment où la lame pénètre dans la chair.

Nous parvînmes finalement au dernier secteur, le département des appâts. Il se compose de chambres fortes bourrées de toutes sortes d'imitations et de faux : des fausses pierres destinées à provoquer l'arrestation de quelqu'un, de l'or qui est tout sauf de l'or, des fausses identoplaques qui font partir une sirène d'alarme dans les postes de police, et même des faux diplômes qui sont parfois remis à des étudiants lauréats considérés comme de futurs fauteurs de troubles. Bref, rien que de la camelote géniale.

Et de l'argent ! Je m'étais arrêté devant l'immense coffre-fort. Je fis signe à l'employé du département des appâts de l'ouvrir. Mon guide lui dit :

- Donne-lui tout ce qu'il veut.

Il ouvrit.

Quel fabuleux spectacle ! Les gens de l'Appareil appellent la fausse monnaie « papier-toilettes ». Mais la vue de toutes ces piles de billets dorés - ces merveilleux billets dorés - peut vous plonger dans un état de profonde euphorie, même quand vous savez qu'il ne s'agit que de contrefaçons.

Pour parler franchement, j'avais une telle envie d'argent que je dépassai un peu la mesure. Je pris des billets d'un quart de crédit que je remis aussitôt : trop petits. Je pris des billets d'un crédit. Le danger était minime car personne n'irait examiner de près un billet de un. Mais je fis attention à ne pas en prendre une liasse trop épaisse, car mes poches n'étaient pas assez grandes. Je saisis quelques liasses de cinq crédits, puis de dix, de vingt, de cinquante et de cent. Je dus m'arrêter : mes poches débordaient.

- Vous avez l'intention de faire exécuter tout un régiment, ou quoi ? demanda mon guide.

L'idée n'était pas mauvaise.

J'essayai de fermer mes poches. Impossible. Je me débarrassai de la majeure partie des billets d'un crédit.

L'employé du « département des appâts » me présenta son registre de sorties pour que j'y appose mon identoplaque. Je lui fis signe d'aller jouer ailleurs.

- C'est une opération top secret, expliquai-je.

- Avec tout ce que vous avez pris, dit-il, je suis obligé de faire une enquête.

- Le chef a dit de lui donner tout ce qu'il voulait, intervint mon guide. Ce type est sans doute ici incognito. (Il se tourna vers moi et ajouta :) J'ai raison ou pas ?

Mon guide appuyait Raza Torr.

Je ne pus résister au plaisir de leur en mettre plein la vue.

- Service de l'Empereur, chuchotai-je.

- Faut dire que c'est pas les ennemis qui lui manquent, remarqua l'employé. Il paraît que le Prince Mortiiy est en train de mettre tout le monde dans sa poche sur Calabar. Vous allez vous servir de ces faux talbins pour faire arrêter quelques-uns de ses partisans ?

Je me renfrognai - à dessein. Il crut qu'il avait mis le doigt sur la vérité. Il hocha la tête d'un air entendu. Puis il ajouta :

- Allez-y mollo avec ces billets de cent. Même les bouteilles-bleues sont capables de les détecter. Et il se pourrait que les agents de Mortiiy eux-mêmes découvrent qu'ils sont faux, auquel cas c'est *vous* qui vous feriez descendre.

- Je ferai attention, promis-je. Mais pas un mot de tout ceci. Et pas de trace de cette opération dans les registres, compris ?

- Compris. Nous devons nous débarrasser des vermines comme Mortiiy. Vous saviez qu'il a promis de supprimer l'Appareil ?

- Quel (bip) ! fit mon guide. Il s'imagine peut-être qu'un gouvernement peut se passer de l'Appareil !

- Peut-être que tu as deviné trop de choses, coupai-je.

Cela lui rabattit son caquet. Il chercha aussitôt à se concilier mes bonnes grâces.

- Votre uniforme m'a l'air d'avoir vécu, dit-il. La semaine dernière, des officiers des Services Généraux ont été tués par une fuite de gaz sur laquelle ils étaient venus enquêter. Leur uniforme n'a rien eu. Nous avons peut-être votre taille.

Et en effet, ils avaient un uniforme à ma taille ! Son seul défaut était qu'il sentait un peu le gaz. Je décidai de le mettre sur-le-champ. Pendant que je me changeai, j'avisai une mallette sur une étagère. Grâce à mon œil exercé, je vis immédiatement qu'il s'agissait d'un « fond magique ». Quand un inspecteur ouvre ce type de bagage, l'intérieur pivote de telle façon qu'il ne se rend jamais compte qu'il fouille toujours du même côté.

- Si vous voulez, prenez-la, proposa mon guide, très amical à présent.

J'y transférai la fausse monnaie et comme je n'avais rien pour faire fonctionner le système de rotation - quelque chose pour donner le change à un éventuel inspecteur - je pris quelques boîtes de conserve sur une étagère portant l'étiquette *Aliments Empoisonnés* - l'Appareil pense à tout - et je les plaçai dans la mallette.

- Surtout ne me donnez pas un pourboire en faux billets, plaisanta mon guide. Je suis beaucoup trop jeune pour mourir !

Je m'esclaffai bruyamment. Elle était très, très bonne. Ce n'est que plus tard que je compris pourquoi il avait dit cela : c'était une façon de me faire savoir qu'il attendait un pourboire en vrais crédits. Cela expliquait sa mine déconfite lorsque j'avais pris congé.

Mais bon, mon esprit était ailleurs. Si jamais les hommes du patrouilleur étaient *vraiment* enfermés à Répulsos, ils ne resteraient pas en vie assez longtemps pour parler à qui que ce soit. Tout d'abord, ils me diraient tout ce que je voulais savoir sur Heller et ensuite adieu ! Si les conserves empoisonnées ne les tuaient pas, ils mourraient de la main des gardes - pour avoir essayé de les acheter avec des faux billets.

Quand on travaille pour l'Appareil, on ne doit rien laisser au hasard. On doit faire les choses proprement.

2

J'étais en route pour accomplir mon œuvre de miséricorde, et le mot n'est pas trop fort, car j'estime que la mort est de loin préférable à la détention dans les cachots de Répulsos. Par conséquent, on ne pouvait pas parler d'un acte criminel. J'irais même jusqu'à dire qu'il s'agissait d'un acte purement amical.

De plus, Heller me tuerait s'il apprenait qu'un équipage de la Flotte avait été kidnappé le même soir que lui. Un équipage mort, ça ne raconte pas sa vie, comme avait coutume de dire mon instructeur préféré à l'école de l'Appareil.

Mais surtout, il y avait une chance pour que ces hommes puissent me donner quelques renseignements sur les habitudes d'Heller - des renseignements qui me permettraient peut-être de reprendre les choses en main. Dans mon rêve, le capitaine avait été très clair à ce sujet, et d'après ce que j'avais appris en psychologie, les rêves ne mentent jamais.

- Ça sent le gaz ! lança mon chauffeur.

Il regardait autour de lui en reniflant bruyamment. Il ouvrit une fenêtre malgré la violence du vent de la course et huma l'air à l'extérieur. Il en conclut que l'odeur devait venir de l'intérieur.

- Oh, c'est *vous !* s'exclama-t-il. On dirait un mélange de cadavre putréfié et d'émanations d'égout. Et dire que je viens juste de nettoyer le véhicule !

Je ne relevai pas. Nous étions en train de survoler les derniers édifices de la Cité du Gouvernement. Nous n'avions pas encore atteint la chaîne de montagnes derrière laquelle s'étend le Grand Désert. Je portai mon attention sur la mallette magique : je voulais m'assurer du bon fonctionnement du mécanisme. Je la retournai et tout son contenu se déversa par terre.

Les billets étaient peut-être des contrefaçons qui pouvaient signifier votre arrêt de mort, mais ils étaient magnifiques ! Il y en avait des piles et des piles ! Je les entassai à l'arrière de l'aircar et je restai un moment à les contempler. Ce papier doré est d'une telle beauté.

- Par tous les Dieux ! s'écria mon chauffeur. Vous avez braqué un Bureau du Trésor ?

Il y avait eu dans sa voix une note de crainte respectueuse et de déférence - un fait malheureusement trop rare. Je regrettais d'être obligé de le mettre dans la confidence. Mais il le fallait, au cas où il lui serait venu l'idée de se remplir les poches à mon insu.

- Tu as intérêt à ne pas toucher à cet argent. Tous ces billets sont des faux.

Je lui tendis une coupure.

- On dirait un vrai, dit-il en me la rendant rapidement, comme si c'était du poison. Qui projetez-vous de tuer ? Tout le Camp des Macchabées ?

Ce n'était pas ses oignons et il le savait. Je me mis à disposer l'argent en petites piles. Mais plus je le regardais, moins j'avais envie de m'en séparer. Les signes extérieurs de richesse sont bien vus dans la société.

Je me dis que je n'avais pas intérêt à me promener avec un portefeuille vide. J'y fourrai quelques billets de cent et de cinquante, deux ou trois billets de vingt et de cinq, ainsi qu'une liasse épaisse de coupures d'un crédit. Mon portefeuille était bien rembourré à présent. Avec ça, j'allais pouvoir en imposer, encore que je risquais la mort si jamais j'étais pris en train de les écouler. Je glissai mon portefeuille dans ma tunique. La sensation était agréable.

Puis je me mis à réfléchir à la façon dont j'allais m'y prendre pour acheter les renseignements aux hommes du patrouilleur. Je n'avais plus la moindre envie de me défaire de l'argent. Il paraissait si *authentique.*

A l'arrière d'un aircar, il y a généralement un compartiment à outils encastré dans le châssis. Bien entendu, mon chauffeur avait depuis longtemps revendu les outils, si bien que le compartiment était vide. Ce n'était plus qu'un grand trou. Je retirai la plaque qui le recouvrait et réfléchis longuement.

Je pris une décision ferme. Je saisis les piles de billets de cinq et d'un et je les déposai dans la mallette magique. Puis je m'emparai du reste de l'argent - cet argent ô combien dangereux, mais si merveilleusement beau ! - et je l'entassai dans le compartiment à outils que je verrouillai. J'avais longuement balancé entre faire cadeau de l'argent et le garder pour moi et j'avais craqué : je garderais l'argent ! J'arrangeai les coupures de cinq et d'un dans le double fond de la mallette. Mû par une inspiration soudaine, j'y ajoutai les conserves empoisonnées. J'avais trouvé une autre façon de soudoyer l'équipage du patrouilleur.

Les montagnes étaient derrière nous à présent. Je scrutai le Grand Désert. Les ordres de Lombar avaient été très clairs : quelque part sur l'immense étendue vierge auraient dû se trouver les restes carbonisés du patrouilleur. L'océan de sable blanc restait désespérément blanc, et les danseuses du soleil dansaient. Pas la moindre trace d'une épave ! Mais cela n'avait pas vraiment d'importance. Il fallait tout d'abord que je vérifie si l'équipage était bel et bien arrivé à Répulsos. Il serait toujours temps après de partir à la recherche des débris du patrouilleur. Peut-être les journaux n'avaient-ils pas eu vent de l'accident. De toute façon, les journaux ne sont que des torchons.

Nous arrivâmes au Camp des Macchabées et nous nous posâmes. Mon chauffeur pilota l'aircar à travers les rues encombrées et infectes du Camp et, sur mon ordre, s'arrêta devant le bureau de gestion du bordel. J'entrai, la mallette magique à la main.

Le commandant du Camp des Macchabées pourrait faire fortune avec cet endroit, mais les ex-prostituées défraîchies qui dirigent le bureau ne se démènent pas beaucoup pour faire marcher les affaires. L'endroit était mal tenu. Des ordures jonchaient le sol et les tableaux d'annonces n'avaient pas vu de messages depuis des années. La directrice n'avait même pas de bureau.

Elle avait peut-être été une belle femme autrefois, mais elle n'était plus aujourd'hui qu'un cadre supérieur. Elle était affalée dans une chaise longue et ses cent cinquante kilos de graisse pendouillaient de part et d'autre. Elle portait une espèce de toge crasseuse. Elle n'avait même pas levé les yeux à mon arrivée. Je dus faire claquer mon talon sur le sol pour capter son attention.

- Je veux une fille muette pour faire parler quelqu'un dans la forteresse, lançai-je.

Les agents de l'Appareil capturent fréquemment des filles des collines sur les autres planètes. Après quoi on leur enlève le larynx - ce qui n'est pas très grave puisqu'elles ne parlent pas le voltarien. Seule une prostituée muette peut être introduite dans le tunnel. Les gens du Camp des Macchabées ont bien entendu des soupçons sur ce qui se passe dans Répulsos, mais nous veillons à ce que quiconque y pénètre ne puisse révéler ce qu'il a vu ou entendu.

Lorsque nous savons qu'un prisonnier ne parlera pas sous la torture, nous l'appâtons avec une fille. La racaille ferait n'importe quoi pour une femme.

La grosse truie me considéra d'un œil méprisant. Puis elle tendit une main poisseuse. Son attitude me hérissait. Elle ne méritait qu'une chose : le peloton d'exécution. Je sortis mon portefeuille et, avec une hésitation calculée, déposai un faux billet de cinquante dans sa paume.

Ses innombrables bourrelets s'agitèrent violemment. On aurait dit un gros tas de gélatine frémissant sous l'impact d'un coup d'éclateur. Un sourire qui se voulait engageant apparut sur son visage bouffi. Elle ronronnait littéralement. Cette (bip) n'avait pas vu que c'était un faux !

- Il se peut que j'en aie besoin pendant un bon bout de temps, dis-je.

Mais elle s'en moquait pas mal. D'une voix stridente, elle lança un ordre en direction d'un couloir et peu après, deux vieilles peaux apparurent, traînant une jeune femme. Elle était d'une saleté repoussante, mais néanmoins assez jolie. Je vérifiai si on lui avait enlevé le larynx. Oui. Elle restait sans réaction, prostrée, abattue. Elle était sans doute originaire de Flisten, de l'arrière-pays, où elle avait été kidnappée pendant un raid. En tout cas, jolie ou pas, elle paraissait absolument incapable d'exciter qui que ce soit.

- Donnez-moi aussi quelques gadgets, ordonnai-je.

Ils ont tout un tas de machins érotiques : des vibromasseurs et tout le bataclan. La matrone ne se fit pas prier. Elle hurla un nouvel ordre de sa voix stridente et une vieille femme arriva bientôt, les bras remplis de gadgets en tout genre. Je les jetai dans le compartiment visible de la mallette magique.

La fille ne portait qu'un pagne crasseux. Mais sa tenue n'avait aucune importance. Une pensée me vint brusquement.

- Elle va sans doute être salement esquintée, dis-je, vu qu'elle va passer entre de nombreuses mains.

- On en a des centaines comme elle, rétorqua la grosse truie en embrassant le billet de cinquante. Vous n'aurez qu'à la tuer. Une de perdue, dix de retrouvées.

L'une des vieilles peaux me lança un regard aguicheur et souleva son pagne.

- Qu'est-ce que tu dirais d'une petite gâterie, mon chou ?

Tout sauf une prostituée du Camp des Macchabées ! Je sortis en toute hâte.

Je dis à la fille de porter la mallette. C'était très habile de ma part : si jamais on remontait la filière qu'avaient suivie les faux billets, on conclurait que c'était elle qui les avait trimbalés.

Lorsque nous arrivâmes à l'entrée du tunnel, je dis aux gardes :

- J'amène de la viande pour faire parler quelques gus. Je vous serais reconnaissant de la fouiller pour voir si elle n'a pas des armes et tout ça. Elle est vraiment trop sale pour moi.

L'un des gardes eut un large sourire, enfila une paire de gants et se mit à la palper, en en profitant au maximum. Son supérieur et lui étaient tellement absorbés par leur petit jeu que je dus leur dire de fouiller la mallette. Bien entendu, ils n'y trouvèrent que les gadgets. Lorsqu'ils eurent fini, je leur dis de marquer la fouille sur le laissez-passer.

- Pour combien de temps, le laissez-passer ? demanda l'officier.

- Inscrivez « indéterminé », répondis-je. Une passe ne suffira peut-être pas à les faire parler.

L'officier éclata de rire et dit :

- J'aimerais bien avoir un secret comme eux. Les veinards.

J'appliquai mon identoplaque sur le laissez-passer et l'officier me le tendit. La fille semblait encore plus abattue qu'avant. J'avais observé avec surprise qu'elle avait rougi lorsque les gardes avaient palpé certaines parties de son corps. D'habitude les prostituées se laissent faire sans piper mot. Toutes des (bips) !

Je la fis monter dans le zipbus et démarrai. Une expression de terreur apparut sur son visage. Peut-être était-ce la première fois qu'elle se trouvait à bord d'un zipbus. Vrai, il arrivait de temps en temps qu'une prostituée qui entrait dans la forteresse n'en ressorte pas, soit parce qu'elle mourait d'épuisement, soit parce que quelqu'un l'assassinait pour le plaisir. Mais comment pouvait-elle savoir ? Elle ne comprenait pas le voltarien et de plus, elle ne le parlait pas, étant muette.

Lorsque nous fûmes arrivés à destination, au cœur de Répulsos, elle refusa de descendre ! Je dus la frapper et la tirer hors du véhicule. Ensuite j'eus toutes les peines du monde à la mettre debout. Je lui donnai quelques coups de pied et lui collai de force la mallette entre les mains. Il me fallut sans cesse la pousser dans le dos pour la faire avancer.

Je réalisai brusquement que je m'étais fait rouler. C'était l'une de ces filles qui refusent d'obéir et que les clients rejettent. Ces (bips) me l'avaient refilée parce qu'elle ne leur était d'aucune utilité ! Tant pis. Je tenais ma revanche. La directrice du bordel ne vivrait pas longtemps si elle essayait d'écouler son billet de cinquante crédits. Cette pensée m'amusa. Œil pour œil. Nous étions quittes !

Mais il semble bien que les problèmes engendrent les problèmes : dans le bureau des « admissions », je dus attendre longuement pendant que l'employé, un homme-jaune à demi nu, consultait les dossiers. Les dossiers de Répulsos sont incomplets, vu que les prisonniers ne sortent jamais. Mais il est très rare qu'il n'y ait *aucune* trace d'une « admission ».

Je lui donnai la date et l'heure probables d'arrivée. Mais non, rien. Je commençais à croire que les hommes du patrouilleur ne se trouvaient pas à Répulsos, lorsque l'employé me demanda :

- Des militaires ? Vous avez dit des militaires ? Vous auriez dû me le dire tout de suite. Ils se trouvent sans doute dans la section des militaires.

Il m'indiqua le chemin. J'empruntai maints couloirs et, après m'être égaré aux niveaux inférieurs et avoir dû rebrousser chemin - tout en m'épuisant à pousser la fille devant moi pour la faire avancer -, je débouchai dans une autre section dont le bureau était plus proche de l'entrée que celui des « admissions ». Répulsos est un drôle de dédale.

Je me retrouvai dans une salle de gardes. Une vingtaine de gardes portant uniforme et casque anti-émeute étaient disséminés aux quatre coins de la pièce. Certains jouaient aux dés, d'autres ronflaient.

L'officier était une véritable épave - mais qu'espérer d'autre dans l'Appareil ? Je vis que son contingent venait du Camp et qu'il remplaçait les geôliers habituels.

Il n'eut pas même un regard pour la fille - il préférait sans doute les garçons. D'ailleurs rien ne semblait l'intéresser, sinon en finir avec ses douze heures de service et retourner au Camp pour s'adonner à ses vices favoris.

Il m'expliqua en bâillant qu'il y avait eu, un siècle plus tôt, de violents affrontements entre les gradés et les soldats emprisonnés à Répulsos et que, depuis, les prisonniers qui n'étaient pas des officiers mais qui pouvaient avoir une certaine utilité étaient bouclés dans la section des militaires.

Je lui donnai la date et l'heure d'arrivée probables de l'équipage du patrouilleur, ainsi que son effectif. Il jeta un coup d'œil à sa montre, comme si j'étais en train de lui faire perdre un temps précieux.

- Plus que deux heures à tirer dans ce bouge fétide, marmonna-t-il.

Il se mit à farfouiller un peu partout et finit par dénicher les registres sous une pile de matériel à l'abandon. Il s'assit à une table et les parcourut un à un.

Il secoua la tête. Et alors que j'avais déjà conclu que l'équipage ne se trouvait pas ici, je vis le doigt de l'officier s'arrêter sur la page qu'il était en train de consulter.

- Votre date est fausse, grogna-t-il. Vous vous êtes trompé de quarante-huit heures. Ils sont effectivement arrivés ici, mais deux jours plus tard. Vous devriez mieux tenir vos bouquins. (Comme si c'était moi le responsable !) Ils sont dans la Zone Cinq. Je ne peux rien vous dire d'autre. Pas parce que c'est secret, mais parce qu'il n'y a aucune information portée dans le registre. Ça dit simplement : « Vingt militaires. Potentiellement dangereux. Les garder en captivité jusqu'à nouvel ordre. » Comme je ne vois ici aucun ordre les concernant, j'en déduis qu'ils sont toujours là. (Il se tourna vers un sous-officier affalé sur un siège et cria :) Jeemp ! Conduis-le jusqu'à la Zone Cinq !

Je constatai qu'aucun des gardes n'avait levé la tête pour regarder la fille. A l'évidence, ils passaient la journée ici puis retournaient au Camp. Parfait ! Cela signifiait que les hommes du patrouilleur auraient énormément de mal à les soudoyer - beaucoup plus, en tout cas, que s'ils avaient eu affaire aux geôliers habituels. L'argent, vrai ou contrefait, ne leur serait pas d'une grande aide et s'ils s'avisaient de distribuer des faux crédits, ces brutes répugnantes venues du Camp s'en apercevraient très vite et les tueraient aussitôt. Leur tenue était éloquente : ils portaient des casques anti-émeute. Je repris confiance. Mon plan allait marcher.

Je suivis Jeemp, poussant la prostituée devant moi. Nous traversâmes quelques tunnels sombres et délabrés. Finalement Jeemp s'arrêta et tendit le bras.

- C'est quelque part par là, dit-il avant de faire demi-tour et de s'en aller.

Cet endroit me rendait nerveux. J'ouvris l'étui de mon paralyseur. Puis je vérifiai les éclateurs dans mes poches, ainsi que le poignard caché dans mon col. La plupart des plaques lumineuses avaient grillé. De l'eau s'égouttait quelque part. Une grosse vermine surgit de la porte défoncée d'une cellule. Je sursautai.

Nous passâmes devant une longue rangée de cellules vides aux murs noirs, jonchées d'ossements. Ça changeait du secteur où Heller avait été enfermé ! La section des militaires n'avait pas grand-chose de militaire !

J'étais content de prendre les choses en main personnellement. Les morts, ça ne parle pas.

3

Je regardai à travers les barreaux de la cellule du fond. Ils étaient là. Vingt hommes au total. Bien entendu, on leur avait volé leurs vêtements et ils étaient nus. Ils étaient assis çà et là sur des bancs de pierre. Ils ne paraissaient pas trop mal en point. Je compris vite pourquoi : sur le sol, au milieu de la cellule, il y avait un gros tas de vermine, et un filet d'eau noirâtre s'infiltrait par le plafond et s'écoulait le long d'un mur plus noir encore.

Je poussai la prostituée dans une cellule vide adjacente. Je la montrerais au dernier moment, pour leur faire une surprise. Je décidai d'y aller carrément. A travers les barreaux, je criai :

- Qui est le chef ici ?

Un grand type costaud se leva et vint coller son visage contre la fenêtre.

- Et qui Diables êtes-vous ? gronda-t-il.

Il paraissait tout sauf abattu ! Mais c'était assez normal, après tout : ils avaient réussi à subsister en mangeant de la vermine et en buvant l'eau qui s'écoulait du mur. Ils ne voyaient jamais personne, mis à part le garde qui venait jeter un coup d'œil une fois par jour. Et voici que ce gars se payait le luxe de la ramener.

Je décidai d'adopter un comportement militaire :

- Le numéro de votre patrouille, s'il vous plaît.

- Alors, comme ça, vous savez que nous sommes de la Flotte, dit-il. Et que se passera-t-il quand la Flotte découvrira ce qu'on nous a fait ?

- Allons, allons, rétorquai-je. Je suis ici pour vous aider. Ne prenez pas ce ton avec moi, mon brave. Donnez-moi le numéro de votre patrouille, nom et grade.

- On ne risque rien à le lui dire, fit l'un des hommes. De toute façon, il le connaît.

L'homme qui était venu à la porte haussa les épaules et débita :

- Capitaine Soames, patrouille de la Flotte numéro B-44-A-539-G. Qui êtes-vous et où sommes-nous ?

Ah ! Ils ne savaient pas où ils étaient. Excellent.

Lorsqu'on cherche à obtenir des renseignements, on a le choix entre deux approches : se montrer amical ou extorquer. Se montrer amical prend du temps.

- En échange de certains renseignements, je peux vous donner certaines choses qui vous rendront la vie plus agréable. N'essayez pas de marchander. Je ne dispose pas de beaucoup de temps.

Les hommes s'étaient levés. Ils formaient un demi-cercle autour de leur capitaine à présent.

Je me rendis dans la cellule voisine et pris une liasse de faux billets dans la mallette. Je revins à la porte en agitant l'argent.

- Si vous me dites tout ce que vous savez sur le dénommé Jettero Heller, l'ingénieur de combat qui vous a accompagné au cours de votre dernière patrouille, tout ça est à vous.

Soames s'éloigna de la porte pour aller consulter ses hommes. Leurs têtes se rapprochèrent et ils se mirent à chuchoter pendant un bon bout de temps. Leurs attitudes révélaient leurs grades. Dans une patrouille de la Flotte il n'y a pas d'officiers royaux - il y a trop de patrouilles. Le « capitaine » est souvent appelé « chef de patrouille ». Sous ses ordres on trouve des sous-officiers pilotes, un sous-officier mécanicien, un certain nombre de spécialistes qui ont diverses responsabilités telles que la cuisine ou l'intendance, et enfin quelques simples soldats. Il suffisait d'écouter la note de respect dans les murmures pour savoir qui était qui. Ils se consultaient par voie hiérarchique, tout en restant terriblement démocrates. Il paraît que les soldats de la Flotte sont différents de ceux de l'Armée du fait qu'ils vivent quasiment les uns sur les autres pendant les longs mois qu'ils passent dans l'espace.

Ils paraissaient vouloir se faire tirer l'oreille, aussi je dis :

- Avec cet argent vous pourrez soudoyer les gardes pour qu'ils vous achètent à manger.

Soames revint vers la porte et, à travers la fenêtre, regarda l'argent que je brandissais.

- C'est pas assez, décréta-t-il.

Je retournai dans l'autre cellule et pris quelques coupures supplémentaires. J'examinai la liasse : oui, cela devrait suffire. Haha, songeai-je, le charme d'Heller a cessé d'agir. Ils vont me déballer sa vie.

Ils procédèrent comme s'il s'agissait d'un exercice. Ils sont tous comme ça dans la Flotte. L'un des hommes venait jusqu'à la porte, récitait ce qu'il savait, puis s'éloignait à reculons, après quoi un autre se présentait et parlait à son tour.

De toutes les inepties écœurantes qu'il m'avait été donné d'entendre au cours de mon existence, celles qui sortirent de la bouche de ces hommes tenaient largement le pompon.

Heller était grand et avait belle allure. Heller savait très exactement ce qu'il faisait. Heller était courageux et rien ne lui faisait peur. Heller avait une très belle voix et chantait à la perfection. Heller était plein de prévenance. Par exemple, il avait pansé l'officier médical le jour où celui-ci avait été blessé par une porte de sas qui s'était violemment refermée. Heller était amusant : il racontait des histoires drôles quand les choses allaient mal. J'eus même droit à quelques-unes de ses histoires drôles !

C'était à vomir !

Quand ils eurent fini, Soames s'appprocha et saisit l'argent déposé par moi entre les barreaux. J'avais eu l'intention de le reprendre, mais il avait été plus rapide que moi.

Je les considérai longuement. Dans mon rêve - et c'était stupéfiant de voir à quel point ils ressemblaient aux personnages de mon rêve - ils avaient dit qu'ils en savaient davantage. Pour moi, cela ne faisait aucun doute.

J'allai chercher une autre liasse de billets. Payer pour ce ramassis de platitudes !... Mais je n'avais pas le choix. Je savais que je finirais par obtenir ce que je voulais.

Les hommes défilèrent une deuxième fois. Heller était un super-athlète. Au cours de je ne sais plus quelle course, il avait battu un record de vitesse. Un jour, il avait failli les faire mourir de frayeur en marchant sur la coque avec des chaussures magnétiques : il avait voulu mesurer des ondes que l'intérieur du vaisseau annulait, et comme il n'avait pas réussi à trouver de filin de sécurité suffisamment long, il était simplement sorti, chaussé de souliers magnétiques et muni d'un compteur, et il s'était promené sur la coque, à six cents kilomètres au-dessus de Blito-P3. Et ainsi de suite. Rien que des (biperies) !

Quand ils eurent fini, Soames vint prendre l'argent coincé entre les barreaux. Mais je sentais qu'ils ne m'avaient pas tout dit. Deux d'entre eux échangèrent un regard de connivence.

J'allai chercher les boîtes empoisonnées. J'étais tellement furieux que j'en éprouvai un plaisir intense. D'ici peu, ils seraient tous morts !

Mais à la vue de ces splendides conserves - le poison était inodore et indécelable au goût, et la mort suivait au bout de quelques minutes - cet abruti de Soames ne parut pas impressionné.

- D'où sortez-vous tout ça ? demanda-t-il. Vous n'avez pas pu le porter dans vos bras.

Je partis chercher la mallette magique et je la leur montrai. Mais je ne leur montrai pas le compartiment caché.

Et puis, brusquement, catastrophe ! La fille - quelle (bipasse) - soit parce que mes allées et venues l'intriguaient, soit parce qu'elle espérait pouvoir m'échapper, sortit furtivement la tête de la cellule voisine !

Soames l'aperçut ! La garce. Je ne sais pas ce qu'il est advenu d'elle par la suite, mais elle l'a bien cherché.

- Une fille ? interrogea Soames.

- Une fille ? s'exclamèrent d'une seule voix les hommes du patrouilleur.

Quelle bande de crétins ! Un par un, ils vinrent jusqu'à la porte et regardèrent par la fenêtre.

Je savais que je les tenais. Ils se rassemblèrent à nouveau pour conférer et j'eus droit à un deuxième concert de chuchotements. Tout comme la fois d'avant, ils se consultèrent en respectant la hiérarchie. Finalement, Soames revint à la fenêtre.

- Vous voulez des renseignements sur Heller, pas vrai ? dit-il. (Voyant que je hochais la tête avec enthousiasme, il poursuivit :) Eh bien, nous savons quelque chose qu'il est indispensable que *vous* sachiez. En fait, c'est une information qui pourrait vous sauver la vie.

Exactement ce que je voulais.

- Regardez, continua-t-il en donnant un coup de pied dans la porte, il y a une ouverture en bas pour passer la nourriture. Les gardes y déposent rarement quelque chose, mais le trou est assez grand pour que la fille puisse se glisser au travers. Elle m'a l'air menue. Et cette mallette que vous portez, elle passe aussi.

- Très bien, acquiesçai-je. Vous me donnez l'information et je vous donne la mallette et la fille.

- Oh non, dit Soames. Vous ne tiendriez pas parole. De toute façon vous êtes armé. Si notre renseignement ne vous convient pas, vous pourrez toujours ouvrir la porte et les récupérer.

Je n'avais pas le choix. Je fis passer la mallette. Puis j'essayai de mettre la fille à quatre pattes, afin de pouvoir la pousser à travers l'ouverture. C'était plus facile à dire qu'à faire. Elle portait ces ongles longs qui sont la marque des femmes de l'arrière-pays de Flisten où l'on ne s'use jamais les mains, et je n'avais aucune envie de prendre des coups de griffe.

L'un des hommes vint à la fenêtre et dit quelque chose dans l'une de ces langues étrangères que personne n'arrive à parler. Aussitôt, la fille cessa de se débattre. Je me dis que ces spatiaux n'étaient pas nés de la dernière pluie. Elle se glissa à travers l'étroite ouverture sans la moindre résistance.

Soames prit les conserves. Puis il examina l'argent et la mallette, ainsi que l'assortiment de gadgets érotiques. Ensuite il regarda longuement la fille. Elle s'était assise au milieu de la cellule et demeurait sage comme une image. Je retins ma respiration. Ah, Soames hochait la tête.

Il colla son visage contre les barreaux de la fenêtre et dit :

- Je vais vous donner votre renseignement. Ouvrez bien vos oreilles, votre santé en dépend. (J'étais tout ouïe.) Quand Heller apprendra ce qui nous est arrivé, il vous tuera de ses propres mains ! Tirez-vous ! Fuyez ! Peut-être réussirez-vous à rester en vie !

Naturellement ma première impulsion fut d'enfoncer la porte et de récupérer la mallette et son contenu. J'aurais même pu tirer quelques coups d'éclateur à travers les barreaux. Mais je ne pouvais pas voir la totalité de la cellule à travers la fenêtre et les hommes me paraissaient dangereux.

Que les Diables les emportent !

Je m'éloignai d'un pas fier et altier, ignorant leurs sifflets et leurs quolibets entrecoupés de : « Ivrogne ! » J'aurais dû m'en tenir à la psychologie pure. La première analyse que j'avais faite de mon rêve avait été correcte. Si je m'étais écarté de mon idée originale, c'était uniquement à cause de la soif que j'avais éprouvée. Je savais à présent que mon rêve avait vraiment été le fruit d'un désir refoulé de coucher avec ma mère.

Je fis savoir à l'officier qui commandait les gardes que j'avais terminé. Je lui lançai le laissez-passer de la fille. Elle n'en aurait plus jamais besoin. D'ici peu, elle serait morte, de même que l'équipage du patrouilleur - car il ne faisait aucun doute que les hommes partageraient les conserves avec elle. Je sortis avec la conviction d'avoir réglé la question une fois pour toutes.

4

Maintenant que j'étais débarrassé de ce problème, je pouvais me consacrer à l'épave du patrouilleur. C'était typique de l'Appareil de ne pas faire les choses à fond. Je ne voulais pas que Lombar me tombe dessus en hurlant : « Pourquoi ne vous en êtes-vous pas occupé ? », comme cela s'était produit lors de l'enlèvement d'Heller.

Aussi, au grand dam de mon chauffeur - il croyait que nous retournions à la Cité du Gouvernement - je décidai de survoler une petite route peu fréquentée qui conduisait aux Monts Blike. Le réservoir de l'aircar était plein. Et grâce à Heller, nous ne manquions ni d'eau, ni de pains sucrés. De plus, j'avais mon fusil à faisceau aiguille et ma gibecière. Mais ce n'était pas pour chasser que j'entreprenais ce voyage, c'était pour le travail, uniquement pour le travail - c'était du moins la conviction dans laquelle je m'ancrai. Et nous avons donc sillonné les airs pendant des heures et des heures.

Mais nous n'avons pas trouvé la moindre trace de l'épave. Je me livrai à quelques calculs. Si l'équipage était arrivé à Répulsos avec quarante-huit heures de retard, cela signifiait qu'il nous fallait explorer un cercle équivalant à deux jours de voyage en camion - un cercle dont le centre serait Répulsos. Comme il est dangereux de partir à l'aventure dans le Grand Désert, même si vous pilotez un camion à chenilles, et comme le patrouilleur ne se trouvait nulle part entre la Cité du Gouvernement et le Camp des Macchabées, on pouvait en déduire qu'il gisait sans doute sur quelque piste peu fréquentée, à deux jours de route du Camp, mais *au-delà.* Simple question de logique. Cependant, si nous ne le trouvions pas non plus dans ce secteur-là, alors il faudrait en conclure qu'il avait été vendu à des contrebandiers et que l'équipage avait été amené au Camp par aircar - et dans ce cas, le patrouilleur pouvait être n'importe où. Cette pensée me glaça. Mais j'étais résolu à faire tout ce qui était en mon pouvoir pour retrouver l'épave. Si je la découvrais, je me réservais la possibilité de mettre discrètement les journaux au courant de l'« accident ».

Une fois que j'eus révélé à mon chauffeur l'objet de notre périple, il se montra très coopératif. Il repéra bientôt une épave et nous nous posâmes. Mais elle était si ancienne qu'elle disparaissait pratiquement sous le sable. Pendant que je l'examinais, j'aperçus un oiseau-chanteur appelé « siffloteur du désert ». Je l'abattis d'un coup d'éclateur. Il ne se trouvait alors qu'à deux ou trois mètres, mais je n'étais pas mécontent de ma performance. Je le mis dans ma gibecière.

Un peu plus tard, alors que nous nous étions rapprochés des Monts Blike, je fis croire à mon chauffeur que j'avais repéré une autre épave - en fait, il s'agissait d'un rocher - et je lui dis de se poser. J'abattis deux siffloteurs.

Les Monts Blike n'étaient plus très éloignés et se dressaient devant nous, gigantesques, démesurés. Leurs cimes sont couvertes de glace. Il existe des pics plus élevés sur Voltar, mais avec leurs dix mille mètres et quelques, les Monts Blike n'étaient pas ridicules. Il est impossible de les gravir. Au sommet et même dans les cols, l'air est trop ténu.

Je localisai deux autres fausses épaves, ce qui me permit de tuer six volatiles de plus. C'est alors que mon chauffeur demanda :

- Officier Gris, est-ce que nous cherchons une épave ou est-ce que nous chassons les petits oiseaux ?

Pour la première fois, je pris conscience que mon intention première avait été de partir à la chasse. Plus je mettrais de distance entre Heller, le *Remorqueur 1* et moi, mieux je me porterais !

Bien entendu, je ne répondis pas à sa question. Il se serait imaginé que j'étais en fuite !

Nous fûmes gelés jusqu'aux os lorsque nous survolâmes les premières crêtes des Monts Blike, mais il ne nous fallut que quelques instants pour gagner les vallées qui s'étendaient de l'autre côté. Ce pays se compose exclusivement de réserves de chasse qui sont la propriété des Lords. Des gardes-chasses le sillonnent en permanence, mais il est tellement vaste et il comporte tant de gorges et de plateaux qu'il est très facile de s'y perdre et de rester introuvable - si l'on s'y prend comme il faut. On y trouve d'innombrables variétés de gibier, dont certaines ont même été importées d'autres planètes.

- Quelqu'un nous suivait quand nous survolions les crêtes, dit mon chauffeur.

Je me retournai pour regarder. Je ne vis rien. Le ciel était vide. Un aircar n'est pas équipé de détecteurs. Je n'étais pas rassuré.

- Je ne le vois plus, dit mon chauffeur.

Je me dis que je ne devais pas me laisser impressionner, que c'était juste mes nerfs. Après tout, je venais de traverser une période très éprouvante. C'était bien la preuve que j'avais besoin d'une petite partie de chasse !

Je constatai à ma grande surprise que la nuit tombait déjà. Peut-être les journées étaient-elles plus courtes de ce côté-ci des Monts Blike. En tout cas, il faisait drôlement sombre tout soudain. C'est le genre de pays où il ne fait pas bon atterrir à l'aveuglette !

Je me dépêchai de trouver un endroit où nous poser. J'optai pour un petit plateau verdoyant parsemé d'arbustes. Il donnait sur un ravin qui devait bien faire mille mètres de profondeur et en bas duquel coulait une rivière aux eaux bouillonnantes. Une rangée de rochers se dressait juste au bord du ravin.

- Atterris, ordonnai-je à mon chauffeur.

Il posa l'aircar et coupa le moteur. Ah ! le merveilleux silence ! On entendait juste le bruissement du vent dans les arbustes et le murmure de l'eau tout au fond de la gorge. Je me détendis. Quel bonheur. Au bout de quelques instants, je sortis du véhicule et j'allai jusqu'aux rochers qui surmontaient le ravin. Je les escaladai. De l'autre côté des rochers, un mince sentier longeait le bord du précipice. Un peu plus loin, sur le côté, j'aperçus deux ou trois grottes. Je plongeai mon regard dans la gorge. Mais je ne parvins pas à discerner autre chose que l'écume à la surface de l'eau, tellement il faisait noir.

Mon chauffeur avait ramassé quelques branches mortes. J'y versai une pincée d'ignipoudre et le feu ne tarda pas à crépiter joyeusement. Il faisait plutôt froid à présent et autour de nous l'obscurité était totale.

Mon chauffeur pluma les siffloteurs, les enfila sur des broches improvisées et les mit à rôtir. Après une demi-heure de cuisson attentive, ils furent à point.

J'étais assis sur un rocher et je finissais mon premier siffloteur. A travers les flammes rougeoyantes, j'apercevais mon chauffeur occupé à savourer le sien. Je venais juste de me pencher vers le feu pour prendre une deuxième brochette.

BANG !

Le rayon passa exactement à l'endroit où ma tête s'était trouvée l'instant d'avant !

Le souffle fut si violent que le feu s'éteignit !

Croyez-moi, je me jetai à terre et je m'éloignai le plus vite possible !

Le chauffeur m'entendit détaler et me suivit. Je gravis à la hâte le petit mur de rochers et me laissai glisser de l'autre côté. Le chauffeur ne trouva pas mieux qu'atterrir sur moi et faillit me précipiter dans le ravin. Mon corps avait arrêté sa chute, autrement il se retrouvait mille mètres plus bas !

Je m'accroupis sur le sentier qui longeait le bord de la falaise. Ce n'était pas le moment de risquer un œil par-dessus ces rochers !

- J'avais raison, dit mon chauffeur. Quelqu'un nous suivait.

- Grimpe et regarde ce qui se passe, ordonnai-je.

Tandis qu'il se hissait jusqu'en haut du mur, son pied glissa un peu. Une grosse pierre se détacha et déclencha une petite avalanche. Ce qui suffit à nous faire repérer !

Une nuée de coups de feu passa au-dessus des rochers. Les détonations faisaient un boucan infernal ! Nos assaillants utilisaient des éclateurs grand angle ! Des armes militaires ! Ces armes, de face, sont capables de tout casser sur un angle de quarante degrés. Nos assaillants n'étaient pas des chasseurs ! Ni des gardes-chasses !... Mais alors, qui nous attaquait ?... L'Armée ?

- C'est peut-être une erreur, dit mon chauffeur. Peut-être qu'ils nous prennent pour quelqu'un d'autre. (Et avant que je ne puisse l'arrêter, il cria :) Hé ! Ce n'est que nous !

Une autre rafale ! Mais cette fois-ci, elle emporta une partie du sommet de notre rempart. Une pluie de débris et d'éclats de roc s'abattit sur nous.

Mais l'ennemi, quel qu'il fût, avait commis une erreur. Son feu nourri avait éclairé l'endroit où nous nous trouvions. Je l'ai dit, nous étions sur un chemin. A environ trois mètres sur notre gauche, j'aperçus une grotte. Juste derrière nous, c'était le vide. J'entendais la rivière s'écouler mille mètres plus bas. Avec cette nuit d'encre, il était impossible de la distinguer.

- C'est des bandits de grand chemin, dit le chauffeur.

Effectivement il arrivait souvent qu'on tende des embuscades dans ces montagnes. Mais mon chauffeur pouvait très bien se tromper : son séjour chez les contrebandiers n'en faisait pas un spécialiste ès crimes.

Une nouvelle détonation assourdissante !

Nos assaillants nous tiraient dessus en se basant sur le son de sa voix ! Mais j'avais une solution.

- Est-ce que tu sais faire un hurlement qui va en diminuant ? demandai-je à voix basse à mon chauffeur.

- Non.

- Alors contente-toi de faire comme moi. Dès que j'aurai poussé mon hurlement, je plongerai pour me mettre à l'abri dans cette grotte. A ce moment-là, tu fais exactement comme moi : tu pousses ton cri et tu te précipites dans la grotte. Compris ?

- Je ne sais pas faire ce genre de cri !

Quel idiot ! C'est dans tous les manuels d'entraînement.

- Allez-vous-en ! braillai-je en direction des canardeurs.

BANG !

Je poussai un hurlement « dégressif ». Quand c'est bien imité, on a l'impression qu'il disparaît dans le lointain. L'ennemi penserait qu'il m'avait touché et que j'étais tombé dans le vide.

Je m'élançai vers la grotte.

Vu l'urgence, mon chauffeur n'hésita pas une seconde et copia mon hurlement de son mieux - de toute façon, étant donné son état, il était sans doute à deux doigts de hurler. Mais il gâcha un peu son effet, car il se cogna un genou en atterrissant dans la grotte et poussa un juron : « (Bip !) »

Nous avons attendu, tapis dans notre cachette. Quelques minutes plus tard, un faisceau de lumière s'est promené sur le sentier. Nous nous sommes blottis dans le fond de la grotte.

La lumière s'éteignit.

Deux petites détonations déchirèrent le silence. Qu'est-ce que cela voulait dire ?... Puis nous entendîmes un crépitement. Quelque chose brûlait.

Finalement, nous perçûmes dans le lointain le bruit d'un moteur qui démarrait. Le véhicule décolla en rugissant. Le hurlement des propulseurs se répercuta contre les montagnes, puis mourut.

Je retrouvai toute ma bravoure et dis au chauffeur d'aller jeter un coup d'œil par-dessus les rochers.

Il escalada le monticule et s'immobilisa.

- Mes Dieux ! cria-t-il.

Comme personne ne lui avait tiré dessus, je décidai de le rejoindre.

- Nous sommes coincés au beau milieu des Monts Blike ! gémit-il.

L'aircar était en feu.

- Parfait, dis-je.

- Mais on ne peut pas traverser ces montagnes ! L'air y est trop rare. Même dans les cols, on manque d'air !

Subitement, je me souvins que mon chauffeur se nommait Ske. Je ne l'avais encore jamais appelé par son nom. Le moment me paraissait très bien choisi.

- Ske, est-ce qu'il t'est déjà arrivé de rêver d'une existence sylvestre - la forêt, les arbres, les rivières ? De vivre dans la nature ? Livré à toi-même ? Sans le moindre souci ?

Visiblement l'idée lui déplaisait au plus haut point. Il se mit à jurer comme un forcené, puis il se précipita vers l'aircar en flammes et entreprit de l'asperger de sable. Je n'essayai même pas de l'aider. C'était le moteur qui brûlait. Ils avaient détruit les circuits électriques et le transformateur. Le moteur était bon pour la casse.

Je me mis à chantonner joyeusement. Je retrouvai mon fusil à faisceau aiguille dans un buisson. Ensuite je mis la main sur ma gibecière et mes munitions. Je sortis les pains sucrés, quelque peu grillés, de l'arrière du véhicule. Sous le siège du chauffeur, je pris les boîtes d'eau pétillante - quelque peu bouillies. Ce faisant, je vis que le compartiment à outils avait été ouvert et qu'il était vide.

Je m'assis et éclatai de rire. Je ris à m'en faire éclater la rate. Jamais je n'avais ri comme ça. Mon chauffeur, qui avait pratiquement éteint l'incendie, me regarda avec appréhension. Sans doute avais-je l'air un peu fou.

- Qu'est-ce qu'il y a de si drôle ? demanda-t-il.

- L'argent ! Il n'est plus là ! (Je fus pris d'un nouvel accès d'hilarité.) Ils nous ont suivis pour nous voler. Ils ont coupé leur moteur loin d'ici et ils se sont posés. Ils se sont approchés à pas de loup. Ils ont cru qu'ils nous avaient tués et ensuite ils...

C'était tellement cocasse que je repartis dans une crise de rire. Mon chauffeur mit ses mains sur mes épaules pour essayer d'arrêter mes convulsions. Ou peut-être pour me secouer. Mais peu m'importait. Je continuai de rire. Quand je pus à nouveau parler, je dis :

- Ils se sont donné tout ce mal pour de la fausse monnaie ! Lorsqu'ils vont commencer à écouler tous ces billets, ça va déclencher une enquête à grande échelle. Ils seront exécutés sur-le-champ !

Mais Ske ne trouvait pas ça drôle.

- Tout ce que je sais, maugréa-t-il, c'est que nous sommes complètement coupés du monde, que nous n'avons pas de radio, que nous ne pouvons pas traverser les cols à pied, que nous sommes entourés de profonds canyons et que nous nous trouvons dans un pays qui regorge de bêtes sauvages.

- C'est ça qui est bien, lâchai-je.

Il ralluma notre feu. Si jamais nos assaillants avaient l'idée de regarder en arrière et apercevaient une tache de lumière, ils penseraient que l'aircar finissait de brûler. Puis il retrouva quelques-uns des siffloteurs et les épousseta. Je n'avais cessé de sourire pendant tout ce temps.

Le *Remorqueur 1* était loin. Heller était loin. La comtesse Krak était loin. Et si l'on me retrouvait, je dirais à Lombar que nous avions eu un accident alors que nous étions à la recherche du patrouilleur dont il avait ordonné la destruction.

La perspective de passer de longues et heureuses années dans cette contrée sauvage et giboyeuse m'emplissait de joie. Tous mes problèmes étaient résolus.

Quand j'y repense, je regrette amèrement que les choses aient finalement pris une autre tournure. Si vous saviez à quel point j'avais tort de me sentir aussi heureux ce soir-là !

5

Mon existence idyllique d'« atavisme primitif » fut brutalement interrompue au bout de trois semaines.

Un matin, je fus réveillé par la sensation froide et dure d'un fusil-éclateur sur mon menton. J'avais dormi d'un sommeil sans rêves.

Ces vallées encaissées au milieu des montagnes sont un véritable paradis. Imaginez des plateaux verdoyants, des forêts magnifiques, des formations rocheuses étranges et pittoresques, des rivières paisibles ou rugissantes au cours tortueux - et, tout autour, les cimes majestueuses couvertes de neiges éternelles !

La contrée regorgeait de siffloteurs et de gibier - un plaisir pour les yeux, les oreilles et l'estomac.

Chaque jour, nous faisions de longues randonnées. Le soir nous campions dans quelque endroit enchanteur - et ces lieux où nous faisions halte me semblaient chaque fois plus ravissants.

Ske, mon chauffeur, me donna du fil à retordre. Pour obtenir un nouvel aircar, on doit présenter le numéro d'immatriculation du véhicule accidenté. Aussi mon chauffeur insista pour arracher la plaque d'immatriculation. Il y parvint au prix d'efforts acharnés, en s'aidant de grosses pierres - nous n'avions pas d'outils - et en tordant le métal pour qu'il chauffe et casse. Il lui avait fallu des heures et des heures. Résultat : il s'était retrouvé avec une plaque longue de sept mètres, à la fois lourde et encombrante, qu'il était obligé de coltiner à longueur de journée et qui le gênait considérablement lorsqu'il fallait descendre une pente abrupte ou traverser une forêt dense.

Et comme en plus il portait le gibier que je tuais, ainsi que les pains sucrés, les boîtes cabossées d'eau pétillante et les housses noircies des sièges qui me servaient de couverture, le moins qu'on puisse dire, c'est qu'il était chargé. Et tandis que je me promenais, m'arrêtant de temps en temps pour admirer le paysage, pour respirer le parfum porté par la brise ou pour abattre un siffloteur, je percevais le regard lourd de reproches qu'il m'adressait furtivement lorsqu'il croyait que je ne le voyais pas.

Un jour, alors que je gravissais nonchalamment un sentier escarpé, je l'entendis marmonner des paroles indistinctes. Il venait de trébucher pour la troisième fois à cause de la tendance qu'avait la lourde plaque à s'enfoncer dans le sol. Aussi, pendant qu'il se débattait pour escalader le sentier, je décidai de consacrer un peu de temps à sa santé d'esprit. Je m'assis sur un rocher et je m'efforçai de lui expliquer ce qui clochait chez lui.

Je lui dis que chaque être possédait en lui un atavisme inné, un désir naturel de régresser, de revenir à des instincts primitifs. Je lui fournis des explications techniques très détaillées, en puisant à fond dans la psychologie terrienne. Je me livrai même à une analyse sur lui et lui fis remarquer qu'il souffrait d'une « carence atavique ». Pour tout remerciement, il trébucha à nouveau et tomba au bas de la pente, mais cette fois-ci en déversant sur moi un torrent de jurons !

Je ne me laissai pas abattre pour si peu et essayai une nouvelle approche. Lorsqu'il fut à nouveau parvenu à ma hauteur, je lui expliquai que nous autres, êtres doués de raison, avions conservé entre nos deux lobes préfrontaux un cerveau reptilien, vestige de l'évolution. C'était ce cerveau qui poussait un être à obéir aveuglément. J'en dessinai un sur le sol, puis j'établis un diagnostic : je dis à mon chauffeur que ses problèmes venaient de ce qu'il n'avait pas de cerveau reptilien et qu'en conséquence, il était incapable de comprendre la nécessité qu'il y avait à suivre aveuglément mes ordres. Pour tout remerciement, il dévala une fois de plus la pente.

Mais cela n'entama en rien le vif plaisir que me procurait ma randonnée dans ce vaste pays. Aucun *Remorqueur 1* à l'horizon. Heller et Krak étaient loin, très loin ! Et à peine une trace infime de l'ombre de Lombar Hisst !

Durant toutes ces journées, je dus bien tuer au moins cinq cents oiseaux. Certains tombaient dans des endroits difficiles d'accès ou bien n'étaient que blessés, et mon chauffeur, chargé comme il l'était, avait toutes les peines du monde à les retrouver.

Mais c'était sa faute. Je lui disais constamment de jeter la plaque minéralogique. Jamais plus nous n'aurions besoin d'un aircar, alors pourquoi s'embarrasser de cette plaque, puisque nos chances d'obtenir un véhicule de remplacement étaient nulles ? Mais je n'arrivais pas à lui enfoncer cette idée dans la tête.

D'ailleurs il y avait d'autres choses pour lesquelles il refusait de m'écouter. Chaque fois que nous nous installions quelque part pour la nuit, il allumait le feu, non pas avec du bois sec, mais avec les écorces les plus vertes et les plus fraîches qu'il pouvait trouver. De grandes colonnes de fumée blanche s'élevaient alors comme d'immenses piliers dans le ciel crépusculaire. J'esssayai à maintes reprises de l'en dissuader, en vain. J'en conclus que son atavisme ne valait rien.

Aussi quand je fus réveillé par le contact froid du fusil-éclateur sur ma peau ce matin-là, je ne fus pas vraiment surpris d'entendre mon chauffeur parler d'une voix pressante et haut perchée, alors que l'instinct atavique aurait dû lui dicter de se taire !

- ...et alors que nous avions pratiquement attrapé les contrebandiers, ils ont décollé et ils nous ont abattus ! Mais n'écoutant que notre devoir, nous les avons suivis à la trace jour après jour. C'est dingue le nombre d'indices et de pièces à conviction qu'ils ont laissés derrière eux. Regardez cette gibecière ! Nous l'avons trouvée hier soir. Elle est pleine de plumes ornementales !

Il faut *toujours* étudier l'ennemi. Les deux gars qui braquaient leur arme sur nous portaient la tenue verte des gardes-chasses. Le blason de je ne sais quel Lord était cousu sur leur poitrine. Ils n'avaient pas l'air commodes et ils étaient armés jusqu'aux dents. J'entendis une brindille craquer quelque part sous les arbres : il y en avait un troisième qui nous tenait en joue.

- Pour vous prouver que nous avons fini par les mettre en fuite, poursuivait Ske d'une voix de plus en plus aiguë, regardez cet éclateur à faisceau aiguille qu'ils ont abandonné dans leur précipitation !

- Aha ! fit le deuxième garde-chasse, celui qui n'appuyait pas son fusil sur mon menton. (C'était une brute de cent cinquante kilos. Il ramassa mon éclateur et dit :) Confisqué. Belle arme.

- C'est une pièce à conviction qui appartient à la Couronne, dis-je avec fougue. Vous n'avez pas le droit d'y toucher !

- Vous êtes ici dans la réserve de Lord Mok, rétorqua-t-il d'un ton solennel. Elle fait cinq cent mille acres. Tout objet trouvé dans cette réserve appartient à Lord Mok !

Appartient aux gardes-chasses, rectifiai-je mentalement.

L'homme qui me tenait en joue me donna un petit coup dans le menton avec le canon de son éclateur.

- Debout ! lança-t-il. Nous vous emmenons !

Je remarquai alors qu'ils avaient passé une corde autour du cou de Ske. Apparemment, le « vous » ne s'adressait pas à mon chauffeur, car le grand costaud regardait autour de lui, en quête d'une branche à laquelle ils pourraient le pendre. Bof ! c'étaient pas les chauffeurs qui manquaient.

Mais l'idée d'être pendu ne paraissait pas trop lui plaire. Il saisit la corde et tira dessus pour desserrer l'étreinte. Puis il se leva et se dressa de toute sa petite taille. Son attitude m'étonnait. A sa place j'aurais rampé pour demander grâce. Il me désigna d'un geste dramatique et clama :

- Vous avez devant vous l'officier Gris de l'Appareil ! Il est en mission secrète pour l'Empereur.

Il parlait tellement fort qu'on aurait pu l'entendre à un kilomètre.

Ses paroles produisirent un effet spectaculaire. *Trois* hommes émergèrent des arbres et s'élancèrent vers nous, un éclateur pointé dans notre direction. Visiblement, il allait y avoir *deux* pendaisons à présent.

Ske avait réussi à se libérer de l'homme qui le retenait. En un éclair, il fut à mes côtés. Il souleva le rabat de ma poche, en sortit mon disque de communication, l'appliqua contre sa bouche et cria :

- Pour l'amour des Dieux, ne tirez pas ! L'officier Gris est dans votre champ de tir !

Sa ruse était plutôt grossière vu que ce type de communicateur porte à une distance ridiculement faible.

- Dites-leur qu'ils sont tous en état d'arrestation, me chuchota Ske avec véhémence.

Je cillai. Ces péquenots étaient tous assemblés autour de nous à présent. Ils hésitaient sur la marche à suivre et regardaient autour d'eux avec des mines inquiètes. Oui, pas de doute, c'étaient bel et bien des péquenots. Les gardes-chasses de Lord Mok n'étaient vraiment pas des lumières.

Je me levai et dis :

- Vous êtes tous en état d'arrestation.

- Pour vous être fait passer pour des gardes-chasses ! cria Ske.

Oubliées, leurs intentions de meurtre ou de pendaison !
- Nous avons des pièces d'identité en règle, fit l'un d'eux.
- Qu'est-ce qui nous prouve que vous êtes bien l'officier Gris ? demanda un autre.
Ils me montrèrent tous leur badge, tandis que Ske allait de l'un à l'autre et leur collait mon identoplaque sous le nez.
Finalement ils me dirent qu'ils garderaient l'éclateur et la gibecière comme « pièces à conviction », afin d'avoir une preuve que nous avions pourchassé des braconniers. Ils ajoutèrent que le lendemain, dans la matinée, un avion de ravitaillement à destination de la Cité du Gouvernement quittait le quartier général de la réserve et qu'il pourrait nous emmener.
Ske exultait. C'est tout juste s'il ne poussait pas des cris de joie.
Pas moi. J'avais l'impression que le ciel venait de me tomber sur la tête. J'étais absolument certain qu'une catastrophe m'attendait. A la pensée de rentrer, j'eus à nouveau des maux d'estomac.

6

Je regardais fixement l'employé du Service d'Emission des Véhicules. J'étais déprimé.
Les gardes-chasses nous avaient emmenés jusqu'à la Cité du Gouvernement et nous avaient déposés au garage central de l'Appareil. Ils ne m'avaient même pas remercié pour la gibecière et l'éclateur à faisceau aiguille.
Ske était entré en traînant la plaque minéralogique derrière lui et l'employé, au lieu de lui passer un savon, s'était quasiment mis à roucouler. Ske avait ensuite rédigé un rapport intitulé *Accident dans l'exercice des fonctions* avant de remplir la demande pour un nouvel aircar.
- Ouaaah, voyez-vous ça ! Une promotion ! s'écria l'employé. On est Grade Onze maintenant ! (Il donna une tape sur la main de Ske.) Vilain méchant. C'était pas la peine de le *détruire* si vous en vouliez un neuf. Suffisait de nous le ramener. Vous autres chauffeurs, qu'est-ce que vous pouvez nous faire remplir comme paperasse inutiiile !
Sans attendre, il fit un numéro et appela le fournisseur - l'usine Zippety-Zip - dans la Cité du Commerce.
- Youhou, Chalber ! gazouilla-t-il. Ecoute, mon lapin, nous avons une promotion ici. Il va nous falloir un modèle 794-86 *sur-le-champ.* (Il coupa momentanément la liaison et se tourna vers Ske.) Il ne leur en reste qu'avec des sièges mauves et des rideaux verts. Ça ira ?
Ske acquiesça et l'employé demanda à « Chalber chou » de bien vouloir apporter personnellement le véhicule « immédiatement-tout-de-suite ».
- Espèce d'horriiible veinard ! continua l'employé. Le modèle 794-86 est absolument âdorââble ! A l'arrière, il y a une banquette circulaire qui se transforme en lit.
- Mazette ! s'exclama mon chauffeur.
Il pouvait, car il était obligé de dormir dans l'aircar les trois quarts du temps.

- Oui, oui, roucoula l'employé. Et les vitres ont des stores et il y a un bar mignon tout plein. (Il lui décocha un clin d'œil.) Un jour, il faudra m'emmener faire un tour.

Je me dis que j'avais encore beaucoup de choses à apprendre sur Ske.

« Chalber chou » ne tarda pas à arriver. Discrètement, il glissa quelque chose de doré dans la main de l'employé. De l'argent ! Aha ! Voilà pourquoi tant de véhicules de l'Appareil avaient de mystérieux accidents !

Après avoir donné un bisou à « Chalber chou » et après que celui-ci fut parti dans un véhicule d'appoint, l'employé se tourna vers Ske. Quelques billets changèrent rapidement de main.

Mon nouvel aircar était extrêmement élégant : des hélices mauve clair, un train d'atterrissage vert et une bande rouge vif tout autour de la carrosserie. Pas vraiment l'idéal pour opérer incognito ! L'intérieur était tellement propre que j'en eus la nausée. Je montai à bord. J'étais las, très las.

La grande folle embrassa mon chauffeur et lui lança joyeusement :

- Si tu veux démolir d'autres véhicules, surtout ne te gêne pas, mon canard.

Je vis que je m'étais trompé sur le compte de Ske : tandis qu'il s'installait aux commandes, il se frottait vigoureusement la joue pour effacer le baiser de l'employé. Je lui dis de me conduire à mon bureau et il décolla.

- J'ai l'impression que tu me dois quelque chose, lui dis-je.

Le nouvel aircar était beaucoup plus silencieux, mais il me fallut répéter ma phrase en haussant la voix.

- Oh, vous voulez parler de l'argent. Le gars ne me devait qu'un crédit.

Il argua qu'il en aurait besoin pour s'acheter à manger, mais il savait très bien que je ne céderais pas. Finalement, il me lança le billet par-dessus son épaule. J'étais certain qu'il l'avait extirpé d'une liasse plus qu'honorable, mais je décidai de m'en contenter, premièrement parce que l'aircar zigzaguait au milieu des autres véhicules, que les vitres étaient baissées et que le billet avait failli s'envoler au-dehors - je l'avais rattrapé de justesse - et deuxièmement parce que je n'avais pas mis ma ceinture de sécurité.

A peine eus-je mis les pieds dans la Section 451 que Chochotte et Ma Chère, en m'apercevant, tombèrent dans les bras l'un de l'autre et fondirent en larmes. Les autres employés sortirent. Pourtant nous étions loin de l'heure du déjeuner. Mais il était assez tard et je me dis qu'ils avaient sans doute reçu l'autorisation de partir plus tôt.

Bawtch sortit de son bureau et m'avisa. La porte était si basse qu'il avait été obligé de se pencher.

- Oh, c'est vous ! tonna-t-il. Pourquoi faut-il toujours que vous veniez ici pour semer la pagaille ?

Je voulus lui faire remarquer que j'avais été absent trois semaines. Mais il ne m'écouta pas. Il se contenta de répéter en hurlant que j'étais sans cesse dans les pattes de tout le monde !

Je me réfugiai dans mon bureau. Je jetai un coup d'œil sur ma table de travail, m'attendant presque à y trouver un mandat d'arrêt contre moi. Mais non, rien. Juste l'habituelle couche de poussière.

Les ouvriers avaient terminé le travail. Je me rendis dans les toilettes pour vérifier si tout était en ordre. Oui. Quand vous appuyiez à tel endroit du mur, celui-ci pivotait, faisant apparaître une échelle conduisant à une lucarne « innocente » qui donnait sur le toit et dont la vitre se brisait silencieusement. Cent cinquante mètres plus bas, la rivière passait en bouillonnant.

Je revins dans mon bureau. Bawtch était là. Ne manquant jamais une occasion de se contredire, il venait de déposer sur mon bureau une pile de formulaires.

- Puisque vous êtes là, dit-il, vous n'avez qu'à tamponner ces papiers. Comme vous n'avez pas estampillé le premier contrat pour les travaux, ça vous en fait *deux* à tamponner maintenant. J'ai aussi une nouvelle liste d'employés et de salaires, plus les frais divers pour Twolah et Odur. Ensuite il y a eu un nouvel arrivage en provenance de Blito-P3. Il faut que vous l'estampilliez pour réception en bonne et due forme. Sans oublier les faux frais de la Section qui ont augmenté. (Il me poussait carrément vers mon bureau à présent.) Puisque vous n'arrêtez pas de faire irruption ici, faites au moins votre boulot !

Je sortis mon identoplaque et me mis au travail. Je lui rendis la monnaie de sa pièce : je tamponnai sa paperasse sans la lire. Rien ne vaut une attitude fière et hautaine pour remettre la racaille à sa place !

Je m'aperçus subitement que j'étais en train de tamponner des formulaires vierges ! Comment pouvait-il me présenter des formulaires qui n'avaient pas été remplis ? C'était illégal. Je retrouvai toute mon assurance.

- Bawtch, vous avez le cerveau qui ramollit. Vous avez oublié de remplir ces formulaires ! Vous vieillissez, Bawtch. La sénilité vous guette !

Il s'empara de la pile de papiers en fulminant et sortit à grandes enjambées. A l'évidence, je l'avais mouché. Il faut se montrer intraitable avec les minables dans son genre. Lombar avait raison quand il disait qu'il n'y avait que peu d'officiers d'Académie dans nos rangs. Si l'Appareil était aussi efficace, c'était grâce à nous - grâce à cette petite poignée d'officiers qui se tuaient au travail !

Je me rendis dans le bureau principal. Une fois de plus les employés sortirent précipitamment. Brusquement, je perçus un mouvement dans mon dos et sur ma gauche. Je me retournai. C'étaient Chochotte et Ma Chère. Il leur était impossible de sortir de la pièce sans passer à côté de moi. Ils étaient coincés. Ils me fixaient, figés par la terreur.

Derrière eux, il y avait une troisième personne : un instructeur du Département d'Instruction de l'Appareil. Et vous savez quoi ? Il était assis devant une console centrale de données ! Une console flambant neuve !

Avec son enveloppe de métal étincelante, ses claviers et ses écrans scintillants, elle n'était vraiment pas à sa place au milieu de la saleté et des meubles délabrés.

Soudain je compris.

Bawtch s'était approché entre-temps. Je m'adressai à lui d'un ton sévère :

- Pouvez-vous m'expliquer ce que cette console fait ici ?

Bawtch est un maniaque du secret. Il ne veut pas que les autres départements de l'Appareil sachent ce qui se passe dans la Section. Il ordonna à l'instructeur de sortir puis se tourna vers moi.

- Elle a été commandée il y a trois semaines. Vous avez vous-même apposé votre cachet sur le bon de commande. Maintenant que vous avez monté en grade, vous avez droit à une console, encore que je me demande bien pourquoi on vous a promu.

Mais je savais que ce n'était pas la vraie raison. Il était juste en train de me sortir sa bile, tout ça parce qu'en quatre-vingts ans de carrière, il n'avait jamais réussi à accéder au grade d'officier.

- Vous avez fait installer cette console pour les deux garçons, répliquai-je.
- Espèce d'ignoble brute ! explosa-t-il. Vous ne vous vouliez quand même pas qu'ils vous obtiennent vos renseignements en couchant avec un vieux Lord lubrique !
- Si, justement ! Endow sait des choses qui ne figurent pas dans les banques de ces consoles. Ces deux-là ont intérêt à partager le lit d'Endow le plus vite possible, autrement ce n'est pas seulement à leurs mères qu'ils peuvent dire adieu, mais aussi à leurs sœurs !

Lorsque j'avais pris la parole, les deux garçons s'étaient blottis l'un contre l'autre. En entendant la dernière phrase, ils s'évanouirent.

Bawtch s'éloigna en envoyant valdinguer sauvagement les chaises qui se trouvaient sur son passage. Il sortit en claquant la porte. Il était dans tous ses états.

J'enjambai les deux garçons et m'assis à la console. Héhé ! Une console pour moi tout seul ! J'annulai le programme d'instruction et déclenchai le programme de mise en route. Je retirai l'identoplaque de Bawtch. Il avait été dans un tel état d'agitation qu'il avait oublié de la reprendre. Au moment d'introduire ma propre plaque, je me ravisai et remis celle de Bawtch.

Je tapai mon nom et mon curriculum vitae. Cela me prit un petit moment, car il existe vingt-deux mille six cent quatre-vingt-un Soltan Gris parmi les dizaines de millions d'officiers voltariens. Je n'avais aucune envie de tomber sur un homonyme.

Je tapai : *Des mandats d'arrêt ?*

La machine répondit : *Pas encore.*

Je tapai : *Salaire - Montant disponible.*

Une lumière rouge se mit à clignoter. La machine dit : *Alerte ! Alerte ! Alerte ! A cause d'une erreur comptable, cet officier a reçu un crédit de trop sur les douze mois de salaire qui lui ont été avancés. En attendant le remboursement de ce trop-perçu, ne pas lui verser de paye.*

Et moi qui avais cru pouvoir toucher trois semaines de paye ! C'était raté ! Par bonheur j'avais un crédit sur moi. Il me suffisait de l'envoyer.

Au moment où je tendais la main vers la machine, elle se remit à parler : *Avertissement ! Avertissement ! Si jamais ledit officier perd l'un de ses quatre chèques de salaire, ou s'il est rétrogadé ou condamné à payer une amende, immédiatement contacter le Service des Cours Martiales du Trésor.*

Je me figeai. Et si on me retirait la Mission Terre ?

Je n'aurais nulle part où me cacher ! Dans les montagnes, il y avait les gardes-chasses, et dans la Cité du Gouvernement, il y avait la police du Trésor.

J'étais tellement angoissé à l'idée de finir clochard dans les bas-fonds de la ville et de fouiller les poubelles (ce n'était pas la première fois que cette pensée me venait) que j'en oubliai de régulariser ma situation financière. Le signal des cinq secondes se déclencha.

En toute hâte, je tapai : *L'argent arrive.* Puis je griffonnai mon nom et mon numéro d'identité sur un bout de papier, l'enroulai autour du billet d'un crédit et fourrai le tout dans une capsule. D'un geste vif, j'envoyai la capsule, avant de taper : *Argent envoyé.* La capsule fut aussitôt aspirée et quelques instants après je pus lire sur l'écran : *Argent reçu. Situation en cours de régularisation.*

Sans attendre, je tapai : *Salaire - Montant disponible.* La machine répondit : *Désolé, mais il faut deux mois pour corriger les erreurs comptables.* Et avant que je puisse protester, elle ajouta : *Avertissement ! Avertissement ! Si jamais ledit officier perd l'un de ses quatre chèques...* Je pianotai frénétiquement et coupai l'engin. Ah, les (enbipés) ! Ils auraient mérité que je leur envoie un faux billet ! Ça leur aurait servi de leçon.

En sortant, je trébuchai sur les corps inertes des garçons. J'étais tellement furieux et énervé que je les avais oubliés.

Une fois dehors, je pris une profonde inspiration afin de me calmer. L'odeur âcre qui planait sur tout le secteur de l'Appareil et la puanteur des eaux sales de la Wiel me firent regretter l'air pur des Monts Blike.

- Officier Gris. (Je sursautai. C'était Ske. Je ne l'avais pas vu dans l'ombre du bâtiment.) Vous ne pensez pas qu'on ferait mieux d'aller au hangar pendant qu'il fait encore jour ?

Pendant qu'il me reste encore des payes à toucher, pensai-je tristement. Je sautai dans l'aircar. Il fallait absolument que je fasse *bouger* cette mission, même si je devais y laisser la vie - ce qui était probablement le sort qui m'attendait.

7

Nous tournions en rond au-dessus du hangar de l'Appareil : le cercle d'atterrissage n'était pas libre. J'étais tellement pressé d'agir, tellement déterminé, que je me mis à trépigner d'impatience. C'était très bien de rester là-haut dans la douce lumière du soleil de l'après-midi, enfoncé dans le siège mauve de l'aircar, mais ce n'était pas comme ça que j'échapperais au ruisseau ! Là-bas, tout là-bas à l'ouest, je pouvais apercevoir Ardaucus - c'est le nom officiel, plutôt pompeux, qu'on donne à la Cité des Bas-Fonds. Même d'ici elle apparaissait sale et abjecte. Lombar avait raison de dire qu'il fallait la raser ! Mais pas avec moi dedans !

- Pourquoi poireautons-nous comme ça ? finis-je par demander à mon chauffeur.

- A cause de ce transporteur de la Flotte, répondit-il en haussant les épaules.

Je fus saisi d'un frisson d'horreur. Et moi qui avais tout fait pour qu'Heller ne soit pas en contact avec la Flotte ! Je regardai en bas. Oui, pas de doute, c'était bien un transporteur de la Flotte. Il planait juste au-dessus du cercle d'atterrissage, s'élevant et redescendant pour essayer de déposer une espèce d'énorme cylindre doré sur une plate-forme roulante. Après plusieurs tentatives, il y réussit.

Aussitôt le pilote actionna le mécanisme de libération et les câbles du transporteur commencèrent à remonter. Puis, sans attendre la fin de la manœuvre, il lança son appareil vers le ciel et disparut.

La plate-forme roulante franchissait déjà le seuil du hangar. La voie étant libre, mon chauffeur piqua sur le cercle d'atterrissage.

Cette ingérence de la Flotte dans la mission, quoique minime, me remplissait d'épouvante. Brusquement je repensai aux hommes du patrouilleur emprisonnés à Répulsos - ils étaient probablement morts depuis longtemps - et aux paroles de Soames, et je fus à deux doigts de rebrousser chemin.

Mais j'avais encore toute fraîche à l'esprit la menace que m'avait révélée l'ordinateur. Je sautai à terre et courus vers la plate-forme roulante qui, à présent, était immobilisée dans le hangar. La grue était déjà en action et abaissait le crochet destiné à être engagé dans le gros anneau fixé sur le cylindre.

Et devinez qui était perché sur le crochet ? Heller. Je reculai.

On avait ouvert la partie supérieure de la coque du *Remorqueur 1.* Les panneaux de métal de l'enveloppe gisaient à l'écart.

Heller guidait le grutier par signes. Il sauta sur le cylindre, saisit le crochet et l'engagea dans le gros anneau avant de le verrouiller. Je vis qu'il portait des gants. Il adressa un geste au grutier, et le cylindre, avec Heller dessus, s'éleva dans les airs.

Je remarquai que le cylindre portait un panneau avec une inscription en grosses lettres :

DANGER
RISQUES D'EXPLOSION
NE PAS OUVRIR

Mon Dieu, me lamentai-je intérieurement, déjà que le *Remorqueur 1* était un engin de mort, était-il besoin d'y ajouter *ça ?*

Le conducteur de la plate-forme roulante, qui avait fini son travail, était sorti de la cabine de pilotage. Il était occupé à s'allumer une fumette.

- Est-ce qu'il y a eu d'autres unités de la Flotte ici, ces derniers temps ? lui demandai-je.

- Comment ça ? Vous les avez pas vues ?

Apparemment, il n'avait pas remarqué que j'avais été absent trois semaines.

- Est-ce qu'il y en a eu, oui ou non ?

- Nan. C'est la première unité que je vois depuis deux jours. Y en a pas eu d'autres, ni hier, ni avant-hier.

- Quelles ont été les autres unités ? insistai-je.

- C'est plutôt curieux, dit-il en regardant le cylindre qui se balançait tout là-haut. On ne peut pas remplacer un convertisseur temporel pendant le vol. S'ils en prennent un de rechange, ça veut dire qu'ils vont aller dans une base de réparation hyper-équipée. Vous savez, à une époque j'ai été chef mécano dans ce genre d'engin. Avant que les voyages dans l'espace me fassent craquer.

Heller continuait de guider par gestes le grutier. L'énorme cylindre se trouvait à présent juste au-dessus de l'ouverture qui avait été ménagée dans la coque.

- Il n'a pas voulu que quelqu'un d'autre le fasse, dit le conducteur de la plate-forme. Ou peut-être qu'ils ont tous refusé. Ces (bips) de moteurs Y avait-Y aura ! Déjà qu'ils sont dangereux dans un vaisseau de combat !... Ils étaient d'ailleurs prévus pour ça, vous savez, et pas pour un remorqueur à la mords-moi-le-(bip). Je me demande pourquoi il a besoin d'un convertisseur de rechange ?

Debout sur le cylindre qui tourbillonnait dangereusement au bout du crochet, Heller achevait la manœuvre à grand renfort de gestes. Il avait l'air d'un point minuscule là-haut dans les airs.

- Je vais vous donner un conseil, poursuivit le conducteur de la plate-forme roulante. Ne vous avisez jamais d'ouvrir l'un de ces convertisseurs temporels. L'inscription veut bien dire ce qu'elle veut dire. Vous pourriez y laisser votre main ! J'ai même un meilleur conseil à vous donner. Ne mettez jamais les pieds dans ce (bip) de *Remorqueur 1 !*

Sa conversation me déprimait. Je me dirigeai vers le centre du hangar. Les hommes de l'escouade de jour musardaient. Ils n'eurent pas même un regard pour moi. Je m'approchai du sous-officier.

- Est-ce que la Flotte a livré des choses récemment ? lui demandai-je.

Il regarda autour de lui avant de répondre :

- On dirait que la plupart des équipes de travail sont reparties.

Cela ne répondait absolument pas à ma question.

- C'est quoi, les choses qu'ils ont apportées ? insistai-je.

- Des caisses tout en longueur, ça a quelle forme ? répliqua-t-il d'un ton agacé.

- Où les ont-ils mises ? demandai-je.

- Dans la cale, bien sûr. (Il me foudroya du regard.) Dites, vous êtes aveugle ou quoi ?

A l'évidence, il n'avait pas remarqué mon absence.

Je vis le crochet sortir de l'ouverture dans la coque. Apparemment, le cylindre reposait maintenant dans l'espace qui lui avait été réservé. Heller était perché sur le crochet. Celui-ci s'abaissait à toute vitesse, tel un obus. Heller sauta à terre et le crochet heurta le sol avec un fracas de tous les diables.

- Oh, à propos, Soltan, me lança-t-il, comme s'il reprenait une conversation interrompue une demi-heure plus tôt, comme je vous le disais, je n'arrive pas à trouver dans les dossiers qui traitent de Blito-P3 les observations et les rapports concernant la culture terrienne. Voyez si vous pouvez mettre la main dessus. (Puis, levant la tête, il cria à l'adresse du grutier :) Beau travail, chef ! Merci !

Il agita amicalement la main, avant d'aller jusqu'au *Remorqueur 1* d'un pas alerte et de pénétrer dans le sas.

La journée de travail était terminée et les gens rentraient chez eux. Le soleil avait disparu.

Soudain retentit un son familier :

- Han, dé ! Han, dé ! Han, dé !

Les « marines de la Flotte » arrivaient, marchant au pas - un spectacle tout à fait nouveau pour l'Appareil. L'escadron s'arrêta et les bottes frappèrent le sol à l'unisson. Les hommes saluèrent le sous-officier qui commandait le peloton de jour. Puis j'entendis :

- Tout l'monde à son poste ! Soldat Ip, à vot' poste ! Dans le vaisseau !

Et la comtesse Krak, marchant d'un pas irréprochable, ses bottes résonnant sur le sol, pénétra dans le sas. Les hommes de l'escouade sautèrent sur place avec des vivats et se dispersèrent. Rien n'avait changé !

Snelz alla vers le vieux fauteuil gravifique et s'assit. Je m'approchai de lui. Il allumait une fumette.

- Y a un p'tit vent sur le désert aujourd'hui, dit-il. (Il fit une pause et ajouta, comme s'il venait juste d'y penser :) Une fumette ?

- Je pense que vous me devez bien plus que ça, dis-je d'une voix menaçante.
- Ah bon ? (Il fouilla dans la poche de sa tunique et en sortit un billet de cinq crédits.) Je croyais vous l'avoir donné il y a deux jours. Tenez, prenez.
Il me devait sans doute beaucoup plus. Mais je n'avais pas le cœur à discuter : le fait qu'il n'avait même pas remarqué mon absence m'avait mis le moral à zéro. Je mis le billet dans ma poche et m'éloignai lentement.
J'avais cinq crédits. Je pris mon courage à deux mains et décidai de rentrer « chez moi ».
Arrivé à la pension, je pris l'escalier de service en faisant attention à ne pas poser le pied sur les marches vermoulues. J'entendis des bruits de pas dans le couloir. Il faisait noir. Je me glissai le plus silencieusement possible vers ma chambre, collé contre le mur. Je connaissais bien le chemin. Je l'avais fait si souvent. Je suis le roi de l'approche silencieuse.
Il n'y avait pas de barre sur ma porte. Je l'ouvris précautionneusement. Une plaque lumineuse brillait faiblement dans la pièce. Meeley était là, à moins d'un mètre de moi.
En voyant son expression, je crus qu'elle allait me faire les poches. Je sortis le billet de cinq crédits en toute hâte et le lui tendis.
Elle ne m'adressa pas le moindre mot de remerciement. Elle ne me fit même pas remarquer que je lui devais encore de l'argent pour l'année précédente. Tout ce qu'elle dit, ce fut :
- Vous pourriez faire le ménage de temps en temps ! La puanteur est infecte !
Un peu plus tard, allongé sur le lit défoncé, je contemplais les ténèbres. J'avais été absent pendant trois semaines. Mais j'aurais pu aussi bien être mort, on ne s'en serait même pas aperçu. Il n'y avait pas eu une seule personne au cours de la journée pour me demander : « Où étiez-vous passé ? » Pas une.

8

Si je croyais que je continuerais de passer inaperçu et que les choses poursuivraient leur petit train-train éternellement, je me trompais *lourdement*. Ce matin-là, j'étais très loin de me douter que la folie et l'irresponsabilité d'Heller déclencheraient une avalanche d'événements qui allaient tous nous conduire à la catastrophe.
Je me réveillai bien avant le lever du jour. Mon estomac criait famine. Je fus pris de panique : si jamais il m'arrivait une nouvelle fois d'être affaibli par la faim et la soif, je ferais à nouveau des cauchemars peuplés de diables mancos. Et la veille je n'avais rien mangé de la journée puisque j'étais sans le sou. Je ne voulais pas subir une autre entrevue comme candidat au poste d'homme de confiance du Roi des Bas-Fonds.
Aussi, je sautai du lit, m'habillai et descendis dans la petite cour où était parqué l'aircar. Je réveillai mon chauffeur à coups de pied et lui ordonnai

de me conduire illico à mon bureau. J'ajoutai qu'il devait foncer, et tant pis s'il ne faisait pas encore jour.

Je voulais arriver avant Bawtch et taper dans les réserves de s'coueur chaud des employés. Mon plan était un chef-d'œuvre d'habileté. J'avais tout prévu. Je dirais que j'avais eu besoin de consulter la console centrale. J'eus envie d'y ajouter une touche artistique, comme quoi je m'étais éreinté à la tâche toute la nuit, mais je me dis que Bawtch ne me croirait pas et je décidai de m'en tenir à mon histoire initiale.

Arrivé au bureau, j'allumai une lumière tamisée et, au moyen d'un trousseau de plaques à fréquence magnétique, entrepris de crocheter la serrure du placard à boisson des employés. Je suis un as du crochetage et, en un rien de temps, j'eus entre les mains une boîte de s'coueur chaud et, joie, les restes durs et secs d'un pain sucré que quelqu'un avait laissés là.

Je bus à toute allure, m'ébouillantant le palais, et courus vers la console en essayant de ne pas me casser les dents sur le pain sucré. Parfait. Jusqu'ici, tout se déroulait comme prévu : j'étais arrivé avant tout le monde et personne ne m'avait vu. Le fabuleux entraînement que j'avais reçu m'avait été très utile.

Je m'assis devant la console. Dans mon plan, j'avais omis une chose : quels renseignements allais-je demander ? Comme Bawtch avait retiré son identoplaque, je fus obligé d'utiliser la mienne. Je l'introduisis et la console s'alluma. Mais elle faillit s'éteindre pendant que je réfléchissais à l'usage que j'allais en faire. Il était beaucoup trop tôt pour réfléchir, s'coueur chaud ou pas !

Brusquement je me souvins de la requête d'Heller et je tapai promptement :

Blito-P3, tous les comptes rendus culturels et ethnologiques, tous les comptes rendus d'exploration qui ont plus de cent ans.

Les écrans semblèrent hésiter. Puis ils scintillèrent brièvement et le texte suivant apparut :

DEEEsolé. Les informations demandées ont été effacées des banques de données.

Qu'est-ce que ça veut dire ? pensai-je. A la limite, je pouvais comprendre qu'on efface les informations récentes, mais pas celles qui avaient plus de cent ans. Et c'était celles-là qu'Heller voulait. Il fallait absolument que je lui donne *quelque chose* - pour lui montrer que je travaillais. Je tapai :

Rectification : Tous les comptes rendus sur Blito-P3 qui ont plus de vingt ans.

L'ordinateur répondit :

DEEEsolé. Effacés.

Cela me mit hors de moi. C'est très facile de s'emporter contre un ordinateur, surtout tôt le matin. Oubliant toute prudence, je tapai :

Rectification : Tous les comptes rendus sur Blito-P3, du début jusqu'à aujourd'hui.

L'ordinateur répondit :

DEEEsolé. Vu la question posée et vu qui l'a posée, vous savez très bien que vous n'obtiendrez pas de réponse. Ces informations sont archi-effacées.

(Bip) ! J'étais dans une rage folle. Je n'allais rien pouvoir donner à Heller, je n'allais pas pouvoir lui prouver que je voulais l'aider. Une idée me vint subitement. Je tapai :

Veuillez me donner les informations effacées.

Une sorte de brouillard apparut sur l'écran. Finalement l'ordinateur dit :

Ce n'est pas en me demandant quelque chose qui n'existe pas que vous démontrerez que quelque chose qui n'existe pas existe.

(Bis) d'ordinateurs ! Ils sont tellement illogiques. Aucune jugeote.

Je plissai le front pendant quelques instants. La solution me vint en un éclair.

Veuillez me donner le numéro et l'identité de la personne qui a ordonné la destruction de ces informations.

L'ordinateur rumina ma demande et puis, finalement, à ma grande stupéfaction, me donna la réponse :

Lombar Hisst.

Tout y était, son nom, son poste et une reproduction de son identoplaque ! Incroyable ! Le grand Lombar Hisst avait laissé son nom dans l'ordinateur ! Sans attendre, je tapai :

Veuillez faire une copie.

Une feuille sortit aussitôt de la machine. Elle portait le cachet officiel et disait :

Toutes les informations culturelles, ethnologiques, politiques et autres concernant Blito-P3 ont été définitivement effacées des banques de données il y a vingt-cinq ans sur l'ordre de Lombar Hisst, Chef de l'Appareil de Coordination de l'Information, Division Extérieure, Confédération de Voltar. Voir ci-dessous le fac-similé de l'identoplaque du susnommé.

J'avais enfin mis la main sur quelque chose qui montrerait à Heller que j'avais *bel et bien* travaillé et que je ne jouais pas les courants d'air. Je pliai la feuille et la mis dans ma poche.

J'allais éteindre l'appareil quand j'entendis des voix dans le bureau d'à côté.

- Mais je ne veux pas y aller !

C'était la voix de Chochotte.

- Pauvre petit, je sais ce que tu ressens. (Je reconnus la voix de Bawtch.) Mais ce monstre est tout à fait capable de mettre à exécution les menaces les plus insensées.

Je me demandais de qui il pouvait bien parler. J'entendais Chochotte sangloter bruyamment.

- Calme-toi, dit Bawtch. Tiens, prends ce mouchoir et mouche-toi. Ton fond de teint est en train de s'étaler partout. (J'entendis Chochotte qui se mouchait.) Regarde, voici un lot d'informations bidons. Un duplicata sera envoyé chez Lombar Hisst par les voies habituelles. Mais toi, tu vas prendre ce paquet - regarde, je le mets dans cet attaché-case à double fond - et tu vas le porter directement à Lord Endow en personne. Ne montre pas son contenu au réceptionniste ou au secrétaire. Insiste pour voir Lord Endow en personne. Dis que c'est confidentiel. Ils te fouilleront pour voir si tu as des armes - laisse-toi faire - et puis ils te laisseront entrer. Lord Endow ouvrira l'attaché-case. Il verra immédiatement que les informations sont bidons et il te demandera pourquoi. Tu lui diras alors que tu l'as vu dans son carrosse pendant le dernier défilé et que tu es tombé fou amoureux de lui.

Les sanglots de Chochotte redoublèrent. Il se moucha à nouveau. Finalement il dit :

- Mais il paraît qu'il est monté comme un cheval !

- Oui, je sais, mon pauvre petit. Tiens, voilà de la vaseline. Allez, maintenant sauve-toi avant que cet horrible fils de (bip) trouve quelque chose de pire !

Les paroles de Bawtch m'avaient choqué. Traiter un Lord d'« horrible fils de (bip) » pouvait le faire atterrir en prison. Mais je décidai de ne voir que le bon côté des choses : Bawtch faisait avancer le projet. Je me levai. J'étais sur le point d'aller le féliciter pour son changement d'attitude quand j'entendis un rugissement suivi d'une bordée d'injures. C'était Bawtch.

Franchement, il battait n'importe quel pirate de l'espace ! L'avalanche de jurons s'acheva par :

- ... faire appel aux Investigations Internes pour qu'on trouve qui a ouvert ce placard à boissons !

Zut. J'avais oublié de refermer la porte. Je me demandai si le moment était venu d'inaugurer mon issue secrète. Mais le s'coueur chaud et le bout de pain m'avaient requinqué et je décidai de faire face. Je sortis et passai devant le placard ouvert.

- Un petit coup de s'coueur ? lançai-je.

Il me fusilla du regard. Je sortis nonchalamment du bureau. A mon avis, il se doutait de quelque chose.

Je secouai mon chauffeur qui s'était rendormi et je lui dis de me conduire au hangar. Je ne le savais pas encore, mais j'étais en route pour rencontrer les dieux grimaçants de la fatalité.

Une chose était sûre : je n'avais plus une minute à perdre. Nous avions largement dépassé les délais.

HUITIÈME PARTIE

1

Le hangar était en effervescence.

Nous étions arrivés en même temps que les différentes équipes de travail - je devrais dire les *innombrables* équipes de travail. Les ouvriers portaient l'uniforme de leur compagnie et formaient un ensemble bariolé du plus bel effet. Ils s'activaient et s'agitaient dans tous les sens - du jamais vu dans un hangar de l'Appareil.

Heller n'était nulle part en vue. Je vis que l'escouade de jour était là, donc la comtesse Krak était partie.

A plusieurs reprises, je pris des coups et je me fis bousculer. Une remorqueuse chargée de je ne sais quoi faillit m'écrabouiller. Finalement je décidai de m'installer à l'écart. Je m'assis sur un amas de vieux détritus. De là où je me trouvais, toute cette agitation et tout ce tohu-bohu me parurent moins difficiles à supporter. Mais à regarder tout le monde s'exciter de la sorte, je ne tardai pas à éprouver une sensation d'épuisement.

Une équipe d'ouvriers s'affairait dans la chambre des machines du *Remorqueur 1* pour y amarrer le convertisseur de rechange. Le contremaître n'arrêtait pas d'entrer et de ressortir en jurant : apparemment, l'espace était trop petit pour l'énorme cylindre.

Heller fit son apparition. Il sortait du bureau où il avait, semblait-il, passé quelques coups de fil. Il était calme, efficace. Il portait sa casquette de sport rouge, légèrement rejetée en arrière sur sa tête, et tout en marchant, il enfonçait une grosse feuille de papier dans sa poche. Une liste. J'étais sur le point de me porter à sa rencontre pour lui remettre le rapport de l'ordinateur quand il avisa le contremaître qui s'agitait et se dirigea vers lui d'un pas alerte.

- Impossible de caler votre cylindre là-dedans, gémit-il. Les autres endroits du vaisseau ne sont peut-être pas assez grands, mais celui-ci non plus, je peux vous l'assurer.

- A mon avis, répliqua Heller, en déplaçant le panneau du booster de soixante centimètres, vous pourrez le faire tenir. Dites aux spécialistes des moteurs Y avait-Y aura de venir nous aider. Ce n'est pas évident de déplacer un panneau de booster, mais c'est faisable.

- Pas évident ! s'exclama le contremaître. Un seul branchement mal fait et on n'en parle plus ! Tout pète ! Oh ! et puis après tout, c'est votre peau, officier Heller.

Il partit en courant pour aller chercher le contremaître de l'équipe des moteurs Y avait-Y aura.

Mon moral tomba à zéro. Non seulement les moteurs du vaisseau étaient dangereux, mais voilà qu'on allait démanteler l'un des panneaux ! J'étais effondré.

L'équipe d'ouvriers chargée de remettre les moteurs en état convergea vers la chambre des machines. Pendant une heure, j'entendis des jurons et des coups de marteau et je vis les jets d'étincelles des chalumeaux. Et puis, brusquement, des cris de joie retentirent. Heller sortit avec les deux contremaîtres. Ils riaient tous les trois. Visiblement ils avaient réussi à caser le cylindre.

Heller adressa un geste à une autre équipe d'ouvriers. Aussitôt, ils grimpèrent sur le vaisseau et entreprirent de replacer les panneaux qui avaient été enlevés pour aménager un accès à la chambre des moteurs. De là où j'étais, on aurait dit de toutes petites marionnettes. Le *Remorqueur 1* n'est peut-être pas très grand, mais une chute de quinze mètres peut vous transformer en purée. Je détournai le regard. Je déteste tout ce qui est haut.

Quelle animation ! D'après les couleurs des uniformes, j'estimais à *dix-huit* le nombre de compagnies qui travaillaient sur le vaisseau ! Mais si Heller croyait me mener... en bateau, il se trompait. Je savais qu'il cherchait à gagner du temps. Je n'ignorais pas qu'on pouvait réparer un vaisseau indéfiniment. On pouvait même détruire tous les jours le travail effectué la veille ! J'en conclus qu'Heller n'avait nullement l'intention de partir. D'ailleurs, pourquoi le ferait-il ? Il était installé comme un roi, même si le vaisseau était en réparation, et il avait la comtesse Krak. Il avait toutes les raisons de rester.

Soudain, je vis quelque chose qui me mit mal à l'aise. Un camion de la Flotte arriva en rugissant. Il s'arrêta à l'entrée du hangar et une demi-douzaine de spatiaux en descendirent. Ils faillirent en venir aux mains avec les gardes, mais Heller s'interposa et calma tout le monde.

Les soldats de la Flotte prirent une caisse dans le camion. Elle était longue et très lourde. Ils la portèrent dans le vaisseau en trottant. Ils ressortirent quelques instants plus tard. L'un des contremaîtres de l'Appareil leur lança une insulte et le capitaine des spatiaux s'élança vers lui et l'étala d'un coup de poing !

Une deuxième bagarre faillit éclater. Il y eut un échange de mots : « Ivrognes ! » « Vestes-bleues ! » (Les gens de l'Appareil surnomment les soldats de la Flotte « vestes-bleues » - c'est une espèce d'insecte.)

Heller, une fois de plus, calma les esprits et les spatiaux repartirent. Après quoi il aida le contremaître à se relever. Celui-ci lui dit :

- C'était pas après vous que j'en avais, officier Heller.

Finalement, tout rentra dans l'ordre.

Mais cette caisse m'intéressait *au plus haut point !* Je me glissai discrètement dans le vaisseau. La chambre des réacteurs était sens dessus dessous - apparemment, ils installaient dans les cloisons des bobines de simulation gravifique - et on avait décroché des tas de câblages électriques. Mais ce n'était pas cela que j'étais venu voir.

Dans le couloir, les panneaux du sol avaient été déverrouillés et relevés, révélant les entrailles du vaisseau et la chambre des réacteurs. C'était profond ! Je descendis sans perdre une seconde.

Six caisses semblables à celle qu'on venait d'apporter étaient entreposées tout en bas. Chacune portait une étiquette : *Caisse 1, Caisse 2,* etc. Elles étaient si solidement amarrées que je ne pus en soulever aucune. Que Diables contenaient-elles ? Quelle menace présentaient-elles pour une mission qui *devait* échouer ?

Je ne pus trouver aucune explication satisfaisante. De crainte de me faire surprendre ici, je remontai en toute hâte.

Je tombai sur Heller ! Il était accroupi sur une poutrelle et m'observait d'un air bizarre. Je songeai : ça y est, tout est fichu. Il a deviné.

Heller tendit le bras pour m'aider à remonter. L'instant d'après, j'étais dans le couloir, chancelant sous l'effet du vertige : le seul endroit où l'on pouvait poser les pieds, c'étaient les poutrelles sur lesquelles reposaient d'ordinaire les panneaux du sol. Je me tins prêt à affronter l'orage.

Heller me dévisageait avec un regard inquisiteur. Le fait qu'il se tenait debout au-dessus du vide en toute décontraction ne faisait qu'ajouter à mon trouble. J'étais persuadé que j'allais perdre l'équilibre, tomber dans la cale et me casser une jambe.

- Soltan, fit-il d'une voix douce, j'ai l'impression que vous m'évitez depuis quelque temps.

Que je t'évite, espèce de sombre crétin, pensai-je. Tu ne sais donc pas regarder ? J'ai été absent pendant trois semaines !

Heller prit un air attristé.

- Quand vous vous êtes sauvé, l'autre soir, poursuivit-il, je me suis dit que j'avais dû dire ou faire quelque chose qui vous avait offensé. Si c'est le cas, vous m'en voyez sincèrement désolé.

Il vit que j'avais du mal à me tenir debout sur les minces poutrelles et me conduisit en terrain stable.

- Soltan, continua-t-il, que vous le vouliez ou non, nous sommes tous les deux embarqués dans cette mission et nous devons travailler ensemble. Personnellement, je mets tout en œuvre pour qu'elle réussisse.

L'angoisse m'étreignit. C'était justement ce qu'il ne fallait pas faire ! Je n'aimais pas la tournure que prenait cette conversation. Il ne devait surtout pas se douter que la mission allait être sabotée.

- Oh, moi aussi, mentis-je hâtivement. (Je soulevai le rabat de ma poche et sortis la copie de l'ordre d'effacement que m'avait livrée l'ordinateur.) Je me suis levé avant l'aube pour obtenir ce que vous m'aviez demandé. Tenez, en voici la preuve.

Je lui tendis la feuille de papier.

Il la lut attentivement. Il la retourna pour voir s'il y avait quelque chose au verso, puis il haussa les épaules et la mit dans sa poche.

- Je suis sûr que vous faites tout votre possible pour m'aider, dit-il. Et je vous remercie de m'avoir apporté ces renseignements. (Il se tut et parut réfléchir.) Soltan, vous vous souvenez de cette devise de l'Académie ? « Celui qui fait hurler les moteurs sans jamais décoller court au désastre » ? A mon avis, vous avez trop travaillé ces temps-ci.

Si seulement il savait ! Je n'avais pas levé le petit doigt ! Je n'avais rien fait pour l'aider ! Rien, rien, rien !

Il claqua des doigts.

- J'ai trouvé ! s'exclama-t-il. Vous me devez un dîner ! (Il remarqua sans doute mon air étonné, car il poursuivit :) Mais oui, rappelez-vous ! Le jour où vous avez monté en grade, c'était moi le premier officier que vous avez rencontré. Vous avez rencontré d'autres officiers ce jour-là ?

Je secouai la tête, plus pour me remettre du choc que pour lui faire savoir que non.

- Excellent ! dit-il. Alors, vous allez vous acquitter de votre dette. Tout de suite ! Ce soir même !

Il éclata d'un rire joyeux et me donna une grande claque sur l'épaule. Je savais ce qui allait suivre. Pour ce genre de dîner, l'officier qui invite et les officiers invités emmènent leur petite amie s'ils en ont une.

- Donc voici ce que vous allez faire, dit Heller. Venez avec votre aircar une heure après le coucher du soleil et nous irons tous dans un night-club chic où vous nous inviterez à dîner ! Cela scellera notre réconciliation et cela vous fera retrouver votre bonne humeur !

- Attendez, répliquai-je précipitamment. Je ne peux pas y aller en uniforme.

Je regardai mes vêtements. J'avais passé trois semaines dans la nature et mon uniforme sentait mauvais. J'avais l'air d'un clochard.

- Oh, pas de problème ! fit Heller. Dès la tombée du jour, venez me voir, comme ça vous pourrez prendre un bain ici. (Il désigna une cabine d'officier.) Il y aura une tenue de soirée toute prête et vous n'aurez plus qu'à l'enfiler.

Il me donna une claque amicale dans le dos. Un sourire heureux éclairait son visage.

- Alors tope là ! Je suis content que nous soyons à nouveau amis. A ce soir !

Il s'en alla. Il avait l'air de très bonne humeur.

Mais mon humeur à moi était au plus bas ! Je n'avais pas un seul crédit sur mon compte. Impossible d'estampiller la moindre addition avec mon identoplaque. Et si j'essayais de payer avec de la fausse monnaie, on m'arrêterait sur-le-champ et on m'exécuterait. Heller croyait sans doute que j'étais comme la plupart des officiers et que mon compte en banque était bien approvisionné - les officiers n'attachent pas grande importance à l'argent. S'il avait voulu me mettre le moral à zéro, il n'aurait pas pu faire mieux.

Une pensée me traversa l'esprit. Derrière cette porte hermétiquement fermée au bout du couloir, il y avait des barres et des verrous en argent et même des vases et des rampes en or massif.

Je me dirigeai vers la porte sur la pointe des pieds et dis : « Ouvre » avec toutes les inflexions de voix possibles. Elle demeura fermée !

- OUvre ! OuVRE ! Ouvre ! OUVRE, (BIP) !

Un ouvrier qui travaillait là-haut dans la chambre des machines cria :

- C'est moi que vous appelez ?

Je sortis.

Peut-être pourrais-je mettre au point avant ce soir un accident d'aircar qui aurait l'air naturel. Une chute de trois mille mètres, par exemple ! Ça au moins, c'était dans mes moyens.

2

Venons-en à cette funeste soirée. A neuf heures, la comtesse Krak sortit discrètement du *Remorqueur 1* . Elle portait une cape antigaz et un casque anti-émeute. Dans un coin du hangar plongé dans l'obscurité, Snelz et ses hommes étaient occupés à jouer aux dés avec une application affectée.

Les stores avaient été abaissés à l'intérieur de l'aircar. Mon chauffeur n'était nulle part en vue.

Heller passa devant les hommes, s'arrêta et dit quelque chose à Snelz. Puis il se dirigea vers l'aircar d'un pas alerte et se glissa sous le levier de conduite.

J'étais assis sur le siège arrière, peu habitué à être aussi propre et franchement mal à l'aise dans mon costume flambant neuf. J'essayais de paraître calme. En réalité j'étais terrifié à la pensée d'être aussi près de la comtesse Krak.

L'aircar décolla brutalement et s'enfonça dans la nuit, gagnant rapidement de la vitesse. Ah, cette façon qu'avait Heller de piloter ! Mon véhicule tiendrait-il le coup ?

La comtesse ôta son casque et sa cape et remit de l'ordre dans sa coiffure. Elle était vraiment ravissante. Son visage était la perfection même. Sa chevelure resplendissait et faisait comme un halo de lumière. Elle portait une robe de soirée orange pâle faite de ce tissu qui scintille au rythme de la voix. Ses yeux pétillaient et paraissaient aussi innocents que ceux d'un enfant. Comme les apparences peuvent être trompeuses ! songeai-je. J'espérais qu'elle ne me tuerait pas pour quelque faute de syntaxe ou pour quelque manquement aux règles de bienséance lorsque nous serions à table. Les Dieux seuls savaient ce qu'elle me ferait lorsqu'elle apprendrait que je n'avais pas de quoi régler l'addition.

- Oh, Soltan ! s'écria-t-elle, vous avez un nouvel aircar ! Il brille comme un sou neuf !

Elle s'étira langoureusement et laissa aller son corps superbe dans la banquette circulaire. On aurait dit une chatte. Elle exhiba les bottes qu'elle portait aux pieds. Elles étaient d'un doré très, très pâle.

- Vous aimez mes nouvelles bottes ? demanda-t-elle.

Ses bottes s'étaient mises à jeter des éclairs de lumière tandis qu'elle parlait. Je m'écartai imperceptiblement. Je savais ce qu'elle était capable de faire avec ses pieds. Tuer !

Heller avait remonté les stores de l'aircar. Les cités illuminées de Voltar s'étendaient au loin sous le ciel étoilé. On pouvait voir le réseau complexe de traits lumineux dessiné par les véhicules qui circulaient en tous sens. Pendant un instant je retins ma respiration. Quel merveilleux spectacle !

Brusquement, je pris conscience que nous n'allions pas dans la bonne direction ! Est-ce que j'avais été entraîné à mon insu dans une tentative d'évasion ? Nous tournions le dos à la Cité de la Joie ! Nous allions à Pausch Hills !

- Dites-moi, vous ne vous trompez pas de chemin, par hasard ? demandai-je à Heller assis juste devant moi. Il n'y a pas de night-clubs à Pausch. On n'y trouve que les super-rupins !

Heller rit, sans se retourner. Il avait mis la gomme et nous faisions du huit cents à l'heure. Par bonheur, nous n'étions pas secoués dans ce nouveau modèle. Je priai intérieurement qu'il fût conçu pour résister à une telle vitesse.

- Nous allons chercher quelqu'un pour vous tenir compagnie ! finit par répondre Heller. Il n'est pas question qu'un mâle solitaire nous gâche la soirée, même si c'est lui qui invite !

Miséricorde. Déjà que je n'avais pas de quoi payer pour nous trois. Et voilà que nous allions être quatre ! Sans compter qu'une femme résidant à Pausch Hills aurait des goûts de luxe. L'addition allait être salée.

Les gratte-ciel de Pausch Hills se dressent sur des collines verdoyantes* et sont entourés de lacs et de cours d'eau artificiels. Le soir, c'est un spectacle fascinant. Mais les résidences les plus chères et les plus luxueuses sont construites sur les toits des gratte-ciel. Je remarquai avec inquiétude que nous ne nous dirigions pas vers quelque entrée d'immeuble, mais vers une maison en forme de dôme construite sur le gratte-ciel le plus élevé. Elle se dressait tout là-haut au beau milieu d'un parc paysager d'une superficie de deux acres. La personne qui habitait là disposait d'une vue imprenable et d'un jardin où elle était à l'abri des regards indiscrets. Cet endroit devait coûter les yeux de la tête !

Quel genre de femme pouvait bien habiter là ? A coup sûr une femme dont la trousse de maquillage coûterait un an de paye à n'importe quel sous-officier ! L'addition allait être encore plus salée que prévu !

Heller saisit un disque de communication et prononça un mot de passe. Aussitôt, les lumières de la maison et du jardin s'éteignirent. Quel manque de discrétion et de prudence ! La disparition soudaine des lumières attirerait l'attention à des kilomètres à la ronde.

Heller posa l'aircar en douceur sur l'aire d'atterrissage aménagée dans le jardin.

Une silhouette portant pèlerine et capuchon émergea de derrière un arbre et sauta à bord de l'aircar.

La portière se referma avec un bruit sec et Heller lança l'aircar dans la nuit étoilée.

Notre nouvelle passagère émit un rire délicieux et abaissa son capuchon avant d'enlever sa pèlerine.

- Qu'est-ce que je m'amuse ! fit-elle.

Mon Dieu ! C'était Hightee Heller ! Sa propre sœur ! Le visage le plus célèbre de Voltar ! Bien que la jeune femme fût d'une beauté à rendre leur virilité à une armée d'eunuques, j'étais effondré. Quelle imprudence de l'avoir invitée ! Elle portait une robe de soirée saphir - quasiment de la même couleur que ses adorables yeux - qui mettait en valeur la ravissante blancheur de sa peau et la blondeur de ses cheveux. Quand vous regardiez Hightee Heller, vous ne pouviez vous empêcher d'avaler convulsivement votre salive.

Je trouvai le courage de souffler à Heller et à la comtesse qu'ils ne devaient en aucun cas prononcer le mot « Krak » devant qui que ce soit. Nous optâmes pour Lindus, le nom de sa mère. Je priai pour qu'Heller ait l'intelligence de s'en souvenir au moment des présentations.

---

* *Hills* signifie « collines » en anglais. (N.d.T.)

- Hightee, dit Heller sans se retourner, je te présente ton compagnon de table, l'officier Soltan Gris. Et voici *la* jeune femme en question. Elle s'appellera Lindus ce soir.

Hightee était à présent confortablement installée sur la banquette. Elle me salua d'un petit signe de tête, sans doute habituée à rencontrer les nombreux amis d'Heller. Puis elle examina longuement la comtesse Krak. Ce crétin d'Heller alluma même les lumières intérieures pour qu'elle pût mieux voir !

- Jettie, finit-elle par dire, *personne* n'a meilleur goût que toi !

La comtesse rayonnait !

Les mains des jeunes femmes se touchèrent légèrement l'espace d'un instant.

- Je n'en reviens pas, dit Hightee, encore sous le coup de la vive impression que lui avait faite la comtesse.

Enfer et damnation, me lamentai-je intérieurement. Cette femme à qui tu es en train de t'adresser et pour laquelle tu complimentes ton frère est une tueuse condamnée qui a été mise illégalement en liberté provisoire ! Il n'y a pas si longtemps, elle croupissait encore dans les cachots de Répulsos ! Hightee, tu es peut-être la plus belle femme de Voltar, mais tu n'as pas pour un sou de cervelle !

- On dirait que vous appartenez à la noblesse de Manco, remarqua Hightee.

- Tu as mis dans le mille, dit Heller. Autrefois, sa famille possédait des terres et des propriétés à Atalanta.

- Est-ce que je connais votre famille ? demanda Hightee d'une voix chaleureuse.

- Je ne pense pas, répondit la comtesse Krak. Cela fait des siècles que les miens ne possèdent plus rien. Comme beaucoup de nobles, ils ont conservé leur titre et il ne leur reste pas même un arpent pour ériger une pierre tombale.

Les jeunes femmes éclatèrent de rire. Apparemment, il s'agissait de quelque plaisanterie manco.

- D'après votre accent, reprit Hightee, il semblerait que votre famille ait su perpétuer ses origines.

Où voulait-elle en venir ? Elle parlait comme une marieuse professionnelle. Brusquement je compris. Heller avait sans doute appelé sa sœur pour lui dire qu'il désirait lui présenter sa future épouse. D'où l'intérêt qu'Hightee portait à la comtesse. Oh, mes Dieux ! J'imaginais d'ici les difficultés que cette histoire insensée allait provoquer. La tête me tournait.

- Pas vraiment, soupira la comtesse Krak. Ma mère était une dresseuse d'animaux hors pair - sa famille possédait des forêts. Elle m'a transmis son don. Mon père a été disgracié et il est devenu prestidigitateur. Avec leur numéro, ils ont parcouru tout Manco. Ils se sont même rendus sur d'autres planètes. (Elle eut un petit rire et poursuivit :) Je crains fort de n'être qu'une enfant de la balle, Hightee. Tout comme vous. La première fois que je suis montée sur scène, c'était à l'âge de six ans. C'était un numéro où j'étais censée me faire dévorer par une *savabête* et où je réapparaissais brusquement, comme par magie, sur le dos de l'animal.

Hightee éclata de rire. Elle était aux anges. Puis elle devint pensive. Elle semblait fouiller sa mémoire. Miséricorde, pensai-je. Les gens du spectacle se connaissent tous. Et ils se souviennent de tout ! La comtesse venait de faire une énorme boulette !

Hightee claqua soudain des mains et s'écria :

- Les Crystals ! Les Crystals !

La comtesse se mit à rire en hochant la tête. Aucune jugeote !

- Exactement ! dit-elle. C'était leur nom de scène.

- Mais alors, votre père était le comte Krak ! gazouilla Hightee. Et votre mère n'était autre qu'Ailaena ! La plus grande dompteuse d'animaux sauvages de tous les temps ! Une femme intrépide !

Je me demandai si Hightee allait parler de leur fille, une certaine Lissus Moam qui avait fréquenté l'université et qui avait ensuite travaillé au Département de l'Education où elle avait appris à des enfants à cambrioler les banques et à assassiner les gens.

Mais tout ce que dit Hightee, ce fut :

- C'était un numéro extraordinaire ! Ça me fait tellement plaisir de vous connaître ! La famille va compter une artiste de plus !

Mon cerveau était en ébullition. Quelle famille ?... J'étais sûr et certain à présent qu'Heller avait l'intention d'épouser la comtesse Krak alors que c'était parfaitement impossible !

Mais pour Hightee la question était d'ores et déjà réglée. Elle tapota affectueusement la main de la comtesse avant de demander à Heller :

- Où nous emmènes-tu à cette allure ? (Et sans attendre que son frère ait répondu, elle ajouta à l'adresse de la comtesse :) Jettie ne connaît que deux façons de piloter : à fond et... à fond. Il faudra vous y faire, ma chérie. Jet est un *chou.*

Heller éclata de rire.

- Qu'est-ce qu'il ne faut pas entendre, dit-il. C'était qui la petite fille qui avait pour habitude de me harceler afin que j'aille plus vite ? Nous allons à l'Artistic Club !

- Mon Dieu ! fit Hightee. Est-ce que ce n'est pas dans la rue des Clubs ? Tout au bout ? Il y a tout le temps des journalistes qui traînent là-bas pour faire la chasse aux stars. Et moi qui espérais manger dans un coin tranquille.

Je partageais tout à fait son point de vue. Finalement, Hightee m'était plutôt sympathique.

- C'est Soltan qui a choisi l'Artistic Club, dit Heller. (Il se mit à rire et ajouta aussitôt, sans me laisser le temps de protester :) En fait, nous avons choisi cet endroit parce que tout le monde y porte des masques de soirée. Personne ne pourra nous reconnaître. Les masques sont à l'arrière, dans une boîte.

La boîte était bien là. Je l'ouvris et sortis les masques. Il y en avait quatre. Je vis qu'il s'agissait de masques à application directe. Le dessin est imprimé sur une feuille de papier. Vous appliquez le côté dessin sur votre visage, puis vous tirez sur la ficelle qui déclenche le processus de réchauffement. La peinture est aussitôt transférée sur votre visage et sèche en une fraction de seconde. Ce sont les masques les moins compliqués qu'on puisse trouver sur le marché. Pour faire partir la peinture, il suffit de se rincer le visage avec de l'eau. J'examinai rapidement chacun des masques. C'était sans doute mon chauffeur qui les avait choisis. Ils portaient des initiales : *S.G., J.H., H.H.* et *C.K.* Le choix ayant été fait à l'avance, je les distribuai à la ronde.

Je constatai avec surprise que le nouvel aircar avait des glaces. Elles étaient fixées au plafond au-dessus de la banquette. Les jeunes femmes rejetèrent leurs cheveux en arrière.

Au verso du dessin à appliquer sur le visage, il y a une petite image montrant à quoi ressemble le masque. Brusquement, Hightee me dit :

- Oh, pourquoi avoir choisi pour moi la nymphe des bois sexy ? Je sais bien que j'ai joué les créatures lubriques dans mes trois derniers films et que, pour ces rôles, il m'a fallu apprendre tout un tas de chansons érotiques - à tel point que je ne connais pratiquement plus d'autres chansons. Mais je me serais plutôt attendu à ce que vous choisissiez le masque de la nymphe exquise.

Maudit chauffeur !

Elle appliqua le masque contre son visage et tira sur la ficelle avant de jeter la feuille de papier, vierge à présent, dans la boîte. Puis elle se regarda dans la glace et éclata de rire.

- On ne peut vraiment pas dire que je sois une dévoreuse d'hommes, fit-elle, mais là, j'en ai tout à fait l'air !

Les yeux étaient langoureux. Les lèvres faisaient une sorte de moue aguichante. Les pommettes étaient recouvertes d'un fard bleu qui symbolisait le désir. Elle paraissait encore plus belle, comme ça. Rien ne pouvait dissimuler la beauté d'Hightee Heller ! Je n'étais pas très rassuré. Comme déguisement, c'était plutôt raté !

La comtesse, quant à elle, avait maintenant de grands yeux brillants, des yeux énormes, et son visage paraissait recouvert d'une fourrure orange et noire. La femme-léprodonte ! Comme si elle avait besoin de montrer à quel point elle était redoutable ! En tout cas, c'était un très bon déguisement. Et il s'assortissait parfaitement avec sa robe et ses bottes.

Heller mit son masque, tout en pilotant avec un genou et un orteil. Je vis dans le rétroviseur qu'il avait à présent le visage d'un personnage de théâtre que l'on surnomme l'Homme d'Acier. Ses yeux étaient recouverts de deux fausses étoiles d'acier gigantesques. On pouvait difficilement appeler cela un déguisement. J'étais de plus en plus nerveux. Les journaux avaient souvent publié des photos de lui.

Ils me harcelèrent pour que je mette mon masque. Oui, pas de doute, c'était bien mon chauffeur qui avait choisi. Mon masque représentait un personnage célèbre qu'on appelle le diable-aux-dents-longues ! Il était hideux ! Ske n'a aucun goût.

Leurs masques et le mien déclenchèrent l'hilarité. Lorsque les rires se furent tus, la comtesse et Hightee se mirent à converser amicalement et parlèrent de Manco et de théâtre. Il aurait fallu être aveugle pour ne pas voir qu'elles étaient immédiatement devenues des amies intimes.

Bientôt j'aperçus au-dessous de nous des gros projecteurs qui lançaient leurs serpentins de lumière : la rue des Clubs est la plus illuminée de toutes les artères de la Cité de la Joie. J'eus un mouvement de recul. Que de monde ! L'espace d'un instant, il me sembla que l'ombre de Lombar Hisst se dressait au-dessus de la cité. Dans quel guêpier m'étais-je fourré ? Si j'avais eu un tant soit peu de bon sens, j'aurais saboté l'aircar pendant qu'il en était encore temps. Mais il était trop tard à présent. Malchance, quand tu nous tiens !

3

Heller piqua droit sur le club. L'aircar déchira les airs dans un sifflement aigu. Heller confondait sans doute notre véhicule avec un crochet de grue. Pendant une fraction de seconde, je fus aveuglé par les faisceaux des projecteurs. Je ne sais pas comment Heller réussit son coup, mais l'instant d'après nous nous posions, telle une plume, sur le remonte-véhicules du club - plein centre. Les jeunes femmes sautèrent gracieusement à terre et se dirigèrent vers l'entrée. Je fus sur le point de les suivre lorsque je vis qu'Heller demeurait sur la rampe. Il attendit que le bras latéral du remonte-véhicules ait parqué l'aircar, nota sa position exacte et se dirigea vers le club.

La façade de l'Artistic Club ne différait pas des façades des clubs alentour : cascades de lumières étincelantes et lettres scintillantes jetant des éclairs de toutes les couleurs.

Comme il fallait s'y attendre, les jeunes femmes s'étaient rendues aux toilettes pour mettre la touche finale à leur masque. Dans l'entrée, une sorte de maître d'hôtel en smoking blanc attendait, la main légèrement tendue. Je savais ce qu'il voulait : un billet de cinq crédits afin de nous escorter jusqu'aux tables les mieux placées ! Je n'avais pas le moindre argent sur moi, à part les faux crédits ! Je me figeai sur place. Heller dit :

- Je vais aux toilettes pour m'assurer que mon masque est bien en place.

Et il me laissa seul pour affronter à mains nues la bête sauvage qui se tenait devant moi - c'est du moins ainsi que m'apparaissait ce maître d'hôtel.

Je ne savais pas encore que j'étais loin d'être au bout de mes frayeurs !

Et puis, soudain, je vis qu'un autre maître d'hôtel - le directeur ? - m'adressait des signes à l'autre bout du couloir et je me dépêchai d'aller le rejoindre, ignorant la main avide tendue devant moi.

Heller et les filles arrivèrent peu après et le directeur (?) nous conduisit dans la grande salle.

La soirée ne faisait que commencer, mais la plupart des tables étaient déjà occupées. Partout je voyais des masques, des masques, encore des masques - des masques en tout genre et de toutes les formes. Un ensemble flou de visages bariolés et anonymes.

La musique jouait fort, très fort !

Et les bottes ! Il y avait des bottes partout ! Des bottes aux couleurs les plus improbables, des bottes qui lançaient mille feux sous l'effet des rivières de lumière encastrées dans le sol.

Et que de tables ! Le directeur nous conduisit à la nôtre. Elle était légèrement surélevée et placée contre un mur. Je regardai rapidement autour de nous et constatai qu'elle était située à proximité d'une sortie de secours.

Nous nous assîmes et portâmes notre regard sur la salle. Tout au fond, en face de nous, il y avait une estrade avec l'orchestre, ainsi qu'une scène, et juste à droite s'étendait une piste de danse, laquelle se terminait sur un côté par un rideau de théâtre. Celui-ci était baissé.

Une chanteuse de ballades plutôt mauvaise se tenait devant l'orchestre et poussait sa goualante avec force gémissements. Elle portait un masque noir baigné de larmes rouges.

Je me demandais où le club affichait ses prix. Je n'étais pas en mesure de payer, mais j'étais néanmoins curieux de savoir. Je finis par trouver. Ils se trouvaient sous la vitre qui recouvrait la table. Vous pressiez un bouton et la vitre s'illuminait. Mais je n'avais pas besoin de mettre la lumière pour distinguer les lettres et les chiffres. D'après ce que je pouvais voir, il n'y avait rien à moins de cinq crédits ! Je vis des colonnes et des colonnes de plats et de boissons à cinq et dix crédits ! Ouillouillouille !

La chanteuse avait terminé et quelques applaudissements retentirent. Elle rejoignit ses compagnons de table.

Un homme se leva et se dirigea vers la piste de danse. Il sortit quelques anneaux de la poche de son smoking, y mit le feu et commença à jongler. Mais il ne se brûla pas les mains car les flammes étaient factices.

Heller donnait quelques explications à la comtesse :

- C'est pour cela qu'on appelle cet endroit l'Artistic Club. Tous ceux qui viennent ici doivent faire un numéro. Ça dure toute la nuit.

- Mais est-ce qu'il n'arrive pas que certaines personnes aient le trac ? demandai-je.

- Les gens de la direction y ont pensé, dit Heller. Ils notent qui est passé sur scène et s'ils se rendent compte que quelqu'un s'est défilé, l'addition est doublée pour toute la table !

- Quelle idée amusante ! fit la comtesse en éclatant de rire.

Moi, je ne riais pas. Je n'avais peut-être pas de quoi payer, mais à la pensée que l'addition risquait d'être multipliée par deux, je ne pus m'empêcher d'éprouver un sentiment d'horreur.

- J'ai faim, lança Hightee.

Comme j'étais l'hôte, il me fallut lui demander poliment :

- Que désirez-vous ?

Heller appela un garçon - un homme-jaune. Il appuya sur le bouton qui se trouvait au milieu de la table et la vitre s'illumina. Et, ô surprise, le menu se dressa à la verticale devant chacun des convives.

Lorsque je vis tous ces plats et toutes ces boissons à cinq et dix crédits, je crus que j'allais mourir. Je réussis à maîtriser plus ou moins ma voix.

- Allez-y. Commandez tout ce que vous voulez, lançai-je aussi gaiement que possible.

Mais on aurait plutôt dit que je venais de déclamer un hymne funèbre.

Ils optèrent tous les trois pour des bondisseurs, petits animaux des montagnes très recherchés pour leur chair et importés de Chimpton, une planète voisine. Hors de prix ! Dix crédits par personne !

Après avoir délibéré avec quelque solennité, ils décidèrent de boire du bulle-malt rouge. A dix crédits la chope !

Pour le dessert, ils choisirent de la glace flambée. A quinze crédits la part !

Je suis un as du calcul mental. Il ne me fallut qu'un instant pour faire le total. Cent quarante crédits !

La maison nous offrit gracieusement des petits pains toastés. Comme c'était gentil ! Le club le plus cher de Voltar !

Ils commandèrent la même chose pour moi. Je les laissai faire. Autant être cassé ou exécuté avec un ventre plein. Car c'était l'un ou l'autre qui m'attendait : soit je présentais mon identoplaque et je finissais devant une cour martiale, soit je payais en faux billets et on m'exécutait !

On nous servit bientôt la viande et j'y enfonçai ma fourchette à plusieurs reprises, dans l'espoir d'y trouver des diamants ou quelque chose comme ça. Heller se pencha vers moi.

- Ne prenez pas cet air soucieux, chuchota-t-il. Tout ira bien. Amusez-vous. Les filles passent une bonne soirée. Ne la gâchez pas.

Il pouvait parler ! Cette (bip) de virée allait me conduire tout droit à la ruine. Je me souvins alors que beaucoup d'autres officiers fraîchement promus comme moi avaient dû se priver pendant un mois ou deux pour pouvoir offrir ce genre de soirée. Je vidai ma chope. Mais rien de tout cela n'eut le moindre effet sur mon moral. Je continuai de broyer du noir.

Pendant le repas, ils bavardèrent joyeusement et échangèrent des plaisanteries. Apparemment, ils s'amusaient comme des petits fous. Quant à moi, je mangeai de bon appétit. J'avais faim.

Lorsqu'ils eurent avalé la dernière étincelle de glace flambée, Heller fit signe à un homme-jaune qui passait et commanda une autre tournée de bulle-malt rouge ! Ce qui portait l'addition à cent quatre-vingts crédits !

Ils levèrent leur verre aux ciels limpides et aux étoiles brillantes. Ils burent à de nouvelles promotions et à la réussite. Ils burent à une certaine mission qui-se-déroulerait-dans-le-plus-grand-secret. Ils burent à la prochaine pièce d'Hightee.

Heller commanda une troisième tournée ! Deux cent vingt crédits !

Ils étaient confortablement calés dans leur siège à présent et regardaient les numéros des autres convives. Certains étaient mauvais, d'autres excellents. Certains reçurent quelques applaudissements polis. D'autres furent salués par une véritable ovation.

J'avais sombré dans un état proche de la stupeur. Mon avenir était d'ores et déjà tracé. C'était soit la cour martiale, soit la mort. Ça ne pouvait pas être pire.

Eh bien, je me trompais !

Un projecteur qui envoyait des petits flashes était braqué sur notre table. Hightee me donna une petite bourrade.

- C'est à vous. De nous quatre, c'est vous le premier, dit-elle.

- Moi ?

- Mais bien sûr, répliqua-t-elle en souriant. Et votre numéro a intérêt à être bon ! (Elle ajouta en riant :) Si vous refusez de passer, l'addition sera multipliée par deux !

Ils partirent dans une crise de rire. C'était probablement le bulle-malt ! J'avais l'impression de vivre une tragédie.

Nerveusement, je me levai, persuadé que la foule allait me lyncher.

4

C'était la menace d'avoir à payer deux fois la note qui m'avait poussé à me lever. J'avais presque atteint la scène quand je pris conscience que, de toute façon, je n'avais pas de quoi payer *une* addition. Qu'est-ce que je fabriquais ici, par tous les Diables ?

Je ne comprends pas les gens qui sont à l'aise face à une foule. Qu'un acteur, un chanteur ou un danseur soit capable de se présenter *seul* sur une scène et d'affronter le public qui le regarde, voilà qui m'échappe complètement.

Je montai sur scène et me retournai pour regarder le public. Un énorme projecteur d'une puissance inouïe était dirigé sur moi et me démolissait à moitié la rétine. Les masques, innombrables, étaient tous tournés vers moi et me fixaient. Ils paraissaient lointains et désincarnés. Au-dessous des masques, il y avait les bottes, tout aussi innombrables et tout aussi floues. Elles frappaient le sol en chatoyant. Je savais qu'elles ne tarderaient pas à me piétiner à mort.

Je m'attendais à tout instant à ce qu'ils se précipitent sur moi pour me mettre en pièces.

Bref, j'étais mort de trac.

J'avais plus ou moins prévu de réciter un poème. Durant mon enfance, j'avais appris plusieurs poèmes. J'avais même reçu des louanges à l'âge de six ans pour mon interprétation de *Hec le Brave à la Bataille de Blim.* J'ouvris la bouche. Malheur ! J'étais incapable de me souvenir du premier vers !

Promptement, je passai en revue dans ma tête toutes les anecdotes que je connaissais. Il y avait celle des deux agents de l'Appareil qui avaient cru que l'autre était une femme - jusqu'au jour où ils s'étaient retrouvés ensemble dans un lit. J'allais ouvrir la bouche pour la raconter quand je me ravisai. Quelle gaffe j'avais failli commettre ! La dernière chose à faire, c'était de parler de l'Appareil !

Mes genoux s'étaient mis à trembler. Le public commençait à s'impatienter. Le gros projecteur continuait de m'aveugler impitoyablement. J'avais l'impression que mon masque du diable-à-dents-longues était en train de fondre.

J'eus subitement une inspiration. Un chasseur d'oiseaux-chanteurs est évidemment capable d'imiter leur chant. Je me débrouillais plutôt bien dans ce domaine. En imitant leur chant, j'arrivais à les faire venir à un ou deux mètres de moi pour les abattre.

D'une voix que je voulais ferme, mais qui finalement ressemblait plutôt à un coassement, j'annonçai :

- Le gazouilleur des montagnes.

Ma bouche était complètement desséchée, mais je parvins à arrondir les lèvres et à imiter correctement son chant.

Silence total dans le public.

- La fauvette des prairies, annonçai-je avant de donner une imitation de son chant.

Aucune réaction du public.

- La poule d'eau.

J'imitai son caquetage rauque.

Toujours aucune réaction de la salle. Pas même un semblant d'applaudissements. Rien !

Je me mis à réfléchir furieusement. Je ne me rappelais aucun autre cri d'oiseau. Soit les gens croyaient que je n'avais pas fini, soit ils attendaient que je marche sur les mains ou que je fasse des sauts périlleux arrière.

Leur silence me mit hors de moi. Je leur décochai un regard furibond et lançai d'un ton de reproche :

- En tout cas, les oiseaux apprécient, *eux !*

Aussitôt il y eut une *tempête* de rires ! Les gens se tenaient les côtes, martelaient le sol de leurs bottes. Ils riaient, riaient, à en perdre haleine !

Je regagnai notre table en courant. La salle riait toujours. Hightee me donna de petites tapes sur la manche.

- Je vous ai trouvé très courageux, me dit-elle.

Un joueur de tambour-laser me succéda. Il jouait de son instrument tout en jonglant. Lorsqu'il eut fini, le public cria :

- Est-ce que les oiseaux ont apprécié ?

Nouvel accès d'hilarité générale.

Ensuite il y eut une jeune femme, une chanteuse, et quand elle eut terminé sa chanson, le public demanda à nouveau :

- Est-ce que les oiseaux ont apprécié ?

Les rires reprirent de plus belle.

Puis ce fut au tour d'un homme qui faisait rouler un tonneau avec ses pieds. A la fin de son numéro, le public hurla une fois encore :

- Est-ce que les oiseaux ont apprécié ?

- Vous avez fait un tabac, déclara Hightee.

Je pris conscience qu'il devait y avoir du vrai dans ce qu'elle venait de me dire. Un sentiment de fierté m'envahit. La nouvelle tournée de bulle-malt que commanda Heller ne me fit même pas ciller.

Malheureusement, les rares moments de bonheur que l'on connaît dans l'existence ne durent pas. Tandis que je rejetais la tête en arrière pour finir ma boisson, je vis quelque chose qui me fit frémir !

Le balcon réservé aux journalistes !

Il s'avançait sur la salle, surplombant le public. J'aperçus trois reporters et, un malheur n'arrivant jamais seul, une équipe de télévision avec une caméra !

Hightee suivit mon regard. Mes yeux étaient littéralement rivés au balcon.

- Oh, ce n'est rien, fit-elle en haussant les épaules. Ils viennent souvent au club. Ils sont à la recherche de nouveaux talents, de quelque chose d'inédit. Ils en profitent pour enregistrer ce qu'ils appellent des séquences bouche-trou qu'ils diffusent uniquement s'il n'y a pas eu d'événements marquants durant la journée. (Elle fit une pause et ajouta en riant :) A mon avis, s'ils viennent ici, c'est pour éviter d'avoir à travailler !

Le sentiment de bien-être que j'avais éprouvé s'était dissipé. S'il y a une chose que nous détestons dans l'Appareil, ce sont les reporters, et s'il y a une chose que nous détestons encore plus, ce sont les reporters avec des caméras ! Lombar Hisst s'exprimait avec une véhémence toute particulière à leur propos. L'une de ses phrases favorites était : « Les victimes n'ont pas le droit de savoir. » L'espace d'un instant, il me sembla voir son spectre rôder à l'extérieur du club.

Brusquement, le projecteur qui désignait l'artiste suivant fut à nouveau dirigé vers notre table. Hightee eut un mouvement de recul. Heller toucha le bras de la comtesse et tous deux se levèrent.

Ils se dirigèrent vers la piste de danse d'un pas souple, la comtesse avec son masque de léprodonte et son ensemble orange pâle, Heller avec sa tenue de soirée bleu poudre scintillante et les deux énormes étoiles d'acier qui dissimulaient ses yeux. Le projecteur se posa sur eux.

La comtesse leva légèrement le bras. A sa droite, il y avait une table de service, recouverte d'un napperon de satin blanc disposé en losange sur lequel reposaient de grandes bouteilles de bulle-malt et des chopes aux formes délicates. Elle se dirigea vers la table et attrapa l'un des coins du napperon. Qu'essayait-elle de faire ? De tout renverser ?

D'un mouvement sec du poignet, elle tira.

Le napperon fusa vers elle avec un bruissement et la comtesse présenta au public le grand carré de satin blanc qui, à présent, pendait de sa main. Les bouteilles et les chopes n'avaient pas bougé d'un millimètre !

Les gens crurent sans doute qu'il s'agissait du numéro car des applaudissements crépitèrent.

Mais il ne s'agissait pas du numéro. Oh que non ! La comtesse lança quelques mots à l'orchestre avant de rejoindre Heller sur la piste de danse. Elle fit flotter le carré de satin dans les airs. Il mesurait environ un mètre en diagonale. D'un mouvement de la main, elle le plia expertement en quatre. Puis elle coinça l'une des extrémités entre les dents d'Heller et fit de même pour elle. Leurs visages étaient à présent séparés d'une quinzaine de centimètres.

L'orchestre attaqua une danse populaire aux accents joyeux. Heller et la comtesse mirent les mains derrière le dos et se lancèrent dans une série de pas compliqués.

- Le mancho manco ! s'écria Hightee avec ravissement, en battant des mains comme une petite fille. (Elle m'envoya un coup de coude et ajouta :) Regardez bien. C'est la danse folklorique des jeunes enfants de Manco ! Ils ne pouvaient pas ne pas la connaître !

Ils exécutèrent solennellement les figures avec un ensemble parfait, le carré de satin toujours coincé entre les dents.

Brusquement, à la fin d'une mesure, l'un des coins du napperon s'échappa de leurs dents. Ils étaient maintenant à trente centimètres de distance. L'orchestre continuait de jouer. Ils cessèrent de danser à l'unisson. Chacun à leur tour, avec un large mouvement circulaire, ils lançaient un pied derrière les talons de l'autre, comme pour le faire tomber, mais au moment où le pied arrivait, l'autre sautait, et le pied passait en dessous. Ils continuèrent ce petit jeu pendant un certain temps.

Hightee les regardait, bouche bée. Leur danse était devenue subitement beaucoup plus complexe.

- Mais ce n'est pas le mancho manco ! s'exclama-t-elle.

C'était le moins qu'on puisse dire. En fait, il s'agissait du premier exercice élémentaire de combat avec les pieds, transformé en chorégraphie ! Bon sang, il ne fallait pas qu'ils deviennent trop bons. La caméra là-haut n'en perdait pas une miette ! La dernière chose que nous voulions, c'était que quelqu'un reconnaisse Heller. Et je ne parle pas de la comtesse Krak !

Des gens applaudirent, ce qui me fit grincer des dents. Allez, tombez par terre, suppliai-je intérieurement. Emmêlez-vous les crayons, faites quelque chose. Il ne faut surtout pas que la télé diffuse votre numéro !

A la fin d'une mesure, il y eut comme un bruit de bouchon qui saute. Heller et la comtesse avaient libéré un autre coin du napperon et se trouvaient maintenant séparés d'un bon mètre.

Heller avait sans doute adressé un signe imperceptible à la comtesse, car brusquement ils furent debout sur les mains, dos à dos, toujours reliés par le carré de satin blanc ! Et dans cette position, ils se mirent à entrechoquer leurs semelles au rythme de la musique !

Toute la salle applaudit ! Ça s'annonçait mal !

Juste à la fin d'une mesure, ils s'élancèrent dans les airs, leurs corps formant un arc parfait, tournèrent sur eux-mêmes en plein vol et atterrirent en même temps, face à face !

De la gymnastique chorégraphique. Les gens dans la salle n'avaient jamais vu ça. Les applaudissements redoublèrent. Je jetai un coup d'œil au balcon. L'équipe télé s'agitait dans tous les sens ! Horreur !

Je ne sais pas comment Heller s'y prit, étant donné que ses dents étaient refermées sur un coin de napperon, mais il cria une phrase au chef d'orchestre.

Alors commença le numéro le plus extraordinaire qu'il m'ait été donné de voir ! Il existe un exercice de combat dans lequel vous envoyez votre pied à la tête de l'adversaire, avec un mouvement circulaire de la jambe. L'adversaire évite votre coup en faisant la roue. Mais ces deux cinglés nous en donnèrent une version toute personnelle ! L'un d'eux envoyait son pied, l'autre faisait la roue et, sans attendre, lançait son pied, et ainsi de suite.

Au début, ils exécutèrent l'exercice en décomposant les mouvements. Puis ils le firent de plus en plus vite, de plus en plus vite !

Je vis avec stupeur que leurs mains ne touchaient plus le sol quand ils faisaient la roue !

L'orchestre accélérait, accélérait, accélérait, et Heller et la comtesse suivaient !

Bientôt ils ne furent plus que deux formes indistinctes et virevoltantes, deux taches orange et bleu reliées par une sorte de fil blanc !

Dans la salle, c'était le délire ! Les gens s'étaient levés et lançaient des vivats et des bravos ! C'était la première fois qu'ils voyaient une chorégraphie basée sur des exercices de gymnastique et de combat.

L'orchestre ne pouvait pas aller plus vite.

Alors, avec grâce et légèreté, Heller et la comtesse mirent un terme à leur danse. L'orchestre ponctua la fin de leur numéro d'un accord prolongé. Heller et la comtesse se tenaient côte à côte. Le napperon était dans la main gauche de la jeune femme. Heller salua en s'inclinant profondément.

Je croyais le numéro terminé. Les gens aussi. Ils applaudissaient à tout rompre en poussant des hurlements.

- On voit qu'elle a l'expérience de la scène, me souffla Hightee à l'oreille.

Effectivement, la comtesse effectuait les deux pas vers la droite, puis vers la gauche, entrecoupés d'une inclinaison du buste - le rite auquel se livrent les artistes pour signifier au public qu'ils acceptent ses acclamations. On dirait une petite danse. C'est très gracieux. La comtesse tenait toujours le napperon dans la main gauche. Il chatoyait dans la lumière du projecteur.

Et puis, subitement, la comtesse NE FUT PLUS LA !

Pourtant personne ne l'avait vue quitter la piste de danse. L'instant d'avant, elle saluait encore le public. A présent, l'endroit où elle s'était tenue était vide ! La salle laissa échapper une exclamation de surprise. Quant à moi, j'éprouvais autre chose que de la surprise. Une prisonnière venait de s'échapper !

Le napperon flottait lentement jusqu'au sol.

Heller était aussi surpris que le public. C'était en tout cas l'impression qu'il donnait.

Il regarda fixement le napperon. Puis il fit quelques pas en arrière et se mit à quatre pattes. Il s'approcha furtivement du napperon, en souleva subrepticement un coin et regarda au-dessous avant de reculer à nouveau en secouant la tête. Puis il parut lui venir une idée.

Il bondit sur le carré de satin ! Il lutta un moment pour empêcher ce qui se trouvait sous le napperon de s'échapper, puis il se releva lentement, le carré de satin dans les mains.

Un enfant de deux ans aurait deviné qu'Heller espérait trouver sa compagne disparue dans le napperon.

Il le déplia précautionneusement. Certaines personnes dans la salle se mirent à glousser. Il vit qu'il n'y avait rien dans le napperon et le secoua d'un air perplexe. Puis il examina le sol pour voir si quelque chose était tombé. Ses épaules s'affaissèrent. Il paraissait abattu. La salle hurlait de rire à présent.

Heller jeta le napperon et, d'un air déterminé, se dirigea vers la table la plus proche. Il regarda en dessous et ne trouva rien. Il regarda sous une chope, puis sous une assiette. Toujours rien. Brusquement, il parut avoir une inspiration. Il saisit le chapeau-fantaisie d'une cliente et regarda dedans.

Le public était écroulé de rire.

Un bruit sourd, juste à côté de moi, me fit sursauter. Je tournai la tête. La comtesse Krak ! Elle était assise dans la pénombre et souriait.

En désespoir de cause, Heller examina l'intérieur de ses manches. Puis il regarda en direction de notre table et, d'un mouvement du bras, invita l'éclairagiste à pointer le projecteur sur notre table.

Le public vit la comtesse. Il y eut un bref moment de silence suivi de quelques cris de surprise avant que se déchaîne une nouvelle tempête d'applaudissements !

La comtesse se leva et salua. Heller regagna notre table. Et la salle porta à regret son attention sur le numéro suivant.

- Comment avez-vous fait ? demanda Hightee.

Sa curiosité professionnelle avait été éveillée.

La comtesse émit un petit rire avant de répondre :

- Vous voyez ce rideau derrière la piste ? J'ai attiré l'attention du public sur le napperon en le faisant flotter dans les airs, puis j'ai fait un pas de côté ultra-rapide et j'ai disparu derrière le rideau. Ensuite j'ai traversé les coulisses et j'ai longé à quatre pattes le petit mur qui se trouve derrière notre table. Après quoi, il ne me restait plus qu'à faire un saut périlleux avant pour me retrouver dans mon siège. Simple comme bonjour.

Heller et la comtesse n'étaient même pas essoufflés. Heller commanda une nouvelle tournée. Mais j'avais cessé de compter. De toute façon, songeai-je, un homme mort, ça n'a plus besoin de compter. Je regardai en direction du balcon. Les hommes de l'équipe télé souriaient.

Il me sembla que l'ombre de Lombar Hisst venait de pénétrer à l'intérieur du night-club.

5

Mon regard se posa à nouveau sur ces deux imbéciles. Ils riaient et plaisantaient avec Hightee, ne s'interrompant que pour siroter quelques gorgées de la boisson de l'autre. Ils étaient vraiment très beaux. Ils ne savaient pas que Lombar pouvait ordonner leur exécution immédiate s'il constatait qu'ils ne lui étaient plus d'aucune utilité. Et il n'hésiterait certainement pas s'ils faisaient quelque chose qui risquait de dévoiler les activités de l'Appareil sur Blito-P3. Mais impossible de leur dire.

Les numéros se succédèrent, l'orchestre joua sans répit.

Soudain, le projecteur fut à nouveau braqué sur notre table.

- Oh non ! soupira Hightee. J'avais espéré qu'ils nous oublieraient. Il ne reste plus que moi à cette table. (Elle se leva.) Ne craignez rien, Soltan. Ils ne doubleront pas la note. Je vais honorer mon repas et y aller de ma chanson.

Elle se fraya un chemin entre les tables et parvint à la scène. Les gens ne firent pas beaucoup attention à elle. Ils avaient eu leur compte de numéros pour la soirée. Elle sauta sur l'estrade. Sa robe bleue scintillait. Elle dit quelque chose au chef d'orchestre. Il se retourna pour échanger quelques paroles avec l'un de ses musiciens et celui-ci alla farfouiller dans une pile d'instruments et en tendit un au chef d'orchestre.

C'était cet instrument électronique qu'on appelle *chorder-beat* - un demi-globe d'un diamètre de cinquante centimètres. Hightee mit la partie incurvée contre son ventre et sangla l'instrument dans son dos avec des gestes de professionnelle. Elle prit la « cravache » dans sa main droite. En posant les doigts de la main gauche dans telle ou telle position sur le chorder-beat, on obtient des accords qui, en général, sont dissonants. De la main droite, on fouette les airs avec la cravache, et les accords se mettent alors à sonner selon le tempo choisi. Lorsque cet instrument est joué comme il faut, il émet une musique étrange, ondoyante et suggestive.

Hightee adressa quelques mots au chef d'orchestre. Il parut légèrement surpris. Il se pencha pour la dévisager.

Mes Dieux, pensai-je, il l'a reconnue ! Soit à sa voix, soit à cause du morceau qu'elle lui a demandé. Je faillis me lever pour lui crier de revenir à notre table. Mais je ne le fis pas. Je jetai un coup d'œil en direction de l'équipe télé et des reporters. Ils étaient la décontraction même.

La lumière aveuglante du projecteur se posa sur Hightee, faisant étinceler sa robe de soirée saphir. Son masque de nymphe aguicheuse ne manqua pas d'attirer tous les regards. Elle leva la main droite. Le chef d'orchestre se tint prêt, attendant qu'elle donne le tempo.

Cloooïnk ! fit le chorder-beat. *Hon-hon !* répondit l'orchestre.

Hightee joua tout d'abord la mélodie sans la chanter. C'était d'une sensualité à vous couper le souffle ! Son corps frémissait et ondoyait, et lorsqu'elle déplaçait les doigts de sa main gauche sur le chorder-beat, vous imaginiez toutes sortes de choses. Son bras droit serpentait en cadence. C'était d'un érotisme TORRIDE !

Une sorte de courant électrique parcourait la salle. Tous les regards étaient rivés sur Hightee. A la façon dont elle plaquait les accords et dont elle se servait de son corps, les gens avaient immédiatement deviné qu'ils avaient affaire à une professionnelle consommée. Ils paraissaient en état de choc. On n'entendait pas le moindre son - juste le chorder-beat et l'orchestre.

Hightee reprit la mélodie au début et, cette fois-ci, chanta. Sa voix était profonde, rauque, sensuelle, mais elle était teintée d'ironie.

Il y a longtemps, quand j'étais jeune, à peine pubère,
Un homme me dit : « Je connais une langue étrangère.
Je te l'enseignerai ! »

- Oh ! Mes Dieux ! cria un homme dans la salle. C'est Hightee Heller !
Hightee enchaîna quelques accords dissonants.
- Hightee ! C'est Hightee Heller ! hurla quelqu'un d'une voix aiguë.
Aussitôt, ce fut l'hystérie générale !

Il me dit : « Tu sais, c'est une langue plutôt spéciale.
Elle est au moins aussi ancienne que les étoiles.
Je te l'enseignerai ! »

Nouveaux ondoiements dévastateurs d'Hightee. Nouvel enchaînement d'accords. Malgré le tumulte qui régnait dans la salle, j'entendis distinctement quelqu'un crier à l'extérieur du club :
- Hightee Heller est ici !

Il prétendit qu'il lui faudrait un lit moelleux,
Un endroit calme où nous n'serions que tous les deux
Pour mieux me l'enseigner !

Tout là-haut, les gars de la télé s'en donnaient à cœur joie ! J'entendis des cris à l'extérieur du club. Est-ce que la nouvelle s'était répandue ? Est-ce que les autres night-clubs se vidaient ? Oui ! Une foule en délire était en train d'envahir l'entrée. Dans la salle, les gens s'étaient levés et se précipitaient vers la scène !

Nous trouvâmes donc un coin tranquille très loin de tout
Et sans un mot il retira tous mes dessous
Pour mieux me l'enseigner !

- Hightee ! Hightee Heller !
Le public était déchaîné !

Il dit : « Voici en quoi consiste la chanson. »
Et la leçon dura longtemps. Ouah ! Quelle leçon !
A présent, je savais !

Les techniciens avaient été obligés de monter le son afin qu'on puisse entendre la voix d'Hightee par-dessus le tumulte. Les gens affluaient vers la scène.

Zim-boum et youplala, tripoti, tripota !
Rataplan, da, da, da, fricoti, fricota !
Surtout ne t'arrête pas !

L'hystérie était à son comble. Des flots de gens continuaient de se déverser dans le club et quelques surexcités essayaient de grimper sur la scène en hurlant. Des « High-tee ! High-tee ! Hightee Heller ! » retentissaient de toute part. Les techniciens durent à nouveau augmenter le volume.

Cette langue n'est pas très difficile à apprendre.
Et j'invite tous ceux dont le cœur est à prendre
A l'étudier de près !

Accords sauvages de l'orchestre. Des mains qui se tendent vers Hightee. Des gens qui se hissent sur la scène ! Heller qui se lève et qui se fraye un chemin à travers la cohue pour empêcher qu'on mette sa sœur en pièces ! Et toujours le projecteur avec sa lumière à vous décoller les rétines. Et l'équipe télé qui s'active dans tous les sens !

Zim-boum et youplala, tripoti, tripota !

La foule avait repoussé Hightee contre l'orchestre. Des dizaines de mains étaient tendues vers elle, essayant de la toucher. La marée humaine était sur le point de l'engloutir ! Heller jouait des coudes pour écarter les gens et parvint enfin jusqu'à elle.

Rataplan, da, da, da, fricoti, fricota !

Elle continuait de jouer et de chanter ! Heller la souleva et la porta à bout de bras, la mettant hors de portée de la foule et des mains qui tentaient de l'agripper.

Viens faire un tour chez moi !

C'est à ce moment précis que je sortis mon éclateur. Du pouce, je le réglai sur « faisceau-aiguille » avant de le pointer sur le gros projecteur. Je pressai la détente. Dans le mille !

Je ne l'avais pas fait pour aider Heller, mais parce que j'avais vu un homme-jaune se frayer un chemin à travers la foule et se diriger droit sur notre table, avec dans la main un papier qui ne pouvait être que l'addition !

L'explosion des filaments avait été assourdissante !

Je pivotai sur moi-même. J'avais repéré le commutateur un peu plus tôt dans la soirée. Il se trouvait derrière la piste de danse. Je fis feu sans hésiter et le réduisis en miettes. La salle fut plongée dans le noir.

Par-dessus les hurlements de la foule, j'entendis quelqu'un crier :

- La police ! La police arrive !

De faibles lampes d'appoint s'allumèrent. J'entr'aperçus un uniforme bleu. Oui, aucun doute. C'étaient bien des policiers. Ils traversaient la foule amassée dans l'entrée et, la matraque levée, s'apprêtaient à charger les excités qui s'étaient agglutinés devant la scène !

Une poigne de fer me saisit par le col et m'extirpa de notre cabine avec tant de force que je décollai à l'horizontale. J'atterris par terre. La main continua de me traîner.

La porte de la sortie de secours s'ouvrit violemment ! A présent, nous remontions une allée. La personne qui m'avait attrapé me traînait avec tant de brutalité que je faillis lâcher mon éclateur à plusieurs reprises.

Nous arrivâmes à l'aircar. La porte s'ouvrit et je fus projeté à l'intérieur. C'est alors que je vis qui m'avait tiré jusqu'ici. La comtesse Krak !

Je me retournai et scrutai avec appréhension la sortie de secours. Des éclats de lumière et des bribes du tumulte nous parvenaient à travers la porte restée ouverte.

Heller surgit brusquement ! Il portait toujours sa sœur à bout de bras.

Derrière eux, j'aperçus une nuée d'uniformes bleus ! Par tous les Dieux ! Ils avaient la police aux trousses !

La comtesse Krak sauta dans l'aircar et m'envoya dinguer sur le côté !
Heller arriva et lança sa sœur à l'intérieur. La comtesse la réceptionna en souplesse et la posa sur la banquette.
Heller était déjà aux commandes.
Un casque de police apparut à sa portière. Et au-dessous du casque, un visage.
- Nous serons au hangar avant vous, Jet ! Il n'y a plus aucun danger !
Snelz ! C'était Snelz dans un uniforme de police !
L'aircar s'élança dans les airs !
Nous avions réussi à nous échapper !
Peut-être était-ce parce qu'Hightee Heller était écroulée de rire sur la banquette - il faut des nerfs d'acier pour être une célébrité dans la Confédération - ou peut-être était-ce parce que j'étais encore un peu éméché avec tout le bulle-malt que j'avais ingurgité, toujours est-il que je me sentais euphorique. En réussissant à ne pas payer l'addition, j'avais non seulement évité la ruine, et donc la cour martiale, mais j'avais aussi échappé au peloton d'exécution puisque je n'avais pas eu besoin de faire usage de ma fausse monnaie. Et il semblait bien que de nous quatre, seule Hightee eût été reconnue, ce qui n'était pas grave. Quelle veine !
Nous nous posâmes dans le jardin d'Hightee - le jardin dans les nuages. Elle se débarrassa du chorder-beat, qu'elle portait encore, et Heller lui dit qu'il le ferait rapporter au club. Elle embrassa son frère et la comtesse sur la joue et me toucha la main, puis elle sauta à terre.
Elle demeura sous les arbres pendant un instant avant de lancer :
- Merci pour cette merveilleuse soirée. Bonne chance, vous deux ! Jet, j'approuve *tout à fait* ton choix !
Elle disparut dans l'obscurité.
Alors que nous retournions au hangar, nous tombâmes sur une patrouille de nuit qui effectuait les contrôles d'usage. Par habitude, Heller alla pour prendre son identoplaque et je dus le retenir par le bras. Je lui tendis la mienne. Avec la soirée que nous venions de passer, il ne fallait surtout pas qu'il y ait la moindre trace de sa présence !
Nous arrivâmes au hangar et Heller posa l'aircar. Le véhicule qui servait à transporter les gardes était garé juste à côté. Snelz et ses hommes s'étaient installés dans le fond du hangar. Ils riaient tout en savourant un petit en-cas. La comtesse, revêtue de sa cape antigaz et de son casque anti-émeute, était sortie de l'aircar et courait vers le vaisseau.
Heller était resté dans son siège. Il attendait mon chauffeur qui arrivait avec de grandes boîtes. Comme Ske n'avançait pas très vite, Heller se retourna et me dit :
- Je vous dois des excuses. Cet après-midi, je ne savais pas que le moment était mal choisi pour fêter votre promotion. Vous n'aurez pas besoin de retourner là-bas demain pour régler la note. A notre arrivée au club, je n'ai pu m'empêcher de voir votre expression quand le maître d'hôtel a réclamé un pourboire en tendant la main. J'ai tout de suite compris que vous deviez être fauché et que je vous avais joué un sale tour en vous imposant cette soirée. Alors je suis immédiatement allé voir le directeur et j'ai apposé mon identoplaque sur une addition vierge.
Je crois bien que mon cœur cessa de battre pendant quelques secondes.
- Evidemment, continua Heller, je ne pouvais pas vous le dire en présence des filles et des serveurs, mais j'ai essayé de vous faire savoir à deux reprises que la note était déjà réglée. Je voulais vous éviter une mauvaise soirée.

Ske était arrivé avec les boîtes et Heller lui dit de ramener les faux uniformes de police chez le loueur de costumes dès le lendemain et, en même temps, de déposer le chorder-beat au club.

Il sortit de l'aircar et cria :

- Ce fut une soirée très réussie. J'espère que vous vous êtes bien amusé. Bonne nuit !

Il disparut dans le hangar.

Ce (bip) s'était servi de son identoplaque ! Je savais ce qui allait arriver. Nous ferions la une des journaux. Nous passerions à la télé. Le Grand Conseil apprendrait que nous n'étions pas encore partis.

Endow serait harcelé de questions.

Et Lombar me tomberait dessus à bras raccourcis ! Peut-être même que toutes ses opérations sur Blito-P3 seraient compromises !

La rage s'empara de moi. Je fus pris d'une envie folle de tuer Heller !

Aussitôt une douleur me déchira l'estomac.

6

J'avais dormi d'un sommeil agité, peuplé de cauchemars. Il était midi. J'étais assis sur une pile de panneaux de coque rouillés et je regardais tristement l'animation quasi indécente qui régnait dans le hangar. Ma tête me faisait souffrir horriblement et mon estomac était tellement retourné que je n'avais rien pu avaler, pas même du s'coueur chaud.

Je m'attendais au pire. J'eus droit à pire que ça.

Mon chauffeur arriva. Il s'était absenté pour rapporter les faux uniformes et le chorder-beat. Son sourire satisfait aurait dû me mettre la puce à l'oreille.

Au lieu de me tendre les pilules antimigraine et le médicament pour l'estomac que je l'avais supplié d'acheter, il jeta simplement un journal sur mes genoux avant de s'éloigner, me laissant seul avec mes souffrances.

Une photo gigantesque attira mon regard : Heller portant Hightee à bout de bras au milieu de la foule compacte ! L'éclairage estompait les étoiles d'acier qu'il avait sur les yeux. Son visage était reconnaissable entre mille !

Et ce n'était pas un entrefilet qu'ils avaient pondu, mais un papier de plusieurs pages avec force manchettes !

COUPS DE FEU A L'ARTISTIC CLUB !
HIGHTEE HELLER ÉCHAPPE DE JUSTESSE A LA MORT !

LA PLUS GRANDE ACTRICE VIVANTE SECOURUE PAR
SON PROPRE FRÈRE, IDOLE DE LA FLOTTE,
DURANT UNE FUSILLADE MEURTRIÈRE

INTERVENTION COURAGEUSE DE LA POLICE
AU MILIEU D'UN FEU NOURRI

RENDUE FURIEUSE, LA FOULE
TENTE DE TROUVER L'ASSASSIN

Hier soir à l'Artistic Club, dans la Cité de la Joie, une innocente manifestation d'idolâtrie, dont l'objet n'était autre qu'Hightee Heller, l'actrice la plus populaire de Voltar, a failli tourner au bain de sang lorsqu'un déséquilibré, non encore identifié, a ouvert le feu avec des multi-éclateurs militaires, mettant en danger la vie de milliers de gens et déclenchant l'intervention de la police.

Bravant les rafales meurtrières, Jettero Heller, officier royal et ingénieur de combat dont la réputation n'est plus à faire, s'est précipité vers la scène et, déployant une force surhumaine, a hissé sa sœur au-dessus de sa tête avant de la porter en lieu sûr, hors du champ de tir.

La police a dû charger à la matraque et s'est vaillamment battue pour rétablir l'ordre. On déplore un nombre indéterminé de blessés plus ou moins graves parmi les policiers.

Par le plus grand des hasards, une équipe télé, qui vient souvent à l'Artistic Club, se trouvait sur place et a pu filmer en partie le carnage. Le film est diffusé en permanence sur toutes les chaînes interplanétaires depuis trois heures du matin.

Interrogée à l'aube dans sa maison de Pausch Hills, Hightee Heller, avec le courage qui caractérise les véritables artistes, a déclaré n'avoir subi aucune blessure corporelle. Elle s'est refusée à tout commentaire, se bornant à livrer le message suivant : « Ayez la gentillesse de faire savoir à mes milliards de fans que je me porte comme un charme. » Mais votre serviteur a cru déceler des ecchymoses autour des yeux.

Quant à Jettero Heller, il demeure introuvable et il n'a pas été possible de l'interviewer. Selon la rumeur, Heller serait en mission secrète pour le Grand Conseil et aurait quitté Voltar depuis longtemps. Interrogé à l'aube, un porte-parole de la Couronne a nié qu'Heller fût toujours sur Voltar : « Nous savons de source sûre que Jettero Heller a quitté Voltar il y a quelque temps déjà. Le Grand Conseil sera saisi de l'affaire dans la matinée. »

Le commissaire Chalp, qui dirige la police de la Cité de la Joie, a accepté avec modestie les félicitations qui lui ont été adressées pour avoir ramené l'ordre avec autant de promptitude. « Mes hommes sont partout, a-t-il déclaré. Ils sont prêts à intervenir en toutes circonstances. »

Lorsque votre serviteur a insinué que cette émeute avait peut-être été un coup de publicité destiné à accroître la renommée de l'Artistic Club, le directeur lui a fait remarquer avec colère qu'il ignorait que Jettero Heller ou sa sœur se trouvaient dans son club hier soir et que, de toute façon, jamais, au grand jamais, il ne se serait avisé de mettre en danger la vie de l'idole la plus adulée de la Confédération.

Le gang qui a détruit le club court toujours.

(N'oubliez pas de lire notre supplément détachable. Aujourd'hui : HIGHTEE HELLER, FEMME OU DIVINITÉ ? Demain : LA VIE ET LES EXPLOITS DE JETTERO HELLER, LE HÉROS MODESTE QUI EST DEVENU L'IDOLE DE LA FLOTTE.)

J'étais pétrifié. Quel tissu d'inepties ! Ce n'était pas un *gang*, mais un homme seul !

En y réfléchissant bien, c'était Snelz, le grand responsable. S'il n'avait pas stupidement promis à Heller d'être de garde à toute heure de la journée et de la nuit, il n'aurait pas loué ces faux uniformes de flic afin de pouvoir intervenir au cas où. Snelz était trop consciencieux. Il avait entendu quelques coups de feu, des éclats de verre et des cris et avait aussitôt conclu qu'Heller avait besoin d'aide. Quelle idée de charger pour si peu ! Oui, tout était la faute de Snelz. Je réalisai qu'il me faudrait prendre des sanctions disciplinaires contre lui.

Mais la futilité de la chose ne tarda pas à m'apparaître. Quoi que je fasse, je n'étais qu'une brindille dans le cours tumultueux de la destinée. A quoi bon démontrer qu'ils s'étaient tous secrètement ligués contre moi !

Je demeurai immobile, incapable de bouger, attendant que la hache s'abatte sur moi et mette fin à mes tourments une fois pour toutes.

Vers le milieu de l'après-midi, un gros camion arriva dans le hangar. C'est tout juste si je levai la tête. Sur ses panneaux latéraux, je lus :

Société de jeux éducatifs
Divertissez vos étudiants, même si ce sont encore des enfants
C'est en s'amusant qu'on apprend

Deux livreurs sautèrent du camion et en sortirent une longue caisse.

Quelqu'un appela Heller. Il était tout là-haut sur le *Remorqueur 1* où il aidait des ouvriers à remettre en place les panneaux de la coque et le blindage. Il descendit et se porta au-devant des livreurs. Il était resplendissant de santé, son éternelle casquette rouge rejetée en arrière sur la tête. Il ne se rendait pas compte à quel point la vie pouvait être cruelle. Car la hache était également suspendue au-dessus de sa tête *à lui*. Cette pensée me réconforta quelque peu, mais mes maux d'estomac se réveillèrent et je sombrai de nouveau dans l'apathie.

Il leur dit de passer par le sas et de déposer la caisse à l'intérieur du vaisseau. Je savais où elle allait : dans la cale, avec les autres caisses.

Une demi-heure plus tard, l'arrivée d'un nouveau camion me sortit vaguement de ma torpeur. Je lus :

Société de matériel minéralogique.
Si vous pensez que notre matériel est trop cher,
achetez-le et faites votre propre prix.
Nous sommes les fournisseurs exclusifs de l'Etat
et nous ne vendons qu'aux minéralogistes qualifiés et avertis.

Deux livreurs sautèrent à terre et déchargèrent une lourde caisse tout en longueur. Heller leur indiqua où ils devaient la déposer.

Je poursuivis mon attente. Je savais que l'avenir me réservait autre chose qu'un simple défilé de camions venus livrer des caisses.

Soudain, je sus que mon attente touchait à sa fin. Mes sens m'en avertirent. J'avais l'impression d'être emprisonné dans une atmosphère noire, empoisonnée.

Une voix s'éleva de derrière une pile de caisses, une sorte de sifflement effrayant :

- Officier Gris !

7

Lombar Hisst ! Déguisé en ouvrier et dissimulé derrière des caisses sales !

Son horrible visage était penché sur quelque chose - un calepin. De sa cachette, il avait une vue d'ensemble du vaisseau et des innombrables équipes d'ouvriers qui s'affairaient autour. Il était en train de dresser la liste des firmes qui travaillaient ici. Cela ne présentait aucune difficulté car les ouvriers portaient des uniformes de couleur différente sur lesquels était imprimé en grosses lettres le nom de leur compagnie.

Tremblant comme une feuille, je m'approchai de Lombar. D'un geste brusque, il sortit un journal de la poche de son blouson et me le jeta au visage. Je l'attrapai au vol. Je ne me donnai même pas la peine de l'ouvrir, j'en connaissais déjà le contenu. C'était un autre quotidien que celui que Ske m'avait apporté, mais sur la première page, il y avait la même photo d'Heller portant sa sœur à bout de bras au milieu de la foule.

Lombar continuait de noircir à toute vitesse les pages de son calepin. Lorsqu'il eut terminé, il m'attira brutalement derrière les caisses.

- Espèce de sale petite ordure, siffla-t-il, je devrais vous abattre sur-le-champ ! (Il tapota son calepin.) Toutes ces compagnies qui travaillent ici pour des sommes folles ! Et vous, qu'est-ce que vous faites ? Vous tenez tout cela secret afin de pouvoir empocher l'argent tout seul !

Je m'étais attendu à tout sauf à cela. Son accusation était tellement injuste ! Si j'avais essayé de forcer la main aux entrepreneurs, ils seraient allés voir Heller en courant et celui-ci m'aurait immédiatement mis en charpie, au nom de la sacro-sainte honnêteté si chère aux officiers royaux. Mais je n'osai pas protester.

- Eh bien ? Qu'avez-vous à dire pour votre défense ? gronda Lombar.

Ses yeux d'ambre lançaient des éclairs. Il n'escomptait aucune réponse et ne me laissa pas le temps d'ouvrir la bouche.

- Heureusement que le Grand Conseil se réunissait aujourd'hui ! reprit-il. Vous nous avez fourrés dans un sacré pétrin ! A peine la réunion avait-elle commencé que la Couronne nous a bombardés de questions ! Endow a de la chance de m'avoir comme conseiller. Quand la Couronne nous a demandés pourquoi Heller n'était toujours pas parti, j'ai réussi à retourner la situation à notre avantage, malgré vos (biperies) ! A mon instigation, Endow a indiqué au Grand Conseil que les trois millions qui nous avaient été alloués étaient largement insuffisants et que c'était la cause du retard de la mission. J'ai réussi à obtenir trente millions. Nous allons leur faire croire que d'autres compagnies - des compagnies à nous - ont travaillé ici et vous allez me faire le plaisir de tamponner les fausses factures avec votre identoplaque ! Compris ?

Il y avait surtout une chose que je comprenais : je ne gisais pas à ses pieds, criblé de coups d'éclateur. Je lui en étais reconnaissant.

- Voici ce que j'attends de vous en retour, espèce de larve puante. Vous allez veiller à ce que cette mission quitte Voltar à la date que j'ai fixée ! Nous avons été obligés de leur faire cette promesse. Vous me devez une fière chandelle !

J'étais tout à fait d'accord avec lui.

- C'est quoi, toutes ces caisses qu'on embarque dans le vaisseau ? me demanda-t-il. Je suis sûr qu'il emporte des appareils destinés à assurer le succès de la mission. Vous savez très bien qu'elle doit échouer. Je vous ai dit et répété mille fois que *nous ne pouvons pas* la laisser réussir.

Lombar n'attendait toujours aucune réponse de ma part. Il demeura songeur pendant quelques instants avant de reprendre :

- Bon. Dans deux jours, je reviendrai ici avec une équipe spéciale. Vous vous arrangerez pour entraîner Heller à l'écart et, pendant ce temps, nous inspecterons tout ce qu'il a fait amener à bord.

A travers une petite ouverture entre les caisses, nous pouvions voir le vaisseau. Heller avait saisi une corde et se laissait glisser vers le bas. Il atterrit souplement sur le sol du hangar. Il fit un signe et cinq hommes de l'Appareil accoururent. Ils l'écoutèrent attentivement, riant à deux ou trois reprises, avant de s'en aller *au pas de course* pour exécuter ses ordres - du jamais vu au sein de l'Appareil.

Mon regard se posa sur Lombar. Sa lèvre supérieure était relevée en une expression de pure haine. Ses yeux jetaient des flammes. Il se mit à marmonner des imprécations à propos des « athlètes », des « officiers royaux » et des « snobs ». Il aurait fallu être aveugle pour ne pas voir qu'il haïssait Heller et tous les individus de son espèce.

Lombar se tourna brusquement vers moi.

- Vous allez avoir des problèmes avec les hommes, siffla-t-il. Ce fils de (bip) va les rallier à lui. Il va les rendre fidèles et loyaux. Plus personne ne voudra vous obéir. Il va falloir que je m'occupe de cela personnellement. (Il réfléchit pendant un moment avant d'ajouter :) Oui, oui... Ce sera parfait... Je vais *moi-même* choisir le capitaine et l'équipage de ce vaisseau et je les conduirai *moi-même* à bord le jour du décollage.

Je trouvai enfin le courage de parler.

- Ce vaisseau a des moteurs Y avait-Y aura, coassai-je. Il est très instable et très rapide. Il est dangereux !

- Tant mieux, répliqua Lombar. (Incroyable, il avait entendu ce que je venais de lui dire !) Des moteurs Y avait-Y aura, hein ? Eh bien, ce sera un peu plus dur de trouver un équipage, mais j'y arriverai !

Je tenais toujours le journal. Il me l'arracha des mains et le remit dans sa poche, avant de poursuivre :

- Et il va aussi falloir trouver qui a parlé d'Heller et de la mission à la presse. Est-ce que vous avez le moindre indice ? Non, évidemment. Le contraire m'aurait étonné. Mais je cherche, je cherche. Et je trouverai ! Je dois tout faire moi-même !

On était en train d'abaisser un grand panneau de métal et Heller guidait la manœuvre à grand renfort de gestes. Lombar l'observa à nouveau à travers la fente. Il se mit à jurer de plus belle. Il était fou furieux.

Il se tourna une fois de plus vers moi et me saisit par le revers de ma tunique. Il m'attira à quelques centimètres de lui. Son cingleur avait surgi de nulle part. Je ressentis une morsure cruelle à la jambe.

- Vous allez veiller à ce que cette mission quitte Voltar à la date que j'ai fixée ! Si jamais vous échouez, il y a de fortes chances pour que des inspecteurs de la Couronne débarquent dans ce hangar, et ça chauffera salement pour nos petites têtes ! Cette mission met en péril tout le projet Blito-P3 ! Vingt-quatre heures avant le décollage, nous aurons une dernière réunion tous les deux ! Alors faites-moi bouger tout ça ! Dites à Heller de se remuer ! Débrouillez-vous pour qu'il quitte cette planète ! Si vous ne décollez pas à la date prévue, je vous tuerai lentement, très lentement, de mes propres mains. (Nouveau coup de cingleur.) Une dernière chose encore : comme punition pour avoir essayé de détourner tous les fonds pour votre profit personnel, vous ne toucherez pas un seul crédit de la subvention supplémentaire qui vient de nous être allouée ! Vous n'êtes qu'un voleur !

Il relâcha son étreinte et je reculai en chancelant. Je demeurai figé sur place pendant plusieurs minutes. Ma jambe me faisait horriblement souffrir. Je m'aperçus subitement que Lombar était parti : un vieux transporteur portant le nom d'une compagnie inexistante décollait.

Ma respiration redevint peu à peu normale. Je parvins à faire fonctionner mes jambes et me dirigeai vers la pile de panneaux rouillés. Je m'assis lourdement. J'étais étonné d'être encore en vie, d'avoir encore quatre salaires. J'avais presque repris goût à la vie quand une pensée affreuse me traversa l'esprit.

Lombar m'avait dit que nous devions quitter Voltar « à la date prévue ». Mais il n'avait pas précisé *quand !*

Je me livrai rapidement à quelques calculs. Le Grand Conseil avait ajouté vingt-sept millions à l'allocation initiale. Ce qui signifiait qu'il faudrait au moins deux jours à Lombar et à Endow pour créer quelques compagnies bidons et les faire enregistrer, et deux jours de plus - histoire de ne pas éveiller les soupçons - pour établir les fausses factures et les faire tamponner. Je savais qu'ils ne laisseraient pas ce genre de détails au hasard. Je ne me faisais aucune illusion : si j'avais eu la vie sauve, c'était uniquement parce que Lombar était tombé sur une occasion en or de détourner vingt-sept millions de crédits. Mais tout cela ne me disait pas *quand* nous étions censés décoller.

Il me vint alors une autre pensée, aussi affreuse que la précédente. Jamais je n'arriverais à persuader Heller d'achever la réparation du vaisseau et de partir pour la Terre ! C'était *ça* le problème qu'il me fallait régler en priorité.

J'allais devoir bousculer Heller. Mes nausées reprirent !

NEUVIÈME PARTIE

1

J'aurais probablement dû attendre d'être remis de mon entrevue avec Lombar. Mais mes peurs venaient d'être ravivées et me poussaient à l'action. Je n'avais qu'une envie : quitter cette planète.

Si je voulais qu'Heller se mette vraiment au travail, il fallait que je l'arrache à la comtesse Krak !

J'avais tellement envie de sauver ma peau que je me remémorai brusquement un épisode crucial de la vie d'Heller que je n'avais jamais cherché à exploiter. Au début de sa carrière, il était passé devant un conseil de discipline parce qu'il avait refusé qu'on entraîne ses hommes avec des machines à électrochocs. Il s'y était même très violemment opposé. Il détestait les électrochocs. Il avait carrément déclaré qu'il refusait d'avoir sous ses ordres des hommes au « cerveau grillé ».

Et voilà qu'il fricotait avec une femelle dont l'outil principal était l'électrochoc !

J'aperçus Heller qui pénétrait dans le vaisseau.

C'était le moment ou jamais !

Je remis de l'ordre dans ma tenue. Et j'ouvris l'étui de mon éclateur au cas où.

D'un pas décidé, je pénétrai à mon tour dans le vaisseau.

Heller était dans la salle de pilotage. Les ouvriers avaient plus ou moins fini de remonter les panneaux et le tableau de bord. Heller était occupé à vérifier, à l'aide d'une petite règle, les dimensions du viseur situé devant le siège de l'astropilote.

Il n'y avait personne à part Heller et moi. J'étais dos au couloir. J'étais déterminé à régler cette histoire au plus vite.

- Heller, dis-je, il y a quelque chose que vous ne savez pas.

- Il y a sans doute des milliards de choses que je ne sais pas, répondit-il tout en continuant d'effectuer ses mesures.

- Vous vous souvenez de la fois où vous avez frôlé la cour martiale parce que vous aviez refusé que l'officier chargé de l'instruction de vos hommes leur administre des électrochocs ?

J'avais son attention, à présent. Il s'était légèrement tourné vers moi et me dévisageait avec curiosité.

- Il y a quelque chose que vous devez absolument savoir, poursuivis-je. Vous détestez les électrochocs. Krak vous a mené en bateau ! Elle administre des électrochocs toute la journée ! Ce n'est rien d'autre qu'une sale petite menteuse qui...

Le dos de sa main vint brutalement frapper ma bouche ! Je ne l'avais même pas vue arriver !

Je fus propulsé en arrière, à l'autre bout du couloir ! J'avais l'impression qu'un zipbus venait de me heurter de plein fouet.

Heller venait vers moi d'un pas rapide. L'expression que je lisais sur son visage ne laissait aucun doute dans mon esprit : il allait me tuer !

Je saisis la crosse de mon éclateur.

Je voulus tirer mon arme mais mon bras refusa d'obéir !

Je fis une nouvelle tentative. Peine perdue. Je n'arrivais pas à faire fonctionner les muscles de mon bras !

J'étais paralysé ! De l'épaule jusqu'aux doigts !

Heller s'accroupit devant moi. J'étais tout à fait certain, à présent, qu'il allait me tuer.

- Il y a quelque chose que *vous* ne savez pas ! dit-il. La première fois que je suis venu dans la salle d'instruction, j'ai immédiatement aperçu ces horribles machines à électrochocs. Je les ai inspectées chacune à leur tour. J'ai jeté un coup d'œil aux connexions et aux manettes. *Ces machines ne servaient plus depuis des années ! Aucune ne fonctionnait !* (Sa voix se fit dure.) Un conseil d'ami : prenez garde de ne pas répandre des mensonges sur la comtesse Krak !

J'étais de plus en plus certain qu'il allait me tuer. Je fis un nouvel effort désespéré pour tirer mon arme. Rien à faire ! Mon bras ne répondait plus !

Ses yeux bleus étaient posés sur moi, pareils à deux lasers. L'espace d'un instant, j'eus l'impression qu'ils transperçaient mon crâne de part en part.

Il porta la main à l'une de ses poches intérieures.

Ça y est ! pensai-je. Il va sortir un éclateur ou un poignard et m'achever.

Nouvel effort frénétique pour sortir mon arme ! Nouvel échec ! Mon bras et ma main ne m'appartenaient plus.

Une feuille de papier apparut dans sa main. Non, pas une feuille de papier. Une coupure de presse.

- Cet article vient des archives d'un quotidien, dit-il. Il fait état de la confession, sur son lit de mort, de l'ex-ministre adjoint de l'Education de la planète Manco. Voyez par vous-même.

Il me mit la coupure devant le nez. Il s'agissait effectivement d'une confession. Mais mon regard se posa à nouveau sur Heller. J'étais trop terrorisé pour lire.

J'essayai une fois encore de tirer mon éclateur. Oui, mes muscles avaient bel et bien cessé de fonctionner !

Heller regardait la coupure.

- Dans cet article, reprit-il, il est écrit noir sur blanc qu'un soir, la police de Manco interrompit un cambriolage et abattit un individu qui tentait de s'enfuir. Elle l'identifia. C'était l'adjoint au ministre de l'Education de Manco ! Ses blessures étaient mortelles. Voyant qu'il agonisait, il demanda à faire une confession. Et voici ce qu'il dit : quelque temps auparavant, il avait remarqué que l'une de ses employées, fraîche émoulue de l'université, manifestait des dons exceptionnels d'éducatrice. Son père, un magicien renommé, le comte Krak, venait de trouver la mort dans un accident d'avion. Accablée de chagrin, sa mère, Ailaena, une célèbre dresseuse d'animaux, s'était retirée du monde.

« Cet adjoint au ministre de l'Education était au bord de la ruine. Il avait de grosses dettes de jeu. Un plan se forma dans son esprit. Il enleva Ailaena. Ensuite il dit à la fille, Lissus Moam, qu'elle allait devoir entraîner quarante-trois enfants qu'il sélectionnerait dans les bas-fonds - autrement il torturerait sa mère à mort.

« Il fit croire à Lissus Moam qu'il s'agissait d'un projet gouvernemental ordonné par l'Appareil. Il lui dit que l'Appareil avait besoin d'agents de petite taille qui soient capables de pénétrer dans les forteresses ennemies et de ramener des informations. Il promit à Lissus Moam de lui rendre sa mère saine et sauve si elle menait le projet à bien.

« Quand elle eut achevé l'entraînement des enfants, il les mit au travail. Il leur fit cambrioler des banques. Mais il craignait comme la peste qu'il n'y ait des témoins gênants durant les cambriolages. Aussi il donna des armes aux enfants et leur ordonna de tuer tous les gardes qu'ils rencontreraient. Les enfants refusèrent, mais il exploita le fait qu'ils adoraient Lissus et leur dit qu'il assassinerait la jeune femme s'ils n'exécutaient pas les instructions à la lettre. Les enfants virent qu'il ne plaisantait pas. Il ajouta que s'ils parlaient ou s'ils prononçaient son nom - son nom à lui -, Lissus Moam mourrait d'une mort lente et horrible.

« Juste après que Lissus eut terminé l'entraînement des enfants, ce pauvre fou tua Ailaena. Puis il garda Lissus prisonnière pour le cas où les enfants seraient pris en flagrant délit.

« Et c'est exactement ce qui arriva, sans doute parce qu'il avait été trop gourmand ou parce qu'il leur avait fourni des indications erronées. Il réussit à faire croire que Lissus était l'instigatrice de tous ces crimes et il s'en tira sans que personne ne le soupçonne.

« Les enfants furent exécutés. Lissus Moam fut condamnée à mort, mais l'Appareil la transféra secrètement sur Voltar en raison de ses dons et fit exécuter quelque criminelle inconnue à sa place.

« L'Appareil détient une personne innocente depuis près de trois ans ! Et vous n'avez même pas eu la décence de le lui dire !

J'essayai à nouveau de commander à mon bras. Mais c'était inutile. *Il refusait purement et simplement de fonctionner !*

- Je vais mettre toute cette affaire entre les mains d'un homme de loi, continua Heller. Je vais disculper la comtesse Krak. Et je vais l'épouser !

Ses mains m'agrippèrent. Je me voyais déjà mort.

Mais il m'aida simplement à me lever et m'entraîna dans la salle de récréation où il me fit asseoir sur une chaise. Il ouvrit un placard et en sortit une serviette qu'il alla humecter au robinet d'eau potable du bar.

Il avait le dos tourné. Je tentai une fois encore de sortir mon éclateur. Mais mon bras et ma main restèrent sans réaction. J'étais bel et bien paralysé !

Heller revint et se mit en devoir de laver le filet de sang qui s'écoulait du coin de ma bouche.

- Je suis navré de vous avoir frappé. J'ai réagi au lieu de réfléchir. Je peux vous assurer que ce n'est pas du tout dans mes habitudes. Mon intention n'était pas de vous assommer, mais de vous faire taire.

Je n'osais imaginer mon état s'il m'avait vraiment frappé !

- On m'a apporté cette coupure ce matin. J'avais l'intention de la montrer à la comtesse ce soir, pour lui faire une surprise, et de lui demander de m'épouser. Je suis certain que nous pouvons retarder cette mission, juste le temps de disculper la comtesse et de célébrer notre mariage. Cette mission n'est pas si pressée que ça. Une planète, ça ne tombe pas en ruine du jour au lendemain.

Peut-être était-ce l'effet de l'eau froide, peut-être était-ce parce que le ton de sa voix s'était radouci, toujours est-il que, confronté à la menace d'un nouveau retard, je trouvai le courage de parler.

- Non, non, non. Surtout n'entreprenez aucune action pour la disculper.

Il fit un pas en arrière.

- Vous ne connaissez pas les formalités, poursuivis-je précipitamment. Lorsqu'une personne est déclarée décédée, on détruit toutes les informations la concernant. La comtesse n'existe plus dans les banques de données centrales. De plus, l'adjoint au ministre de l'Education est mort, lui aussi. Sa confession fait état de personnes qui sont mortes. La police a détruit tous les fichiers concernant ces gens. Officiellement, la comtesse n'existe plus. Lissus Moam n'appartient plus au monde des vivants ! L'ordinateur central est formel sur ce point. J'ai personnellement vérifié !

Heller me regardait d'un air perplexe. Cela m'encouragea. L'éducation des gens de la Flotte n'inclut pas les codes de procédure civile. Mais ce que j'avais dit était la stricte vérité. Je décidai de me jeter à l'eau.

- Légalement, repris-je, vous ne pouvez pas ressusciter une personne décédée et vous ne pouvez obtenir ni papiers, ni état civil pour quelqu'un qui a été officiellement rayé des registres. D'un point de vue strictement légal, vous ne pouvez pas épouser une morte ! La seule preuve que vous ayez en votre possession, c'est cette coupure de presse - et elle n'est pas valide ! Devant une cour, elle ne ferait pas le poids.

J'omis d'ajouter que si le bruit venait à courir qu'une personne incarcérée à Répulsos était sur le point d'être libérée, elle serait immédiatement exécutée. En fait, Heller lui-même pouvait s'estimer heureux d'être toujours en vie avec tout ce qu'il savait de Répulsos. Si Lombar lui avait laissé la vie sauve, c'était uniquement parce qu'il serait bientôt en route pour Blito-P3 et parce qu'il était connu du Grand Conseil. Heller ne connaissait pas sa chance !

Il hésitait. Si je réussissais à lui faire quitter Voltar, il n'aurait plus jamais le loisir de s'inquiéter de la comtesse Krak. J'eus une inspiration géniale.

- Ecoutez, dis-je. Je suis qualifié pour régler ce genre de problèmes, alors que vous, vous ne l'êtes pas. Si vous partez pour cette mission dans les plus brefs délais, je vous jure solennellement, sur mon honneur, que je vous aiderai à surmonter tous les obstacles juridiques dès votre retour. Je vous dirai tout ce qu'il convient de faire. Sans mon aide, il vous sera impossible de la faire libérer et de la réhabiliter.

Cette promesse ne me coûtait rien puisqu'il ne reviendrait jamais. Mon estomac fut brusquement secoué de spasmes. Sans doute le coup que j'avais reçu tout à l'heure.

Son regard se posa sur moi. Visiblement, il ne savait pas quoi faire ni penser. Finalement, il dit :

- Je vais y réfléchir.

Je vis que je n'obtiendrais rien de plus pour le moment. Il m'effrayait toujours autant et ma main était restée crispée sur la crosse de mon éclateur.

Je sortis aussi vite que me le permirent mes jambes. Je m'étais retrouvé sans défense face à la mort. C'était terrifiant !

2

Dans la pénombre du hangar, j'essayai à nouveau de remuer le bras. Mais il refusait toujours d'obéir. Il pendouillait en oscillant mollement. Je n'arrivais à plier ni le coude, ni le poignet, ni les doigts. J'avais le sentiment que ma dernière heure était arrivée !

J'avais parfaitement conscience que la mission était, une fois de plus, au point mort, que Lombar allait sûrement me tuer, ou que j'allais sans doute perdre mes salaires, être destitué et finir dans quelque caniveau de la Cité des Bas-Fonds. Mais pour le moment, tout cela était secondaire par rapport à mon bras.

L'Appareil n'a aucun service médical. Si vous êtes blessé ou si vous êtes dans l'incapacité physique de faire votre travail, il ne vous reste plus qu'à faire votre testament. Le licenciement et la mise à la retraite n'existent pas dans l'Appareil. Si vous teniez un poste où vous aviez accès à des informations top secret, on vous fait simplement sauter la cervelle d'un coup d'éclateur avant de jeter votre cadavre dans le premier fossé venu.

J'avais l'impression d'être cerné par un troupeau de bêtes sauvages contre lequel je ne pouvais rien. J'étais au bord de la panique. Si je demeurais définitivement incapable de dégainer et d'appuyer sur la détente d'un éclateur, je serais à la merci de tous les employés de l'Appareil que je croiserais. Je savais que bon nombre d'entre eux rêvaient de me faire la peau.

Après avoir fait de mon mieux pour dissimuler mon invalidité, je me dirigeai furtivement jusqu'à mon aircar.

L'après-midi touchait à sa fin et l'activité avait considérablement ralenti dans le hangar. Il n'y avait plus grand monde.

Mon chauffeur avait passé la journée à faire des courses pour Heller. Visiblement, il n'avait pas eu le temps de souffler, car il était étendu à l'arrière et somnolait. Pendant un instant, je demeurai sur place à le contempler à travers la vitre baissée. J'allais ouvrir la portière de la main gauche et lui dire de décoller lorsqu'une pensée me traversa l'esprit.

Je n'avais pas d'argent !

De toute évidence, j'avais besoin de soins médicaux. L'épisode du toubib des prostituées me revint à l'esprit. Lorsqu'il s'était aperçu que je n'avais pas le moindre crédit, il avait immédiatement détalé.

Ske avait fait des courses. Conclusion : il avait de l'argent sur lui. J'ouvris silencieusement la portière de la main gauche. Je réussis à me pencher au-dessus de lui sans imprimer de secousse à l'aircar.

J'explorai discrètement les deux poches supérieures de sa tunique. C'était un art dans lequel j'étais passé maître.

Veine !

Mes doigts agiles saisirent un billet de dix crédits !

Je me redressai, prêt à décamper.

- Hé ! Attendez ! protesta Ske d'une voix plaintive. C'est pas mon argent ! C'est la caution que l'officier Heller avait versée pour les faux uniformes de flic ! Je suis censé les lui rendre !

Il mentait. Comme toujours. Je priai pour qu'il ne remarque pas mon bras droit invalide. Il était capable de m'attaquer. Je m'éloignai et disparus hors de sa vue.

J'avais un autre problème à résoudre, à présent : trouver un docteur qui ne signalerait pas mon invalidité. Je me triturais furieusement les méninges, en quête d'une solution, quand mon regard fut attiré par un vaisseau qui se dressait à l'extérieur du hangar. Un transporteur spatial.

On l'avait érigé à la verticale. Il était emprisonné dans les mâchoires d'une tour de lancement. Il mesurait près de cent cinquante mètres de haut. Sa carcasse était noire, usée et cabossée. Un transporteur de troupes de l'Appareil ! Avant le décollage, on l'emmenait dans le hangar pour le réviser et faire le plein de carburant, puis on le mettait dans sa tour de lancement, avant de l'amener dans la zone de décollage. Ensuite - généralement avant le coucher du soleil -, on faisait monter l'équipage à bord et il était censé passer la nuit à effectuer les derniers préparatifs en vue du décollage, lequel avait lieu à l'aube.

Ce vaisseau allait partir pour quelque planète de la Confédération. Son équipage se composait d'une cinquantaine d'hommes. Peu avant le lever du soleil, plusieurs milliers de gardes de l'Appareil arriveraient en rang serré. On les ferait embarquer et on les parquerait dans d'étroits casiers comme de vulgaires colis. Ce vaisseau s'apprêtait à faire un voyage qui durerait des mois. Avec un peu de chance, j'aurais quitté Voltar depuis belle lurette lorsqu'il reviendrait.

Il y avait sans doute un médecin à bord !

Si je lui demandais de soigner mon bras, personne ne l'apprendrait. C'était la solution idéale.

Je m'approchai de la tour de lancement. Le monstrueux vaisseau semblait se dresser à l'infini. Un garde à l'expression blasée se tenait près du sas d'entrée. Il me barra le passage.

- Je dois inspecter ce vaisseau avant le décollage, dis-je tout en exhibant mon identoplaque de la main gauche.

Le garde ne se donna même pas la peine d'y jeter un coup d'œil. Je pénétrai à l'intérieur. Aussitôt je fus agressé par l'abominable puanteur qui règne dans un vaisseau de l'Appareil. A l'évidence, le nettoyage des salles et des cabines n'entrait pas dans les derniers préparatifs. L'apesanteur provoque des nausées et ce vaisseau portait sans doute tout le vomi accumulé au cours des siècles depuis son premier voyage.

Le vaisseau était à la verticale, puisqu'il avait été emprisonné dans sa tour de lancement. Je fus donc obligé de grimper, ce qui n'était pas facile avec un seul bras pour me tenir aux rampes. Et ma tâche se trouvait compliquée par les multiples bifurcations et embranchements. Je savais que les cabines des hommes d'équipage et des officiers devaient se trouver tout en haut, près du nez du vaisseau. C'était très facile de se perdre dans ces énormes machins ventripotents. Les flèches de direction étaient à peine visibles, tant était épaisse la couche de crasse qui les recouvrait. Quant aux panneaux et aux écriteaux, ils étaient illisibles. Je poursuivais tant bien que mal mon escalade lorsque j'entendis un son lointain en provenance du sommet. Cela me mit un peu de baume au cœur.

Des hommes chantaient. Au lieu de s'occuper des préparatifs de départ, ils s'étaient installés dans une pièce, probablement la salle à manger, pour pousser une complainte larmoyante.

Je perçus la plainte lancinante d'un orgue portatif à soufflet. Il jouait les premiers accords d'une chanson. J'ai toujours soutenu que les spatiaux ne sont pas normaux. Mais les spatiaux de l'Appareil sont carrément timbrés !

Ils entamaient une chanson intitulée *Le Destin du Spatial.* C'est un chant funèbre ! Pourquoi chantent-ils toujours ce genre de chanson avant chaque départ ? Parce qu'ils ont la gueule de bois ?

La perspective de continuer mon ascension au son de cette complainte mélancolique et désespérée me donnait le cafard. En tout cas, elle avait un point commun avec moi : elle se traînait pitoyablement ! Et à la façon dont elle se répercutait dans les couloirs du vaisseau, on se serait cru dans une crypte !

Enveloppés dans une nuit sans fin,
Nous faisons route dans l'espace infini
Vers des étoiles sans éclat aucun
Et des planètes dénuées de vie.

Je manquai un barreau et faillis m'écraser soixante mètres plus bas.

Tous ces yeux posés sur nous sans cesse,
Toutes ces mains ignorant les caresses,
Tous ces cœurs secs derrière nous laissés
N'ont aucune chaleur à dispenser.

J'essayai d'accélérer mon ascension. Cette horrible mélopée me déprimait.

Notre foyer et notre maison,
Ce sont les Forces du firmament.
Les paumés, les maudits, les hors-caste
Voyagent toujours seuls dans l'espace.

Je faillis tomber une nouvelle fois. L'écho donnait à la chanson une sonorité profonde, très profonde, ce qui avait pour effet d'en accentuer la morbidité. Peut-être la boucleraient-ils si je me dépêchais d'arriver là-haut ? Dans l'état où j'étais, je n'avais vraiment pas besoin de cette scie larmoyante.

Fuis l'espace, créature de la terre ferme !
Respire à fond l'air de ta planète !
Savoure le bonheur d'une gravité immuable !
Car nous de l'espace vivons avec la MORT !

Je passai prudemment la tête dans l'encadrement de la porte. Ils étaient une vingtaine. La chanson était terminée et ils pleuraient tous à chaudes larmes.

- Est-ce qu'il y a un docteur à bord ? demandai-je à l'assemblée.

Une espèce de grand gorille à la mine patibulaire - il était probablement recherché sur la moitié des planètes de la Confédération pour un nombre incalculable de crimes - tourna vers moi un regard noyé de larmes et m'indiqua silencieusement un couloir. L'orgue à soufflet entama une nouvelle chanson.

Je parvins à déchiffrer l'écriteau crasseux : *Officier Médical. Défense d'entrer.*

Je réussis à forcer la porte à l'aide de ma main valide. J'entrai dans la cabine en vacillant. Une odeur de viande avariée à laquelle se mêlaient des vapeurs de tup me saisit à la gorge. Quelqu'un ronflait sur le lit à suspension. J'eus quelque difficulté à le réveiller.

Le toubib posa sur moi un regard vitreux. C'était un digne représentant de la profession. Son apparence était conforme à l'image qu'offrent les médecins en temps normal et non pas à l'image qu'ils essaient de donner d'eux-mêmes dans les livres et dans les journaux. Je veux dire par là que j'avais devant moi une épave pouilleuse et puante.

- C'est pour mon bras, dis-je. Il a subitement été frappé de paralysie.

- Eh bien, achetez-vous-en un autre, grommela-t-il avant de se retourner dans le but évident de se rendormir.

Au prix de bien des efforts, je réussis à le faire asseoir.

- J'ai de l'argent, dis-je.

Cet argument acheva de le réveiller. Il prit une attitude professionnelle.

- Je veux que vous me disiez ce qui cloche avec mon bras, dis-je.

Je défis mon ceinturon et parvins tant bien que mal à ôter ma tunique. Il ne fit pas un geste pour m'aider. Il se mit à examiner mon bras valide et je dus lui indiquer que c'était l'autre bras qui était malade.

Il le palpa longuement, s'interrompant de temps à autre pour bâiller ou pour s'envoyer une gorgée de tup. D'une voix pleine d'espoir, il me demandait sans cesse :

- Est-ce que ça fait mal ?

Il y avait une espèce de machine dans sa cabine et il me dit de me mettre devant. Je croyais qu'il allait s'en servir pour examiner mon bras, mais je l'entendis boire quelques goulées supplémentaires de tup.

- Pas de balles, pas de fractures, pas de brûlures, murmura-t-il entre ses dents.

Avec un haussement d'épaules, il me dit que je pouvais remettre ma tunique. Il m'observait d'un air bizarre.

- Ça y est, je sais ce qu'a votre bras, finit-il par dire.

Je venais de boucler mon ceinturon. Je vis que ses doigts étaient agités de tremblements. Je sortis le billet de dix crédits avec l'intention de lui demander s'il avait de la monnaie, car ce qu'il venait de faire valait tout juste deux crédits, et encore !

Il prit le billet et le mit dans sa poche.

Il bâilla à s'en décrocher la mâchoire et annonça :

- Voici mon diagnostic. Vous ne pouvez pas vous servir de votre bras.

Et sur ces belles paroles, il se dirigea vers son lit. Je m'interposai.

- Il va falloir faire mieux que ça !

Il me regarda avec lassitude.

- Vous voulez l'appellation technique ? Très bien. Vous souffriez d'une paralysie hystérique temporaire des muscles articulaires supérieurs.

Il essaya à nouveau de regagner son lit.

- La belle affaire ! criai-je. Ce n'est pas ça qui va me guérir !

- Il n'y a rien à guérir, répliqua-t-il. Apparemment, vous ne vous êtes pas aperçu que j'ai dit « souff*riez* » et que votre bras fonctionnait à la perfection quand vous avez remis votre tunique et votre ceinturon.

J'écarquillai les yeux. J'examinai mon bras et lui fis faire quelques mouvements. Je pliai et dépliai les doigts. Mon bras n'avait rien ! Il fonctionnait normalement !

Le toubib essayait de m'écarter pour aller se coucher.

- Attendez ! Attendez ! fis-je. Qu'est-ce qui a pu provoquer ça ?
- La machine a montré que vous n'aviez aucune balle dans la tête, ni aucun corps étranger qui faisait pression sur les nerfs cervicaux. Conclusion : il n'y a pas de cause.
- Vous feriez bien de me dire ce qui a pu provoquer cette invalidité, rétorquai-je d'une voix menaçante.
Il comprit clairement que pour retrouver son lit, il lui faudrait soit me jeter dehors, soit me donner une réponse satisfaisante.
Il haussa les épaules et dit :
- Est-ce que je sais, moi ? C'était peut-être de l'hystérie. Ou un choc psychologique qui vous vient de l'armée. Vous êtes officier, donc ce n'est pas dû à des électrochocs, puisqu'on n'a pas le droit de vous en administrer. Il existe des tas de causes.
- Citez-m'en quelques-unes, insistai-je.
Je me trouvais toujours entre le lit et lui.
Il eut un geste vague.
- Ce pourrait être une manifestation temporaire d'une névrose latente. Ou une suggestion posthypnotique. Allez savoir !
- Je veux un traitement complet ! dis-je.
- Pour dix crédits ? Vous plaisantez. Je ne suis pas un plombeur de tête de la Cité des Bas-Fonds.
- Vous avez empoché cinq fois le tarif normal !
- Vous étiez cinq fois plus inquiet que d'habitude.
Il m'écarta du bras et regagna son lit. Quelques secondes plus tard, il ronflait. Un authentique professionnel.

3

J'étais retourné à l'aircar et je faisais les cent pas autour de mon véhicule. Je réfléchissais. Au-dehors, le soleil était presque couché. De temps à autre, je m'amusais à plier mon bras et mes doigts. Ils fonctionnaient à la perfection.
Y avait-il une part de vérité dans ce qu'avait dit ce charcutier ?
Rompu comme je l'étais à la psychologie terrienne, je savais très bien qu'il s'était trompé en suggérant que je souffrais d'une « prédisposition à la névrose ». Je ne suis *pas* névrosé. Restait donc la deuxième hypothèse : la suggestion posthypnotique. Mais les seules fois où j'avais été hypnotisé, c'était pour apprendre des langues étrangères.
Une chose était sûre : je courais un grave danger. Car la chose pouvait très bien se reproduire. Mon bras avait cessé de fonctionner juste au moment où j'allais abattre un homme ! Chaque fois que j'y repensais, j'étais parcouru de frissons.
Je n'osais pas consulter un praticien de l'Appareil. S'il explorait mon inconscient, il apprendrait beaucoup trop de choses. Et il se ferait une joie de raconter que je passais mon temps à divulguer des secrets d'Etat. Et alors, adieu Soltan Gris !

Qu'est-ce que ce boucher à la (bip) avait dit d'autre ? Ah oui ! Qu'il n'était pas un « plombeur de tête de la Cité des Bas-Fonds ». Un déclic s'opéra dans mon esprit. Je connaissais bien le quartier où exerçaient ces praticiens. Grâce à mon immense génie, j'eus vite fait de dresser un plan d'action.

Je fis le tour de l'aircar et montai à bord. Mon chauffeur se tourna vers moi.

- Comment vais-je expliquer à l'officier Heller que je ne peux pas lui rendre les dix crédits de la caution ? s'écria-t-il.

Je le frappai. De la main gauche, certes, car je n'avais pas confiance en la droite, mais je le frappai.

- Emmène-moi immédiatement à la Section Provocation ! lui ordonnai-je.

Le soleil avait complètement disparu, à présent. Bientôt nous survolâmes la Cité du Gouvernement, puis les eaux sales de la Wiel. Quelques minutes plus tard, Ske engageait l'aircar dans le tunnel secret dissimulé au milieu des entrepôts délabrés.

Je sautai à terre et montai rapidement le petit escalier.

Raza Torr s'apprêtait à rentrer chez lui. Il se figea sur place. Il me sembla que son teint virait au blanc, mais c'était difficile à dire dans la pénombre.

Autant le mettre immédiatement à l'aise.

- Vous avez rencontré des jolies filles, ces jours-ci ? lui demandai-je sur le ton de la conversation.

Le type qui m'avait escorté la fois d'avant apparut derrière moi. Ils avaient dû avoir des ennuis ou des vols récemment, car il tenait un éclateur.

- Tu peux partir, lui dit Raza Torr d'une voix étranglée. Je m'en occupe.

J'ouvris la marche. Je connaissais l'endroit par cœur. Je me rendis tout d'abord à la section des vêtements civils. Raza Torr me rejoignit. Le type à l'éclateur s'était éclipsé.

- Il me faut une combinaison de speedmobile, dis-je. Le genre qu'on met en ville. Le plus ordinaire possible.

Raza Torr semblait avoir récupéré. Je me dis qu'il avait sans doute eu une journée difficile. Il était nerveux de nature. Malheureusement pour lui, il manquait parfois de bon sens. Il se dirigea vers une étagère et prit une combinaison. Ce type de vêtement est fait d'une matière quasi indestructible, à la fois souple et lisse. La combinaison qu'il avait choisie était ornée d'une multitude de flammes écarlates. Un aveugle aurait été capable de la voir à deux kilomètres.

- Non, non, déclinai-je, agacé.

J'explorai l'étagère et finis par dégotter une combinaison noire toute simple et à ma taille. Il y avait une tache de sang coagulé sur le col, vestige d'un accident, mais je n'avais pas le temps de faire le difficile.

- Le casque, maintenant, dis-je en me dirigeant vers une autre étagère.

Raza Torr se fourra à nouveau dans mes pattes et essaya de me refiler un casque sans visière surmonté d'une plume orange vif. Je le jetai de côté et pris un casque noir à visière dépourvu d'ornements.

- Il me faut aussi une trilame, annonçai-je.

J'en dénichai une dans la section des armes. Les trilames sont de fabuleux poignards. On s'en sert lorsqu'on veut commettre un meurtre particulièrement sanglant. La lame fait environ vingt-cinq centimètres de long et elle est aussi fine qu'une aiguille. Lorsque vous l'enfoncez à fond, il se produit un déclic et elle se déploie en éventail, se subdivisant en trois petites lames aussi tranchantes qu'un rasoir. Et quand vous dégagez l'arme, vous faites jaillir un flot de viscères. Il y a même un anneau à l'extrémité du manche pour vous permettre de tirer. Certains éventreurs professionnels prétendent qu'il est impossible d'extraire une trilame plantée dans un corps humain, mais à mon avis, ils chipotent.

- Mes Dieux, souffla Raza Torr. Qui allez-vous tuer ?

- Ça m'étonnerait que je vous ramène toutes ces bricoles, fis-je.

- Ça m'étonnerait aussi, railla-t-il.

J'ignorai cette allusion insultante à mon honnêteté. J'étais trop absorbé par mon projet.

De retour à l'aircar, je dis à mon chauffeur de faire le tour des faubourgs de la Cité des Bas-Fonds. La nuit était tombée. La circulation nocturne était encore fluide à cette heure-ci : les habitants des autres cités étaient à table. Ceux de la Cité des Bas-Fonds aussi, sauf que la plupart d'entre eux étaient sans doute assis devant une assiette vide.

Les habitants de la Cité des Bas-Fonds sont peut-être pauvres, mais ça ne les empêche pas de s'amuser. Parmi les bâtisses délabrées et ravagées, on en trouve quelques-unes où les gens viennent se divertir. Mais ces petites taches de lumière, au lieu d'apporter une note de gaieté, ne font qu'accentuer l'absolue tristesse de l'endroit. Imaginez cinquante kilomètres carrés de bâtiments insalubres entassés autour d'un lac aux eaux fétides et vous aurez une idée de ce qu'est la Cité des Bas-Fonds. Personne ne sait quand elle a été bâtie, mais il est probable qu'elle a commencé à tomber en ruine le jour où on a eu fini de la construire.

Une histoire circulait, selon laquelle Lombar, durant sa jeunesse, s'amusait à allumer des incendies ici, histoire de passer le temps. Ça me paraissait assez improbable. Lombar était beaucoup plus destructeur que cela et, surtout, beaucoup plus efficace. Mais il est vrai qu'il détestait les endroits miteux comme celui-ci. Une fois, il m'avait dit que la Cité des Bas-Fonds serait rasée et sa population anéantie. Il semblait bien que ce traitement aurait dû lui être administré depuis longtemps.

Je repérai une bâtisse illuminée et grouillante de vie. Exactement ce que je cherchais. Les jeunes de la Cité des Bas-Fonds traînent souvent dans les bouges. Parfois, il y a même des orchestres. Des orchestres minables. Un gobelet de tup ne coûte qu'un vingtième de crédit. Il faut dire que c'est un véritable tord-boyaux.

Je savais qu'il y aurait des speedmobiles garées à proximité de cette boîte de nuit.

Je dis à mon chauffeur de se poser à distance respectable de l'enseigne lumineuse d'un poste de bouteilles-bleues qui se dressait au milieu d'un ancien parc. Je lui ordonnai d'éteindre les phares. De la sorte, ni lui ni personne ne pourrait voir ce que j'étais en train de faire dans l'aircar.

Au prix de multiples contorsions, je parvins à retirer mon uniforme et à enfiler la combinaison de speedmobile. Je mis le casque noir à visière. J'avais posé tous mes papiers et toutes mes armes habituelles à côté de mon uniforme. Je n'emportais que la trilame et une petite liasse de faux billets. Je dis à mon chauffeur de rester ici, tous phares éteints, et d'attendre que je revienne.

Je courus silencieusement jusqu'au bouge d'où s'échappaient les flonflons de l'orchestre. Je fis halte à bonne distance des lumières aveuglantes de la devanture. Une flopée de jeunes dansaient à l'intérieur.

J'explorai les alentours du regard et repérai très vite une grosse speedmobile - un modèle puissant. Elle était à peine visible dans l'obscurité. Je n'eus aucun mal à forcer la serrure. En fait, ce fut si facile que son propriétaire méritait de se la faire voler !

Je poussais la speedmobile loin, très loin, et lorsque je fus certain d'être hors de vue, je démarrai en trombe. Le pied au plancher, je remontai une artère jonchée de détritus et d'ordures - un « boulevard », comme disent, non sans humour, les habitants de la Cité des Bas-Fonds. Les émanations fétides du lac étaient presque palpables dans la brise nocturne.

J'étais en route vers un quartier connu pour ses appareils à fornication, ses électro-exciteurs et ses plombeurs de tête. Dix minutes plus tard, je passais devant les premières enseignes. Elles étaient faiblement illuminées. Je ralentis.

Les immeubles étaient couverts de graffitis racoleurs tels que : *Votre intestin se putréfie ? Venez l'irriguer ici.* Ou bien : *Venez faire un tour au Palais de la Titille.* Ou encore : *Ici électrostimulation du pénis.* Je finis par trouver un bâtiment encore plus miteux que les autres. Parmi les écriteaux éparpillés sur la façade, j'en vis un où l'on avait griffonné : *Troubles mentaux ; examen du cerveau ; neurologie ; hypnotisme ; lavages d'estomac. Consultez le docteur Cutswitz avant qu'il soit trop tard.* C'était l'homme qu'il me fallait.

Mais j'hésitais un peu : l'immeuble du docteur Cutswitz était un peu trop proche à mon goût du poste de bouteilles-bleues que j'apercevais à une dizaine de mètres. Pour les flics, c'était pratique, car parmi les gens qu'ils ramassaient, ils en envoyaient probablement la moitié chez le bon docteur. Mais moi, ça ne me plaisait guère, car je ne voulais pas qu'ils me voient entrer.

Personne n'avait remarqué l'arrivée de ma speedmobile car j'avais pris la précaution de rouler très lentement. Je repartis en marche arrière et garai le véhicule dans l'allée adjacente. Je vis que, de ce côté-ci, les pierres de l'immeuble étaient fendues et cassées en de nombreux endroits et qu'il serait facile de grimper jusqu'à l'étage du docteur. J'aperçus une fenêtre. Et de la lumière.

J'escaladai le mur avec une agilité de félin, enjambai le rebord de la fenêtre et pénétrai à l'intérieur. J'étais dans un couloir.

Il y avait des gens dans la cage d'escalier. Une femme surgit d'une porte au fond du couloir, pour aussitôt disparaître par une autre porte. Bien entendu, elle ne m'avait pas vu. Je suis très fort à ce petit jeu.

J'explorai silencieusement le couloir et trouvai la porte du docteur Cutswitz. De la lumière filtrait par l'encoignure.

J'entrai hardiment.

4

Le gars était à plat ventre sur un fornicateur mécanique. Il était tellement pris par ce qu'il faisait qu'il ne m'avait pas vu entrer. J'ôtai mon casque et refermai la porte - bruyamment. Il se leva précipitamment et reboutonna son pantalon.

- J'étais juste en train d'essayer un nouveau modèle, expliqua-t-il. Pour voir si je peux le recommander à mes clients.

C'était un mensonge. La machine était abîmée et usée de partout.

Le docteur portait des rabats aux tempes. Cela me fit penser à Bawtch. Son aspect était repoussant : on aurait dit qu'il s'était laissé macérer dans de l'huile pendant un ou deux ans - de l'huile rance, vu l'odeur qu'il dégageait.

Mon regard fit le tour du cabinet. C'était un vrai dépotoir. Deux murs étaient à moitié dissimulés par des étagères encombrées de bocaux - des centaines de bocaux. Dans chaque bocal, il y avait quelque chose qui flottait dans un liquide décoloré. Je tressaillis. Des cerveaux humains.

Il les désigna d'un ample mouvement du bras.

- Mes meilleurs clients, dit-il avec affabilité. (Sa voix était tellement onctueuse qu'on aurait dit qu'il l'avait graissée.) Quelle que soit la raison qui vous amène, je suis certain que nous saurons vous satisfaire.

Je lui dis que je m'appelais Ip - c'est probablement le nom le plus répandu sur Voltar -, qu'un de mes amis avait un problème et que je désirais quelques conseils pour l'aider à le résoudre.

Il me fit asseoir sur un siège qui avait un dossier inclinable, avant de s'installer à côté de moi sur un tabouret.

Je lui dis que mon ami n'avait pas d'éclats de métal dans le corps, qu'il ne souffrait d'aucune fracture, qu'il n'était pas un ex-soldat victime d'un traumatisme psychique et qu'il n'était pas non plus névrosé. Cependant il lui était arrivé une chose horrible : il s'était trouvé en état de légitime défense et avait essayé de dégainer son éclateur, mais son bras et sa main avaient subitement refusé d'obéir. Moins d'une heure plus tard, sa paralysie avait cessé. J'ajoutai que mon ami faisait un travail dangereux et qu'il lui fallait être capable de dégainer rapidement quand des gens le menaçaient.

Il m'avait écouté avec une expression compatissante. Il me tapota la main - y laissant des traces de graisse -, avant de se lever et de se diriger vers un placard d'où il sortit un hypnocasque. Une étiquette à moitié grattée était collée au dos. Le texte était encore lisible :

Dérobé à l'Université de Voltar

- Je pense, dit le toubib, que votre ami a été hypnotisé. Mettez ce casque, citoyen Ip. Nous allons voir si nous pouvons en apprendre davantage.

Sa suggestion me parut raisonnable. L'hypnocasque était à ma taille. Il boucla la sangle sous mon menton et mit le courant.

Aussitôt sa voix devint lointaine, très lointaine. Il me demanda quelque chose et mes lèvres remuèrent et donnèrent une réponse. Cela ne m'inquiéta pas outre mesure. Le jeu des questions et réponses se poursuivit ainsi pendant un bon bout de temps. J'avais l'impression d'être à une autre époque et en un autre lieu. Et pendant ce temps, ma bouche parlait, parlait, parlait.

Et puis, brusquement, une voix retentit tout près de moi, claire et limpide, comme si la personne se trouvait dans la pièce :

- Vous allez entendre quelques ordres maintenant. Vous ne pourrez absolument rien contre ces ordres.

« Pensez à Jettero Heller. Représentez-le-vous physiquement.

« Premier ordre : chaque fois que vous envisagerez de nuire ou de faire du mal à Jettero Heller de quelque façon que ce soit, vous éprouverez des nausées.

« Deuxième ordre : si vous projetez de faire subir des dommages corporels ou des modifications physiques à Jettero Heller ou si vous acceptez d'exécuter un projet de cette nature, vous aurez des nausées et de violents maux d'estomac.

« Troisième ordre : si vous projetez de nuire à la carrière de Jettero Heller ou si vous êtes complice d'un projet de cette nature, vous aurez des cauchemars dans lesquels un diable manco viendra vous hanter et vous sombrerez dans la folie.

« Quatrième ordre : si jamais vous tentez d'empoisonner ou de frapper Jettero Heller ou si jamais vous essayez de le menacer d'une arme, votre bras sera immédiatement paralysé.

« Lorsque vous vous réveillerez, je vous donnerai un texte à lire. Il contiendra le mot « obéissance ». A l'instant où vous lirez ce mot, les ordres que vous venez de recevoir pénétreront profondément dans votre conscience et dans votre corps. Vous serez dans l'incapacité totale de leur résister et vous les exécuterez à la lettre jusqu'à la fin des temps.

« A présent, vous allez oublier et bannir de votre conscience toutes les paroles que je viens de prononcer, mais elles continueront néanmoins d'agir. Oubliez, oubliez ! Vous ne savez pas d'où vous viennent ces ordres ! Oubliez, oubliez !

Les mots résonnaient dans ma tête avec une clarté et une netteté extraordinaires.

A travers le brouillard qui flottait devant mes yeux, je discernai un visage. La comtesse Krak !

Ça s'était passé ce fameux jour ! Dans la salle d'instruction ! Le jour où elle avait fait sortir tout le monde et où elle avait prétendu « polir mon accent ». Le jour où, après la séance, elle m'avait donné ce livre dans lequel le mot « obéissance » revenait plusieurs fois.

La lumière se fit dans mon esprit. C'était comme si une supernova venait d'exploser à l'intérieur de mon crâne !

Le toubib avait éteint l'hypnocasque. J'étais parfaitement réveillé.

La comtesse Krak !

La sale garce ! La (bip) ! La (bip) !

Cédant à quelque impulsion stupide, elle avait voulu protéger Heller. C'était elle, et elle seule, qui était responsable de l'enfer dans lequel j'avais vécu durant toutes ces semaines ! Et tout ça parce que j'essayais de faire mon travail !

L'étrange maladie qui se manifestait chaque fois qu'il me venait l'idée, même fortuite, de faire du mal à Heller ! Le diable manco dans mon cauchemar ! Ma fuite dans les montagnes ! La paralysie de mon bras ! L'incapacité dans laquelle j'étais de mener à bien la mission ! Et aussi d'être moi-même !

Tout s'expliquait !

J'étais guéri !

Les ordres n'avaient plus aucun effet sur moi !

Tu l'as dans le (bip), comtesse ! Haha ! Attends un peu de voir ce que je vais lui faire, à cet (enbipé) d'Heller !

Et ce que je vais te faire à *toi !*

Vous allez connaître l'enfer, tous les deux ! Un enfer si monstrueux que les Démons eux-mêmes refuseraient d'y habiter !

5

Pendant une demi-heure, je restai assis dans mon siège sans mot dire. Mon esprit était en effervescence.

Peu à peu, je pris conscience de la présence du docteur Cutswitz. Il avait préféré me laisser à mes pensées. Il m'avait enlevé l'hypnocasque et s'était assis sur un banc de l'autre côté de la pièce. Il m'observait. Il vit que j'avais complètement repris mes esprits.

Il était temps de partir. J'avais autre chose à faire que de rester ici. Je sortis un faux billet de cinq crédits de ma poche. Un gars comme lui ne serait pas capable de détecter une contrefaçon. Il se ferait abattre par ses petits copains de la police. Je lui tendis le billet. Il sourit et dit :

- Je crains fort que nous ne soyons loin du compte, officier Gris.

Mon sang se figea. Comment connaissait-il mon nom ? Je n'avais pas de papiers d'identité sur moi !

- Ce n'est pas cinq crédits que vous me devez, fit-il aimablement. Cinq mille me sembleraient plus justes.

- Je n'ai pas une telle somme, rétorquai-je en réfléchissant à toute allure.

- Oh, je suis sûr que vous pouvez vous la procurer. Dans un premier temps, vous pourriez me donner tout ce que vous avez sur vous. Quant au reste, vous pourriez payer en plusieurs fois - disons la semaine prochaine.

- Vous ne connaissez que mon nom !

- Oui. Et peut-être aussi quelques petits détails de plus. L'assassinat de vingt soldats de la Flotte dans un cachot, par exemple. Je suis certain que la Flotte serait follement intéressée si quelqu'un lui racontait ce qu'il est advenu d'eux.

Je feignis l'abattement. Mes épaules s'affaissèrent. Avec des gestes mous, apathiques, je mis mon casque et rabattis la visière. Ensuite, je sortis le reste des billets en donnant une parfaite imitation de l'homme au comble du désespoir. Puis je me levai et me dirigeai vers lui. Il était debout à présent, la main tendue.

Mon bras était complètement guéri et jamais plus il ne me trahirait.

Tout en lui présentant l'argent, j'imprimai une petite secousse à ma main.

La trilame jaillit de ma manche et vint se placer dans ma paume au moment où il prenait les billets.

Le pauvre (bip) souriait toujours, croyant qu'il avait gagné.

Je me fendis. La lame d'acier lui transperça le cœur.

Une lueur de surprise incrédule passa dans ses yeux tandis que son visage se figeait dans la mort.

Je fis un pas de côté et tirai d'un coup sec sur le manche, ce qui déclencha le mécanisme des trois lames. Un flot de sang et de viscères jaillit de sa poitrine et se déversa sur le sol. Il tomba dans la mare sanglante, face contre terre.

Du pied, je palpai son corps. Il était mort et bien mort. Et pas très proprement.

Les billets gisaient à côté de lui, éparpillés sur le sol. Je les ramassai. Je fis disparaître le sang qui maculait le papier glacé en les frottant un à un sur le dos de sa blouse. Je les remis dans ma poche.

Puis je fouillai la pièce de fond en comble et je découvris, dissimulé dans un coin, l'appareil dont il s'était servi pour enregistrer mes paroles. Je détruisis la bande.

Il n'avait pas poussé le moindre cri et j'avais agi silencieusement. J'entrebâillai légèrement la porte.

L'espace d'un instant, il me sembla qu'il y avait quelqu'un au bout du couloir, quelqu'un qui s'était jeté en arrière pour se mettre hors de vue. Un témoin ?

Puis j'entendis des bruits de pas. Ils venaient de la direction opposée. C'était une femme d'un certain âge. Peut-être travaillait-elle dans cet immeuble ?

Je sortis et vins me planter devant elle, le poignard sanglant à la main. Elle s'arrêta. Je lui présentai l'arme, le manche tourné vers elle.

- Vite, chuchotai-je d'une voix pressante, prenez ça et foncez au poste de police. Dites-leur que le docteur Cutswitz a été assassiné.

Logiquement, elle aurait dû hurler. Mais quand vous prenez un ton mystérieux, vous pouvez empêcher quelqu'un de paniquer. Ses yeux roulèrent dans leurs orbites et devinrent vitreux.

Elle saisit le poignard par le manche et fila en direction de la station de bouteilles-bleues.

Un autre mouvement fugitif à l'autre bout du couloir. Quelqu'un m'espionnait-il ?

Grand bien lui fasse ! Si c'était un espion, il ne pouvait rien contre moi. Je portais le casque, et la visière était abaissée. Je m'élançai vers la fenêtre par laquelle j'étais entré. Personne ne me suivit.

Je me laissai glisser au bas du mur avec une agilité d'insecte. L'instant d'après, j'étais dans la speedmobile.

Une sirène déchira le silence : les flics n'allaient pas tarder à débarquer avec un fourgon. Qu'ils aillent aux Diables ! Je poussai le véhicule jusqu'au bout de l'allée et l'engageai dans une rue latérale. Deux pâtés de maisons plus loin, je lançai le moteur et démarrai en trombe.

Bien entendu, ils arrêteraient la femme. Ils appliqueraient à fond le principe favori de la police : « Pour vous éviter du travail, arrêtez le premier suspect venu. » C'était déjà une affaire classée pour eux. J'ai une devise : Soigne le travail et ne laisse rien au hasard.

Je retournai à la boîte de nuit et laissai la speedmobile à l'endroit exact où elle avait été garée. Je refermai même la serrure.

Quelques instants après, je me glissai dans l'aircar. Mon chauffeur se réveilla pendant que je me changeais. Nous décollâmes discrètement. Bientôt nous survolâmes la Wiel et je laissai tomber la combinaison et le casque dans ses eaux bouillonnantes.

Cette nuit-là, allongé dans l'obscurité de ma chambre, je formai de nombreux plans de vengeance. Heller et Krak allaient récolter ce qu'ils avaient semé, mais ils ne pouvaient s'en prendre qu'à eux-mêmes. Jamais de toute mon existence, je ne m'étais senti aussi implacable, aussi impitoyable. Je songeai qu'il n'y a pas homme plus rempli de haine que celui qu'on a hypnotisé à son insu. Et que le démon le plus féroce de l'enfer aurait frémi devant les plans aussi affreux que machiavéliques que j'avais mis au point.

Heller était entièrement à ma merci désormais et j'avais la ferme intention de savourer chaque seconde de ma vengeance !

6

Je me levai à l'aube. Je m'abstins de répondre aux récriminations insipides dont mon chauffeur m'accabla à propos de l'argent de la caution. Apparemment, Heller lui avait pardonné mais Ske éprouvait un sentiment de *culpabilité !* Incroyable mais vrai !

Au bureau, je tombai sur ce lève-tôt de Bawtch qui était occupé à siroter son s'coueur chaud du matin. Je le lui arrachai des mains et bus tout ce qui restait. Je poursuivis mon chemin sans même prendre le temps de savourer sa surprise.

Je descendis les escaliers qui conduisaient à la cave et aux chambres secrètes. Je me rendis directement à la salle des contrefaçons. Chaque section de l'Appareil a son unité de contrefaçon - c'est indispensable avec le genre de travail que nous faisons. Les faux que nous fabriquons habituellement servent à faire emprisonner les contestataires coriaces ou les dissidents, mais ceux que j'avais prévu de confectionner auraient fait reculer plus d'un faussaire.

Cependant je n'avais pas le choix : il fallait absolument que j'exécute les ordres de Lombar et puis, je peux bien l'avouer maintenant, mon projet avait la délicieuse saveur de la vengeance. Je m'assis à une table, repoussai l'assortiment de porte-plume et de tampons qui l'encombrait et me plongeai dans la confection de mes deux chefs-d'œuvre.

Il me fallut pas mal de temps pour les rédiger, mais après bien des ratures et des corrections, j'eus les textes désirés. J'avais terminé lorsque les deux faussaires arrivèrent.

Ils s'assirent à leur table de travail et je mis les deux brouillons devant eux. Je souris en les voyant tressaillir.

- Je ne pense pas que nous ayons le papier qu'il faut, dit l'aîné des deux.

- Trouvez-en, dis-je. Trouvez-en tout de suite !

Il fouilla dans des tiroirs pendant un moment et finit par dénicher deux feuilles qui faisaient l'affaire.

- Je ne pense pas que nous ayons les sceaux appropriés, fit l'autre.

- Je pense que si, répliquai-je.

Il farfouilla dans de vieilles boîtes et trouva plusieurs sceaux qu'il pourrait trafiquer.

Tous deux étaient pâles et je lisais une certaine frayeur sur leur visage - ce qui était dans l'ordre des choses. En effet, je détenais sur eux de nombreux renseignements, des renseignements qui ne figuraient pas dans les banques de données centrales. Je savais qu'ils accepteraient de commettre ce crime pour moi : c'était préférable à une révélation de leurs méfaits passés.

Les faussaires sont de drôles d'oiseaux. Il y a un peu de l'artiste en eux et ils sont gonflés d'orgueil lorsqu'ils ont exécuté un faux particulièrement réussi. Mes deux lascars ne tardèrent pas à être complètement absorbés par leur travail. Inlassablement, leur plume allait de l'encrier à la feuille de papier. Il était inutile de leur dire de faire de leur mieux. Pour eux, c'était une question d'amour-propre. Mais surtout, ils savaient qu'ils auraient la moitié de la police à leurs trousses si ces deux faux comportaient la moindre imperfection susceptible de déclencher une enquête qui ne manquerait pas de remonter jusqu'à eux. Bref, ils se devaient d'être précis. C'était une question de survie !

Je m'assis sur une caisse remplie d'ordres d'exécution vierges et attendis patiemment. Langue tirée entre leurs dents serrées, les deux faussaires traçaient avec une lenteur exaspérante les boucles compliquées et les fioritures des lettres. Cela leur prit deux heures, mais cela valut la peine d'attendre car ils réalisèrent deux chefs-d'œuvre. Même un expert n'aurait pu déceler qu'il s'agissait de faux.

Puis vint l'application des sceaux. Un seul des deux documents devait les porter.

Finalement ils eurent fini. Ruisselants de sueur, à la fois fiers et effrayés, ils soufflèrent sur les cachets de cire pour la faire sécher.

Le plus jeune des deux hommes inspecta les documents pour s'assurer qu'ils ne comportaient pas d'imperfections. Puis son aîné prit un livre et, d'un œil critique, compara les deux faux à des reproductions d'authentiques documents.

- Mon Dieu ! fit le plus jeune. Ils ont l'air plus authentiques que les vrais ! (Il y avait une note de fierté dans sa voix.) A mon avis, il n'y a qu'une façon de savoir qu'il s'agit de contrefaçons : en consultant le Registre des Missives Royales ! Et aucune personne extérieure à la Cité du Palais n'y a accès. Ce sont de véritables chefs-d'œuvre !

Son aîné alla chercher deux plis officiels, ainsi qu'une mince enveloppe étanche et du ruban adhésif. Tandis qu'il mettait les documents sous pli, il dit :

- Bien entendu, vous n'ignorez pas que si on vous prend avec des papiers portant une imitation de la signature et des armes royales, vous serez torturé et exécuté sur-le-champ. On ne découvrira jamais que c'est nous qui avons forgé ces documents. Nous avons oublié jusqu'à leur existence. Si on les trouve sur vous, officier Gris, vous êtes un homme mort. Et vous aurez droit à un joli petit traitement de faveur avant d'être exécuté.

Il me présenta le paquet qu'il avait fait, mais ne le lâcha pas lorsque je voulus le prendre.

- Ouvrez votre tunique, dit-il. Je vais fixer ce paquet contre votre poitrine à l'aide de ce ruban adhésif. (Il se mit au travail et continua :) Votre plan est astucieux car, bien entendu, de tels documents ne figurent pas dans les banques centrales de données. Par contre, ils figurent *toujours* dans le Registre des Missives Royales. Si quelqu'un tentait de présenter ces documents au Palais, la première chose qu'on ferait, ce serait de vérifier dans le Registre s'ils existent. On constaterait aussitôt qu'ils n'ont jamais été émis et la personne serait immédiatement arrêtée avant d'être torturée et exécutée.

Je reboutonnai ma tunique. Il me regarda gravement et ajouta :

- J'espère que vous savez ce que vous faites. Faites très attention à qui vous montrerez ces documents. Gardez leur existence secrète. Et n'oubliez pas ceci : même si vous les donnez à quelqu'un, il pourrait très bien vous impliquer. (Et tandis que j'ouvrais la porte et que je me préparais à sortir, il conclut :) Mes Dieux, officier Gris, vous devez drôlement en vouloir à cette personne !

De la part de quelqu'un dont l'occupation principale était de fabriquer des documents qui envoyaient les gens en prison et à la mort, c'était un sacré compliment.

Je passai devant mon bureau sans m'y arrêter. J'avais une journée chargée devant moi.

En fait, j'avais largement le temps : il était à peine dix heures. Néanmoins je dis à mon chauffeur :

- Mets la gomme !

Tandis que nous filions à trois cents à l'heure au milieu de la circulation compacte, mon chauffeur laissa éclater sa colère :

- Vous me prenez pour qui ? Vous savez très bien que je suis incapable de conduire comme Heller !

Il devenait de plus en plus insolent, ces temps-ci. Je me retins au dernier moment de lui mettre mon poing dans la figure : si nous nous écrasions et que nous en réchappions, on pourrait trouver les documents sur moi. Je réussis à maîtriser mon irritation au prix d'un gros effort et le laissai maugréer.

Bientôt nous survolâmes le Grand Désert. Il y avait de nombreuses danseuses du soleil aujourd'hui, mais je n'étais pas d'humeur à les admirer. Mes yeux étaient rivés sur la masse hideuse de Répulsos qui grossissait rapidement tandis que nous dévorions les derniers kilomètres.

Je me délectais à l'avance de ce qui allait suivre.

7

Dans la salle d'instruction, c'était le tumulte habituel. Elle avait été nettoyée de fond en comble - ça devenait une habitude - et empestait le désinfectant. Les aides instructeurs étaient occupés à entraîner toutes sortes de gens. Dans un coin de la salle, un agent spécial apprenait à envoyer des bombes-aiguilles électroniques au moyen d'une sarbacane. Dans un autre coin de la salle, deux lutteurs armés de griffes faisaient semblant de se tailler en pièces - leurs blessures et le sang étaient factices. Un peu plus loin se déroulait un numéro de magie où un prestidigitateur et son partenaire, un primate, se faisaient disparaître à tour de rôle.

J'aperçus enfin la comtesse Krak. Ma *proie.* Il n'y avait aucun élève avec elle. Apparemment, elle se contentait désormais de distribuer le travail aux aides instructeurs. Elle portait une combinaison de sport bleu pâle. Un bandeau de la même couleur ceignait sa tête, retenant ses longs cheveux soyeux. Ses bottines à paillettes lançaient mille feux. Elle s'entraînait aux anneaux. Elle commençait par projeter son corps dans les airs, tout en croisant et décroisant les pieds à toute allure. Puis elle s'immobilisait à la verticale, tête en bas, avant de se laisser tomber, stoppant sa chute au dernier moment en se rattrapant aux anneaux par les talons. C'était très gracieux.

Elle paraissait nager en pleine félicité. Je m'approchai. Elle fredonnait même un petit air. Elle était vraiment très belle. Elle s'aperçut soudain de ma présence et le sourire qui éclairait son visage s'évanouit. Elle sauta à terre et me gratifia d'un « Bonjour, Soltan » dans lequel perçait une certaine méfiance.

J'avais pris l'attitude de quelqu'un qui apporte des bonnes nouvelles, mais qui ne tient pas à ce qu'elles s'ébruitent. Je regardai autour de moi et découvris, derrière de vieilles machines, un endroit où nous serions à l'abri des oreilles indiscrètes.

- J'ai de merveilleuses nouvelles, chuchotai-je.

Je gagnai le coin tranquille que j'avais repéré et lui fis signe de venir. Lorsqu'elle m'eut rejoint, je regardai à nouveau autour de moi pour m'assurer que personne ne pouvait nous voir ni nous entendre, ou même surgir à l'improviste.

Je lui fis signe d'approcher un peu plus.

- Je sors d'une audience qui n'est que rarement accordée au commun des mortels, murmurai-je.

A la façon dont j'avais tourné ma phrase, cela ne pouvait signifier qu'une chose.

- L'Empereur ? fit-elle. Vous ?

Je pris un air modeste et tripotai nerveusement mon insigne.

- Oui, répondis-je. Mais c'est parce que Jettero Heller est un personnage suprêmement important. (Je savais qu'elle avalerait ce genre d'inepties.) Sa gloire est telle qu'elle rejaillit sur tous ceux qui le côtoient. Or la chance a voulu que je travaille avec lui... Voyez-vous, j'avais terriblement peur qu'il ne lui arrive malheur.

Elle opina de la tête. Haha ! La garce me croyait encore sous l'influence de ses suggestions posthypnotiques ! Elle trouvait parfaitement naturel que je tienne ce genre de discours.

- Aussi j'ai essayé, très discrètement, de tirer quelques ficelles, continuai-je en prenant l'expression la plus innocente possible.

Je m'interrompis et m'assurai une nouvelle fois qu'il n'y avait personne à proximité. Je m'approchai un peu plus de la comtesse.

- Je ne devrais pas vous raconter tout cela, repris-je à voix basse. C'est le plus secret de tous les secrets d'Etat. On m'a fait comprendre très clairement que je ne devais pas en parler à âme qui vive ! (Je pris un air vaguement perplexe.) Je me demande ce qui a bien pu me pousser à venir vous voir sur-le-champ pour tout vous raconter.

Elle marchait ! Elle courait, même, l'ignoble (bip) et ses tours de passe-passe hypnotiques ! Je pris une mine de petit garçon. Les femmes sont incapables d'y résister - ça éveille leur instinct maternel.

- Le hic, continuai-je, c'est que je ne vois vraiment pas comment y arriver tout seul. J'ai désespérément besoin de votre aide.

Je vis à son expression qu'elle ne demandait que ça. Tout ce qui avait trait à Heller avait valeur de priorité absolue à ses yeux.

- Je risque de graves sanctions si je vous révèle ce que je sais, déclarai-je d'un ton plus confidentiel encore.

Je fis comme si je regrettais d'en avoir déjà trop dit et reculai de quelques pas. Mais les femmes sont d'une insatiable curiosité.

- Je promets de n'en parler à personne, dit-elle.

- C'est la mort pour moi si quelqu'un l'apprend. (Je m'interrompis une nouvelle fois avant de reprendre :) Mais je n'ai pas vraiment le choix : j'ai trop besoin de votre aide. Voyez-vous un inconvénient à ce que nous nous asseyions ?

J'allai chercher deux tabourets. Nous nous assîmes face au mur et légèrement de biais. De la sorte, nous avions deux fois moins de chances d'être entendus. Je défis les deux boutons supérieurs de ma tunique et y plongeai la main, comme pour en extraire quelque chose. Mais, bien entendu, je n'en fis rien. Sa curiosité devint si vive que son jugement s'en trouva quelque peu émoussé.

- Ce matin, avant le lever du soleil, chuchotai-je, une airlimousine de la Cité du Palais est venue me chercher en secret. J'avoue honnêtement que j'étais terrifié au début. Je croyais qu'on allait me faire subir un interrogatoire. On m'emmena au Palais par une route détournée et on m'y introduisit par une porte secrète. Ensuite on me conduisit dans une salle avec un grand bassin. Il y a carrément des tapis précieux autour de leurs piscines.

« Pendant une demi-heure, je demeurai seul. J'étais très, très nerveux, je peux vous l'assurer. Et puis, brusquement, il entra ! Je n'en croyais pas mes yeux - il se montre si rarement. Il portait une robe de chambre étincelante. Cling le Hautain en personne ! Honnêtement, j'ai cru mourir. Et moi qui n'avais pas eu le temps de me mettre en tenue !

« Est-ce là l'officier à qui l'on a confié la direction de la Mission Terre ? » demanda Sa Majesté. L'officier d'escorte hocha la tête. L'Empereur ôta sa robe de chambre et entra dans la piscine. Je ne savais pas qu'il nageait tous les matins. Et dans une piscine incrustée de diamants, par-dessus le marché ! Vous vous rendez compte !

« J'attendis, tenaillé par la peur. Je me demandais quelle faute j'avais pu commettre. Finalement, Sa Majesté sortit du bassin et alla s'allonger sur des coussins. Deux serviteurs, des hommes-jaunes, surgirent et se mirent à enduire son corps d'essences parfumées. Il désigna un endroit près de lui et l'officier me poussa jusque-là. Alors Sa Majesté s'adressa à moi : « J'ai toujours eu la conviction que Jettero Heller était un excellent élément. »

La comtesse écarquilla les yeux. Je savais que cette phrase susciterait chez elle une réaction instantanée. Il y avait cent dix planètes et des dizaines de millions d'officiers. Qui aurait cru qu'un Empereur, même un Empereur avec une mémoire colossale, se rappellerait le nom d'un officier subalterne ?

Krak buvait mes paroles à présent. Tu l'as bien cherché, espèce de (bip) ! songeai-je. Maintenant tu vas voir ce que tu vas voir !

- Sa Majesté resta silencieuse pendant quelques instants avant de me dévisager d'un air perplexe. Finalement, elle dit : « J'en conclus donc qu'il doit avoir, lui, une raison particulière de retarder son départ et je vous ai fait venir afin que vous me la révéliez ! »

« Sincèrement, j'étais persuadé que les prochaines paroles qu'il prononcerait signeraient mon arrêt de mort. Je suis courageux, mais pas à ce point-là. Aussi, j'ai bien peur d'avoir été contraint de divulguer quelques secrets. (Devant l'expression de la comtesse, j'ajoutai précipitamment :) Non, non, rassurez-vous. Cette entrevue avec l'Empereur a eu une conclusion heureuse. (Intérieurement, j'exultais, car la « conclusion heureuse » serait une abominable tragédie pour eux deux.) Toutes mes excuses, comtesse, mais je suis officier et le devoir, c'est le devoir. N'oubliez pas qu'en venant tout vous raconter je mets ma vie en jeu. Non, je peux vous assurer que je n'avais pas le choix. (Changeant légèrement de sujet, je lui demandai :) Est-ce que Jettero vous a montré la coupure de presse ? Celle qui parle de vous ? (Elle hocha la tête. Elle ignorait probablement que je savais qu'il la lui avait montrée.) Je n'avais jamais entendu parler de cet article de journal. Autrement, j'aurais agi plus tôt. Mais pour en revenir à mon récit, j'ai finalement révélé à Sa Majesté la vraie raison du retard de la mission. (C'est tout juste si je n'entendais pas son cœur palpiter dans sa poitrine.) Sa Majesté prit un ton autoritaire. Elle me dit que du succès de la mission dépendaient plusieurs affaires d'Etat top secret et de la plus haute importance. Elle était très en colère et je crus que, par ma faute, elle allait punir Jettero. C'était une pensée si épouvantable que je fus pris de nausées.

Oui, tu peux hocher ta jolie petite tête, pauvre (bip) naïve ! Tu me crois toujours sous l'emprise de tes suggestions posthypnotiques. Ah ! Tu vas me le payer cher, espèce de sale garce !

J'inspirai profondément, comme si j'avais vécu un moment particulièrement éprouvant, et repris ma fable :

- Malgré mes nausées, je résolus de plaider la cause de Jettero. Je puis vous dire que les hommes-jaunes qui étaient occupés à enduire Sa Majesté d'essences me regardèrent avec effroi lorsque je commençai ma plaidoirie. Ça ne se fait pas d'implorer l'Empereur. Mais quelque chose - je ne sais pas quoi - me poussait à agir de façon désespérée.

« Je lui dis qu'il savait aussi bien que moi que Jettero Heller était le seul à pouvoir exécuter cette mission. Il convint que j'avais raison, Jettero ayant dirigé la première mission. Et alors, je fis quelque chose dont je ne me serais jamais cru capable : je suggérai - vous vous rendez compte, suggérer quelque chose à Cling le Hautain, je me demande encore où j'ai trouvé le courage - je suggérai que la seule façon de faire partir la mission dans les plus brefs délais, ce serait de résoudre le problème qui préoccupait Jettero. Et vous savez ce qu'il fit ? Ah, maintenant je comprends clairement pourquoi il est empereur ! Sans perdre une seconde, il envoya quérir ses scribes et leur dicta deux lettres. Lorsqu'ils eurent terminé, il me regarda et déclara : « Personne ne pourra jamais dire de moi que je me désintéresse du bien-être de mes sujets et de mes officiers. Lorsqu'on détient le pouvoir, on doit toujours en consacrer une partie à rendre la justice. Vous remarquerez que le deuxième document ne porte ni sceau ni signature. Cette mission est, pour l'Etat, d'une importance que vous ne sauriez imaginer. Menez-la à bien ! » Et, sur ces mots, il ordonna aux scribes de me remettre les documents, puis il leur fit signe de me raccompagner.

Je jetai un coup d'œil alentour pour m'assurer que personne ne nous épiait. Les sons de la salle d'entraînement me semblaient lointains. Je sortis les documents de ma tunique.

J'ouvris respectueusement le premier pli et lui mis la première lettre sous le nez afin qu'elle puisse la lire. Le texte n'était que boucles et fioritures. Il disait :

TOP SECRET

NE PEUT ÊTRE LU PAR DES PERSONNES NON AUTORISÉES

QU'ON SE LE DISE :
Nous, Cling le Hautain,
Chef auguste et incontesté

du vaste Royaume de galaxies,
d'étoiles et de planètes
connu dans l'Espace sous le nom de
Confédération de Voltar,
Empereur de tous Dominions, quels qu'ils soient,
conquis ou à conquérir,
Décrétons par la présente et dans le plus grand secret :

A dater de ce jour, la MISSION BLITO-P3, mission secrète d'une importance capitale pour le royaume, devra être exécutée avec la plus grande diligence et le plus grand zèle, sans compromis ni interruption aucuns.

Et nous faisons le serment royal et inviolable que : Lorsque Jettero Heller, Grade Dix, ingénieur de combat du Corps d'Ingénieurs de la Flotte, aura mené à bien la MISSION susnommée, il sera récompensé selon ses mérites, même si ladite MISSION ne présente ni difficultés, ni dangers. Il convient de remarquer qu'il a servi et survécu en première ligne trois fois plus longtemps que le commun des ingénieurs de combat et qu'on ne saurait raisonnablement s'attendre à ce qu'il reste en vie très longtemps encore. En conséquence, nous certifions que dès son retour, et à condition qu'il ait rapidement conduit cette mission à un dénouement heureux, Jettero Heller sera immédiatement affecté à la Garnison Royale de la Cité du Palais et libéré des aléas de la Flotte.

SCELLÉ, SIGNÉ, ESTAMPILLÉ,

VALIDÉ, AUTORISÉ ET ENREGISTRÉ

EN CE DE L'ANNÉE

Cling le Hautain

Empereur !

La comtesse avait quasiment cessé de respirer. Toutes ces phrases à propos de la sécurité d'Heller ! Quel coup de génie de ma part ! J'avais tout étudié dans les moindres détails ! Elle rayonnait littéralement. Garce, va !

Elle finit par reprendre ses esprits et demanda :

- Ne m'avez-vous pas dit qu'il y en avait deux ?

- Si, acquiesçai-je. Mais l'autre document n'est pas signé. Sa Majesté est très habile. Elle veut que cette mission décolle. Elle a promis d'y apposer sa signature lorsque la mission aura été menée à bien. Il suffira alors d'aller au Palais et de présenter le document. Regardez, c'est écrit noir sur blanc.

Je dépliai le deuxième faux et le tint devant son visage afin qu'elle pût lire. Tout comme la première, cette lettre n'était que boucles et enjolivures. Elle disait :

TOP SECRET

CE DOCUMENT SERA SIGNE

LORSQUE LA MISSION BLITO-P3 AURA ÉTÉ MENÉE A BIEN

QU'ON SE LE DISE :
Nous, Cling le Hautain,

Chef auguste et incontesté
du vaste Royaume de galaxies,
d'étoiles et de planètes
connu dans l'Espace sous le nom de
Confédération de Voltar,
Empereur de tous Dominions, quels qu'ils soient,
conquis ou à conquérir,

Décrétons par la présente et dans le plus grand secret :

En raison d'une confession faite sur son lit de mort par l'instigateur véritable de nombreux crimes, la personne de sexe féminin qui répondait jadis au nom de Lissus Moam, qui était membre de la famille Krak, et qui se faisait parfois appeler comtesse Krak, est, à compter de ce jour, ressuscitée et réintégrée dans le monde des vivants. Ses papiers et son identité lui sont rendus, ainsi que toutes les terres autrefois détenues par la noble famille Krak.

En outre, nous accordons à la personne susnommée notre Royale permission d'épouser Jettero Heller, mais uniquement lorsqu'il aura été transféré de la Flotte à la Garnison Royale.

CE DOCUMENT RESTERA INVALIDÉ

TANT QU'IL N'AURA PAS ÉTÉ SCELLÉ,

SIGNÉ, ESTAMPILLÉ, VALIDÉ ET AUTORISÉ

PAR UNE SIGNATURE DÉFINITIVE.

IL EST NÉANMOINS ENREGISTRÉ EN TANT QU'ORDRE

EN CE DE L'ANNÉE

EN ATTENDANT LA SIGNATURE DÉFINITIVE.

Ses joues s'étaient empourprées. Ses yeux étaient embués. Elle était en train d'assimiler ce qu'elle venait de lire. D'une main, elle s'éventait la poitrine. Elle avait quelque difficulté à respirer.

Garce ! L'avenir te paraît rose maintenant, hein ?

Je remis les documents sous pli et glissai le tout dans l'enveloppe étanche.

- Vous constaterez, fis-je d'une voix onctueuse, que j'ai épargné à notre cher Jettero toutes ces démarches judiciaires insensées qu'il voulait entreprendre pour vous ressusciter. Tout ce qu'il lui reste à faire, c'est de mettre en route la mission au plus vite, de la terminer vite fait bien fait, de revenir, de présenter ces documents au Palais, et le reste de votre existence ne sera plus qu'un conte de fées.

Je jubilais. Heller ne reviendrait jamais. Et quiconque se présenterait au Palais avec ces deux faux mourrait très, très lentement et passerait de longs jours à supplier qu'on l'achève. Mais, bien entendu, les choses n'iraient jamais aussi loin.

- Il y a un petit problème, dis-je.

Aussitôt la comtesse se tourna vers moi. Elle était tout ouïe.

- Il est probable, continuai-je d'une voix douce, que Jettero n'appréciera pas d'être évincé de la Flotte. Vous savez comment il est. Pour lui, cela équivaudrait pratiquement à la mort.

Elle rumina mes paroles pendant quelques instants. Elle savait qu'il y avait du vrai dans ce que je venais de dire.

- C'est là que j'ai besoin de votre aide, repris-je. C'est moi qui dirige la mission et ces documents sont censés n'être connus que de moi. Je crains fort que Jettero ne refuse tout net d'obéir ou n'essaie de faire jouer ses relations pour que le contenu de ces documents soit modifié. L'Empereur entrerait alors dans une fureur noire et Jettero courrait un grave danger. (Elle hocha la tête.) Donc, faisons preuve de bon sens. Cette mission n'a rien de sorcier et ne présente aucun risque. Plus vite il sera parti, plus vite il reviendra. Voici comment vous pouvez m'aider : sans lui parler de ces documents, persuadez-le de partir, de mener la mission à bien aussi vite que possible et de revenir. Utilisez à fond votre pouvoir de séduction et de persuasion. Ces documents ne vous servent à rien pour le moment. Puis-je compter sur votre aide ?

Je la dévisageai avec insistance. Rien dans mon expression ne laissait apparaître ce qui attendait Heller en réalité. Après avoir longuement réfléchi, la comtesse dit :

- Je ferai ce que vous avez dit. Mais à une condition.

J'attendis sans mot dire.

- Si vous acceptez de me confier ces documents, continua-t-elle, je ferai de mon mieux pour convaincre Jettero de partir dans les plus brefs délais et de revenir le plus vite possible.

Sa déclaration ne me causa aucune surprise : j'avais envisagé cette éventualité. J'avais réfléchi à la question et conclu qu'il y avait peu de chances pour qu'on remonte jusqu'à moi si jamais ces documents étaient trouvés sur quelqu'un. En fait, ça me procurait une sorte de joie mauvaise de savoir qu'elle les porterait sur elle. C'était un peu comme si je frappais son joli front du sceau de la mort. Garce !

- Si vous me donnez votre parole d'honneur que vous ne les montrerez pas à Heller et que vous ne lui révélerez pas leur existence, je suis prêt à vous les confier. Mais attention, fis-je d'une voix à la fois franche et pleine de sous-entendus, vous risquez gros. Il s'agit de documents royaux. Etant donné votre statut actuel aux yeux de la loi, vous vous exposez au pire si on les trouve en votre possession.

- Oui, mais vous pourriez, disons, les égarer, répliqua-t-elle. Je pense qu'ils seraient plus en sûreté entre mes mains, vous ne croyez pas, Soltan ? Comme ça, je pourrais les produire au moment voulu.

Je secouai la tête avec tristesse.

- Vous devriez avoir davantage confiance en moi. J'essaye seulement d'éviter de gros ennuis à Jettero.

Pour elle, c'était l'évidence même.

Elle prit la pochette étanche et vérifia que les documents s'y trouvaient toujours. Puis elle releva son jumper et la plaqua contre son estomac avant de la fixer au moyen d'un ruban qu'elle passa plusieurs fois autour de ses reins. Elle rabattit son jumper. L'enveloppe était invisible.

Son regard se posa sur moi.

- Je dois vous remercier, Soltan. Vous avez droit à toute ma gratitude.

Elle me remerciait de lui avoir plongé un poignard dans le cœur.

Je pris congé d'elle.

Je dis à Ske de me conduire à la Cité du Gouvernement. Durant le trajet, je dus faire un effort surhumain pour ne pas pousser des cris de triomphe et laisser éclater ma joie. Désormais, j'avais un atout de plus dans ma manche, un atout qui rendait ma vengeance plus délicieuse encore : un mot de ma part pour qu'on la fouille et elle serait aussitôt torturée par des spécialistes avant d'être mise à mort. Cela n'entrait pas dans mes plans. Mais c'était une pensée agréable.

Je réussis enfin à me dominer. J'avais encore une tripotée de choses à faire aujourd'hui. Une tripotée ! Ce n'était que le début !

8

Nous nous rendîmes directement aux tours du Complexe des Télécommunications. Comme tout le monde le sait, c'est l'endroit de la capitale où la circulation est la plus compacte. Chaque jour, des dizaines de milliers de gens viennent ici à pied, en speedmobile ou en aircar, pour payer leurs factures de communication, demander l'installation d'un nouveau visionneur, appeler les planètes voisines ou périphériques de notre système ou simplement se plaindre d'un service défectueux. C'était le bâtiment le plus élevé qui m'intéressait, le dôme du Répertoire Central.

Heller allait subir une opération très spéciale qui me permettrait de suivre tous ses faits et gestes !

Grommelant et maugréant, mon chauffeur se frayait tant bien que mal un chemin à travers les bouchons. Il devait constamment manœuvrer pour éviter que les autres véhicules n'éraflent la peinture neuve de l'aircar.

J'étais occupé à me confectionner un nouveau visage. J'avais déjà fixé une rangée de fausses dents sous ma lèvre supérieure. Je sortis une paire de lentilles spéciales que j'appliquai sur la cornée. Mes yeux - noisette en temps normal - étaient vert pomme à présent. J'ôtai mon insigne et le fourrai dans ma poche.

Mon chauffeur amena l'aircar sous la saillie du dôme et trouva une place de parking avec un panneau qui disait :

Dix minutes on se gare ! Sinon GARE !

- Ne traînez pas, dit-il. Autrement les bouteilles-bleues vont venir caresser mon pare-chocs !

- Avant peu, tu seras riche, répliquai-je. Alors boucle-la.

- Hé ! s'écria-t-il, subitement intéressé. Vous partez faire un casse ou quoi ?

Le sombre crétin. On ne conservait pas le moindre crédit au Répertoire Central.

J'entrai d'un pas alerte. Il y avait à peine mille ou deux mille clients dans la grande salle et de nombreux employés se tournaient les pouces. J'étais à la recherche d'une employée qui avait autant de cervelle qu'un siffloteur. Quelqu'un de profondément débile. J'avisai un bureau que les gens semblaient éviter comme la peste. Exactement ce qu'il me fallait. Mon affaire serait expédiée en quelques minutes.

- Nous avons une urgence, lançai-je. Nous avons besoin du meilleur cytologiste de Voltar.

Sa coiffure était pyramidale. On aurait dit qu'elle portait un temple sur la tête. C'était probablement la forme de son crâne. Je dus lui expliquer ce qu'était un cytologiste. Elle pianota sur son clavier et des caractères apparurent devant elle. Mais je sais lire à l'envers. Tout le monde, dans l'Appareil, sait lire à l'envers.

- Vous voulez son numéro ? me demanda Cervelle-de-piaf.

Selon elle, pourquoi étais-je venu au Répertoire Central ?

- J'aimerais d'abord m'assurer qu'il s'agit bien du meilleur cytologiste. Vous permettez ?

Je me penchai par-dessus le comptoir et me mis à taper diverses instructions sur le clavier. Miss Néant me laissa faire et se borna à m'observer avec un intérêt non dissimulé.

Vous pouvez dégotter des tas d'informations avec ces consoles. Vous y trouvez tous les business possibles et imaginables, toutes les professions. Elles vous disent où vous pouvez joindre telle ou telle personne sur-le-champ. Pour vous éviter les confusions d'identité, elles vous fournissent un fac-similé de l'identoplaque de chaque abonné. Et admettons que quelqu'un vous a passé une commande, la console vous dira si son crédit est bon.

Ce fut un jeu d'enfant que d'obtenir la liste des plus éminents professeurs de cytologie de Voltar, le crédit dont ils jouissaient - qui révèle souvent leur degré de réussite dans la profession -, un fac-similé de leur identoplaque et l'endroit où ils se trouvaient en ce moment. L'imprimante se mit à cracher des mètres et des mètres de papier.

Crâne-pointu continuait de m'observer tandis que je pianotais à l'envers sur son clavier. Allez savoir, peut-être étais-je en train de lui apprendre à s'en servir !

Lorsque j'eus la pile de feuilles entre les mains, je m'exclamai :

- Dieux du Ciel ! Leurs tarifs sont beaucoup trop élevés !

Il n'y avait pas le moindre tarif parmi les renseignements qui figuraient sur les feuilles, mais cette pauvre demeurée hocha la tête d'un air entendu. Où trouvent-ils ces filles ? Dans la cambrousse de Taügo ? Là où les hommes ont des queues ?

Je programmai l'ordinateur pour qu'il me fournisse la liste des cytologistes qui venaient d'ouvrir un cabinet, autrement dit ceux qui avaient terminé leurs études depuis peu et réussi l'examen final. Puis j'obtins un fac-similé de leur identoplaque ainsi que leur crédit. Je me retrouvai avec une pile de feuilles haute de trente centimètres.

- Vous désirez le numéro de l'un d'eux maintenant ? me demanda la reine des lumières.

- Vous me l'avez donné, répondis-je en mettant l'énorme liasse sous mon bras. Et je vous en suis très reconnaissant. Vous m'avez été d'un très grand secours. Vous méritez une promotion.

J'avais pris cette attitude amicale parce que j'avais remarqué qu'un chef de service regardait dans notre direction.

Je sortis en jubilant intérieurement. Je venais de me constituer un dossier complet sur la profession. Et ce, sans avoir montré ou utilisé mon identoplaque.

D'ici peu, Heller se promènerait avec un mouchard, et d'après le plan que j'avais mis au point, ni lui ni personne n'en sauraient rien - à part moi bien sûr. Un homme dont vous pouvez épier tous les faits et gestes est entièrement à votre merci.

Il n'y avait aucune bouteille-bleue en vue lorsque je montai dans l'aircar, ce qui n'empêcha pas mon chauffeur de rouspéter.

- Vous en avez mis du temps !

- Pour quelqu'un qui est sur le point d'avoir un portefeuille bien rempli, je te trouve plutôt pleurnichard, rétorquai-je. Emmène-nous haut dans le ciel et attends mes instructions.

- C'est du papier que vous avez là, pas des billets. Vous n'avez braqué personne.

- Il te faudra patienter encore vingt-quatre heures. Maintenant décolle, sinon c'est moi qui défonce tes pare-chocs !

Lorsque nous fûmes à trois mille mètres au-dessus des voies embouteillées, je retirai mon déguisement et je me mis à inspecter mon butin.

Je choisis le professeur Gyrant Slahb dans la liste des éminents professeurs. C'était sans doute le doyen de tous les cytologistes de l'hémisphère ouest - l'hémisphère opposé - de Voltar. Il avait pris sa retraite après avoir amassé un joli paquet. Il vivait en reclus, refusant tout appel. Il y avait peu de chances pour que quelqu'un réussisse à le joindre.

Je passai aux cytologistes frais émoulus de l'université. Les candidats ne manquaient pas. Ce que je voulais, c'était quelqu'un de solitaire, qui n'appartenait à aucun club, qui avait des dettes énormes, qui venait d'ouvrir un cabinet où personne ne mettait les pieds, mais qui avait été un interne brillant. Je finis par trouver mon homme.

C'était un dénommé Prahd Bittlestiffender. Il était originaire de l'hémisphère est de Voltar. Il avait vingt-cinq ans, il était célibataire et il vivait dans la misère. Il ne pouvait pas avoir rencontré le professeur Gyrant Slahb, vu que Slahb avait pris sa retraite alors que Prahd était encore à la maternelle. D'ici peu il allait y avoir un cytologiste de moins dans l'annuaire.

Je conservai les quelques feuilles qui m'intéressaient et lançai toutes les autres dans le ciel ensoleillé, avant de donner l'ordre à mon chauffeur de me conduire à la Section Provocation.

Alors que nous volions au ras des vaguelettes jaunâtres de la Wiel, mon chauffeur dit :

- En tout cas, n'essayez pas de me refourguer des faux billets. Je n'en veux pas !

Il avait encore en mémoire son triste séjour dans les Monts Blike.

Je lui répondis par un éclat de rire.

- Vous avez un comportement bizarre aujourd'hui, officier Gris, déclara-t-il.

- Je suis un autre homme, lançai-je.

Mais cela ne parut pas le dérider. Pourtant c'était la stricte vérité. J'avais l'impression d'être sur un nuage. Jamais je n'avais exprimé mon habileté et mon génie avec un tel brio. Je venais de porter un coup fatal à Krak et bientôt ce serait le tour d'Heller. Ils méritaient largement ce qui les attendait.

Nous nous engageâmes dans le tunnel. Je sautai à terre et montai les marches quatre à quatre. Comme toujours, Raza Torr m'accueillit d'un air soupçonneux. C'était sans doute dans sa nature. De la paranoïa peut-être.

Sa main plongea dans son tiroir. Drôle d'habitude. Je décidai de détendre l'atmosphère.

- Comment ça va avec les femmes ? demandai-je.

Un garde surgit derrière moi, mais Torr lui dit :

- Je m'en occupe. Laisse-nous.

J'ouvris la marche d'un pas guilleret. Je me rendis directement à la section des vêtements et commençai à fouiller. Raza Torr paraissait éprouver beaucoup d'intérêt pour ce que je faisais. Il fit quelques suggestions ineptes et me tendit même un costume de croque-mort.

Je finis par trouver le premier lot de vêtements dont j'avais besoin : un manteau et un pantalon semblables à ceux dont on affuble les acteurs dans les films lorsqu'on veut les faire ressembler à un vieux savant plein de sagesse. Ensuite je choisis un chapeau mou et une canne.

Je mis la main sur une valise, une valise tout ce qu'il y avait de normale, et y jetai mon butin. Je me remis à farfouiller parmi les étagères et dénichai un uniforme ordinaire d'officier des Services de Renseignements de l'Armée, avec galons et tout le reste. La couleur est atroce - crème - mais la coupe est très élégante. Il y avait un trou et un peu de sang dans le dos, vestiges d'un coup de poignard, mais personne ne le remarquerait. Je trouvai la casquette qui allait avec. Ensuite je me rendis dans une autre section et dégottai un insigne Grade Treize serti de rubis étincelants qui, bien évidemment, étaient du toc. Je retournai à la section des vêtements et balançai le tout dans la valise.

Je pris également un costume de ville ordinaire, ainsi qu'une chemise et une paire de chaussures assorties.

- C'est quoi, tout ce cirque, Gris ? demanda Raza Torr. Vous projetez une nouvelle orgie de meurtres ?

Je ne relevai pas. J'étais de trop bonne humeur.

- Je suis en mission officielle, fis-je. Une mission qui est on ne peut plus illégale, tout en étant légale. Je suis censé m'infiltrer dans l'Association des Prostituées à la Retraite, sur Calabar, pour y jouer les agitateurs et porter un coup au Prince Mortiiy.

- Vous voulez dire que vous partez pour Calabar ? s'exclama-t-il.

Il palpait l'étoffe des vêtements, comme pour en vérifier la qualité. Il se mit à ouvrir les poches de quelques-uns des habits que j'avais choisis. Je crus qu'il regardait si elles contenaient de l'argent. Quelle erreur !

Je me rendis à la section de maquillage où je me procurai de la peau synthétique, des fausses dents de rechange, quelques postiches, des lentilles de contact de plusieurs couleurs et quelques boîtes de fond de teint de nuances différentes. Je les déposai dans la valise. J'allai dans une autre section et en ramenai un scribographe portatif, de ceux qu'on utilise pour confectionner des documents officiels bidons.

Raza Torr ne me lâchait plus d'une semelle à présent. Nous pénétrâmes dans la section des armes, mais je la traversai sans m'arrêter.

- Quoi ? Pas de meurtres ? railla-t-il.

- Pas avec vos éclateurs piégés qui explosent quand on appuie sur la détente, ripostai-je. Ah, voilà ce que je cherchais !

Nous étions arrivés dans la section des fausses identoplaques. Je me mis à trifouiller dans les casiers.

- Hé ! attendez ! protesta Raza Torr. Ces identoplaques déclenchent le signal d'arrestation immédiate.

Je lui répondis par un sourire. Je mis la main sur une identoplaque d'officier des Renseignements qui paraissait plus vraie que les vraies. Elle était au nom de l'officier Timp Snahp. Je la mis dans ma poche.

- Il me faut deux fausses identoplaques et c'est vous qui allez me les faire, décrétai-je.

- C'est hors de question ! gémit-il. (Bip), Gris ! Vous faites tellement de (biperies) que je me retrouverai avec une enquête sur le dos !

- Oh, Raza, fis-je. C'est *vous* qui me parlez de (biperies). Tss, tss. A votre place, je me tairais.

Il se rendit jusqu'à la machine et dit au faussaire de nous laisser. Je lui dis de faire la première identoplaque au nom du professeur Gyrant Slahb et la deuxième au nom de Prahd Bittlestiffender. Je lui donnai leurs signes particuliers et tout le bazar. La machine à identoplaques de la Section Provocation est la sœur jumelle de celle qu'on trouve au ministère des Finances - sauf qu'au ministère, on ne s'en sert pas pour fabriquer des faux.

Je dois admettre que Raza Torr connaissait son affaire. Il fit un travail de tout premier ordre. Lorsqu'il eut terminé, il vaporisa les identoplaques pour les vieillir et leur donner du poli.

- Vous êtes un danger public, Gris, dit-il. On vous exécutera si on vous attrape avec ces fausses identoplaques. Même si vous dites qu'elles viennent de la Section Provocation. Il y a des bornes à ne pas dépasser.

- Eh bien, on les dépassera, répliquai-je. (Je lui tendis la fausse identoplaque, celle qui était au nom de l'officier des Services de Renseignements et ordonnai :) Maintenant faites-m'en une autre à ce nom, mais changez le numéro. Comme ça elle ne déclenchera pas le signal d'arrestation immédiate. Et faites monter de grade ce cher « officier Timp Snahp ». Il est Grade Treize désormais. Et il est en garnison sur Flisten. Pigé ?

- Les ordinateurs réagiront négativement, objecta-t-il.

- C'est exact. Mais comme l'identoplaque ne correspond à rien, ils s'agiteront dans tous les sens pendant vingt-quatre heures. De plus, on se demandera si ce n'est pas une ruse des Services de Renseignements de Flisten. Allez, exécution ! Je ne serais pas surpris si l'officier Timp Snahp invitait à dîner la maîtresse de quelqu'un que nous connaissons bien tous les deux. Si vous voyez ce que je veux dire.

Ses mains étaient tellement crispées que je crus que ses phalanges allaient se briser net. Mais il avait été nécessaire de lui rappeler que le chantage n'est pas une affaire à prendre à la légère.

Il se mit au travail en grinçant des dents. Il était tellement énervé qu'il fit une erreur et qu'il dut prendre une plaque vierge et recommencer à zéro.

Quand il eut fini, je refis le tour de la boutique et pris un ou deux articles qui me plaisaient. J'avais tout ce qu'il me fallait.

Je rejoignis Raza Torr et lui donnai quelques tapes consolatrices sur l'épaule. De toute évidence, il avait besoin d'être rassuré.

- Calmez-vous, dis-je. Les négatifs sont en lieu sûr. Personne ne les trouvera, à moins qu'il ne m'arrive quelque chose. Vous n'avez aucune raison de vous inquiéter. Je peux vous assurer qu'il ne m'arrivera rien, donc il n'y a aucun danger que les négatifs atterrissent entre les mains du *commandant du Bataillon de la Mort*.

Il avait agrippé la crosse de son éclateur. En entendant mon petit discours, il la relâcha convulsivement. Il était blême.

Je lui tapotai de nouveau l'épaule, saisis la valise et partis.

Aux Diables, Raza Torr ! Je chassais un gibier autrement plus important : un certain Jettero Heller. Je l'avais au bout de mon viseur.

Mon plan se déroulait à merveille. Je me sentais léger, léger, léger, comme si je venais d'ingurgiter du tup de vingt ans d'âge.

Heller serait à ma merci avant son départ pour Blito-P3. Et il ne reviendrait jamais !

9

Ce n'est pas évident d'installer un mouchard dans le corps de quelqu'un à son insu, surtout si ce quelqu'un est un expert en longueurs d'ondes. Par bonheur, Heller était nul en espionnage.

Ce qui rendait les choses plus compliquées encore, c'était que *personne* ne devait être au courant à part moi. Il n'était pas question que quelqu'un vienne piétiner mes plates-bandes !

Fort heureusement, j'étais un officier de l'Appareil particulièrement brillant, capable de venir à bout de tous les obstacles. Dans l'état d'esprit où j'étais, rien ne me semblait impossible.

Il fallait que je trouve une salle d'opération clandestine. Je me mis à réfléchir au problème.

Mon chauffeur tournait en rond à trois mille mètres au-dessus des voies surchargées de la Cité du Gouvernement.

La solution me vint en un éclair. La veuve Tayl !

Durant mes premiers mois au sein de l'Appareil, on m'avait mis de permanence la nuit - comme tous les officiers fraîchement recrutés. Le Centre d'Exécution de la Police nous avait appelés un soir pour nous dire qu'un de leurs détenus suppliait qu'on le mette en rapport avec l'Appareil. Les condamnés font parfois ce genre de requête, dans l'espoir que nous les soustrairons à la mort en les affectant à un régiment de l'Appareil sous une fausse identité. La routine, quoi.

Un tantinet agacé, je m'étais rendu chez les flics, qui m'avaient conduit jusqu'à la cellule du bonhomme, dans le quartier des condamnés à mort. C'était une créature décharnée et tremblante qui ne cessait d'implorer qu'on l'épargne en rampant sur le sol. On l'avait pris en flagrant délit alors qu'il cambriolait la résidence du chef de la police de Pausch Hills ! C'était un crime d'une telle stupidité que je doutais fort que l'Appareil veuille de lui. Néanmoins, je décidai de l'interviewer, histoire de tuer le temps. Je lui dis qu'il était un fieffé crétin et il répliqua qu'il pouvait prouver le contraire et qu'il lui était arrivé de faire preuve d'habileté dans le passé. Je lui répondis que je ne demandais qu'à être convaincu. Alors il me raconta l'histoire suivante :

Deux ou trois ans auparavant, il était allé cambrioler une propriété de la périphérie de Pausch Hills et, alors qu'il était en train de faire main basse sur l'argenterie, une femme de petite taille était apparue, brandissant un gros éclateur. A sa grande surprise, elle n'appela pas les bouteilles-bleues. Elle paraissait même ravie de le voir. Elle lui dit de s'asseoir et lui offrit du bulle-malt pour l'aider à se remettre de ses émotions.

Elle rêvait d'être veuve depuis pas mal de temps. Son mari, un vieil industriel à la retraite, était impotent. C'était une femme encore jeune, sa dernière épouse en date. Il avait eu une kyrielle de femmes avant elle, mais elles étaient toutes mortes.

Au lieu d'habiter à l'hôpital, comme tout invalide qui se respecte, le vieux machin, qui nageait littéralement dans le fric, s'était fait construire, derrière sa propriété, une petite maison qui n'était, en fait, rien d'autre qu'un hôpital miniature complètement équipé.

Et c'était là-dedans qu'il végétait, suivi en permanence par un médecin qui habitait sur place. Il y avait fait installer un système d'intercom vidéo qui lui permettait de mener le personnel de la propriété à la baguette. De son lit, il pouvait épier les faits et gestes de tout le monde.

Le vieillard en avait encore pour vingt ans et son épouse voyait avec désespoir s'enfuir sa jeunesse. Ce qui explique pourquoi elle considérait ce cambrioleur qu'elle venait de prendre la main dans le sac comme un cadeau du ciel.

Elle lui dit qu'elle désirait la mort de son mari.

Ils mirent au point le plan suivant : elle irait voir sa mère et, durant son absence, le cambrioleur maigrichon s'introduirait dans le mini-hôpital, assassinerait le mari et se livrerait à une petite mise en scène destinée à faire croire à un cambriolage. En échange, elle lui verserait cinq cents crédits.

Tout s'était déroulé comme prévu, à un détail près : ce pauvre imbécile ignorait que la veuve Tayl était nymphomane. Une fois le crime perpétré, elle avait essayé de le faire chanter, *lui,* et de le contraindre à partager son lit. Il ne pouvait pas l'encadrer ! Il avait pris la poudre d'escampette et s'était réfugié sur Flisten. Il avait attendu trois ans avant de revenir sur Voltar.

Ce sombre crétin n'avait même pas de quoi la faire chanter. Aucun document, aucun enregistrement, rien. Il ne nous servait à rien.

Mais j'eus une idée géniale. Je lui dis de mettre toute l'histoire par écrit sous forme de confession. Je fis apposer sur son récit un cachet officiel certifiant qu'il s'agissait d'une confession faite avant de mourir, après quoi je dis aux flics qu'ils pouvaient balancer le roi des monte-en-l'air dans la broyeuse à ordures à l'aube, comme prévu. Il était vraiment trop bête, même pour l'Appareil.

Sa confession n'était pas une preuve suffisante pour extorquer de l'argent à la veuve. Cependant, elle avait une certaine valeur. Je ne pris pas la peine de l'expédier aux autorités, vu que le type était mort et que tous les dossiers le concernant avaient été détruits. Néanmoins, j'allai voir la veuve Tayl un jour où je n'avais rien à faire.

C'était une belle propriété de deux hectares. La maison, d'amples proportions, était située devant. Quant au mini-hôpital, il se dressait tout au fond, au milieu d'un bouquet d'arbres. Un petit écriteau sur le portail disait que la veuve continuait d'entretenir l'hôpital en souvenir de feu son mari bien-aimé.

J'étais en uniforme. Je frappai à la porte. J'aurais dû être sur mes gardes lorsque je vis un jeune homme surgir d'une porte latérale, sauter dans sa speedmobile et démarrer à toute allure.

La veuve Tayl écouta mon récit avec intérêt et dit qu'elle était heureuse de savoir que j'étais son ami. Elle ajouta que sa maison serait toujours à ma disposition, puis elle essaya de m'entraîner dans sa chambre à coucher. Pas parce qu'elle était terrorisée, mais parce qu'elle était en rut. Je ne mis plus jamais les pieds chez elle.

Mais sa propriété allait m'être extrêmement utile à présent. Mon chauffeur se posa derrière la maison, dans le cercle d'atterrissage. Au fond du parc, j'aperçus le mini-hôpital à moitié dissimulé par les arbres. La veuve Tayl était près de la piscine en forme de cœur, allongée dans une chaise longue. Elle portait un peignoir transparent.

- Quelle agréable surpriiiise ! s'écria-t-elle en me voyant.

Elle se leva d'un bond.

Un coin de son peignoir se prit dans la chaise longue.

Le peignoir voleta un bref instant dans les airs avant de se poser tout doucement sur le rebord de la piscine.

Je devins cramoisi.

Elle alla ramasser le peignoir. A proximité de la piscine, un sybarite de marbre contemplait la scène d'un œil lubrique. De l'eau jaillissait de sa bouche. Il avait la tête de quelqu'un qui était habitué à ce genre de spectacle.

Elle remit son peignoir avec un petit rire charmant.

La veuve Tayl n'était pas vilaine à regarder. C'était une blonde aux yeux bleus délavés. Elle avait environ trente-cinq ans. Ses lèvres étaient un peu trop molles et deux grosses verrues ornaient son visage. A travers son peignoir, on pouvait voir que sa poitrine tombait un peu. Mais il n'y avait rien de mou dans la façon dont elle me dévorait du regard.

Elle m'invita à m'asseoir au bord de la piscine en forme de cœur et un domestique au sourire affecté apporta un plateau avec des boissons.

Tout en sirotant de l'eau pétillante, je lui expliquai qu'un Lord, dont je ne pouvais révéler le nom, m'avait soudoyé - je savais qu'elle trouverait cela normal - pour que je lui rende un petit service. Son fils DÉTESTAIT les femmes et si l'on ne remédiait pas à cet état de choses, il n'y aurait pas d'héritiers. Oh, la veuve comprenait parfaitement qu'on veuille le guérir d'une *aberration aussi grotesque !* Je lui dis qu'un docteur anonyme allait secrètement opérer ce jeune homme anonyme afin de modifier son attitude envers les femmes. Elle répondit qu'à son avis il s'agissait là d'un acte éminemment patriotique et que sa propriété était, comme toujours, à ma disposition.

Je m'aperçus un peu tard qu'il n'y avait pas que sa propriété qui était à ma disposition. Nous allâmes jeter un coup d'œil aux trois chambres qui composaient l'« hôpital ».

Nous nous arrêtâmes devant le lit où le mari avait été égorgé par une main experte.

- Allongez-vous sur le lit, proposa la veuve Tayl. Vous verrez comme il est moelleux.

Je sentis mes cheveux se dresser sur ma tête.

- Il n'y a pas meilleur lit sur tout Voltar, susurra-t-elle tout en s'avançant vers moi.

Je reculai, mais elle avait coincé son pied nu derrière mon talon.

Son peignoir glissa à terre.

Ma botte droite traversa la pièce et alla s'écraser contre le mur opposé avant de tomber sur le sol avec un bruit sourd.

Un lampadaire se mit à vaciller.

Une table chargée d'instruments chirurgicaux tressautait en faisant un vacarme de tous les diables.

Le lampadaire s'abattit sur le sol avec un fracas épouvantable.

La fenêtre s'ouvrit violemment sous l'effet d'une terrible rafale de vent.

La porte d'entrée paraissait solide. Je réussis à l'atteindre et je m'appuyai contre elle pendant un instant pour essayer de reprendre mes esprits. J'étais dans le cirage.

Le sybarite continuait de cracher de l'eau dans la piscine. Il avait l'air de rire.

Moralité : ne faites pas chanter n'importe qui.

Une heure plus tard, alors que l'aircar filait à travers le ciel, j'avais retrouvé toute ma bonne humeur. J'étais épuisé, certes, mais radieux, car j'avais mené à bien cette partie de mon plan. J'envisageais même certaines possibilités intéressantes : par exemple, il n'était pas impossible qu'Heller ait une aventure avec la veuve Tayl, que la comtesse Krak l'apprenne et qu'elle tue Heller. Quel bonheur !

Mon chauffeur n'avait pas manqué de remarquer que mes vêtements étaient en désordre.

- C'est comme ça que je vais devenir riche ? ricana-t-il. Ou est-ce que vous l'avez payée avec de la fausse monnaie ?

C'est fou ce qu'il était insolent depuis quelque temps. Pourquoi ne pouvait-il pas admettre que c'était mon charme et mon physique qui avaient tout fait ?

- Vu la tête qu'elle a, elle doit se farcir n'importe qui, fit-il.

- Atterris à côté d'une librairie, ordonnai-je.

Je refusais de me laisser distraire par ses remarques. Il fallait que je concentre toute mon attention sur l'étape suivante de mon plan, car elle était plutôt complexe.

J'inspectai les rayons de la section technique de la librairie. Je finis par trouver un livre du professeur Gyrant Slahb intitulé *Rencontre avec des cellules remarquables.* Au dos, il y avait une photo de lui. Je déchirai discrètement la couverture et continuai de me promener de rayon en rayon pendant quelques instants avant de regagner l'aircar. Nous décollâmes.

J'ouvris la valise et pris les affaires dont j'avais besoin. J'ajustai la glace au-dessus de la banquette, posai la photo à côté de moi et entrepris de transformer mon visage en appliquant l'une des techniques qu'on m'avait enseignées à l'école de l'Appareil : « Métamorphose 21-24 - Vieillards ». C'était un jeu d'enfant avec la peau ridée synthétique.

Lorsque j'eus terminé, je montrai mon visage et la photo à mon chauffeur.

- Qu'est-ce que tu en penses ? demandai-je.

- Hé ! Vous êtes beaucoup mieux qu'au naturel, déclara-t-il.

Je l'aurais giflé ! Mais il ne perdait rien pour attendre !

Je retirai mon uniforme et enfilai le pantalon et le costume du « vieux savant plein de sagesse ». Mon déguisement était très convaincant.

Je saisis le scribographe portatif. Ces petits engins sont très pratiques. Ils ont plusieurs types de caractères et un alimentateur à papier. Je ne perdis pas des heures à confectionner le faux contrat : la personne qui le lirait n'y connaissait rien en paperasse administrative et elle n'avait pas accès aux consoles.

Je dis à mon chauffeur de me conduire à la Cité des Bas-Fonds. Autrefois, une espèce de (bip) mégalomane dévoué au peuple avait essayé de faire construire un complexe hospitalier « pour les pauvres ». Nous le survolions à présent : trente hectares de ruines et de désolation. Tout autour, on apercevait les petits « immeubles de spécialistes » où les docteurs achevaient les patients que l'hôpital avait bousillés. Les places de parking ne manquaient pas et la plupart étaient vides, car qui serait assez fou pour venir se faire mettre en pièces dans la Cité des Bas-Fonds, même pour une somme modique ? Par bonheur la circulation était relativement dense. C'était important car je voulais que l'aircar passe inaperçu.

Nous nous garâmes à quelque distance de l'immeuble que je cherchais. Je descendis de l'aircar et m'y rendis en clopinant, m'appuyant lourdement sur la canne.

J'avisai la plaque : DOCTEUR PRAHD BITTLESTIFFENDER, et notai l'étage où il exerçait. Pour se rendre dans son cabinet, il fallait traverser une cour jonchée d'animaux crevés, contourner une cinquantaine de poubelles et monter trois étages en empruntant l'escalier de secours. C'était de la sélection naturelle : les patients qui venaient à bout de tous ces obstacles étaient quasiment guéris d'avance.

Il n'y avait ni salle d'attente, ni infirmière. Par contre, il y avait un diplôme flambant neuf sur le mur. Parfait, parfait. Je pénétrai dans la pièce. Au début, je crus qu'il n'y avait personne, mais je vis bientôt que les journaux jetés sur le lit bougeaient. Le frais émoulu docteur Bittlestiffender en émergea. Visiblement, il habitait *ici !*

Je me laissai tomber sur un tabouret avec lassitude. Ma fatigue n'était pas complètement feinte : ma séance avec la veuve Tayl n'avait pas été spécialement reposante. Le tabouret faillit céder sous mon poids, ce qui gâcha légèrement l'effet que j'avais voulu créer.

Le jeune Bittlestiffender se leva. C'était un grand échalas dont le visage était étonnamment pâle et dont les cheveux blonds partaient dans tous les sens, comme de la paille séchée. Il posa sur moi des yeux verts professionnels et pleins d'espoir. Les femmes l'auraient sans doute trouvé séduisant, mais il était amaigri, famélique. Il portait une blouse d'une propreté irréprochable qu'il avait visiblement « empruntée » à l'hôpital où il avait été interne. A en juger par le dénuement dans lequel il vivait, c'était probablement le seul vêtement d'intérieur qu'il possédait. Excellent, excellent. Encore mieux que je ne l'espérais. La chance continuait d'être avec moi.

Il me salua avec une attitude cent pour cent professionnelle que je pris soin d'ignorer.

- Jeune homme, chevrotai-je, je doute que vous ayez entendu parler de moi. Je suis le professeur Gyrant Slahb.

Sa réaction fut dramatique. Ses yeux jaillirent de ses orbites et c'est tout juste s'il ne se mit pas au garde-à-vous.

Je sortis la fausse identoplaque et la lui tendis d'une main tremblante.

- Comme vous ne me connaissez pas, je vous prierai de bien vouloir jeter un coup d'œil sur ceci pour vous assurer que je suis bien celui que je prétends être.

Il l'examina longuement.

- Je... Je... Pr... Professeur ! bégaya-t-il. Je suis honoré. C'est... c'est en lisant vos ouvrages de vulgarisation que.. que je me suis intéressé à la cytologie qu... quand j'étais jeune. Je... je... euh...

Il s'élança vers son bureau, ouvrit un tiroir et en sortit deux chopes. Puis il courut vers un chauffe-cultures et, d'un œil angoissé, regarda s'il lui restait une bouteille de gnôle pas tout à fait vide. Dans sa précipitation, il lâcha les deux chopes, qui se fracassèrent en mille morceaux sur le sol.

- Je suis venu vous voir, poursuivis-je de la même voix chevrotante, pour m'assurer que vous aviez toutes les qualifications requises.

Ma phrase lui fit oublier la gnôle. Il se jeta sur un meuble et ouvrit brutalement plusieurs tiroirs. Il saisit une pile de feuilles, vit qu'il s'était trompé, la laissa tomber par terre, trouva les papiers qu'il cherchait, se précipita vers moi et trébucha sur une lame de parquet. Les papiers atterrirent brutalement sur mes genoux.

- Je... je ne suis pas comme ça d'habitude, balbutia-t-il. Vous m'avez pris au dépourvu. Ça... ça... fait deux jours... heu... que je n'ai pas mangé !

La chance continuait de me sourire ! Mais ce n'était pas uniquement la chance. Je connaissais bien la situation de ces jeunes praticiens. Après avoir passé dix ans à l'université et cinq ans dans un hôpital à faire le travail des toubibs, ils se retrouvent livrés à eux-mêmes, financièrement et officiellement indépendants certes, mais condamnés à mourir de faim. Car leurs éminents professeurs, qui n'ont aucune envie de voir quelqu'un prendre leur place, évitent soigneusement de leur apprendre à gérer leur carrière. Ce qui ne les empêche pas de produire des Prahd Bittlestiffender à la pelle chaque année.

J'examinai les papiers qu'il m'avait soumis. Il s'agissait de son examen final : un problème compliqué pour lequel il avait obtenu 99,5 sur 100 ! C'était très élevé ! En général, les candidats obtiennent aux alentours de 30. Pas étonnant que les cytologistes établis lui aient barré l'accès à la profession !

Mais les gars de l'hôpital qui avaient supervisé son travail ne tarissaient pas d'éloges à son sujet. C'est tout juste s'ils ne le déclaraient pas apte à modifier les cellules de l'Empereur ! Les papiers mentionnaient même cinquante opérations parfaitement réussies consistant à introduire des corps étrangers le long des nerfs afin de corriger la vision et l'ouïe !

Il était loin de se douter de ce qui l'attendait. Il me dévorait du regard comme un animal affamé à qui on va jeter un morceau de viande.

Peut-être était-il trop doué pour que je lui confie Heller. Peut-être avais-je été un peu trop malin. Peut-être que ce qu'il fallait à Heller, c'était une petite infection chronique ou bien une cellule parasite génératrice de troubles de la circulation. Mais je ne pouvais plus faire marche arrière.

- Je sais que vous avez une grosse clientèle, bêlai-je, et qu'il vous répugnerait de vous en séparer, ou même de quitter vos amis et vos maîtresses...

- Professeur ! coupa-t-il. De grâce, de grâce !... J'ai une confession à vous faire ! Je n'ai ni amis ni maîtresses. Donc si vous avez un travail à me confier...

Il n'y a pas d'homme plus désespéré que celui qui a le ventre vide. Je regrettai d'avoir mis un salaire aussi élevé sur mon faux contrat. Mais c'était trop tard maintenant.

D'une main tremblante, je sortis le document que je venais de forger.

- Lorsque le gouvernement m'a demandé mon avis, chevrotai-je, je leur ai dit que je ne pouvais, en toute honnêteté, recommander qu'ils vous engagent tant que je n'aurais pas eu une conversation personnelle avec vous. (Je le regardai d'un air indécis.) Vous m'avez l'air d'être un jeune homme très bien et vos dossiers font apparaître que vous êtes quelqu'un de compétent...

Je m'interrompis, comme si j'hésitais à poursuivre. Je crus qu'il allait faire un infarctus, tant il était angoissé. Mais c'est toujours la même chose avec ces jeunes lauréats : on leur a fait passer tellement d'examens que la peur d'être recalés est devenue chez eux une seconde nature.

- Ce n'est pas toujours plaisant de vivre sur une planète étrangère, loin de sa terre natale, repris-je. Certes, il se peut que l'air soit bon, que les femmes soient excitantes et obéissantes, que la gravité soit adéquate et que la nourriture soit savoureuse. Il se peut aussi que la paye soit bonne, mais on ne peut pas la dépenser car il n'y a rien. En fait, dans ce genre d'endroit, on n'a pas le choix : il faut travailler. On est sans cesse confronté à des cas étranges et complexes et on passe le reste de son temps à essayer de faire LA découverte qui ébranlera l'univers.

Il poussa un gémissement extasié et prit une inspiration si puissante que le faux contrat faillit être arraché de ma main.

- Le poste dont je vous parle présente un gros inconvénient, continuai-je. Il fait partie d'un projet top secret. Une indiscrétion, une seule, et la Confédération tout entière vacillera sur ses bases. Il nous faut un docteur qui soit en mesure de fermer boutique discrètement, sans attirer l'attention, et de disparaître définitivement sans que personne ne pose de questions. Bien entendu, s'il ne tient pas sa langue, il sera immédiatement renvoyé !

Oh, m'assura-t-il, il savait garder un secret, le métier tout entier était fondé sur le secret professionnel. Il pouvait disparaître de la circulation. Il pouvait disparaître sans laisser de traces.

- Il y a aussi le test du premier patient, continuai-je. On m'a dit qu'on allait vous soumettre à un test et vous donner un premier patient. Je ne devais pas vous en parler mais je leur ai dit que nous serions entre professionnels et qu'il me paraissait juste de vous prévenir. En fait, c'est une des conditions que je leur ai posées. Cependant ils m'ont bien fait comprendre que si le fait était mentionné au patient ou à qui que ce soit d'autre, le contrat se trouverait automatiquement annulé.

Oh, pas de problème, pas de problème, il se tairait !

- Maintenant, chevrotai-je, est-ce que vous vous considérez capable d'introduire des objets étrangers le long des nerfs optiques et auditifs sans que le patient s'en aperçoive ? C'est ça le test qu'il vous faudra réussir.

Oh, rien de plus facile ! Il était capable de le faire les yeux fermés !

- Il est possible que le contrat ne vous plaise pas, dis-je en lui tendant le papier.

Il me l'arracha de la main avec tant de brusquerie qu'il faillit le déchirer. Je connaissais son contenu. Je venais de le taper.

SECTION SECRÈTE HUMANITAIRE
GOUVERNEMENT DE VOLTAR

QU'ON SE LE DISE :
A dater de ce jour, le dénommé
PRAHD BITTLESTIFFENDER,
Agrégé de cytologie,
est nommé CHEF CYTOLOGISTE
de la Station secrète X.
Son salaire sera de CINQ MILLE CREDITS (C. 5000) par an, tous frais payés.
Dès qu'il aura terminé l'opération-test, et à condition qu'il la réussisse, il gagnera immédiatement l'endroit où on lui ordonnera de se rendre afin de s'y acquitter des tâches qui lui seront assignées.

Signature :
Certifié valide :

- Oh ! s'écria-t-il, osant à peine parler.
- Signez ici, dis-je en lui tendant un stylo.
Il courut jusqu'à la relique bancale qui lui servait de bureau et signa. Il trouva son identoplaque et tamponna le contrat.
Je tendis la main et il me le rendit à contrecœur. Je sortis l'identoplaque au nom du professeur Gyrant Slahb et l'apposai sur la ligne *Certifié valide.*
- Maintenant, il y a encore quelques détails à régler, dis-je. Vous allez me faire deux listes. La première comprendra tout l'équipement dont vous aurez besoin dans un petit hôpital provisoire. La deuxième comprendra tout le matériel et tous les médicaments dont vous aurez besoin dans un petit hôpital situé loin d'ici et non encore équipé.
C'était l'enfance de l'art pour lui. Il se mit à griffonner et à griffonner. Je dois reconnaître qu'il connaissait son affaire : il ne consulta pas le moindre ouvrage de référence.
Lorsqu'il eut terminé, il me tendit les listes.
- Maintenant, bêlai-je, votre supérieur direct, c'est-à-dire la personne dont vous devrez suivre les ordres, sera l'officier Soltan Gris des Services Généraux. Comme toute cette opération est très secrète, vous devrez vous assurer de son identité en lui demandant de vous montrer son identoplaque. N'essayez pas d'entrer en contact avec lui. C'est lui qui vous contactera.
« Expédiez toutes vos affaires courantes. Dites à tout le monde que vous partez pour l'arrière-pays de Flisten où vous travaillerez avec une tribu d'autochtones. Prenez les dispositions nécessaires pour ne plus recevoir de courrier.
« Ensuite allez à l'adresse suivante et attendez. Vous y trouverez une charmante jeune femme qui sera ravie de vous voir. (C'était un bel euphémisme. Elle le gaverait pour qu'il soit plus performant au lit !) L'endroit est plus ou moins équipé, mais le matériel manquant vous sera livré. L'officier Gris viendra avec le patient-test. Je dois vous avertir que Gris est un brave garçon mais que, dans le cadre du travail, c'est un véritable tyran. Il sait tout. Les Services Généraux prétendent même qu'il lit dans les pensées. C'est un génie à l'état pur. Si vous faites la moindre révélation à qui que ce soit, ou même au patient, et que l'officier Gris l'apprenne, il sera fou furieux. C'est lui qui vous remettra votre exemplaire du contrat. Et il ne le fera que si vous réussissez l'opération-test. Compris ?
Oh, il comprenait parfaitement.
- Gardez bien à l'esprit, dis-je en oubliant presque de chevroter, que si vous voulez être définitivement engagé, il vous faudra obéir à l'officier Gris et à personne d'autre. (Je fis une pause avant de poursuivre d'une voix plus douce :) En fait, c'est un noble cœur. Si vous réussissez à devenir son ami, si vous faites tout ce qui est en votre pouvoir pour satisfaire le moindre de ses désirs, votre avenir est assuré. C'est l'un des conseillers secrets du gouvernement. Un de ses éléments les plus brillants.
Je pris conscience que je poussais le bouchon un peu loin. Je me levai et clopinai vers la porte.
- Oh, une dernière chose, fis-je. J'ai encore une petite faveur à vous demander. Est-ce que vous n'auriez pas un vieux manteau dont vous pourriez vous passer ? Il fait terriblement froid ce soir et je suis littéralement gelé.
Il mit la pièce sens dessus dessous et dénicha un vieux manteau plein de trous. Son nom était cousu dans le col. Il le passa autour de mes épaules tremblantes.

- Vous avez toute ma gratitude, bêlai-je. Je vous le ferai rapporter.
- Oh, gardez-le ! Gardez-le ! s'écria-t-il.
Il était riche, à présent. Il pouvait se payer toute une garde-robe !
La veuve Tayl lui donnerait sans doute quelques vêtements ayant appartenu à son mari. Oui, ce bon Prahd était sorti de la mouise. Pour le moment.
Il m'aida à descendre l'escalier, puis remonta. Je me frayai un chemin à travers les poubelles. Je l'entendais pousser des cris de joie trois étages plus haut. Suivirent une série de coups violents et retentissants : il fracassait ses meubles déjà passablement délabrés - sa façon à lui de célébrer son départ et de fermer son cabinet.
Arrivé à proximité de l'aircar, je sentis une présence. Quelqu'un était caché derrière un amas d'ordures et m'observait. Je me retournai, mais le mystérieux espion se baissa précipitamment. De toute façon, déguisé comme je l'étais, personne ne pouvait me reconnaître. Je haussai les épaules - il s'agissait probablement de quelque voyou.
Mon chauffeur me ramena au bureau. Je rédigeai le mot d'adieu qui expliquerait le « suicide » de Prahd. Je n'eus aucun mal à imiter son écriture puisque j'avais les deux listes. Dans quelques jours, je déposerais ce mot, ainsi que le vieux manteau et la fausse identoplaque, près de la Wiel. On les trouverait lorsque Prahd serait tranquillement en route pour Blito-P3. Le docteur Prahd Bittlestiffender était sur le point de disparaître à jamais de la Confédération de Voltar. Quel imbécile. Il n'y a jamais eu de « Section Humanitaire Secrète ». Et cet Empire n'avait jamais rien fait d'humanitaire. C'est dingue ce que les gens sont prêts à croire lorsque ça les arrange. Je n'avais aucune intention de débourser cinq mille crédits par an ! Ni pour lui, ni pour qui que ce soit !

10

Le lendemain matin, je fis une halte au hangar pour avoir un aperçu de la situation.
J'étais certain que mon plan se déroulait comme prévu et, à en juger par le spectacle qui se déroulait devant mes yeux, ma confiance était parfaitement justifiée. En effet, l'endroit était une véritable fourmilière. Il y avait des ouvriers partout. Ils s'activaient dans tous les sens à une allure vertigineuse.
Ils avaient depuis longtemps remis en place les plaques supérieures de la coque. Des grues étaient en train d'abaisser une énorme nageoire, semblable à celles qu'on voit sur le dos des poissons.
Heller était debout sur le *Remorqueur 1* et dirigeait la manœuvre. Ils travaillaient vite, *très* vite ! En un rien de temps, l'aileron fut placé à l'endroit qu'indiquait Heller. Une nuée d'ouvriers l'entoura aussitôt et entreprit de le fixer. Heller, les deux pieds dans le crochet de la grue, se fit amener jusqu'au sol. Il sauta à terre et m'aperçut.
Il avait une liasse de papiers dans sa poche arrière. Il la sortit et me la remit.

- Ce sont tous les travaux terminés, expliqua-t-il. (Il parlait avec hâte - ce qui n'était pas du tout dans ses habitudes.) J'ai tout vérifié. Les prix sont exacts, le travail a été bien fait. Veuillez apposer votre identoplaque sur chaque feuille... juste en dessous du numéro de projet.

Une tablette, destinée à recevoir les papiers, était apparue comme par magie dans sa main. Je me mis à tamponner.

- Et cette tendance à exploser des moteurs Y avait-Y aura ? demandai-je. Vous y avez remédié ?

Ma question parut n'éveiller en lui aucun souvenir. Il vit qu'un transporteur de la Flotte venait d'arriver. Un jeune officier en descendait, suivi d'un soldat portant deux étuis. Des appareils photo ?... Heller prit les feuilles - j'avais fini de les tamponner - et courut au-devant du nouveau venu.

C'était l'officier des Renseignements de la Flotte qui avait contrôlé mes papiers lors de mon passage à tabac au club ! Un badge, fixé sur le revers de sa tunique, ne laissait aucun doute sur sa fonction :

Service de Renseignements de la Flotte

Ils échangèrent une poignée de main.

- Tu les as trouvés ! s'exclama Heller avec enthousiasme.

Le soldat leva les deux étuis en souriant.

- Les deux derniers, annonça l'officier de la Flotte. Ce sont des antiquités, tu sais. Quand ils ont arrêté de se servir des Y avait-Y aura dans les petits vaisseaux, ils ont du même coup interrompu la fabrication de ces viseurs temporels variables.

Heller avait ouvert l'un des étuis et contemplait le viseur avec une mine ravie.

- Gé-nial !

- Il va falloir me promettre qu'ils ne tomberont pas entre des mains civiles, dit l'officier de la Flotte. (Il tendit à Heller un bordereau afin que celui-ci le signe.) Ce sont des petits gadgets amusants, tu sais. Lorsque tu m'as appelé, j'ignorais qu'il existait de tels viseurs. Je ne connaissais que les gros viseurs temporels mal foutus dont on se sert sur les vaisseaux de guerre.

Heller sortit les viseurs de leur étui pour voir s'ils étaient en bon état. Il les porta à hauteur de ses yeux et regarda au travers. Un sourire apparut sur son visage. Pour moi, ils ressemblaient à de petits appareils photo. Les gars de la Flotte sont fous. On dirait des gamins avec des jouets. Heller apposa son identoplaque sur le reçu.

- Je ne te demanderai pas de me faire visiter le vaisseau, dit l'officier de la Flotte. Je vois que vous bossez à cent à l'heure !

- Tu l'as dit ! déclara Heller. Nous n'avons pas le temps de souffler ! Je suis vraiment ton obligé, Bis.

Ils échangèrent une nouvelle poignée de main et Heller s'éloigna d'un pas alerte avec les deux viseurs. Il cria un ordre à un contremaître et disparut à l'intérieur du vaisseau. Il réapparut quelques instants plus tard, les mains vides, et alla encourager une équipe d'ouvriers qui travaillaient déjà cinq fois plus vite qu'il n'était possible.

Je souris intérieurement. Mon plan marchait ! La comtesse Krak avait réussi à le mener par le bout du nez, comme seules les femmes savent le faire. Heller filait droit à sa perte comme une fusée !

Je ne pris pas la peine de renvoyer à l'officier de la Flotte le regard méprisant qu'il me jeta avant de repartir. C'est ça, ricane ! pensai-je. C'est moi le patron, maintenant !

J'avais plusieurs endroits à visiter aujourd'hui. Avant de venir au hangar, j'étais passé au bureau et j'avais glissé la fausse identoplaque du docteur Bittlestiffender - lequel serait bientôt officiellement décédé - dans la console centrale. Elle m'avait donné toutes les firmes que je cherchais - et tout ce qu'elles vendaient. La première compagnie à laquelle je voulais rendre visite était aussi la plus importante. Vu le nombre de commandes que lui passait le gouvernement, je savais que son directeur devait être une canaille corrompue jusqu'à la moelle.

Mon chauffeur m'emmena jusqu'à la Cité du Commerce, vite fait, bien fait, et je pénétrai bientôt dans l'antichambre froide, aseptisée et haute de plafond du patron de la Société Zanco de Produits Cytologiques. A travers les énormes baies vitrées, on avait une vue d'ensemble de la Cité du Commerce noyée dans un brouillard industriel.

Le réceptionniste pensa sans doute qu'avec mon aspect un tantinet miteux, il était impossible que je désire parler au chef en personne. Il essaya de me caser sur un siège et de me faire attendre.

- Une commande d'un million de crédits, ça n'attend pas, fiston, annonçai-je. Fais-moi entrer, et que ça saute !

Ces paroles produisirent l'effet désiré : l'employé appuya sur un bourdonneur avant de me conduire dans le bureau avec force courbettes.

Le patron était un géant aux manières doucereuses. Il portait un complet veston chatoyant dernier cri. Il m'offrit une main énorme, aseptisée et gantée, serra la mienne et désigna son meilleur fauteuil d'hôte. Son nom scintillait en grosses lettres sur son bureau :

KOLTAR ZANCO

J'ai songé : Koltar, tu es sur le point de faire la fortune de plusieurs personnes, avant de dire à voix haute :

- Le professeur Gyrant Slahb, un vieil ami de la famille, m'a recommandé votre compagnie, mon cher Zanco. J'ose espérer que vous serez en mesure de me fournir tout ce dont j'ai besoin.

Oh, ça ne posait aucun problème ! Il m'a offert un claque-bulle pour me mettre complètement à l'aise. Il m'avait sans doute entendu mentionner le million de crédits dans un intercom branché en permanence. J'ai poursuivi :

- Je suis sur un projet secret. (Je lui ai donné le numéro du projet.) Vous pouvez uniquement avoir le numéro, mais je suggère que vous le vérifiiez sur votre ordinateur commercial. Et mon identoplaque par la même occasion.

Je lui énonçai les chiffres à toute allure. Le réceptionniste devait, lui aussi, avoir un intercom ouvert en permanence, car je n'avais pas encore allumé la monumentale fumette que Zanco venait de m'offrir que la voix du sous-fifre retentit dans le petit haut-parleur électronique posé sur le bureau :

- Les deux numéros correspondent, chef. Ils ont une balance de vingt-cinq millions de crédits en leur faveur.

Ça ne me surprenait pas. J'avais vérifié la veille au soir. Il faudrait des jours et des jours à Lombar et à Endow pour créer des compagnies bidons et des fausses factures capables d'absorber les vingt-cinq millions. De plus, il fallait que quelques-unes des factures soient authentiques. Mon intention était de les aider, malgré l'interdiction que m'avait faite Lombar de toucher le moindre pot-de-vin.

Zanco était l'affabilité même, à présent. Je jetai les deux listes sur son bureau et demandai :

- Pouvez-vous me faire livrer tout ça ?

- D'habitude, c'est le Département des Ventes qui s'occupe des commandes, fit-il avec importance.

- Oui, mais vu qu'il s'agit d'un projet secret et d'une somme substantielle...

- Précisément... (Son front se plissa.) A vue d'œil, votre commande ne dépasse pas les trois cent mille crédits.

- C'est pourquoi j'aimerais que vous éteigniez votre intercom.

Il sourit et toucha un interrupteur. Toutes les lumières sur son bureau s'éteignirent.

- Cette facture devra être très exactement multipliée par deux, annonçai-je. La moitié de la somme totale devra être versée au chef de l'Appareil, Lombar Hisst, sans qu'il y ait la moindre trace de la transaction.

- Ah bon, dit-il. (Mais il paraissait un peu inquiet.) Ça ne nous fera que six cent mille crédits.

J'avais vu un gros catalogue sur son bureau. Je le pris avec son aimable permission et sortis un stylo. Je le parcourus rapidement, cochant au fur et à mesure tout ce qui me paraissait intéressant : scalpels électriques, flacons autochauffants, sept types d'applicateurs d'anesthésique, blouses intachables, et ainsi de suite.

Il se montrait très patient.

J'eus bientôt épuisé le catalogue. Je pris la plus grosse des deux listes et quadruplai les quantités de produits chimiques et de dynamisants. Il y avait de quoi remettre sur pied une ou deux armées.

Je notai avec intérêt qu'il avait tapoté sur un petit bracelet-ordinateur pendant tout ce temps. Soit il avait de très bons yeux, soit il connaissait chaque page du catalogue par cœur.

- Ça nous amène seulement à quatre cent soixante mille crédits, se plaignit-il. A multiplier par deux, bien sûr.

- Bon, je vais vous dire ce que vous allez faire. Vous avez sans doute quelques articles exotiques qui ne figurent pas dans vos brochures. Mettez-m'en la quantité qu'il faudra pour atteindre la somme de quatre cent quatre-vingt-dix mille crédits.

- Pourquoi pas cinq cent mille ?

- Parce que vous allez gonfler le prix de trois ou quatre articles pour arriver à cinq cent mille et me remettre dix mille crédits en liquide.

Il m'assura que c'était tout à fait faisable et me demanda la permission de rebrancher son bureau. Quelques secondes plus tard, la pièce n'était plus qu'un fourmillement de cadres, de comptables, de magasiniers, de livreurs et de subordonnés qui établissaient des factures, remplissaient des bons de livraison et dictaient des instructions. Un merveilleux déploiement de zèle et d'efficacité.

Je contemplais la scène d'un air condescendant tout en tirant sur mon énorme fumette. Ils eurent bientôt terminé et sortirent, laissant plusieurs feuilles sur le bureau. Zanco ne me quittait pas du regard. Visiblement, il attendait que je sorte mon identoplaque et que je tamponne ses papiers. Je me contentai d'ouvrir un autre claque-bulle.

- Encore une chose, dis-je. Prenez une feuille de papier - la bleue là-bas fera parfaitement l'affaire - et écrivez ceci : « Officier Gris, je trouve scandaleux que vous me demandiez de vous verser une commission à titre privé. Je refuse tout net. Nous traitons toutes nos affaires en suivant les voies normales et ce, dans la plus stricte légalité. » Ensuite, signez.

Il fit ce que je lui avais demandé et me remit la feuille.

- Maintenant donnez-moi les dix mille, ordonnai-je.

Un employé les avait déjà apportés dans une mallette en toile. Il me la tendit par-dessus le bureau. Je ne pris pas la peine de compter les billets. Nous autres nababs savons que nous pouvons avoir confiance les uns dans les autres.

Je me mis à tamponner. Chaque fois que mon identoplaque venait frapper une feuille de papier, le sourire de Zanco s'élargissait, si bien que lorsque j'eus fini, il avait pratiquement le visage fendu en deux. En fait, il semblait un peu trop content. Il allait sans doute me refourguer du matériel et des produits chimiques de mauvaise qualité.

- En tant qu'inspecteur général du projet, dis-je, je dois vous prévenir que je vérifierai si vous me livrez du matériel défectueux, des produits chimiques pourris ou des articles mal emballés. (Son sourire s'atténua.) Et si Lombar Hisst apprend que j'ai touché dix mille crédits, je dirai que *tous* les articles sont arrivés en mauvais état et que *tous* les produits chimiques étaient pourris.

Il me dévisagea pendant quelques instants, puis il se leva brusquement et me serra la main avec ferveur.

- J'aime les clients prudents, officier Gris, s'esclaffa-t-il. Nous nous comprenons parfaitement.

- Je vais faire un détour par votre département de livraison et je leur dirai où il faudra livrer les deux commandes. Je leur demanderai aussi de me donner cinquante étiquettes de fret vierges au cas où certaines se décolleraient.

Il me présenta à nouveau la mallette en toile. Je sortis de ma poche un vieux sac à provisions que je dépliai avant d'y déposer la mallette et le papier bleu. Il me conduisit jusqu'au département des livraisons, où régnait une activité bruyante, puis il m'accompagna jusqu'à l'aircar. Il agita même la main lorsque nous décollâmes.

- Alors, je suis riche ? me harcela Ske.

Je lui tendis un billet de dix crédits et dis :

- Tu es riche.

J'étais euphorique, comme si je venais d'ingurgiter cinq litres de tup.

Je n'étais plus pauvre, tout soudain ! Je pouvais même m'acheter du s'coueur chaud et un pain sucré !

- Quelqu'un surveillait l'aircar, dit Ske. (C'est bizarre, mais il ne paraissait pas aussi euphorique que moi.) A mon avis, il y a quelqu'un qui vous suit.

- Tu débloques, déclarai-je. Qui s'intéresserait à une transaction gouvernementale parfaitement légale ? Il y a un bar à s'coueur en bas. Atterris. J'ai envie d'un petit déjeuner.

J'avais décidé que rien ne viendrait gâcher cette merveilleuse journée !

Le ciel te vienne en aide, Heller, songeai-je tout en dévorant goulûment un pain sucré. Un Gris intelligent, ce n'est peut-être pas assez. Mais un Gris intelligent *et* riche, c'est un Gris invincible ! Heller, tu es fini !

DIXIÈME PARTIE

1

Ma prochaine étape allait me rendre encore plus riche. Mais il me fallait d'abord couvrir mes arrières. Ne jamais rien laisser au hasard, telle a toujours été ma devise.

J'ai pris une petite rue latérale et je me suis dirigé vers la messagerie. Je suis entré. J'avais des miettes de pain coincées entre les dents et j'essayais de les déloger par de petites succions répétées. J'ai mis des pièces d'un centième de crédit dans des distributeurs afin de me procurer une enveloppe et une carte de vœux. Puis je me suis assis à un petit bureau et j'ai écrit le mot suivant :

Cher Lombar,

J'espère que vous apprécierez ce petit cadeau d'adieu.
H. tenait dur comme fer à acheter tous ces articles et il m'a fallu intervenir rapidement pour protéger vos intérêts. J'espère que j'ai bien agi.
Votre vigilant subordonné,

Soltan

Pour un centième de crédit, vous pouvez obtenir un duplicata de n'importe quoi. J'ai pris la facture d'un million de crédits de la Société Zanco et j'ai fait une copie. Sur le duplicata, j'ai tracé un grand cercle autour du total et j'ai inscrit le signe arithmétique de la division, ainsi qu'un *2*. Ensuite j'ai dessiné une flèche dirigée vers le cercle et j'ai écrit *Lombar*. Nous sommes habitués à ce type de codes privés dans l'Appareil. Sur l'enveloppe, j'ai marqué :

Au plus brillant de tous les chefs

Puis j'ai pris la note où Zanco avait écrit qu'il refusait de me verser une commission, je l'ai tenue devant la vitre de la copieuse et j'ai inséré un autre centième de crédit dans l'appareil. Sur la copie, j'ai écrit la phrase suivante en diagonale au-dessous du texte :

Pourriez-vous lever un peu cette restriction ?

Je me suis procuré une enveloppe à deux centièmes de crédit et j'y ai glissé le mot. Sur l'enveloppe, j'ai marqué :

Top Secret
Lombar Hisst
Chef de l'Appareil de Coordination de l'Information

Bien entendu, je ne mis pas le mot au courrier régulier. Je remontai un peu la rue et me dirigeai vers un endroit que je connaissais bien et qui servait de couverture à l'Appareil - une boutique de lingerie féminine. Je me rendis directement dans l'arrière-boutique et remis la lettre à l'agent en lui disant de la transmettre sur-le-champ.

J'avais le sentiment d'être la vertu personnifiée. Je pouvais déjà entendre Lombar ronronner lorsqu'il lirait la note. Peut-être même dirait-il : « Ah ! Ce Gris ! Quel employé modèle ! » Lombar ne refuse jamais de l'argent !

J'avais pris un copieux petit déjeuner. Sur les cinq pains sucrés que j'avais achetés, je n'avais réussi à en manger que quatre et demi. Me sentant d'humeur bienveillante et philanthropique, je donnai le pain entamé à mon chauffeur. Celui-ci examina la marque des dents et le posa sur le siège. Ingrat !

Mais rien n'aurait pu altérer mon état d'euphorie.

- Cité de l'Energie ! Boulevard des Marchés du Métal ! lançai-je d'un ton royal.

Mon chauffeur se mit à marmonner entre ses dents. C'était une réaction parfaitement normale, car personne n'aime survoler la Cité de l'Energie s'il peut l'éviter. Bientôt, je pus la contempler à travers les vitres de l'aircar. Ou du moins, j'essayai.

Elle baigne dans un brouillard jaune vif. Ce n'est pas de la fumée, mais tout simplement le résultat de l'action des champs d'induction magnétique sur l'atmosphère. Ils agissent à la fois sur les molécules gazeuses et sur les particules colloïdales en suspension. Ces champs d'induction sont créés par les énormes générateurs de conversion d'énergie qui fournissent la majeure partie de l'électricité de ce côté-ci de la planète, ainsi que la plupart des métaux rares ou précieux. Autrement dit, en convertissant tel ou tel élément, on fait d'une pierre deux coups. C'est vraiment du beau travail. Mais les gros camions volants n'arrêtent pas de décharger du minerai et d'expulser des charges d'énergie avec leurs propulseurs, ce qui a pour effet d'encrasser l'atmosphère. La Cité de l'Energie, avec ses rues elliptiques et ses tours elliptiques abritant les transformateurs, a été édifiée il y a cent vingt-cinq mille ans, à l'époque de l'invasion voltarienne, et bien qu'elle n'ait cessé de grandir au cours des âges, on dit qu'elle n'a jamais été nettoyée.

Les chauffeurs et les pilotes détestent survoler ou traverser la Cité de l'Energie. Leur véhicule est rapidement couvert de crasse, et la radio et les commandes réagissent de façon bizarre. De plus, comme les rayons de signalisation qui règlent la circulation sont constamment brouillés, on ne compte plus les accidents. A cela il faut ajouter les manœuvres savantes qu'on est obligé d'effectuer pour éviter les camions volants ou les camions à roues qui arrivent et qui s'en vont pour se rendre aux quatre coins de la planète - ce qui a amené un petit plaisantin à surnommer l'endroit « Cité des Blasphèmes ».

Pestant et jurant, Ske parvint à se faufiler entre les véhicules jusqu'au Boulevard des Marchés du Métal. C'est une artère de trois kilomètres de long bordée de boutiques délabrées et d'entrepôts. Pas vraiment l'endroit idéal pour passer ses vacances.

Mon chauffeur se mit à jurer de plus belle lorsque je lui dis de descendre et d'emprunter le boulevard. Je le laissai s'époumoner et entrepris d'étudier les prix affichés sur les devantures. Ils changent au jour le jour et aucune firme ne sait d'avance quels tarifs les autres firmes vont pratiquer. Bien entendu, quelqu'un d'aussi intelligent que moi ne va pas se contenter d'appeler l'une de ces boîtes et commander « trois chargements de plomb ». Oh que non !

Je finis par jeter mon dévolu sur la compagnie qui paraissait faire les prix les plus bas et je dis à mon chauffeur de se poser devant. C'était la *Très-Fiable Société des Métaux Prêts-à-Emporter.*

J'entrai. Ce genre de compagnie a surtout affaire aux acheteurs des usines de la Cité Industrielle. Il n'y a jamais de marchandage. Tout se passe « entre potes » : les gars arrivent, embarquent la marchandise et s'en vont. Bref, les vendeurs ne sont pas habitués à ce qu'un type débarque d'un aircar élégant en tirant sur une grosse fumette et entre chez eux en les regardant de haut. Ils étaient surpris.

A force de vendre des métaux, ils avaient pris un aspect métallique. Même leurs tabliers paraissaient avoir été fondus et coulés.

- Les ventes à l'armée, c'est au fond, lança le vendeur d'une voix métallique.

- C'est personnel, annonçai-je en posant mon vieux sac à provisions sur le comptoir.

Il fit mine de s'en aller et je sortis un billet doré de mon sac. Il revint et demanda :

- Un achat comptant ?

Il regarda à droite et à gauche en faisant cliqueter ses orbites : il voulait être sûr que personne ne nous observait. Je savais qu'il se demandait combien d'argent il allait pouvoir se mettre dans la poche.

- Vous affichez l'or à onze crédits la livre aujourd'hui, commençai-je.

- C'est une offre spéciale. Le taux d'impureté n'est que de 0,001 pour cent.

- Je suis sûr que vous en avez à dix crédits.

- Venez dans cette pièce, dit-il rapidement.

Il se mit à pianoter sur une vieille calculatrice. Clic-clac, clic-clac. Les calculs auxquels il se livrait étaient d'une extrême complexité. Combien de lingots devait-il dérober dans le stock pour arriver à dix crédits la livre ? Ensuite, combien de lingots supplémentaires devait-il voler et ajouter afin d'empocher tant ?

Mes calculs à moi n'avaient rien de compliqué. J'avais décidé de garder environ mille crédits et de ne pas rembourser mon année de paye étant donné que je n'en aurais pas besoin là où j'allais. Bref, j'avais neuf mille crédits à dépenser. Je voulais neuf cents livres d'or.

Après bien des grimaces et des cliquetis de paupières, il parvint à une solution qui satisfaisait tout le monde. En fait, la fabrication de l'or ne revient pas si cher que ça. Le plomb coûte un tiers de crédit. Lorsqu'on le convertit en or, qui est un élément chimique plus léger, on engendre énormément d'électricité et cela suffit à rembourser les frais de production. Ce qui coûte le plus cher à la compagnie d'électricité, c'est l'emballage et la livraison à des firmes telles que la *Très-Fiable Société de Métaux Prêts-à-Emporter.* Bien entendu, elles ont des frais généraux, elles aussi, et elles vendent donc selon telle ou telle marge bénéficiaire. Si l'or restait relativement cher, c'était uniquement parce que les compagnies d'électricité préféraient convertir le plomb en éléments chimiques plus légers afin de pouvoir répondre à la demande en électricité. La production de métaux était considérée comme secondaire. Tout cela pour dire qu'il pouvait en toute impunité détourner quelques lingots. Ça passerait dans les « profits et pertes » de la firme.

- Marché conclu, dit-il.

- Autre chose, je veux des coffrets à lingots. Neuf, pour être exact. Cent livres par coffret.

- C'est en plus.

- C'est quoi, déjà, le nom de la compagnie en face de chez vous ?

- Marché conclu.

Il lança quelques « Hé, Ip » et « Toi là-bas » et mit les magasiniers au travail. Ils trouvèrent neuf coffrets cabossés mais verrouillables dans la décharge.

Je pris un lingot sur la pile. C'est trompeur, un lingot. A cause de sa petite taille, on oublie qu'il est *lourd.* Je faillis me casser un bras. Je donnai quelques coups d'ongle puis mordis dedans. Il était mou - juste comme il fallait. De l'or pur, jaune et brillant. Quel merveilleux spectacle ! C'est si beau, l'or !

Ils mirent les dix-huit lingots de cinquante livres dans les coffrets. Le vendeur falsifia le livre d'inventaire. On poussa le chariot et sa cargaison jusqu'à la plate-forme de chargement.

J'ouvris mon sac et comptai neuf mille crédits que je lui remis. Ses doigts semblables à des pinces se refermèrent dessus. Clac ! Puis il me donna mon reçu et nous topâmes.

La transaction était terminée. Les magasiniers s'éloignèrent. Le chariot se trouvait à une vingtaine de mètres de l'aircar. Il était impossible d'amener mon véhicule sur la plate-forme, car il n'y avait pas assez de place pour ouvrir les portières. J'appelai Ske et, du doigt, je désignai la cargaison.

Il souleva légèrement l'un des coffrets et le reposa en me foudroyant du regard. Je lui fis signe de se dépêcher.

Il faisait chaud et l'air était rempli de poussière. Ske dégoulinait de sueur lorsqu'il déposa le dernier coffret dans l'aircar.

J'ai levé la main avec majesté et j'ai clamé :

- Conduis-moi au hangar de l'Appareil, fidèle serviteur.

Il est monté à bord et le véhicule s'est élevé dans les airs en ballottant. Il faisait des embardées, ce qui arrachait des jurons à mon chauffeur. Il n'y avait vraiment pas de quoi, notre charge dépassait à peine le maximum toléré.

Malgré les secousses incessantes, je parvins à sortir les étiquettes vierges que Zanco m'avait données et à les apposer sur les coffrets - une par coffret. C'étaient des étiquettes à immersion : quand vous les appliquez, elles pénètrent dans le matériau dont est fait l'emballage, ce qui les rend inamovibles. Elles disaient :

DANGER

VOTRE SANTÉ EST EN JEU

ÉLÉMENTS CELLULAIRES RADIOACTIFS

LA SOCIÉTÉ ZANCO NE PEUT ÊTRE TENUE POUR RESPONSABLE DES BRULURES GRAVES OU MORTELLES QUI RÉSULTERAIENT DE L'OUVERTURE DE CET EMBALLAGE

En grosses lettres rouges. Merveilleux ! Elles luiraient même dans l'obscurité !

Je me laissais aller à l'euphorie tandis que l'aircar, plutôt poussiéreux maintenant, fonçait dans le ciel en tanguant violemment.

Neuf cents livres d'or, cela faisait dix mille huit cents onces troyennes. Sur Blito-P3, l'or était en moyenne à six cents dollars américains l'once, sans parler de ce qu'il rapportait si on le vendait au marché noir à Hong Kong.

Autrement dit, un certain Soltan Gris posséderait sous peu la coquette somme de six millions quatre cent quatre-vingt mille dollars U.S. De quoi faire bien des choses ! La somme était tellement énorme que je ne pris même pas la peine de refaire mes calculs en tenant compte de la différence de gravité entre Voltar et la Terre. Un million de plus ou de moins, quelle importance ?

J'allais pouvoir me payer un tas de danseuses turques.

Et si les circonstances m'y obligeaient, je pourrais aussi offrir à Heller un enfer à ma façon. Je me mis à glousser car les deux mots se ressemblent en anglais*.

Déjà qu'un Gris intelligent et riche était invincible. Si, en plus, il était millionnaire et planait au-dessus de tout, tel un nabab ou un roi de la finance, il devenait carrément inexorable !

- C'est pas un camion ! grommela Ske en redressant à la dernière seconde l'aircar qui s'était mis à piquer vers le sol.

Je le laissai râler. Ah ! Le pouvoir ! Le pouvoir ! Qui a osé dire que le pouvoir n'avait rien d'enivrant ? J'imaginais déjà Heller vêtu de guenilles, sale, affamé, m'apercevant dans la rue et s'approchant de moi la main tendue pour me mendier une pièce. J'étais obligé de tirer sur la manche de mon blazer pour la dégager de l'étreinte de ses doigts décharnés, après quoi je claquais la portière de ma limousine devant son visage baigné de larmes.

2

Le travail avançait bien dans le hangar de l'Appareil. Ske posa brutalement l'aircar dans le cercle d'atterrissage, enclencha le système de conduite à terre et amena le véhicule sur le côté.

De mon siège, je pouvais voir le *Remorqueur 1*. Un essaim d'ouvriers s'activaient autour comme si leur vie en dépendait. L'énorme aileron avait été fixé et ils étaient en train de travailler sur la coque. D'autres équipes étaient occupées à diverses tâches. Mais il devait bien y avoir cent ouvriers,

* Enfer se dit *hell* en anglais. (N.d.T.)

tous vêtus de combinaisons de protection jaune vif, à vaporiser un liquide jaune vif qui devenait noir dès qu'il touchait la coque.

Je savais de quoi il s'agissait : Heller leur faisait mettre une nouvelle couche d'absorbo. On pouvait voir la différence entre la couche originelle et la nouvelle. La couche originelle tirait un peu sur le gris, alors que la nouvelle était noire comme le néant. L'absorbo a la particularité de « boire » les ondes et les rayons qui viennent frapper la coque. Il ne reflète *aucune* forme d'énergie, visible ou invisible. Les rayons chercheurs et les écrans les plus perfectionnés sont incapables d'obtenir le moindre signal. Le vaisseau est totalement indétectable, à moins qu'il ne fasse écran avec une source de lumière, par exemple une étoile.

Je ne pus m'empêcher de sourire en songeant qu'Heller se donnait tout ce mal rien que pour faire échec aux systèmes de détection primitifs de Blito-P3. Même un vieux vaisseau délabré et écaillé de l'Appareil était capable de les déjouer. Mais ça me parut moins amusant lorsque je réalisai que toute cette absorption d'énergie multipliait les chances d'explosion du *Remorqueur 1.* Car il s'imbiberait de *tout !* Il ramasserait le plus petit champ magnétique, le plus petit rayon de lumière... Je détournai rapidement le regard et essayai de penser à autre chose.

Je vis quelque chose qui me fit retrouver le sourire. Le *Blixo !* Le *Blixo* venait d'arriver. Ouf ! La chance était toujours avec moi !

Plusieurs vaisseaux de fret faisaient la navette entre Voltar et Blito-P3. Le *Blixo* était l'un d'eux et il n'était ni meilleur ni pire que les autres. Ce sont de petits vaisseaux qui ne font pas plus de quatre-vingts mètres de longueur. Légers et effilés, ils ont cependant un bon tonnage, un tonnage que nous utilisons au maximum. En plus des vingt hommes d'équipage, ils peuvent transporter une soixantaine de passagers. Avec leurs propulseurs à distorsion, ils mettent environ six semaines à rallier la Terre et six semaines pour revenir. Dénués de tout confort et minables d'aspect, ils se révèlent néanmoins fort maniables et ils ne sont pas plus dangereux que les autres vaisseaux. Leur plus grande qualité, c'est d'être anonymes : ils passent totalement inaperçus parmi les milliers de vaisseaux de fret qui arrivent ou qui partent chaque semaine.

Je fis signe à Ske de me conduire jusqu'au *Blixo* - cinq cents mètres à pied, ça faisait un peu beaucoup dans l'état d'exaltation où je me trouvais.

On l'avait placé dans sa tour, puis on l'avait posé sur une remorqueuse avant de l'amener dans le hangar. Déjà, la remorqueuse repartait.

Derrière les grands écrans de sécurité qui avaient été abaissés autour du *Blixo*, je pouvais entendre grincer et claquer de petites grues. Une colonne de camions volants blindés était garée à proximité. Un à un, ils disparaissaient derrière l'écran : le *Blixo* déchargeait en secret sa précieuse cargaison.

Le premier camion ne tarda pas à réapparaître, lourdement chargé. Il se gara sur le côté et attendit les autres. Une fois le déchargement terminé, ils s'élanceraient vers le désert en colonne serrée, destination Camp Endurance - c'était du moins l'itinéraire officiel, car en réalité ils se rendraient à Répulsos. Là-bas, ils stockeraient leur cargaison dans les immenses magasins de l'antique forteresse. Certes, nous n'avions pas encore une grosse quantité de marchandise, mais elle grossirait au fil des mois. Lombar allait sauter de joie en voyant arriver les camions et leur chargement.

Un demi-régiment de gardes de l'Appareil se tenait devant l'écran afin d'assurer la sécurité. On ne peut pas dire qu'ils étaient absorbés par leur tâche. Ils étaient appuyés avec nonchalance sur leurs fusils-éclateurs et menaient une conversation où il était question de prostituées et de parties de dés.

Je savais que le déchargement de notre précieuse cargaison serait vite expédié, aussi je décidai d'attendre qu'ils aient terminé. Finalement, le dernier camion apparut avec son chargement et le convoi s'ébranla en direction du cercle d'atterrissage. Ils firent rugir leurs moteurs et s'élevèrent lourdement dans le ciel, l'un après l'autre, avant de foncer vers Camp Endurance.

J'ai donné un coup de coude à Ske et il a amené l'aircar tout près du capitaine des gardes. J'ai présenté mon identoplaque et un garde l'a enregistrée. Ensuite nous sommes entrés dans la zone dissimulée par l'écran et nous nous sommes arrêtés devant l'échelle du sas atmosphérique.

En fait, c'était moi qui établissais les calendriers d'aller et retour de ces vaisseaux, puisque j'étais le chef de la Section 451. Mais à voir l'attitude du spatial qui se tenait près de l'échelle, on ne l'aurait jamais cru. A l'évidence, il n'avait qu'une envie : partir d'ici et aller faire une virée en ville.

- Dites au capitaine Boltz que l'officier Gris est là, annonçai-je.

- Dites-le-lui vous-même ! rétorqua-t-il.

Ils sont toujours un peu sur les nerfs quand ils reviennent de voyage.

Mais je n'avais pas le temps de prendre les mesures disciplinaires qui s'imposaient. Brusquement, alors que je sortais de l'aircar, j'entendis des éclats de voix dans le sas atmosphérique.

Trois gardes de l'Appareil, du genre baraqué - on les avait sans doute envoyés tout spécialement de Répulsos - bousculaient un passager. Ou, pour être exact, un prisonnier.

Ça n'avait rien d'inhabituel. Je fis un pas de côté pour laisser passer le quatuor vociférant. Mes oreilles, toujours aux aguets, perçurent brusquement ce que disait le prisonnier.

- Otez vos (bips) de mains de mon (bip) de colback et enlevez ces (bips) de menottes de mes (bips) de poignets !

De l'anglais ! Non pas du turc ou de l'arabe, mais de l'anglais !

Le gars n'était pas triste à voir. Il était dépenaillé et le voyage l'avait mis sur les genoux. Il était trapu, très musclé. Ses cheveux, tout comme ses yeux, étaient noirs. Il avait un teint basané. Il était vêtu des vestiges d'un complet et d'une chemise bleue à rayures noires. Mais ce n'était pas ça qui me paraissait bizarre. Il portait, non pas des menottes électriques, mais des menottes de métal, et il n'avait pas de chaînes aux pieds. De plus, au lieu d'être dans le coma, il était parfaitement réveillé, capable de parler et de se débattre. C'était tout à fait contraire au règlement.

Ils parvinrent à le traîner jusqu'en bas de l'échelle.

- Je suis l'officier Gris, dis-je au garde qui commandait. Tout cela est contraire au règlement. Où sont vos ordres ?

J'avais pris un ton très officiel. On est obligé, avec cette racaille de Camp Endurance.

Il farfouilla dans ses papiers - apparemment, il y avait plusieurs prisonniers - et finit par trouver.

- Ces ordres disent que le prisonnier doit être amené en position verticale et conduit directement à la salle d'interrogatoire numéro un.

Les mots « position verticale » signifient : violence minimum et état de veille. C'est une pratique dangereuse.

- Qui a signé ces ordres ? demandai-je.

Il regarda la feuille, puis posa ses yeux sur moi.
- C'est vous, officier Gris, dit-il.

Je n'étais pas vraiment étonné - c'était l'un des milliers d'ordres que je devais tamponner chaque mois. Je l'examinai. Il avait été rédigé par l'un des secrétaires particuliers de Lombar - celui qui s'occupe des interrogatoires. Un frisson parcourut mon corps. Il valait mieux pour moi qu'ils ne se soient pas trompés d'homme. Lombar détestait les erreurs. Je pris connaissance de son nom avant de me tourner vers lui.

- Vous vous appelez bien Gunsalmo Silva ? lui demandai-je en anglais.

- De l'américain ? (Bip) de (bip), vous parlez vraiment américain ? C'est quoi, cet endroit à la mords-moi-le-(bip) ? Qu'est-ce que c'est que tout ce cirque ? Qu'est-ce que je (bipe) dans ce hangar plein de soucoupes volantes ?

- S'il vous plaît, répétai-je patiemment. Est-ce que vous vous appelez bien Gunsalmo Silva ?

- Ecoutez, j'exige que vous appeliez le (bip) de consul des Etats-Unis ! Tout de suite, vous m'entendez ? Tout de suite ! Je connais mes (bips) de droits ! Je vous conseille d'aller chercher le consul des Etats-Unis, mon pote, autrement je vous arrache les (bips) !

De toute évidence, il refusait de répondre. Je fis signe au garde de l'emmener dans le fourgon parqué à proximité. Le gars n'avait pas nié être Gunsalmo Silva.

Tandis qu'on le poussait dans le fourgon, il se retourna et cria à mon intention :

- J'écrirai à mon sénateur pour tout lui raconter !

Eh bien, bonne chance, ricanai-je intérieurement. Il aurait du mal à trouver des timbres-poste américains dans les salles d'interrogatoire de Répulsos.

Le débarquement des prisonniers semblait terminé, aussi je montai les marches quatre à quatre et pénétrai dans le salon du capitaine Boltz. Il était en train de prendre quelques moments de détente après son atterrissage. C'était un homme de haute taille, costaud et grisonnant, un vieux spatial au visage dur et buriné - cent ans de bourlingue à travers l'espace, ça laisse des marques. Il avait enlevé sa tunique, révélant un torse particulièrement velu. A la façon dont ses épaules s'affaissaient et dont les coins de sa bouche tombaient, je devinai qu'il était sans doute originaire de la planète Binton.

Il m'aperçut et désigna un fauteuil à suspension.

- Asseyez-vous, officier Gris. (J'avais déjà rencontré Boltz à une ou deux reprises et j'étais content d'avoir affaire à lui.) J'allais m'en jeter un avant d'aller à terre. Vous trinquez avec moi ?

Il sortit une bouteille du buffet. Je savais ce qu'il allait nous servir. Du Johnny Walker Label Noir. Du whisky terrien ! Je ne comprends pas pourquoi les capitaines qui vont sur Blito-P3 l'affectionnent à ce point. Ça vous fait péter la cervelle ! J'en versai environ trois gouttes dans ma chope, pas pour les boire, juste par politesse.

Boltz me raconta brièvement sa traversée. Il n'avait rien de spécial à signaler. Ils avaient failli heurter un nuage de débris ; à proximité de telle ou telle étoile, les orages électriques avaient été plus violents que d'habitude ; l'un des convertisseurs du moteur principal avait grillé ; deux hommes avaient été mis aux fers pour avoir dérobé de la nourriture. La routine, quoi.

Je compris alors pourquoi il se montrait si amical. Je jubilais. La chance était vraiment avec moi ! Il s'assura qu'il n'y avait personne près de la porte, puis se pencha vers moi au milieu des vapeurs de whisky et chuchota :

- Gris, j'ai vingt caisses de scotch dans mon placard. Il me faut une autorisation signée pour les passer sans que les gardes posent de question. Je dois les amener chez un ami qui habite la Cité de la Joie. Est-ce que vous croyez que ?...

J'éclatai d'un rire ravi. Je lui fis signe de me donner l'autorisation vierge qu'il tenait dans sa main et j'y apposai mon identoplaque. J'avais été tellement certain que ma petite entrevue avec lui me coûterait de l'argent !

Il rayonnait ! Il pouvait tirer cinquante crédits de chaque bouteille. Il me regarda d'un air méditatif.

- Il y a aussi cette négresse que j'ai ramenée, dit-il. Les bordels en raffolent. Vous voyez un inconvénient à ce que je l'ajoute sur l'autorisation ?

- Faites, faites.

De mieux en mieux, songeai-je.

- Combien ? demanda-t-il en frottant le pouce contre l'index.

Je partis d'un grand rire joyeux.

- Boltz, nous sommes de vieilles connaissances. Je ne veux rien. Je n'ai même pas de marchandises illégales à expédier sur Blito-P3.

- Alors, je suis votre obligé.

- Comme vous voulez. Si nous en venions à la cargaison que vous allez ramener sur Blito-P3 ?

Boltz était tout à fait détendu maintenant - c'était dû au whisky, d'une part, et aussi à la perspective de tous les crédits qu'il allait empocher.

- A vos ordres, officier Gris, dit-il.

- Quand repartez-vous ? demandai-je.

- D'ici une dizaine de jours sans doute. Je dois remplacer le convertisseur. Oui, disons dix jours. D'ailleurs, c'est vous qui avez signé les ordres, officier Gris.

- Eh bien, va pour dix jours. Mais avant de décoller, vous devrez prendre quelques, disons, marchandises à bord. La première est un jeune homme nommé Twolah.

Boltz prenait des notes de sa grosse main velue.

- Il aura sans doute le mal de l'espace, commenta-t-il.

- C'est un courrier. Il portera des messages confidentiels. Il fera l'aller-retour assez souvent. Je dois vous prévenir que ce Twolah est... euh... porté sur les hommes. Il faudra l'empêcher de parler aux hommes d'équipage et aux passagers. Et surtout de coucher avec eux.

- Pigé. Cabine verrouillée. Trou du (bip) verrouillé.

- La deuxième personne est un savant. Il détient des secrets scientifiques. Il est en mission secrète. Ne le portez pas sur votre manifeste. Il ne doit pas adresser la parole à qui que ce soit.

- Pigé. Cabine verrouillée. Bouche verrouillée.

- Ensuite il y a trois chargements.

- Génial, fit Boltz. A part la nourriture et quelques pièces détachées, nous ne ramenons jamais rien sur Blito-P3. Enfin du *vrai* fret ! Le vaisseau sera plus facile à piloter. Je vais vous dire, officier Gris, nous ne transportons pas assez de fret.

- Ça me fait plaisir que ça vous fasse plaisir. Tout d'abord, il y aura une grosse livraison de matériel cytologique par la Société Zanco. De l'équipement et des produits pour mettre sur pied un hôpital dans notre base terrienne.

- Hé, on dirait que les choses commencent à bouger. Peut-être que quelqu'un pourra s'occuper de cette maladie vénérienne qui s'est répandue là-bas. J'ai deux hommes d'équipage qui se la sont chopée. Les (bips) !

- Ensuite, un peu plus tard, il y aura un chargement moins important, toujours de la même firme. On est en train de le vérifier. Comme c'est du matériel hyper-fragile, il faudra y aller mollo.

- Y aller mollo, répéta Boltz tout en griffonnant.

- Bien. Maintenant, est-ce que vous avez un magasin avec une porte et des parois en plomb ? C'est pour y mettre du matériel radioactif bouclé dans des caisses.

- Oui, on a ça. Ça va pas sauter, au moins ?

- Pas si vous ne les ouvrez pas. Mais ce matériel est si fragile que je l'ai apporté moi-même. Est-ce que vous pourriez dire à un de vos officiers de le charger à bord immédiatement ? Et de le mettre sous verrou dans ce magasin ?

Oui, c'était faisable s'il se dépêchait car, d'ici peu, ils seraient tous partis en bordée. Il fit fonctionner ses bourdonneurs et donna des ordres. Ske donna un coup de main et les neufs coffrets ne tardèrent pas à être bien à l'abri dans le magasin. Je verrouillai la porte et mis la clé dans ma poche.

Boltz me raccompagna jusqu'à la sortie.

- Comment ferons-nous pour ouvrir la porte si c'est vous qui avez la clé ? demanda-t-il.

Je souris. J'avais l'impression de flotter sur un nuage.

- Je serai là pour vous accueillir lorsque vous arriverez sur Terre, capitaine. Je vais diriger les opérations depuis Blito-P3 !

Il me donna une grande claque dans le dos et j'en eus le souffle coupé.

- Voilà une excellente nouvelle ! Comme ça vous pourrez tamponner les autorisations sur place ! Rendez-vous au cercle d'atterrissage !

- Je viendrai vous accueillir avec une bouteille de scotch.

- Hé, attendez ! fit-il d'un air perplexe. Comment allez-vous faire pour arriver avant moi ? Bon, le vieux *Blixo* n'est pas super-rapide, mais je sais aussi qu'aucun vaisseau ne partira avant moi.

Nous pouvions apercevoir le *Remorqueur 1* entre deux vaisseaux parqués dans le hangar. On le remarquait tout de suite à cause des centaines d'ouvriers qui travaillaient dessus. Il regarda attentivement.

- Je ne reconnais pas ce vaisseau, dit-il enfin. On dirait qu'il appartient à la Flotte... Oh ! Dieux ! Est-ce que ce ne serait pas un de ces remorqueurs équipés d'un moteur Y avait-Y aura ? Dites, officier Gris, est-ce que vous savez qu'un de ces engins a explosé une fois ? Je croyais qu'ils avaient retiré de la Flotte tous les vaisseaux légers munis de moteurs Y avait-Y aura ? Finalement, je ne suis pas si sûr que vous serez là pour m'accueillir, officier Gris.

Et avec ses mains, il mima une explosion.

Il y avait de meilleures façons de prendre congé. Je lui promis d'être prudent, puis je lui souhaitai bon voyage et quittai le vaisseau.

J'avais encore des tas de choses à faire aujourd'hui. En fait, il me restait à exécuter la partie la plus dangereuse de mon plan. Celle dont *tout* dépendait : il fallait absolument que je me procure les mouchards pour Heller. Toutes mes pensées étaient tournées vers ce problème.

Lorsque mon chauffeur décolla, Boltz se tenait encore en haut de l'échelle et continuait de secouer la tête.

3

Nous montâmes à trois mille mètres. Mon chauffeur jouait la comédie et essayait de me faire croire qu'il souffrait de courbatures et qu'il s'était écorché les mains. Je lui dis de me conduire à la Cité de la Joie. J'étais occupé à transformer mon visage, mais il n'arrêtait pas de lâcher le levier de conduite pour lécher le sang qui coulait des entailles qu'il s'était faites sur les bords tranchants des coffrets, et je me mis du fond de teint dans les yeux. C'en était trop. Je l'accablai d'injures.

- Arrête l'aircar et fais du sur place, aboyai-je avant de le traiter de deux ou trois noms.

Il obtempéra et l'aircar resta suspendu dans les airs, ce qui me permit de terminer la transformation de mon visage.

A l'aide d'une teinture jaune atténuée par du fond de teint jaune pâle, je réussis à obtenir la couleur de peau de la classe dominante de Flisten. Ensuite je me façonnai des yeux bridés en appliquant sur mes tempes un produit qui étrécissait la peau. Puis je mis des lentilles qui me firent des yeux noirs particulièrement sinistres. J'étais très content du résultat. Je me coiffai d'une perruque noire coupée court et fonçai les cheveux qui dépassaient. Superbe !

Au prix de bien des contorsions et non sans émettre quelques grognements, je retirai mon uniforme des Services Généraux pour revêtir l'uniforme crème des Services de Renseignements de l'Armée. Je passai la chaîne Grade Treize autour de mon cou, puis j'enfilai les bottes à talons cloutés avant de mettre la casquette plate. Après quoi, je glissai mon portefeuille et l'identoplaque de Timp Snahp dans ma poche.

Je me contemplai dans le miroir. Un véritable aristocrate ! Beau et élégant ! Timp Snahp, Grade Treize, l'as des as des Services de Renseignements de l'Armée de Flisten ! Un claquement de doigts, et toutes les filles accouraient ! Les renégats et les ennemis tremblaient de terreur lorsque son regard sombre se posait sur eux !

- Vous avez l'intention de vous faire tuer ? demanda mon chauffeur d'une voix pleine d'espoir.

- Cité de la Joie, ordonnai-je. Les bars sélects. Quartier nord.

- Les officiers de l'armée traînent plutôt à l'Obscène Club à cette heure-ci. C'est dans le quartier sud.

J'ignorai sa remarque. C'était une telle tête de mule que je n'avais pas envie de discuter avec lui. Et puis j'étais trop occupé à mettre le costume de ville dans un petit sac de voyage et à préparer les armes que j'allais emporter. De plus, il avait raison.

Nous nous posâmes à un pâté de maisons de distance de l'Obscène Club.

- Tu peux prendre le reste de la journée et dépenser ta fortune, dis-je à Ske. Je n'aurai plus besoin de toi jusqu'à l'aube.

- Ma fortune ! ricana-t-il. Ces dix crédits que vous m'avez donnés, je les dois à l'officier Heller !

Il était vraiment indécrottable. Je lui ordonnai formellement de ficher le camp. C'était un soulagement de ne plus avoir à supporter sa compagnie.

Je vérifiai mes armes. J'avais un pistolet à lames dans mon holster. On dirait une arme militaire, mais elle ne vient pas de l'armée. Elle crache des triangles métalliques extra-plats qui vous déchiquettent pratiquement un corps. Cette arme était un souvenir datant de mes débuts dans l'Appareil - je l'avais récupérée sur un cadavre. J'avais aussi emporté deux éclateurs de 800 kilovolts, mais je n'avais pas l'intention de m'en servir, car ils font un tel boucan qu'on a l'impression que la guerre vient d'éclater. Mon poignard de la Section Couteau était, comme toujours, dissimulé sous mon col. Aujourd'hui, le mot d'ordre était : silence et discrétion !

D'un pas guilleret, je descendis l'avenue jonchée des vestiges peu ragoûtants d'années et d'années de fêtes effrénées. L'Obscène Club se dressait dans le lointain. En fait, ce n'est pas son vrai nom. Il s'appelle Club d'Attractions des Armées de Terre. Mais il n'appartient absolument pas à l'Armée, car les grosses légumes de la Division de l'Armée pourraient difficilement fermer les yeux sur ce qui se passe à l'intérieur. D'ailleurs elles sont les premières à fréquenter le club, même si elles ne l'admettront jamais.

C'est un immense bâtiment d'une quinzaine d'étages qui s'étend sur près de huit hectares. A l'entrée, au-dessus de la porte, deux canons se crachent du feu en permanence. Une fille nue très relax avec un képi de général est étendue sur la parabole de flammes. Ils sont stupides dans l'Armée.

J'entrai, tout en espérant que j'avais bien l'attitude furtive d'un officier des Services de Renseignements de l'Armée. Je n'ai jamais su pourquoi ils ont choisi le crème pour cette branche de l'Armée. Tous les autres services portent des uniformes chocolat.

Dans le vestibule, tout respire la respectabilité. Les deux premières salles sont de simples restaurants. C'est lorsque vous entrez dans la troisième salle que vous savez que ce n'est pas un endroit pour votre petite sœur. A mi-hauteur entre le sol et le plafond, il y a une rampe vitrée suspendue où des filles font les cent pas. Elles ne dansent pas et elles portent même un ou deux vêtements. Ce sont les filles qui n'ont pas de rendez-vous. Elles déambulent tranquillement en attendant qu'un client pointe sur elles un pinceau lumineux et « dégomme » l'une d'elles. La fille emmène ensuite le champion de tir dans l'une des chambres des étages au-dessus et là, il se livre à un autre genre de tir.

La cinquième salle est identique à la troisième, sauf qu'il y a des animaux à la place des filles. On opère de la même façon : on « dégomme » un animal et on l'emmène dans une chambre. Certains soldats acquièrent des mœurs étranges à force de vivre au front, loin de leur patrie et de leur foyer.

Je me suis promené à travers les salles, en prenant bien soin d'afficher une attitude nonchalante. J'étais à la recherche d'un officier portant un certain insigne et dont le grade était égal ou inférieur à celui que j'arborais. Mais, pour l'instant, la chance n'était pas avec moi. Nous étions au début de l'après-midi et l'endroit était loin d'être bondé. Les quelques soldats et les quelques gradés qui étaient éparpillés à travers les salles étaient, pour la plupart, occupés à bavarder et à boire tranquillement.

J'ai traversé la salle des jeux pour entrer dans celle des super-jeux. A cette heure de la journée, les filles n'étaient pas encore sur les roues. On les met à la verticale sur ces disques, bras et jambes écartés. Puis on fait tourner la roue et les joueurs lancent de fausses grenades sur la fille - des grenades de tissu. S'ils touchent l'un de ses seins, des ampoules s'allument partout autour de la fille et une pluie de pièces de monnaie semble jaillir de sa (bip). Mais la fille peut toujours contrôler la roue et bouger sa poitrine. Un jour, j'ai joué pendant des heures sans gagner une seule fois*.

L'inquiétude me gagna. J'avais exploré seize salles sans trouver l'insigne *particulier* que je cherchais. Peut-être que les officiers de Ravitaillement n'étaient pas assez bêtes pour venir dans des endroits comme celui-ci !

Je retournai dans la Salle du Bunker. C'est l'endroit où ils balancent les officiers ivres morts. Les murs sont en acier, comme dans un vrai bunker. Il y a même un tableau factice de communication avec le front qui, en réalité, sert du tup. Les tables, dans les cabines, sont des imitations de bureaux de campagne. Il faisait presque aussi sombre que dans les Enfers. J'allais pénétrer dans la Salle de l'Hôpital Militaire - où des serveuses à demi nues déguisées en infirmières servent des cocktails au sang - et j'en avais même franchi le seuil, quand mon sixième sens me dit d'aller voir dans le fond de la Salle du Bunker.

Ce que je fis sans perdre une seconde. Victoire ! L'insigne du Ravitaillement : la main qui se referme avec avidité !

Le gars était affalé sur le « bureau » et paraissait dormir. Il avait renversé sa chope.

Je m'approchai silencieusement pour ne pas le réveiller. Sa tenue chocolat était en désordre et je n'arrivais pas à voir la plaque qui indiquait son grade. Je dus le déplacer légèrement. Ah ! Un Grade Douze ! L'équivalent d'un officier qui avait dix mille hommes sous ses ordres, sauf que, bien entendu, un officier de ravitaillement ne commande pas de troupes.

Mon approche silencieuse avait été inutile ! Il ronflait, ivre mort ! J'allais lui faire les poches quand une serveuse arriva et me demanda ce que je voulais boire. Dans la Salle du Bunker, les serveuses sont habillées en messagers, mais sans le pantalon. Je commandai de l'eau pétillante ordinaire pour moi.

- Et apportez aussi une grande chope de s'coueur bien serré pour mon ami, dis-je.

- Il était temps qu'un ami se pointe, fit-elle. Il est là depuis ce matin. Vous autres militaires, vous ne vous occupez pas très bien de vos copains.

Elle s'éloigna. Elle semblait en colère.

Je le fouillai. Son identoplaque me révéla que j'avais affaire au colonel Rajabah Stinkins des Raiders de Voltar, Section du Ravitaillement. Excellent. Il ne connaissait pas Flisten. Il avait le teint aussi blanc que les neiges éternelles des Monts Blike.

C'était un homme massif avec une tendance marquée à l'embonpoint. Vu la façon dont il ronflait, il en avait sans doute pour un bon bout de temps. Aussi je vidai toutes ses poches. Je trouvai un certificat de divorce fraîchement émis et cinq photos d'enfants. Ah ! Voilà pourquoi il avait pris une cuite. Calé comme je l'étais en psychologie terrienne, je n'eus aucune difficulté à analyser la situation : il noyait son chagrin.

La fille revint avec ma commande et j'apposai l'identoplaque du colonel sur l'addition. Elle fronça légèrement les sourcils, mais changea d'expression

* Une petite précision : le jeu intitulé « La Fille sur la Roue », auquel les soldats ont donné le nom de « La Femme qui explose », ne se joue pas avec une fille en chair et en os, mais avec une illusion électronique tridimensionnelle. De plus, la direction du club ne se sert pas d'un circuit électronique de prédiction - de ceux qu'on emploie dans l'Armée - qui anticipe la trajectoire de la grenade avant de déplacer la poitrine de la fille en conséquence. [Nous avons inclus cette note à la demande du propriétaire du Club d'Attractions des Armées de Terre qui menaçait de nous poursuivre en justice si nous n'insérions pas cette rectification. (Les éditeurs.)]

lorsque je lui jetai un billet de cinq crédits que j'avais pris sur l'autre ivrogne.

- C'est lui qui s'est mis dans cet état, expliquai-je. C'est donc à lui de payer pour dessoûler. Nous étions à l'école ensemble. C'est un ivrogne invétéré.

- Qui ch'est qu'est un ivrogne invertébré ? balbutia-t-il. (Il venait de se réveiller.) Ch'est une calomnie ! J'ai jamais été choûl de toute ma vie !

La fille eut un sourire amusé et s'éloigna dans un froufrou de tablier et de jambes nues.

J'obligeai le colonel à avaler le s'coueur.

- Colonel, il faut que vous repreniez vos esprits. Un homme digne de ce nom n'a pas le droit de plier l'échine devant les malheurs de l'existence !

- Qui a des malheurs ? bredouilla-t-il.

- Mais vous, voyons. Noyer son chagrin dans la boisson comme v...

- Moi, noyer mon chagrin ! J'faijais la fête, ouais ! Je chuis enfin débarraché de chette vieille (bip) et de ches chinq *horribles* mouflets ! Cha fais deux jours que j'arroje cha ! Youpiiii !

Bon, ça arrive à tout le monde de se tromper. Mais quelle qu'ait été la raison de sa biture, il fallait absolument que je remette ce colonel sur pied. Il n'avait pas vraiment besoin d'être dans une forme éblouissante puisqu'il serait mort avant la fin de la journée, mais il fallait quand même qu'il soit relativement alerte.

Ainsi entrepris-je, à grand renfort de pilules anti-ivresse, de s'coueur chaud et de psychologie terrienne, de préparer ma proie pour le sacrifice.

La chance était toujours avec moi.

4

Si l'objectif à atteindre n'avait pas été aussi important, jamais je n'aurais fait autant d'efforts pour dessoûler ce colonel. Mais il fallait absolument que je sois au courant de tous les faits et gestes d'Heller, sans que ni lui ni personne ne se doute un seul instant qu'il était surveillé. De plus, le mouchard dissimulé dans son corps devait émettre sur une fréquence inviolable. Quatre heures s'étaient écoulées, oui, quatre heures, pendant lesquelles j'avais sué sang et eau pour faire reprendre conscience à ce (bip) et je commençais à me demander si le jeu en valait vraiment la chandelle !

Le colonel dut lire dans mes pensées. J'appuyais une serviette imbibée d'eau froide sur son front tout en le maintenant sur son siège et j'essayais de lui faire avaler une autre pilule anti-ivresse, lorsqu'il demanda brusquement :

- Pourquoi faites-vous tout ça ?

Ah, enfin il émergeait !

- Pour l'Armée, répondis-je.

- Mais je ne me suis pas donné en spectacle ! protesta-t-il.

- Non, non, ce n'est pas ça que j'ai voulu dire. (Je décidai de me jeter à l'eau.) Les Services de Renseignements de l'Armée de Flisten sont sur une affaire extrêmement complexe. On nous a dit que vous étiez l'officier de ravitaillement le plus discret et le plus sérieux de tout le service.

Il me regarda fixement.

- C'est bien la première fois que j'entends ça, dit-il.

- Eh bien, il était temps que la vérité sorte au grand jour, répliquai-je en priant les Dieux pour que cela ne se produise *jamais*.

- Sans (débiper) ! s'exclama-t-il. Quelqu'un a vraiment dit ça ?

- Les ordinateurs sont formels et ils ne se trompent jamais.

- Ça, c'est bien vrai, acquiesça-t-il en redressant la tête.

- Il y a eu des vols de matériel de surveillance sur Flisten - du matériel top secret. Un crime crapuleux. La securité de l'Etat est menacée. Et même la sécurité de l'Empereur.

Je jetai un coup d'œil furtif alentour, comme pour m'assurer que personne ne nous espionnait. Mais je faillis rater mon effet en constatant que quelqu'un nous observait *pour de bon*. Une silhouette indistincte se tenait sur le seuil de la Salle de l'Hôpital Militaire. Elle disparut au moment où mon regard se posa sur elle.

Je conclus que c'était probablement un ivrogne. L'endroit était truffé d'ivrognes.

J'avançai une main fermée vers le visage du colonel, puis je l'ouvris. Il déchiffra l'identoplaque de Timp Snahp, officier des Services de Renseignements de l'Armée.

- Oh, je sais que vous appartenez aux Services de Renseignements, fit-il. Je l'ai vu à votre uniforme.

- Je voulais simplement que vous n'ayez aucun doute à ce sujet. Car ce que je vais vous révéler devra rester entre nous. Il ne faudra pas en parler à âme qui vive. Est-ce que j'ai votre parole ?

- Je n'ai pas l'habitude qu'on mette ma parole en doute, rétorqua-t-il plutôt sèchement.

- Parfait. Je vois que nous nous comprenons. J'apprécie à sa juste valeur votre offre de coopération.

- Tout le plaisir est pour moi, dit-il.

Je me demandai s'il avait vraiment dessoûlé. Il semblait bien que oui, à en juger par son apparence. Mais on ne savait jamais avec ces officiers de l'armée.

- Bien ! dis-je d'un ton tranchant. Venons-en à cette affaire. (Je me penchai vers lui et poursuivis à voix basse :) Ces instruments de surveillance qu'on a volés venaient juste d'être mis au point. (Je me penchai un peu plus et repris en détachant chaque mot :) Nous avons de bonnes raisons de croire que le voleur a été engagé par le *fabricant* de ces instruments ! (La stupéfaction se peignit sur son visage.) Il était le seul, à part nous, à connaître l'existence de ces instruments. (Je me mis à tapoter le revers de sa tunique.) Nous pensons que ce fabricant s'est arrangé pour qu'on nous les dérobe sur Flisten et qu'il essaie de les vendre sur Voltar !

- Non !

- Si ! Une façon très habile de ramasser de l'argent deux fois.

- Quel *(enbipé) !*

- Maintenant, comme vous le savez, les instruments de surveillance top secret ne peuvent être vendus qu'aux officiers de ravitaillement dûment mandatés. Et comme les instruments en question étaient exclusivement réservés à l'Armée, ils ne peuvent être vendus qu'à l'Armée.

- Oh, je sais, je sais.

- Alors voici ce que nous allons faire. Vous allez faire croire à cet escroc que vous envisagez d'acheter ces...
- Impossible. Je n'ai pas mon carnet de bons de commande sur moi.
- Vous m'avez donné votre parole.
Son corps s'affaissa légèrement.
- C'est vrai, admit-il.
- Bravo. Vous êtes un vrai patriote. L'ordinateur avait raison. (Ces mots eurent l'effet voulu. Je continuai :) Vous n'aurez pas besoin d'acheter quoi que ce soit. Je désire simplement que vous examiniez ce matériel comme si vous envisagiez de l'acheter. Quant à moi, je vérifierai discrètement les numéros des pièces qu'on vous montrera et je les comparerai aux numéros des pièces volées. S'ils correspondent, nous sortons et j'appelle mes supérieurs. Ils organiseront une rafle et, grâce à nous, toute l'affaire aura été élucidée et réglée. (Il paraissait hésiter.) Ça fera très bien dans vos états de service. Peut-être même que vous aurez droit à une citation.
On met aussi les citations sur les pierres tombales, ajoutai-je en moi-même.
Dans le Ravitaillement, ils n'ont pas souvent l'occasion de ramasser des citations. Vous les voyez rarement avec des médailles sur leur uniforme. Mon dernier argument avait été décisif : il me regardait d'un air béat.
- Bon. Il faut que je sorte et que j'appelle quelqu'un, dis-je. Je reviens tout de suite.
Je me rendis dans une cabine, glissai son identoplaque dans la fente et composai le numéro que j'avais soigneusement noté au début de la journée. C'était celui de la Société des Yeux et Oreilles de Voltar. Personne ne répondit. Je jetai un coup d'œil à ma montre. Le colonel avait mis si longtemps à revenir à lui que nous avions largement dépassé l'heure de fermeture des magasins. Mais j'avais tout prévu. J'avais également noté le numéro personnel du propriétaire. Je réussis à le joindre, après avoir utilisé à nouveau l'identoplaque du colonel.
- Désolé, mais le magasin est fermé, dit-il.
- Même pour un contrat qui pourrait se monter à un million de crédits ?
Il actionna le levier qui permet d'examiner l'identoplaque du correspondant. Je l'entendis inspirer bruyamment.
- Je vais dire à mes vendeurs de se rendre sur place...
- Non, non, intervins-je précipitamment. C'est votre matériel top secret qui nous intéresse. Comme nous allons probablement vous passer une grosse commande, nous ne tenons surtout pas à ce que tout le monde soit au courant. Ayez l'obligeance de venir seul. Cette affaire doit rester secrète !
- Alors disons vingt heures, d'accord ?
Parfait. Il ferait noir.
- N'allumez pas le magasin, dis-je. Des agents de la révolte calabarienne se promènent en ville. Nous en avons repéré quelques-uns. Mais ne craignez rien, j'aurai avec moi un garde du corps armé qui se fera passer pour un expert technique civil.
Nous réglâmes encore un ou deux détails et je raccrochai. Je demandai à la réception si le colonel avait un aircar personnel au parking et on me répondit que oui. Excellent.
Lorsque je revins à notre table, la serveuse aux jambes nues attendait avec l'addition et le colonel fouillait dans ses poches avec une expression angoissée.
- J'ai perdu mon identoplaque ! gémissait-il.

Habileté et discrétion, voilà les deux caractéristiques d'un agent chevronné de l'Appareil. Tout en tenant l'identoplaque du colonel dans ma paume, je me mis à farfouiller sous la table parmi les innombrables mouchoirs humides qui jonchaient le sol. Puis je me relevai et jetai l'identoplaque sur la table.

- Vous devriez faire plus attention, dis-je. Ne laissez jamais tomber une identoplaque !

Il la prit en me remerciant et tamponna l'addition.

- Pendant un moment, j'ai bien cru que nous serions obligés de nous servir de la vôtre ! s'esclaffa-t-il.

C'est ça, cause toujours, pensai-je. J'étais sur le point de commettre deux meurtres. Il ne devait subsister aucune trace de mon passage dans le club. Aucune ! Je donnai même un pourboire de cinq crédits à la serveuse, toujours sur l'argent du colonel.

Nous n'avions pas trop de temps devant nous et je dus le bousculer un peu. Nous sortîmes et son aircar vint à notre rencontre ! Il avait un chauffeur ! (Bip) ! Je n'avais pas prévu ça. C'était une espèce de brute monstrueuse qui devait se raser à coups d'éclateur. Ça compliquait salement les choses ! Pour moi un aircar *personnel,* ça n'avait pas de chauffeur par définition. Mais c'est typique de l'Armée : les gars sont affectés n'importe où. Gaspillage d'effectifs. Vivement que Lombar mette son plan à exécution et qu'il nous débarrasse de toute cette racaille !

Nous décollâmes et le colonel demanda :

- Est-ce qu'il ne va pas avoir des soupçons s'il vous voit dans cet uniforme ?

J'avais attendu qu'il me pose la question. Ce n'était pas pour rien que j'étais allé dans ce club, affublé d'un uniforme voyant. Au cas où il y aurait une enquête, c'était la seule chose dont les gens se souviendraient.

- J'ai tout prévu, répondis-je. Avec votre permission... (Je m'installai sur la banquette arrière du très spacieux aircar.) Eteignez les lumières intérieures, s'il vous plaît. Nous avons certains secrets professionnels dans les Services de Renseignements.

Je retirai l'uniforme crème en me contorsionnant dans le noir et enfilai la chemise, le costume de ville et les chaussures. Je vérifiai si toutes mes armes se trouvaient là où il fallait dans mon nouvel accoutrement. Puis je pris une paire de lunettes du genre prof de math et je me la collai sur le nez. Je leur dis de rallumer.

- Ouah ! Quel changement ! s'exclama le colonel, admiratif.

Quel (bip) ! Je n'avais même pas modifié mon maquillage. J'avais juste ajouté les petites lunettes marrantes.

- Il se peut que l'ennemi vende cher sa peau, dis-je. Est-ce que votre chauffeur est armé ?

Oh, on était loin du ronron quotidien du Ravitaillement ! Le colonel était tout excité ! Le chauffeur tapota son holster. J'insistai pour vérifier si son éclateur fonctionnait. Il finit par me le remettre. J'ouvris l'arme, examinai la charge et, tout en la refermant, tordis l'électrode de la détente afin de la déconnecter.

- Tout est en ordre, dis-je en lui rendant l'éclateur.

Il y avait un sacré trajet jusqu'à la Cité du Commerce et j'avais peur d'arriver en retard. Finalement, j'aperçus la petite usine et son magasin dans l'obscurité et le chauffeur posa l'aircar dans la cour arrière.

5

Le propriétaire, les Dieux le bénissent, vint ouvrir la porte de derrière de sa propre initiative et nous fit entrer. C'était un vieillard maigrelet et rusé. Il se frottait les mains avec tant de force que je crus que sa peau allait se décoller.

Le magasin se composait juste d'une pièce où était stockée la marchandise et d'une boutique avec un comptoir. Les mouchards, ça ne prend pas beaucoup de place.

- Colonel, dit le vieillard, je me nomme Spurk et je suis le patron des Yeux et Oreilles de Voltar. Je suis ravi de pouvoir vous servir. Cependant, vous n'ignorez pas que nos instruments les plus secrets ne peuvent être vendus qu'à l'Armée...

Le colonel lui présenta son identoplaque.

Je lui montrai celle du professeur Gyrant Slahb, mais sans lui laisser le temps de l'examiner.

Le vieux machin se déclara heureux et satisfait. Je lui dis que nous étions surtout intéressés par les tout nouveaux mouchards intracrâniens.

Spurk passa devant les étagères sans même y jeter un coup d'œil. Elles ne contenaient que de la camelote ordinaire destinée aux femmes qui désirent espionner leur mari ou aux flics qui enquêtent sur leurs supérieurs. Il se dirigea vers un gros coffre-fort, fit jouer les combinaisons et se mit à sortir sa marchandise surchoix.

- Vous avez de la chance, dit-il. Nous venons juste de mettre au point quelques articles de tout premier ordre. Nous les avons testés en laboratoire et sur plusieurs sujets et ils ont donné des résultats extraordinaires. En fait, nous allions bientôt les proposer à l'Armée. Vous nous avez devancés.

Ouaah ! La chance continuait de me sourire ! J'avais entendu, quelques mois auparavant, une rumeur selon laquelle ces engins ne tarderaient pas à être utilisés. Elle disait vrai !

Spurk avait posé un écrin sur le comptoir - le genre rembourré de feutre dans lequel on met des diamants. Il prit une pince dans un tiroir, ouvrit l'écrin et, tel un philatéliste devant un timbre rare, sortit le mouchard avec des gestes précautionneux. Il était à peine visible !

- C'est le dernier modèle. Les anciens modèles avaient un désavantage : il fallait les mettre en contact avec le nerf optique lui-même. Ce modèle-ci fonctionne par induction. Vous l'implantez dans la substance osseuse, mais jamais à plus de cinq centimètres du nerf optique, et il marche à la perfection !

- Je ne comprends pas très bien, intervint le colonel, jouant son rôle.

Je pris une loupe et fis semblant de chercher le numéro de série sur le minuscule objet que Spurk tenait dans la pince. Puis j'adressai un petit signe discret au colonel tout en hochant imperceptiblement la tête. S'il croyait vraiment que j'avais repéré un numéro de série, c'est qu'il était encore plus (bip) que je le croyais ! Le mouchard n'était pas plus gros qu'un grain de sable.

- C'est un respondo-émetteur, expliqua Spurk. Il est activé par une onde inédite et indétectable émise par une source extérieure. Cet appareil ici (il tapota une boîte fermée) envoie une onde continue au respondo-émetteur.

A ce moment-là, le respondo-émetteur, qui a été secrètement introduit dans la tempe ou dans l'os frontal, pour employer des termes simples, intercepte et amplifie le flux électrique du nerf optique et le transmet au récepteur.

Il tapota de nouveau la boîte.

Il ouvrit une autre boîte et en sortit un écran en tout point semblable à un visionneur, mais beaucoup plus petit.

- Résultat : tout ce que le sujet regarde apparaît sur cet écran.

- En trois dimensions ? demandai-je.

- Oh non. Je suis navré. Nous n'en sommes pas encore là. Mais l'image est d'une définition extraordinaire.

- Portée ?

- Le déclencheur-récepteur peut être placé à trois cents kilomètres du sujet.

Aïe ! Comment surveiller quelqu'un qui est aux Etats-Unis alors qu'on se trouve en Turquie ? Il y avait beaucoup plus de trois cents kilomètres entre les deux pays.

- Trop court, dis-je.

- Alors il vous faut le Relais 831. (Il tapota une autre boîte.) Il amplifie le signal et vous donne une portée de quinze mille kilomètres. Il suffit de brancher le Relais 831 au récepteur. Le signal du respondo-émetteur est capté par le récepteur, lequel renvoie alors le signal à n'importe quelle distance inférieure à quinze mille kilomètres.

Je respirais. J'avais cru que j'étais venu pour rien.

Pour donner le change au colonel, je fis semblant de vérifier les numéros de série du récepteur, du relais et du visionneur. Puis je dis :

- Tout ça c'est bien beau, mais où est le son ?

- Haha ! fit Spurk avec fierté.

Il ouvrit un autre écrin, prit sa pince et sortit un minuscule objet semblable au premier.

- Celui-ci est plus simple, déclara-t-il. C'est la résonance de l'os qui donne le son. Ce respondo-émetteur audio peut être placé à un ou deux millimètres du respondo-émetteur optique. Le récepteur, le relais et l'écran sont *également* équipés de canaux audio. Nos savants ont pensé à tout.

Mais pas à ce qu'un officier de l'Appareil est capable de faire, pensai-je.

- Bref, dis-je, ces deux engins, introduits à proximité de la tempe ou de l'œil, transmettront tout ce que le sujet voit et entend à un récepteur situé au maximum à trois cents kilomètres, mais ce récepteur peut être branché à un relais qui porte à quinze mille kilomètres. Est-ce que l'onde est nouvelle ?

- Indétectable ! Inviolable ! s'écria-t-il. A notre connaissance, aucun compteur n'est capable de l'enregistrer. En fait, c'est une onde très longue qui agit comme onde porteuse et conductrice d'une bande secondaire.

- Et les émotions ? demandai-je.

- Oh, vous m'en voyez désolé. Nos savants n'y ont pas pensé. Je vais en prendre bonne note. Bonne idée, les émotions. Non, pour le moment, je crains que vous ne deviez vous contenter de l'image et du son.

- Pas d'hypnopulseurs non plus ? Vous savez, on appuie sur un bouton et le sujet sombre dans un sommeil hypnotique.

- Désolé, nous en faisons, mais notre stock est épuisé. Il ne nous en reste plus un seul.

(Bip) !

- Et les appareils à décharges électriques pour contrôler le sujet ? interrogeai-je.

- Ah, ceux-là... Nous en avions, mais l'Appareil nous a passé une grosse commande et il ne nous en reste plus en magasin.

(Bip) de (bip) !

J'adressai un petit signe furtif au colonel, avant de demander à Spurk :

- Combien de ces mouchards intracrâniens avez-vous en stock ? Combien de lots complets ?

- Rien que deux. Nous ne les fabriquons pas encore à la chaîne. Mais, bien entendu, c'est dans nos intentions.

- Va pour deux lots complets, dis-je. Avec chaque élément, toutes les pièces détachées *et* le système d'alimentation.

Il alla chercher ce que je lui avais demandé et étala le tout sur le comptoir.

- Vous n'aurez aucun problème avec le système d'alimentation, fit-il. Deux ans non-stop, pas la moindre défaillance, utilisable en toute saison et par toute température. Voyez-vous, c'est pour l'Armée que ces engins ont été prévus. Un espion opérant en territoire ennemi n'a plus besoin d'envoyer de rapports. Ses supérieurs sont désormais en mesure de capter tout ce qu'il voit et entend. Comme vous le savez, les espions se font prendre lorsqu'ils essaient d'envoyer un rapport. Dorénavant, vous pouvez expédier un espion de l'autre côté de la planète et obtenir vos informations sans vous déplacer, ou presque.

Je continuai à faire semblant d'examiner les numéros de série. En réalité, je vérifiais qu'il m'avait bien tout donné.

- Vous êtes sûr que tout y est ? demandai-je.

- Absolument. Pièces détachées, systèmes d'alimentation, tout. Il y a même un manuel d'instructions pour l'installation des mouchards. Je crains que son contenu ne soit extrêmement technique, vu qu'il est destiné à un cytologiste professionnel. Mais je suis certain que l'Armée en emploie des tas.

Il se mit à rire.

Je fis trois pas en arrière, sortis mon pistolet à lames et lui tirai un triangle dans la gorge.

Le colonel ne réagit pas en vieux soldat qui en a vu d'autres et qui garde son sang-froid. Le flot de sang le fit sursauter. Je croyais qu'il aurait compris la manœuvre et qu'il aurait déduit de mon geste que les numéros de série correspondaient et que je venais d'exécuter un renégat. Mais non, pas du tout. Il porta la main à son éclateur !

Quels (bips), ces gars du Ravitaillement !

- Par toutes les flammes des enfers, qu'est-ce que vous faites ? hurla-t-il.

Je ne voulais surtout pas qu'on tire des coups d'éclateur à proximité de tout ce matériel hyper-fragile. Les ondes de choc magnétiques pouvaient fort bien le dérégler !

Je ne lui laissai pas le temps de pointer son arme sur moi.

Je fis feu et un triangle lui déchiqueta le cou ! Il recula en vacillant, lâcha son éclateur et porta les deux mains à la gorge.

Mon plan ne s'était pas du tout déroulé comme prévu. J'étais persuadé que le colonel comprendrait mon geste. A présent, j'étais quelque peu désemparé.

Le bruit mat de bottes ! Quelqu'un accourait par la porte de derrière !

Le chauffeur ! Je l'avais oublié !

Il s'arrêta à six ou sept mètres de moi et aperçut le colonel qui agonisait en se tordant de douleur dans une mare de sang.

Il dégaina son éclateur, le pointa sur moi et appuya sur la détente. Clic ! Rien ! Alors il commit une énorme gaffe : il lâcha son éclateur, sortit une baïonnette de sa botte et chargea.

Je fis feu et tirai à côté ! (Biperie) de pistolet à lames ! Aucune précision. Il ne restait plus qu'un triangle dans le chargeur !

La baïonnette arrivait sur moi. Je me jetai sur le côté tout en appuyant sur la détente et roulai sur moi-même.

La baïonnette se planta dans le sol. Il tomba et s'empala dessus. Mais il était déjà mort.

Nom d'un léprodonte ! Quel carnage ! Il y avait du sang partout ! Je me dirigeai vers le comptoir pour prendre le matériel.

- On ne bouge plus, Gris !

La voix venait de la porte qui donnait sur l'arrière-boutique. Je me retournai et vis qu'un éclateur était braqué sur moi.

6

Mon arme était vide. Et la main qui tenait l'éclateur ne tremblait pas.

J'étais coincé ! Au milieu de tous ces cadavres !

Quelqu'un avait assisté au massacre.

Une silhouette sombre, sinistre, émergea de l'obscurité et entra dans la pièce.

- Je vous avais bien dit que vous commettiez des erreurs, Gris.

Raza Torr ! Le chef de la Section Provocation !

Il tenait un objet dans sa main gauche. Il le leva pour me le montrer et dit :

- J'ai enregistré votre petite tuerie dans son intégralité, Gris. Jetez votre arme.

Inutile de désobéir. Elle était vide.

- Qu'est-ce que vous pouvez être bête, Gris.

- Appelez vos hommes, dis-je.

- Oh, je n'ai aucun homme avec moi. Je suis parfaitement capable de m'occuper de vous tout seul. Dans cette caméra, j'ai l'enregistrement complet de ce que vous venez de faire. J'ai également enregistré votre conversation avec la femme devant la porte du cabinet de l'hypnotiseur. Soit dit en passant, c'était plutôt habile de votre part - elle a été exécutée. J'ai aussi filmé votre entrevue avec le cytologiste de la Cité des Bas-Fonds, ainsi que le petit manège auquel vous vous êtes livré avec ce (bip) de colonel dans l'Obscène Club. Et, bien entendu, j'ai l'intégralité de la boucherie qui vient d'avoir lieu.

Il fallait qu'il continue de parler. Tant qu'il parlait, il ne tirait pas.

- Alors c'est vous qui avez fait sauter mon aircar dans les Monts Blike !

- Oui. Juste après avoir récupéré la fausse monnaie. Avec votre (biperie) habituelle, vous alliez la répandre à droite et à gauche et déclencher une investigation qui aurait immanquablement mené jusqu'à nous. Quand il s'agit de foutre la (bip), Gris, vous ne faites pas les choses à moitié.

- Vous avez essayé de me tuer dans les Monts Blike, fis-je d'un ton offensé. Comment avez-vous pu, vous un officier de l'Appareil, un camarade ?

- Je ne savais pas alors que vous aviez fait une lettre magique, adressée au commandement des Bataillons de la Mort, dans laquelle il y avait ces photos de moi. C'est pour cela que vous êtes encore en vie ce soir. JE VEUX LES NÉGATIFS ET TOUS LES TIRAGES QUE VOUS AVEZ FAITS !

- Je ne les ai pas sur moi, répondis-je en haussant les épaules. Ils sont à mon bureau. Si je vous les donne, vous me remettez cette caméra et les enregistrements, c'est bien ça ?

- C'est bien ça. Mes Dieux, qu'est-ce que j'ai pu me faire comme bile à propos de ces photos ! Vous vous rendez compte ! Si quelqu'un vous avait tué !... Surtout que vous êtes un gibier de tout premier choix, Gris. Allez, en route. Nous allons à votre bureau.

- Comment avez-vous fait pour me filer ? Vous n'êtes pas un spécialiste.

- Vous feriez bien de retirer les mouchards que j'ai collés dans ces vêtements que vous avez sur vous. Qu'est-ce que vous pouvez être *bête,* Gris !

A propos de mouchards, les étagères en regorgeaient littéralement. Mais Raza Torr ne l'avait pas remarqué. Lui aussi commettait des erreurs.

- Je vous propose le marché suivant, dis-je. Vous m'aidez à nettoyer ce (bipier) et nous allons à mon bureau pour faire l'échange. Inutile de laisser des traces de notre passage.

- C'est vrai, concéda-t-il.

- Je parie que vous êtes venu dans un aircar volé. (Il hocha la tête.) Bien. Faisons une trêve. Vous me donnez un coup de main et ensuite nous partons pour mon bureau. Une fois là-bas, nous procédons à l'échange. Vous avez ma parole.

Cela parut l'apaiser.

Je me suis penché sur le cadavre du colonel et j'ai retiré le triangle de sa gorge. Pas très ragoûtant. Ensuite, j'ai retourné le corps du chauffeur et j'ai fait la même chose. Beurk !... Puis cela a été le tour de Spurk. Pouah !...

- Vous avez l'air d'un boucher ! ricana Raza Torr. Vous avez du sang partout.

Le chef de la Section Provocation qui me faisait un speech à propos de sang !...

Il me fallut deux bonnes minutes pour trouver la quatrième lame triangulaire, celle qui avait manqué le chauffeur. Elle s'était profondément enfoncée dans le montant de la porte, à tel point qu'on ne voyait plus que quelques millimètres de métal. Je dus me servir d'une tenaille électronique pour l'extirper.

J'ouvris le tiroir-caisse. Il ne contenait que quelques pièces que je mis dans ma poche avant d'arracher le tiroir et de le jeter par terre.

Ensuite je pris une grande boîte sur l'une des étagères et y déposai les deux lots et les manuels d'instructions avec précaution. Je la fermai solidement avec de la ficelle et y inscrivis un gros *X*. Puis, escorté par Raza Torr, je la transportai jusqu'à l'aircar volé en faisant très attention.

Je revins dans le magasin, dénichai d'autres boîtes et vidai le coffre-fort. Je ne savais pas quel type de matériel j'emportais et j'avais autre chose à faire que de commencer à lire les catalogues. D'ailleurs, ça n'avait aucune importance. Je voulais juste donner l'impression d'un gros cambriolage.

Je réussis même à persuader Raza Torr de transporter quelques-unes des boîtes que je venais de remplir jusqu'à l'aircar volé. Le siège arrière du véhicule ne tarda pas à être surchargé.

Ensuite je mis Raza Torr au boulot pour de bon. Nous traînâmes le corps du colonel jusqu'à son propre aircar avant de le jeter sur le siège arrière. Puis ce fut au tour du chauffeur. Nous le déposâmes dans le siège de pilotage.

Je m'emparai d'un éclateur et défis la sûreté : à la moindre secousse, le coup partirait. Je plaçai l'arme dans la main à demi froide du colonel.

A tâtons, j'enclenchai le pilotage automatique, puis je mis le moteur en route avant de faire décoller l'aircar. Il s'éleva dans les airs, de plus en plus haut, se dirigeant sans doute vers la Cité des Bas-Fonds. D'ici une heure, il tomberait en panne sèche. Ou peut-être entrerait-il en collision avec un autre véhicule.

Je mis la main sur une bonbonne de détergent et en versai le contenu sur le comptoir et autour du cadavre de Spurk avant d'y mettre le feu. Il y eut un whouf ! et les flammes jaillirent.

- Sortons d'ici ! dit Raza Torr.

Il serrait sa caméra contre lui.

Nous montâmes dans l'aircar volé.

- Je retire ce que j'ai dit, fit Raza Torr en posant la caméra par terre. Vous ne laissez vraiment rien au hasard !

- Tu l'as dit, bouffi, répondis-je en lui plantant le poignard de la Section Couteau dans le dos.

Des flammes gigantesques s'élevaient du magasin. Déjà les sirènes d'incendie retentissaient dans le lointain.

Je poussai le corps de Raza sur le côté et me glissai sous le levier de conduite. L'aircar jaillit dans le ciel nocturne en rugissant. J'eus tôt fait de me mêler à la circulation aérienne.

J'ai volé jusqu'à la Wiel, puis j'ai mis l'aircar en surplace. J'ai extirpé le poignard et je l'ai nettoyé.

Ensuite j'ai largué le corps de Raza Torr, pratiquement au-dessus de la Section Provocation. Dommage, je ne pourrais plus utiliser la Section à des fins personnelles. Et puis je me suis dit que, de toute façon, j'aurais bientôt quitté Voltar... Demain, si j'y pensais, j'enverrais les photos - celles où on voyait Raza assassiner la femme - au commandant du Bataillon de la Mort, histoire d'ajouter une note poétique. Ou plutôt aux journalistes. Non, mieux valait pas. Ne réveillons pas les macchabées qui dorment.

Je me suis rendu à mon bureau. Il n'y avait personne à cette heure de la nuit. Mon aircar était garé devant, fermé à clé. J'ai porté mon butin dans la cave qui s'étend sous mon bureau.

Il m'a fallu une heure pour décoller des boîtes les étiquettes « Yeux et Oreilles de Voltar » et les remplacer par des étiquettes « Zanco ». J'ai mis le matériel dont je ne voulais pas dans l'aircar volé, j'ai enclenché le pilotage automatique et j'ai envoyé le véhicule dans le ciel étoilé pour qu'il aille s'écraser quelque part. Il faut toujours aider la police.

Ensuite j'ai pris tous les vêtements maculés de sang, ainsi que toutes les affaires qui venaient de la Section Provocation, et je les ai jetés dans le désintégrateur. Puis je me suis rendu dans les toilettes et j'ai lavé tout le sang que j'avais sur le corps, avant d'enfiler mon uniforme.

Ensuite, j'ai mis la touche finale à toute cette opération : j'ai fait un colis avec le vieux manteau de Prahd Bittlestiffender, son identoplaque et la note expliquant son « suicide », et j'y ai inscrit l'adresse de la police et la mention *Trouvé au bord de la Wiel.* J'ai mis le paquet à côté de ma table avec un mot indiquant qu'il devait être expédié dans dix jours.

J'en avais presque terminé avec mon ménage - car c'était bien de cela qu'il s'agissait. J'ouvris ma cachette secrète, celle où je dissimule les preuves qui me permettent de faire chanter les gens. Elle se trouve sous une latte dans le plancher. Je sortis les photos où Raza égorgeait la femme, pris la caméra de Raza, retirai le film, vérifiai son contenu et balançai le tout dans le désintégrateur.

Quel (bip) ! Si je l'avais amené ici, il aurait su où se trouvait ma cachette secrète. De plus, il n'aurait sans doute pas tenu parole et il aurait peut-être même tenté de me tuer à la seconde où je lui aurais remis les photos. Pauvre (bip) ! Quant à son enregistrement, il n'avait aucune valeur. J'avais agi sous plusieurs déguisements et personne n'aurait pu me reconnaître. Cependant, ce (bip) avait été témoin de tous mes agissements. Il existe une vieille devise dans l'Appareil qu'un gars comme lui n'aurait jamais dû oublier : les imprudents meurent jeunes. Je me mis à bâiller. Je fermai mon bureau à clé et gagnai ma chambre. J'avais sommeil.

J'avais eu une journée plutôt chargée ! Mais ça n'a rien d'exceptionnel : ainsi va la vie d'un officier de l'Appareil. Franchement, je ne vois pas comment un gouvernement fonctionnerait s'il n'avait pas des gens tels que nous, des gens intelligents et dévoués. Il aurait vite fait de s'écrouler !

7

La journée débuta plutôt aigrement. Mon chauffeur était d'une humeur épouvantable. Lorsqu'il était venu me chercher avec l'aircar, je lui avais demandé avec amabilité s'il avait passé une bonne soirée, mais durant le trajet jusqu'à mon bureau, il n'avait cessé de me bassiner avec des réflexions du genre « Comment fait-on pour passer une bonne soirée sans argent ? », « Quand on ne mange pas, on finit par crever de faim », et ainsi de suite, et puis il s'était lancé dans une histoire sans queue ni tête selon laquelle un officier s'était écrasé avec son aircar parce que son chauffeur en avait marre de vivre dans la misère. Mais j'étais de trop bonne humeur et je le laissai s'époumoner.

Dès notre arrivée au bureau, je lui dis d'aller chercher les boîtes « Zanco » dans la cave et de les déposer à l'arrière de l'aircar. Il les jeta dans le véhicule avec une telle violence, tout en marmonnant des commentaires comme : « Je me tue à nettoyer cet aircar et voilà ma récompense ! », ou : « C'est pas un camion », que je finis par quitter la banquette arrière du véhicule - de toute façon, il n'y aurait plus de place une fois qu'elle serait chargée. J'aperçus un vendeur ambulant et partis m'acheter un pain sucré et du s'coueur chaud. J'avais bien fait de prendre la menue monnaie dans le tiroir-caisse du magasin - j'avais même de quoi me payer un déjeuner et un bon dîner.

Je m'assis à l'avant de l'aircar et savourai mon breakfast. Mon chauffeur eut bientôt terminé et se glissa sous le levier de conduite. Il était en nage. Il se lança dans une nouvelle tirade sur les gens qui ne mangeaient jamais et je lui dis gentiment qu'il ne restait plus de pain sucré et de s'coueur, allant même jusqu'à retourner la boîte de s'coueur pour lui montrer qu'elle était vide. Mais cela ne servit à rien. Il ramassa un journal et me le lança en grommelant :

- J'ai parcouru chaque page, mais je n'ai pas réussi à découvrir ce que vous avez bien pu (biper) hier soir ! En fait, vous n'avez pas travaillé cette nuit, vous êtes allé prendre du bon temps ! C'est *vous* qui avez passé une bonne soirée, pas moi !

Je lui ordonnai calmement de me conduire chez la veuve Tayl, dans les faubourgs de Pausch Hills, avant d'entamer la lecture de *Matin Mâtin !*, le torchon qui paraît à l'aube et qui est lu par la racaille. Ske se trompait lourdement : j'avais fait la une !

ACCABLÉ DE CHAGRIN,

UN COLONEL DU RAVITAILLEMENT SE SUICIDE

SON EX-FEMME EST TERRASSÉE PAR UNE CRISE DE FOU RIRE

Selon une source sûre de la Police Intérieure, tard hier soir, le colonel Rajabah Stinkins, de la Section de Ravitaillement des Raiders de Voltar, a mis fin à sa triste existence en faisant sauter son aircar à l'aide d'un éclateur de plusieurs mégavolts, à six mille mètres au-dessus du Grand Désert, tuant par la même occasion son chauffeur.

Son ex-femme, victime d'une crise de fou rire de plusieurs heures, a dû être hospitalisée. Quelques collègues du colonel qui l'avaient aperçu dans la journée au Club d'Attractions des Armées de Terre ont déclaré que plusieurs amis de longue date étaient intervenus à la dernière minute pour essayer de le dissuader de commettre son geste fatal - en vain.

Les Raiders de Voltar inhumeront samedi prochain ce qui pourra être retrouvé du colonel et ils lui rendront les honneurs militaires. Le public est invité à participer à la fête.

Le colonel Stinkins laisse cinq adorables enfants. Nous n'avons pas réussi à joindre les deux aînés dans le centre de redressement où ils sont incarcérés.

Venait ensuite une biographie dont il ressortait clairement qu'il avait passé sa vie devant un bureau. Je tournai la page. Ah ! Encore un gros titre.

UN INCENDIE RAVAGE LA CITÉ INDUSTRIELLE

Hier soir, une véritable tornade de flammes a anéanti le quartier de l'industrie électronique. Quinze personnes sont portées manquantes, des vigiles pour la plupart.

Au petit matin, les trente et une entreprises dynamiques du quartier de l'électronique n'étaient plus que des ruines carbonisées et fumantes. Un kilomètre carré de décombres.

Selon les experts du Centre de Lutte contre l'Incendie, cette catastrophe serait due à un court-circuit survenu dans l'usine des Jouets Electroniques Jimbo.
Les firmes concurrentes exultent...

Tout en bas de la liste des compagnies détruites par l'incendie, je vis Les Yeux et Oreilles de Voltar. Pas un mot sur Spurk. On l'avait sans doute pris pour un vigile. Je parcourus les autres pages. Ah ! Un autre article intéressant.

UN VÉHICULE VOLÉ S'ABAT SUR UN HOPITAL

La nuit dernière, un véhicule dont le vol avait été signalé il y a quelque temps a jailli de la voûte céleste pour s'écraser sur l'Hôpital de la Miséricorde.
Le directeur de l'hôpital, le docteur Muff Chuff, qui était absent au moment du désastre, a affirmé que les dégâts étaient minimes et que seule l'aile du service des enfants déshérités a été touchée. Etant donné que le toit s'est effondré, il est impossible à l'heure actuelle de donner le nombre exact des victimes. « De toute façon, nous allions abandonner cette aile », a déclaré le directeur. « Nous avons besoin de davantage d'argent et nous manquons de médecins. Nous allons immédiatement demander une subvention pour la construction... »

Je tournai quelques pages et finis par trouver l'autre article que je cherchais. C'était un entrefilet.

UN OFFICIER DE L'APPAREIL

SE FAIT ÉCRASER EN PLEIN CIEL

Le corps de l'officier Raza Torr, de l'Appareil de Coordination de l'Information, a été découvert sur les berges de la Wiel juste avant l'aube. C'est un marinier conduisant un chaland à ordures qui a fait cette macabre découverte.
D'après le détective Ouaf Ouaf, de la Circulation Aérienne, certaines preuves montrent, sans l'ombre d'un doute, que Torr a été heurté de plein fouet par un aircar volant à toute allure et qu'il a fait une chute de trois mille mètres.

Je souris. On pouvait compter sur la presse pour se montrer rigoureusement exacte !
C'était une très belle matinée. Nous ne tardâmes pas à nous poser dans le jardin de la veuve Tayl. J'étais tellement content que je restai assis dans l'aircar à contempler la scène qui se déroulait près de la piscine. Cela me faisait chaud au cœur de savoir que c'était moi l'artisan de toute cette félicité.
Le docteur Prahd Bittlestiffender était allongé dans une chaise longue au bord de la piscine. Une quinzaine de boîtes d'eau pétillante vides étaient éparpillées autour de lui. Il portait un peignoir trois fois trop petit pour lui. Sur ses genoux, il y avait un énorme plateau de pains sucrés qu'il engloutissait sans prendre le temps de respirer - un pain sucré, une bouchée, un pain sucré, une bouchée.

La veuve Tayl était étendue à plat ventre dans l'herbe. Hormis une robe relevée jusqu'aux épaules, elle ne portait rien. Le menton entre les mains, elle dévorait le bon docteur du regard.

Quel spectacle charmant ! La sérénité bienheureuse qui suit l'étreinte passionnée ! Sincèrement, j'avais le sentiment d'être un bienfaiteur de la race ! Les ondes que la veuve adressait à Prahd étaient quasiment visibles dans la clarté de cette douce matinée ensoleillée.

Ils finirent par remarquer qu'un aircar s'était posé avec fracas dix secondes auparavant, manquant défeuiller les arbres.

Je sautai à terre. Leur regard se posa sur moi.

Tiens, tiens, qu'était-il arrivé à la veuve ? Elle avait deux pansements sur le visage et sa poitrine était enveloppée dans des bandes postopératoires. Est-ce qu'ils s'étaient battus ? L'explication me vint en un éclair : Prahd n'avait pas attendu pour se mettre au travail. Peut-être avait-il voulu se faire la main ? Il avait enlevé les verrues de la veuve et redressé sa poitrine.

Il vint à ma rencontre, grande carcasse dégingandée. Il finissait de mastiquer un pain sucré et s'essuyait les mains sur son peignoir.

- Je suis l'officier Gris, lui dis-je à voix basse en lui montrant mon identoplaque. (Puis je regardai furtivement autour de moi et demandai :) Aucun problème pour venir ici ?

Il me fixait d'un air bizarre.

- Est-ce que tout est en ordre ? insistai-je. Est-ce que Zanco a livré le matériel ?

Il hocha la tête. Puis il dit :

- Vous avez exactement la même voix que le professeur Gyrant Slahb !

Aha ! me dis-je, je vois que nous avons affaire à un esprit très pénétrant. Mais on vous entraîne bien dans l'Appareil. Je souris et dis :

- J'espère bien ! C'est mon grand-oncle ! Du côté de ma mère !

Aussitôt, le respect et l'adoration apparurent sur son visage !

- C'est un homme merveilleux ! s'extasia Prahd.

- Ça, vous pouvez le dire, acquiesçai-je chaleureusement. Bien, bien. Venons-en tout de suite à notre affaire. Est-ce que tout est prêt pour le test ?

Il partit à grandes enjambées et je lui emboîtai le pas. Nous pénétrâmes dans l'hôpital. Dans une pièce près de l'entrée, on avait entassé des piles de caisses vides, grandes ou petites. La chambre où avait vécu le mari invalide avait été complètement chamboulée. Au centre, on avait installé une grande table d'opération. Les lampes étaient prêtes à déverser leur lumière. Les scalpels, rangés sur une table roulante, étaient prêts à taillader la chair. Les fraises étaient prêtes à percer. Les cultures, dans leurs bocaux, étaient prêtes à croître. Et les becs à gaz et les brûleurs étaient prêts à tout rôtir. L'ensemble était sinistre !

- Je vois que vous vous êtes déjà servi de la table, remarquai-je.

Il rougit légèrement. Je ne m'étais pas trompé : il y avait deux petites taches qui ne laissaient aucun doute sur l'emploi qui avait été fait de cette table.

- Non, non, dis-je. Je voulais parler de la veuve Tayl.

Il devint cramoisi et regarda ses pieds avec une expression de culpabilité.

- Non ! Non, non ! Je voulais parler de l'opération qu'elle a subie.

- Ooooh ! Ça ! fit-il, soulagé. La pauvre femme. C'est si facile à enlever, les verrues. Et cette poitrine qui tombait, c'était tellement inutile. J'ai juste injecté un catalyseur musculaire dans la *mammora fermosa*...

Quel cytologiste dévoué !

- Ça va, ça va, coupai-je pour échapper à l'exposé technique numéro 205. Je sais bien qu'il vous fallait tester le matériel au préalable.

- Il marche à la perfection, dit-il avec un sourire ravi. (Puis il secoua la tête d'un air béat et ajouta :) Il y a d'autres choses que je pourrais lui faire...

Ça je n'en doute pas, commentai-je in petto. Pourquoi pas dans la position du poirier au fond de la piscine ? Ou bien perchés sur un arbre ? Il faut tout essayer dans la vie.

- Venons-en à l'opération-test ! dis-je d'une voix sévère.

Il était tout ouïe.

- Vous réalisez, j'espère, que cette opération est ultra-secrète et que votre présence ici l'est plus encore. Je suis venu pour voir si vous étiez prêt et pour vous apporter du matériel supplémentaire.

- Bontés divines ! s'exclama-t-il. J'ai déjà plus de matériel que nous n'en avions à l'hôpital où j'étais interne !

- L'opération-test va consister à installer certains objets dans le corps du patient qui vous sera amené. Vous allez étudier le manuel d'instructions et préparer la salle d'opération. Et pas d'erreurs ! Je n'ai pas besoin de vous rappeler que votre avenir en dépend. Mon grand-père...

- Vous voulez dire votre grand-oncle ?

- Mon grand-père était cytologiste, me rattrapai-je in extremis. Il avait l'habitude de dire que l'opération-test permet de se faire une idée définitive du praticien. Bien que mon grand-oncle ait été très impressionné par votre dossier, c'est à *moi*, et à personne d'autre, que vous devez donner entière satisfaction. Une indiscrétion, une seule, concernant votre présence ici, *un seul* petit coup de scalpel mal placé, et...

J'achevai ma phrase par un geste signifiant « adieu ». Cela l'effraya et il bredouilla :

- Oh... je... je... je vous obéirai, officier Gris. Je... je... f... ferai...

J'allai jusqu'à la porte d'entrée et braillai :

- Chauffeur ! Apporte les boîtes !

Je trouvai un réduit pour les cartons. Ske fit plusieurs voyages, non sans marmonner dans sa barbe, et entassa les boîtes dans le réduit. Celle que j'avais marquée d'un *X* arriva parmi les premières et je l'ouvris. Je sortis le manuel et un lot de mouchards. Je mis le tout sur une table et donnai à Prahd des instructions détaillées, avant de conclure :

- Etudiez le manuel. Ces objets font partie de l'opération-test.

Il me dit qu'il n'y manquerait pas. Il voulut savoir ensuite ce qu'il y avait dans les autres boîtes. Je lui dis que c'était du matériel sans intérêt, mais cela ne l'empêcha pas de farfouiller dedans. A vrai dire, je ne savais pas ce qu'elles contenaient et je m'en moquais pas mal.

- Ce n'est pas du matériel cytologique, remarqua-t-il.

- Si, si, mais ça ne se voit pas, fis-je d'un air savant, encore que je me demandais quel rapport il pouvait bien y avoir entre la cytologie et une lunette électronique miniature d'éclateur à longue portée, réagissant automatiquement au son.

Ske eut bientôt terminé et retourna à l'aircar en grognant. Le docteur Bittlestiffender était toujours occupé à examiner les cartons. Il se tourna brusquement vers moi et haleta :

- Il y a du sang sur ces boîtes !

Aïe ! Quelle poisse ! Mais l'Appareil nous apprend à réagir au quart de tour. C'est essentiel dans un métier comme le nôtre.

- Quelle horreur ! m'écriai-je.

Je courus comme un dingue vers l'aircar. Ske venait de s'asseoir sur le capot. Il était couvert de sueur et fulminait.

- Fais voir tes mains, ordonnai-je.

Il me les montra sans faire de chichi. Oui, il y avait quelques petites écorchures ici et là, celles qu'il s'était faites en transportant l'or. Mais elles ne s'étaient pas rouvertes et elles ne saignaient pas.

- Aha ! m'exclamai-je. Des éclats de métal !

Je fis jaillir le poignard de ma manche et lui plantai la lame dans la paume !

Il poussa un hurlement strident !

Je lui saisis l'autre main avant qu'il ait pu s'enfuir et je la perçai !

Il poussa un deuxième hurlement assourdissant.

Le poignard de la Section Couteau disparut dans ma manche aussi vite qu'il était apparu.

Le docteur Bittlestiffender traversait la pelouse et arrivait à grandes enjambées.

- Le pauvre garçon, dis-je. J'ai réussi à retirer les éclats de métal. Il vaudrait peut-être mieux que vous lui pansiez les mains. Il n'a pas l'habitude de ce genre de travail un peu rude.

Le sang coulait abondamment.

- J'aurais pu lui enlever ces éclats sans lui faire mal, remarqua Prahd.

- Quelquefois, on est obligé de prendre des mesures draconiennes, répliquai-je.

Ske me lança un regard furibond. Mais la douleur le terrassa et il appuya ses paumes l'une contre l'autre pour essayer de l'atténuer.

Le jeune docteur Bittlestiffender me regarda avec un respect nouveau, puis il emmena Ske, qui ne cessait de pousser des gémissements, jusqu'à l'hôpital. Une voix s'éleva près de moi :

- Ils en ont pour un moment. J'aimerais avoir une petite conversation avec vous. Venez avec moi dans la maison. Nous y serons tranquilles. Il n'y a personne là-bas.

La veuve Tayl.

J'aurais dû me méfier. Elle me conduisit dans un magnifique salon blanc et or. Le soleil dardait ses rayons sur un tapis blanc et soyeux.

Elle s'avança sur moi et je reculai, mais elle avait coincé son pied derrière mon talon.

Je m'abattis brutalement sur le tapis et un cupidon ricanant oscilla sur son piédestal. Pratia disait :

- Je ne saurais jamais assez vous remercier de me l'avoir amené.

Ma casquette s'envola par la fenêtre ouverte. La veuve continuait de roucouler :

- Nous avons passé une journée inoubliable, hier. (J'entr'aperçus un domestique dans le hall. Il était occupé à balayer et souriait bêtement.) Et après nous avons passé une nuit inoubliable.

Ma main avait agrippé le bord du tapis - un geste puéril. Pratia continuait de babiller :

- En fait, nous avons... nous avons...

Le cupidon se balançait dangereusement ! La voix de Pratia se faisait de plus en plus aiguë, de plus en plus tendue.

- ... nous avons... nous avons... nous avons...

Les rideaux s'abattirent sur le sol. La veuve poussa un gémissement convulsif :

- Aaaaaaaaaaah !

Le cupidon ricanant avait arrêté de vaciller. D'une voix parfaitement normale, Pratia me dit :

- Il est très, très gentil. Vous devriez voir comment il est équipé.

Ma tunique gisait sur le sol, quasiment à portée de bras, complètement chiffonnée. J'essayai de l'amener jusqu'à moi, mais je dus y renoncer car la veuve était repartie pour un tour. Il y avait à nouveau une certaine tension dans sa voix :

- Il était tellement affamé...

Le cupidon se remit à osciller.

- ...tellement affamé... tellement affamé... tellement affamé... Ah !... Aah !... Aaah !

Je serrais le bord du tapis avec tant de force que je faillis me rompre les doigts.

- Ouiiiiiii ! fit Pratia, le corps agité de spasmes.

Le cupidon se brisa en mille morceaux sur le sol.

Un nuage de poussière s'échappa du balai tenu par le domestique.

Je parvins à saisir ma tunique. La voix de Pratia était plus détendue.

- Je voulais juste que vous sachiez que c'est un *merveilleux* amant.

- Eh bien, merci de me l'avoir dit, fis-je en remettant une botte.

Il n'y a rien de plus déprimant que de se livrer à ce genre d'activité pendant qu'une femme vous parle des prouesses d'un autre homme. C'est très, très pénible.

J'entr'aperçus de nouveau le domestique à travers la porte entrebâillée. Il paraissait surpris. Ç'aurait dû me mettre la puce à l'oreille.

- Ne partez pas encore ! s'écria Pratia. (Ma botte vola par la fenêtre.) Je ne vous ai pas tout dit !

Ske devait être en train de regarder sa montre.

La barre des rideaux tomba par terre.

J'entendais des bruits de voix à l'extérieur de la maison, en provenance de l'aircar. C'était Ske et le domestique. Ils parlaient sans doute de la pluie et du beau temps.

La voix maussade de Ske retentit brusquement à travers la fenêtre ouverte :

- Officier Gris, vous avez décidé de passer la journée ici, ou quoi ?

Il régnait un silence paisible dans le jardin. Le domestique avait changé d'uniforme. Ske était occupé à ramasser ma botte et ma casquette.

Je me tenais devant la porte de la maison, essayant tant bien que mal de reboutonner ma tunique. Ce n'était pas une mince affaire car la plupart des boutons avaient été arrachés. De plus, j'étais à moitié dans le cirage et je titubais sur place.

Ske me tendit ma botte et ma casquette.

La veuve Tayl était à la fenêtre, le visage fendu en un large sourire.

Le jeune docteur émergea de l'hôpital et se dirigea vers la maison. La veuve Tayl passa à côté de moi telle une fusée. Elle passa son bras sous celui de Prahd et posa sur lui un regard plein de dévotion.

Le docteur me secoua la main et dit :

- Je ne saurais jamais assez vous remercier.

Il avait presque les larmes aux yeux. La veuve me regarda avec une mine radieuse et agrippa le jeune Bittlestiffender.

- Soltan, est-ce qu'il n'est pas merveilleux, notre jeune étalon ? roucoula-t-elle.

Eh bien, ça fait plaisir d'être apprécié, me dis-je. Certes, c'est surtout Prahd qui m'apprécie, mais c'est mieux que rien.

Nous décollâmes rapidement et montâmes dans le ciel éclatant de cette matinée ensoleillée.

- Pourquoi vous ne laissez pas cette charmante jeune femme tranquille ? grinça Ske.

Ah, si seulement c'était possible, songeai-je en regardant la propriété s'éloigner. Je les voyais tous les deux qui se précipitaient vers la pièce où je venais de perdre une nouvelle bataille. Les Dieux soient loués, bientôt je serais en sûreté sur Terre !

8

Nous filions en direction du hangar de l'Appareil. Mon chauffeur pilotait comme un malpropre. Ses mains étaient enveloppées dans d'énormes pansements et il faisait toute une comédie pour me faire croire que cela l'empêchait de manier le levier de conduite.

Je décidai que sa mauvaise humeur avait assez duré et qu'une petite explication à cœur ouvert s'imposait, histoire de détendre l'atmosphère.

- Qu'est-ce que tu as raconté sur moi au docteur ?

Il ne répondit pas tout de suite, se contentant de piloter - si on peut appeler ça piloter. Finalement, il dit :

- Vous tenez vraiment à le savoir ?

- Dis-moi tout. Je ne te punirai pas.

- Eh bien, tout d'abord, je lui ai dit que s'il était amené à travailler souvent pour vous, il avait intérêt à faire attention.

Bien, pensai-je. Très bien, même.

Mon chauffeur fit comme si sa main avait glissé du levier de conduite et l'aircar fit une embardée. Cela éveilla mes soupçons.

- Qu'est-ce que tu lui as dit d'autre ? Parle. Tu ne risques rien.

Il prit une profonde inspiration, avant de répondre d'une voix chargée de haine :

- Je lui ai dit que vous étiez un officier typique de l'Appareil, c'est-à-dire un sale (bip) sadique et malfaisant qui tuerait sa mère pour un centième de crédit !

Je le frappai !

Heureusement pour lui - et pour moi -, le communicateur se mit à bourdonner. En effet, l'aircar s'était mis à piquer en tournoyant. Je me retins comme je pus et saisis le disque de communication.

- Officier Gris ?

Mon sang se figea dans mes veines. J'avais reconnu la voix du secrétaire principal de Lombar Hisst. Je bredouillai un oui.

- Le chef vous fait dire de foncer jusqu'au hangar immédiatement. Il vous attend.

Il coupa la communication.

Mon imagination était en effervescence. Heller s'était-il échappé ? Hisst avait-il découvert sa liaison avec la comtesse Krak ? Le cadeau que je lui avais envoyé lui avait-il déplu ? Le directeur de Zanco lui avait-il parlé des dix mille crédits ?

La peur s'empara de mon esprit.

Mon chauffeur m'adressa un sourire mauvais.

- Contente-toi de piloter ! hurlai-je. Pousse-moi ce tas de ferraille à huit cents ! Maintenant !

C'est comme ça qu'il faut traiter la racaille.

Voilà ce qu'on gagne à se montrer amical, songeai-je. Non, en fait, tout avait commencé à la seconde où Heller était arrivé. Heller corrompait tout le monde ! C'était un fléau !

Et pour couronner le tout, Heller venait sans doute de faire quelque chose qui avait attiré sur moi les foudres de Lombar. Dieux tout-puissants, quel bonheur quand Heller aurait quitté cette planète et qu'il serait totalement à ma merci !

Par tous les diables, qu'est-ce que Lombar avait bien pu découvrir ? Que me voulait-il ?

Lorsque nous arrivâmes au hangar, je n'eus pas besoin de demander au garde de me conduire à Lombar : à l'entrée, il y avait un camion d'« entreprise » d'un jaune bilieux sur lequel était écrit :

VERMINES ET INSECTES

Dix contre un qu'il s'agissait de Lombar déguisé en ouvrier d'une compagnie d'extermination. Il le faisait souvent. Ça collait parfaitement avec sa conviction selon laquelle il fallait éliminer la racaille. De plus, c'était plutôt habile. En effet, tous les vaisseaux en provenance d'autres mondes devaient être désinfectés, ce qui lui permettait d'avoir accès à tous les recoins d'un vaisseau sans éveiller les soupçons.

Un essaim d'ouvriers s'activait autour du *Remorqueur 1* et le vacarme était infernal. Un camion de plus et une équipe d'ouvriers supplémentaire n'attireraient pas l'attention. Mais que voulait Lombar ?

Je courus jusqu'au camion. Lombar avait sans doute guetté mon arrivée, car la porte s'ouvrit brusquement et je fus violemment happé vers l'intérieur.

Il était assis sur un tabouret dans la pénombre du véhicule. Il portait une combinaison et un casque d'un jaune bilieux. Ses yeux d'ambre jetaient des flammes.

- Vous avez (bipement) bien fait de m'envoyer ce « cadeau » ! aboya-t-il. Je me demandais depuis plusieurs jours si je ne devais pas vous retirer de la mission !

Je tremblais comme une feuille. Et ses paroles n'arrangèrent rien. L'ennui avec Lombar, c'est qu'il n'est pas logique. Il m'avait interdit de réclamer des pots-de-vin, mais il avait sans doute deviné, malgré ma petite ruse, que j'avais désobéi. Et maintenant il me laissait la Mission Terre parce que j'avais transgressé ses ordres... Non, non... Mon raisonnement ne tenait pas debout... J'étais troublé, voilà tout. Mais surtout, Lombar était injuste. Si seulement il savait tout le bon travail que j'avais accompli...

- Vous avez rapporté qu'on chargeait des caisses d'un type particulier dans le vaisseau, dit Lombar. Je l'ai vu de mes propres yeux l'autre jour. Vous allez nous conduire à ces caisses !

Quelqu'un me jeta une combinaison jaune. Dans le dos, il y avait les mots :

LES EXTERMINATEURS TUE-TOUT

Je la revêtis à la hâte.

Je vis qu'il y avait trois autres personnes dans le fond du camion. Deux d'entre elles étaient de vieilles connaissances : un dénommé Prii, une espèce de génie capable d'ouvrir et de fermer n'importe quoi sans laisser la moindre trace ; et puis Bam, le meilleur saboteur de l'Appareil - il jouissait même d'une sacrée réputation auprès des plus grands criminels de la Confédération. Quant au troisième, c'était un savant obèse que je n'avais jamais vu - ce qui n'est pas étonnant, vu que l'Appareil emploie des milliers et des milliers de scientifiques spécialisés dans toutes sortes de domaines, même les plus inutiles. Comme Lombar, ils portaient tous les trois une combinaison jaune vomi et un casque.

Lombar avait l'œil collé contre une vitre polarisée. Il regardait en direction des bureaux du hangar.

- Ah ! fit-il. L'entrepreneur est arrivé.

Je regardai à mon tour. Un aircar de luxe s'était posé et un très gros homme portant un costume élégant se dirigeait vers l'un des bureaux. Il paraissait inquiet.

- Allez, espèce de gros lard puant ! grommela Lombar. Vas-y ! Fais ton numéro !

Peu après, un garde sortit du bureau en courant.

Heller travaillait avec une équipe d'ouvriers. Dans une main, il tenait une petite sondeuse-à-coque - un appareil qui permet de tester la qualité de l'absorption, l'épaisseur des plaques et la solidité des fixations. Il se balançait au bout d'une corde et parcourait la coque du *Remorqueur 1,* vérifiant chaque plaque. C'est quelque chose qu'on fait chaque fois qu'on a mis une nouvelle couche d'absorbo. Il travaillait très rapidement, s'élançant d'une plaque à l'autre grâce à des chaussures spéciales. C'était un sacré exploit sportif. Les ouvriers notaient ses relevés et ajustaient leurs cordes et la sienne au fur et à mesure. Sa casquette rouge était rejetée en arrière sur sa tête. Il débitait ses chiffres d'une voix forte qui s'élevait au-dessus du vacarme.

Le garde escalada tant bien que mal l'échafaudage qui s'élevait au-dessous d'Heller et l'appela en criant de toutes ses forces. Heller dit à un jeune ingénieur de le remplacer. Celui-ci prit la sondeuse et se mit à faire comme Heller, mais beaucoup plus lentement.

Heller se laissa glisser le long de la corde, sauta à terre et trotta jusqu'au bureau.

- Allez, tombe dans le panneau, espèce de snob à la (bip) ! siffla Lombar comme s'il lui donnait un ordre à distance.

L'entrepreneur ventripotent montrait un plan à Heller. Celui-ci tourna la tête en direction du *Remorqueur 1,* manifestement peu désireux d'interrompre son travail. Mais l'entrepreneur insista. Heller haussa les épaules.

Il fit signe au sous-officier de l'escouade de jour, ainsi qu'à un autre garde, et tous deux accoururent. Quelques instants plus tard, ils montaient tous les quatre à bord de l'airlimousine de l'entrepreneur. Le véhicule décolla.

Lombar émit un rire haineux.

- C'est typique d'une pourriture d'officier royal ! Un entrepreneur se pointe avec un problème idiot, pleurniche qu'il a besoin d'aide, que ses dessinateurs ne peuvent pas continuer le travail et qu'ils ont besoin des conseils d'un expert. Et l'officier royal, qui se prend pour le centre du monde, accepte. Pauvre (bip) prétentieux, va ! Môssieur je-sais-tout ! (Il haussa la voix et singea :) Quelqu'un a-t-il besoin de ma très royale assistance ? (Il émit un grognement.) Pas étonnant que Voltar stagne lamentablement, avec des crétins comme lui pour diriger les choses ! Je lis en Heller comme dans un livre ! Pauvre snob imbécile !

Il ouvrit la portière et nous fit signe de le suivre.

- Allez, venez ! Allons examiner ces caisses !

Chargés de matériel d'extermination, nous nous dirigeâmes d'un pas alerte vers le sas atmosphérique et pénétrâmes dans le vaisseau. Personne ne fit attention à nous, pas même les gardes.

Je déverrouillai et levai les panneaux qui recouvraient le sol du couloir et l'instant d'après, nous étions tous les quatre dans le réduit rempli de caisses. Bam, le saboteur, avait été le dernier à entrer et il avait abaissé les panneaux. Prii, le casseur, fixa une plaque lumineuse au plafond afin que nous puissions y voir.

Il y avait en tout et pour tout seize caisses de forme allongée, hermétiquement fermées et solidement amarrées en vue du voyage.

Prii se mit au travail sans perdre une seconde. Il prit une série de photos de façon à pouvoir remettre les caisses dans la position exacte où elles s'étaient trouvées. Il défit les crampons d'amarrage, puis à l'aide de quelques outils, il retira les couvercles des caisses et les empila sur le côté.

Ils faisaient montre d'une grande efficacité. Dès qu'une caisse était ouverte, le savant en relevait rapidement le contenu.

Il faisait chaud dans ce réduit. Les remorqueurs n'ont pas de compartiments à fret, juste quelques magasins pour le strict nécessaire. Lombar dégageait une forte odeur dans cet espace restreint - forte même pour moi. Peut-être était-ce la pourriture des bas-fonds qui suintait de son corps - ces bas-fonds qu'il haïssait tant. Je craignais qu'Heller ne revienne brusquement. J'avais l'impression que nous occupions les lieux depuis des heures.

- C'est tout ce qu'il y a ? demanda Lombar.

Je hochai la tête tout en songeant qu'il y avait deux petites caisses dissimulées quelque part dans le vaisseau. Je savais ce qu'elles contenaient.

Mais Lombar ne me regardait pas. Comme d'habitude, il répondit lui-même à la question.

- Bien sûr que c'est tout. J'ai étudié les plans du vaisseau et il n'y a pas d'autre endroit pour le fret. J'ai passé en revue tous les travaux qu'il a fait effectuer. On a juste retapé la coque, les commandes et les circuits électroniques. On n'a pas installé d'armes, ce qui est très bien. Comme ça le vaisseau est sans défense. On pourra l'abattre d'un coup de canon-éclateur.

J'eus un frisson. Pas avec moi à bord, priai-je avec ferveur.

- Alors ? lança impatiemment Lombar au savant.

A l'évidence, il en avait assez d'être là. Le scientifique, comme tous les scientifiques qui délibèrent avec eux-mêmes, prenait tout son temps, considérait longuement un objet, puis levait la tête d'un air songeur avant de prendre des notes. Ces gus adorent afficher un air avisé alors qu'en fait ils ne pensent qu'à une chose : aller boire un coup. Les savants de l'Appareil sont payés pour étudier la technologie de l'ennemi et donner leur avis, pas pour travailler. S'ils devaient bosser pour gagner leur vie, ils mourraient probablement de faim.

Lorsque le scientifique eut enfin terminé, il dit :

- Des pièces détachées, principalement. Le genre de bricoles dont on a besoin pour les réparations : des câbles, des capacitors et tout le reste. Il pense sans doute qu'il sera loin de la base et que le vaisseau a des chances de tomber en panne. Oui, juste des pièces détachées. De la quincaillerie, quoi.

Lombar émit un grognement. Son expression disait clairement qu'il n'y avait pas autre chose à attendre de la part d'un (bip) comme Heller.

- Par contre, les caisses 2, 3, 4 et 5, c'est une autre histoire, continua le savant. Elles contiennent les pièces essentielles d'une usine miniature de conversion de métaux.

J'y jetai un coup d'œil. Oui, il y avait des électrodes, des creusets à métaux, ainsi que des petits transformateurs et des convertisseurs. Ils étaient joliment emballés et brillaient dans la faible lumière. Le savant avait ouvert les paquets juste ce qu'il fallait pour pouvoir en identifier le contenu.

- Hum ! fit Lombar. Il croit qu'il va devoir leur apporter une technologie qui leur permettra de fabriquer du carburant moins polluant. Ce qui signifie qu'il *va* s'occuper du problème posé par les carburants. Exactement ce que je craignais !

- Peut-être, dit le savant en posant sa grosse masse de chair sur une traverse. Mais il n'est pas très malin. Blito-P3 possède déjà l'énergie atomique. Ils s'en servent pour faire fonctionner des engins à vapeur. Ils ont de l'uranium à profusion. Ils fabriquent des bombes avec. C'est d'ailleurs parfaitement idiot.

« Donc, s'il croit qu'il va les impressionner en leur apprenant à convertir un métal lourd en un autre métal lourd, il est vraiment à côté de la plaque. Ils n'ont pas besoin de davantage d'uranium. Ils ne l'écouteront pas.

Lombar, lui, écoutait ! J'étais abasourdi.

- Bien, bien, dit-il. Laissons tomber les caisses 2, 3, 4 et 5. S'il essaye de se livrer à ce genre d'expérience, je connais quelqu'un qui le tuera. Qu'y a-t-il dans la caisse n° 1 ?

- Oui, la caisse n° 1. Je vois que vous avez remarqué que je me suis attardé dessus. C'est de cette caisse-là que proviendront vos ennuis, chef.

J'examinai l'inscription qui était portée dessus :

Société de jeux éducatifs
Divertissez vos étudiants, même si ce sont encore des enfants
C'est en s'amusant qu'on apprend

- Mais c'est juste un kit pour gamins ! ricana Lombar.

- Oui, je sais, chef. Mais je n'ignore pas que vous voulez à tout prix éviter qu'on touche aux carburants terriens. Ce kit, c'est le « Kit n° 13 de l'Ecole Primaire ». On s'en sert dans les cours en laboratoire pour convertir le carbone en oxygène ou en hydrogène. Chef, dans les sociétés primitives telles que Blito-P3, qui en sont encore à utiliser le feu, les carburants sont à base de carbone, d'hydrogène et d'oxygène.

Lombar était sur le point d'éclater et fixait la caisse comme si elle l'avait insulté.

- Sur Terre, continua le savant, on provoque la combustion du carbone en lui faisant brûler de l'oxygène. On extrait du charbon et du pétrole - le pétrole, c'est des fossiles qui se sont transformés en carbone liquide - et on les fait brûler pour produire de la chaleur...

- Je sais tout ça ! coupa Lombar. Parlez-moi de ce kit éducatif.

- Eh bien, c'est juste un kit scolaire qui transforme le carbone. Vous avez dû en voir à l'école. Il comprend un convertisseur, avec un ballon de chaque côté. Le professeur verse le carbone - sous n'importe quelle forme - et le convertisseur fait le reste. Le courant produit par les atomes ainsi libérés va dans les deux tiges supérieures et celles-ci se mettent à crépiter avec de très jolies étincelles, et les deux ballons se remplissent... Vous avez dû en voir à l'école maternelle.

- Ouais, ouais, fit Lombar.

Mais je doutais fort qu'il eût jamais dépassé l'école maternelle. La science n'était pas son fort.

Lombar réfléchissait.

- (Bip) ! fit-il enfin, ça pourrait tout foutre en l'air ! Et je connais une certaine personnè sur Terre qui n'apprécierait pas du tout.

- Exactement, dit le scientifique. Et je sais qu'il faut absolument éviter de se mettre en travers de son chemin !

Bam intervint brusquement :

- Laissez-moi trafiquer ce kit de façon à ce qu'il explose quand on s'en servira, comme ça Heller mourra, et peut-être aussi quelques écoliers. Cours élémentaire, solution élémentaire. Ouaf, ouaf.

Mais cela ne fit pas rire Lombar. Il se contenta de hocher la tête, puis parut se raviser.

- Non, dit-il finalement d'un air songeur.

Une lueur de ruse apparut dans ses yeux - c'était cette faculté à concevoir des ruses perfides qui faisait le génie de Lombar et qui lui avait permis de se hisser jusqu'au sommet.

- Non, répéta-t-il. Bam, est-ce que vous pouvez trafiquer ce convertisseur de façon à ce qu'il tombe *ir-ré-mé-dia-ble-ment* en panne au bout de huit ou neuf heures ? Pas d'explosion. Juste une panne inexplicable au bout de quelques heures de fonctionnement.

- Il y a deux kits dans cette caisse, remarqua le savant.

Bam, l'expert en sabotage, sortit les deux convertisseurs et les examina.

- Oui, dit-il. Il suffit de trafiquer un seul élément. Une petite entaille en forme de V, et il y aura surcharge dans les éléments adjacents. Il sera obligé de remplacer toutes les pièces, et il n'y a que sur Voltar qu'il pourra les trouver. (Il examina la liste que venait de dresser le savant.) Non, il n'a aucune pièce de rechange ! Aucun problème, chef. Une simple entaille sur chaque appareil et ils fonctionneront environ sept heures avant de fondre complètement.

- Allez-y, lui dit Lombar en souriant. (C'était la première fois que je le voyais sourire aujourd'hui.) Les deux convertisseurs. Les ennuis que ça lui causera l'achèveront. En admettant, bien sûr, qu'il réussisse au préalable à éviter les pièges que je lui ai préparés, ce qui est impossible. Allez-y, allez-y.

Prii avait déjà remis les autres caisses dans l'état et la position où nous les avions trouvées. Personne n'aurait pu deviner qu'on y avait touché. Prii est un artiste dans son genre. Bam se mit au travail.

Lombar me martela la poitrine et dit :

- Sortez et retenez Heller au cas où il reviendrait plus vite que prévu. Ah oui... Et n'oubliez pas que je vous verrai juste avant votre départ pour vous donner les ultimes instructions. Alors soyez là.

J'ai relevé un panneau en toute hâte, j'ai pris le pulvérisateur anti-bestioles que j'avais emmené et je suis sorti du réduit. D'un pas nonchalant, j'ai regagné le camion. Je suis monté et j'ai enlevé le casque et la combinaison jaune vomi.

Puis, sans me faire remarquer, je me suis glissé hors du véhicule et je me suis rendu au bureau où j'ai attendu.

Je vis soudain que la limousine de l'entrepreneur bedonnant venait d'atterrir. Heller sauta à terre. Lombar était toujours dans le vaisseau ! Et Heller, visiblement, avait l'intention de reprendre son travail sur le *Remorqueur 1 !*

Je sortis et me plaçai devant lui.

- Je vous attendais, dis-je.

Il voulut m'écarter de son chemin.

- Comment ? fis-je. Pas de travaux terminés à estampiller ?

Heller en avait quelques-uns, mais il ne me fallut pas très longtemps pour les tamponner. Lombar n'était toujours pas sorti. Pourquoi traînaient-ils comme ça ? Si Heller pénétrait dans le vaisseau, il remarquerait le panneau de sol relevé - j'avais oublié de le refermer - et tomberait sur eux. Et Lombar m'étriperait !

- Réfléchissez bien, dis-je en toute hâte. N'y a-t-il pas quelque chose dont vous avez vraiment besoin pour le vaisseau ? On a considérablement augmenté notre budget. On m'a dit de vous préciser qu'il fallait en utiliser une partie. (C'était un mensonge, mais j'espérais que cela me permettrait de le retenir.) Si cet argent n'est pas dépensé, ça fera mauvaise impression.

De toute évidence, les gens de la Flotte ne partagent pas ce point de vue. Ils partent du principe étrange qu'il faut économiser l'argent du gouvernement et n'acheter que le strict nécessaire. C'est idiot ! Si vous ne dépensez pas votre budget, on vous le retire !

Heller me regardait d'un drôle d'air. Finalement il dit :

- Ma foi, nous n'avons pas commandé de fleurs pour la fête d'adieu.

- Parfait, dis-je. Remplissez un bon de commande pour des fleurs.

Il me dévisageait d'un air de plus en plus bizarre. Il semblait avoir des problèmes avec sa mâchoire. Mais il prit un bon de commande vierge, le posa sur la tablette qui pendait d'ordinaire à sa ceinture et se mit à écrire. J'ajoutai deux ou trois autres types de fleurs et une couronne, ainsi qu'une guirlande « Bon voyage », de celles qu'on met sur les vaisseaux transportant des personnalités. Lorsque je fus à court d'idées, j'apposai mon identoplaque sur le bon de commande.

Par tous les diables, qu'est-ce qui retenait Lombar ?

- Je suis sûr qu'il y a autre chose que nous n'avons pas, dis-je.

Je ne m'étais pas trompé, Heller avait *bel et bien* des problèmes avec sa mâchoire. Elle tremblait. Un mal de dents ?

- Eh bien, pour la fête d'adieu, nous n'avons pas de bulle-malt jaune, rose et mauve.

- Parfait, dis-je.

Je n'avais jamais entendu parler de bulle-malt jaune ou mauve. Mais il remplit solennellement un nouveau bon de commande que j'estampillai.

Par tous les ENFERS ! Où donc était Lombar ?

Heller s'apprêtait à se diriger vers le vaisseau et je dus à nouveau le retenir.

- Je suis sûr qu'il nous manque autre chose ! dis-je précipitamment.

Il me regarda fixement. Sa bouche tremblait de plus en plus. Peut-être s'était-il cogné en jouant les casse-cou sur la coque du vaisseau.

- Ma foi, pour les entrepreneurs et leurs ouvriers, nous n'avons pas commandé de buffet : tup à volonté, gâteaux à pois verts, danseuses à peau bleue, etc.

- Excellent, excellent. Ecrivez.

Il remplit le bon et j'y apposai mon identoplaque.

TOUJOURS PAS DE LOMBAR !

- Ne nous arrêtons pas en si bon chemin, fis-je. Il doit y avoir autre chose.

Sa gorge aussi était agitée de tremblements à présent. Mais il réussit à les réprimer et dit :

- Nous devons aussi inclure les employés et les gardes du hangar. Ils le prendront mal si nous régalons uniquement les équipes d'ouvriers. Voyons voir. (Il se mit à réfléchir.) Que diriez-vous d'une fête d'adieu pour eux, avec cinq orchestres de danse, des ours danseurs des montagnes vertes, un lâcher de ballons et un feu d'artifice ?

- Excellent, excellent. Ecrivez !

Et il remplit un bon de commande pour du tup à profusion et tout le reste. Je l'estampillai.

MES DIEUX ! QUE POUVAIT BIEN (BIPER) LOMBAR ?

- Je suis certain que vous avez oublié quelque chose, dis-je.

Il avait énormément de mal à déglutir. Mais il finit par retrouver l'usage de la parole.

- Nous n'avons pas commandé de nouveaux uniformes de parade pour l'escouade de Snelz.

- Merveilleux. Ecrivez !

Il s'exécuta et ajouta même de nouvelles bottes et une nouvelle literie pour tout le monde, ainsi qu'un nouveau bâton pour Snelz. J'estampillai le bon.

Lombar, par tous les Dieux du Ciel, sors de ce vaisseau !

- Je suis sûr que nous avons oublié quelqu'un, dis-je.

- Oh, c'est ma foi vrai. Un nouvel uniforme et une nouvelle paire de bottes pour Ske, votre chauffeur. Non, disons plutôt deux nouveaux uniformes, deux nouvelles paires de bottes et un uniforme d'apparat pour les occasions spéciales.

Il rédigea le tout et j'apposai mon identoplaque aussi lentement que je pus.

Je jetais fréquemment des coups d'œil en direction du sas. Toujours aucun signe de Lombar. Par tous les Dieux, me lamentai-je, combien de temps vais-je encore pouvoir continuer ce petit jeu ?...

- Jettero, fis-je d'un ton suppliant, je suis persuadé que nous avons oublié quelque chose.

Il réfléchit longuement. Il paraissait avoir du mal à respirer et sa poitrine était secouée de spasmes. Il avait les lèvres serrées.

- En tout cas, dit-il enfin, *vous,* vous n'avez besoin de rien, vu que vous êtes du voyage. Ah, ça y est ! J'ai trouvé ! Une garde-robe complète pour la comtesse Krak !

Il se mit à écrire à n'en plus finir : des bottes, des robes, des jumpers, une tiare, des claque-bulles, etc. Lorsqu'il eut enfin terminé, j'estampillai le bon de commande.

J'étais au comble du désespoir et je jetai un nouveau coup d'œil en direction du sas. Toujours pas de Lombar.

Mon regard se porta accidentellement dans une autre direction. Où diables était passé le camion de la fausse compagnie d'extermination ?... Il était PARTI !

Cet (enbipé) de Lombar et ses acolytes s'étaient glissés hors du vaisseau et étaient repartis ! La voie était sans doute libre depuis longtemps ! Tout ce cinéma pour retenir Heller avait été complètement inutile ! Ils avaient probablement quitté le vaisseau juste après moi ! Pendant que je me changeais dans le camion !

- Ça sera tout pour le moment, dis-je rapidement.

Heller prit les bons de commande estampillés, détacha les doubles qu'il remit à l'employé aux achats et me tendit les originaux.

- Je vous remercie infiniment, Soltan. C'était très aimable de votre part. Au début, je croyais que vous me faisiez une blague, alors je vous ai fait marcher à mon tour. Mais, après un moment, je me suis rendu compte que vous étiez sérieux. Je suis navré de m'être moqué de vous. J'espère qu'ils trouveront du bulle-malt jaune et mauve. A ma connaissance, ça n'existe pas. Pas plus que les jambières en peau de léprodonte et à talons en or massif que j'ai commandées pour la comtesse. Mais nous laisserons les préposés aux achats se débrouiller avec ce problème. Je croyais que nous devions quitter Voltar discrètement, mais à l'évidence, cette consigne a été levée. Cette fête d'adieu ne va pas être triste ! Une fois encore, merci, Soltan.

Et il s'en alla en faisant clic-clac, clic-clac avec ses chaussures spéciales. L'instant d'après, il avait agrippé une corde et se faisait hisser jusqu'en haut pour terminer le sondage de la coque. Je le regardais avec amertume. J'avais entendu dire que les gars de la Flotte s'amusaient souvent à faire des bons de commande idiots : un pot de peinture noire bleu ciel, dix bidons de néant, un kilo de photons, deux hectares de particules spatiales assorties, etc.

Mais je tenais ma revanche. Quand il se servirait du convertisseur, l'humiliation serait *terrible.* Ça lui apprendrait !

Je retournai à l'aircar. Je dis à mon chauffeur de m'emmener loin d'ici et de plafonner. J'avais besoin de tranquillité.

Ce n'est qu'une demi-heure plus tard que je pris conscience de ce qu'allait faire le Bureau des Finances avec quelques-uns des bons de commande. Il les déclarerait « futiles » et comme « n'entrant pas dans le budget existant ». Mais il ne le ferait qu'une fois que la marchandise commandée aurait été livrée. Vous pouvez dépenser des millions tant que ça n'est pas « futile ».

Pris de panique, je me mis à calculer le montant probable de ces commandes ! Plus j'avançais dans mes calculs, plus je m'affolais.

Si jamais ces bons de commande étaient rejetés, on pouvait me les débiter de mon compte !

Certains articles, comme les uniformes, passeraient. Mais le reste se montait à plus de huit cent cinquante crédits ! Davantage peut-être !

Si mon compte était à découvert, je risquais la cour martiale et peut-être même le renvoi !

- Qu'est-ce qui vous prend ? demanda Ske. On dirait que vous avez une crise.

- Conduis-moi au Bureau des Finances, parvins-je finalement à articuler. Il faut que je mette immédiatement neuf cents crédits sur mon compte ! Vite !

La ruine me guettait une fois encore !

Durant le trajet, je ruminai tristement sur mon sort, affalé sur la banquette.

Et puis, soudain, une pensée plus horrible encore m'assaillit. Je me redressai. La fête d'adieu, les feux d'artifice, les couronnes sur le vaisseau ! Comme mission secrète, on avait vu mieux. Lombar m'étriperait. Je me mis à hurler :

- (Enbipé) d'Heller ! Qu'ils aillent tous se faire (enbiper), lui et sa race !

Les éclats de rire de Ske ne firent rien pour me calmer. Il ne rirait pas s'il savait à quel point la situation était tragique.

La journée avait pourtant si bien commencé !

9

Durant le reste de la journée, je m'étais occupé de ceci et de cela. J'avais passé la nuit à me retourner dans mon lit, en proie à une appréhension de plus en plus aiguë. Aujourd'hui, il fallait que je me débrouille pour attirer Heller dans ce mini-hôpital et le faire opérer. C'était surtout la comtesse Krak qui me faisait peur. Si elle se doutait que j'avais fait quelque chose à Heller, elle trouverait le moyen de me tuer, Répulsos ou pas. Je réussis finalement à m'endormir, mais je sombrai aussitôt dans un horrible cauchemar où la comtesse me prenait pour l'homme-jaune qu'elle avait réduit en bouillie à coups de pied. Je lui répétais sans cesse que mon cauchemar venait de ce qu'elle faisait un complexe d'Electre et une fixation sur son père, mais elle ne m'écoutait pas et continuait de me piétiner. Je me réveillai en nage et, pendant quelques instants, je crus que la sueur dont j'étais couvert était du sang. Je fus incapable de me rendormir !

Je me rendis au *Remorqueur 1* après le lever du soleil - je savais que la comtesse était partie à cette heure-là. Je montai à bord en remuant dans ma tête les plans que j'avais formés et en arborant un sourire plutôt forcé. Heller était déjà levé. Il était assis dans le luxueux salon et finissait d'écrire quelques notes. Il portait une combinaison de travail blanche à col échancré faite d'un tissu scintillant. Les gars de la Flotte sont tous des frimeurs. J'espérais qu'elle serait couverte de sang avant la fin de la journée !

- Il va falloir que vous remettiez à plus tard votre travail de la journée, dis-je. Aujourd'hui vous passez un examen, pour voir si vous êtes prêt physiquement.

Il rit.

- Oh, je pense que je suis prêt. Je suis même en excellente condition. J'allais d'ailleurs faire quelques tours de hangar, avant l'arrivée des ouvriers.

- Vous permettez que je m'asseye ? dis-je en prenant un siège. Jettero, vous ne comprenez pas l'espionnage. C'est pour ça que je suis là. Pour vous guider. Là où nous nous rendons, on inclut les signes particuliers dans TOUS les dossiers de police. Si vous avez des signes particuliers, on peut vous repérer comme ça.

Je fis claquer mes doigts.

- Oui, mais je n'en ai pas.

- Ha ! m'exclamai-je.

Je me levai et écartai le col de sa combinaison blanche afin de dévoiler son épaule. J'espérais secrètement qu'il se déchirerait.

- Et ça, c'est quoi ? (Je désignai la petite cicatrice blanche laissée par la dague paralysante de Lombar.) Vous voyez ?

Je lâchai le col et il se remit en place. Je dévisageai longuement Heller. Pour un ingénieur de combat qui avait connu autant de batailles et d'aventures que lui, il avait vraiment peu de marques.

Mais je finis par en trouver une. Juste à l'extrémité supérieure de son arcade sourcilière droite. Une cicatrice minuscule. Exactement ce qu'il me fallait ! Car on pourrait introduire les mouchards entre la tempe et l'os qui surplombait l'œil.

- Et de deux ! lançai-je triomphalement en montrant son arcade sourcilière du doigt.

- Oh, ça ! fit-il en riant. Vous ne me croirez pas, mais j'étais en campagne sur une planète primitive. Je devais pénétrer dans un village entouré de palissades et j'ai été touché par une flèche à pointe de pierre. Imaginez ça, un arc et une flèche !... Le toubib du vaisseau qui a pansé ma blessure était mort de rire. J'étais là avec un éclateur à la main, prêt à tirer, et j'ai été blessé par une flèche ! Hilarant. L'escadron tout entier était écroulé. Ce n'est rien du tout.

- C'est un signe particulier, dis-je avec solennité. Là où nous allons, les gens sauraient tout de suite que vous venez de Voltar en voyant cette marque. Vous vous feriez immédiatement arrêter !

Heller éclata de rire.

- Nous n'utilisons pas d'arcs et de flèches sur Voltar ! Regardez autour de vous, Soltan. Vous en voyez quelque part, vous ?

Il trouva ça furieusement drôle et partit dans une crise de rire. J'espérais qu'il s'étoufferait.

Je vis que je n'arriverais à rien en poursuivant dans cette voie et décidai d'essayer mon deuxième argument. J'avais passé des heures à envisager les mille et une façons de l'attirer sur la table d'opération.

- Vous avez peut-être raison, dis-je d'un ton sévère, mais n'empêche que c'est contraire au règlement 534279765, section A, paragraphe 1, selon lequel nul n'a le droit de circuler sur Terre s'il porte des signes particuliers ! Et toc !

Il avait cessé de rire.

- Et, bien entendu, vous avez apporté ce règlement pour me le montrer, dit-il.

Je ne pouvais rien lui montrer vu que je venais de l'inventer. Mais j'ai l'esprit vif.

- Vous connaissez la clause a-36-544 M, section B, du *Livre des Codes de l'Espace,* qui interdit à un Voltarien de dévoiler son origine lorsqu'il se trouve sur une planète non encore conquise ?

Oui, il la connaissait.

- Eh bien, le règlement relatif aux signes particuliers est une interprétation juridique secrète de cette clause. Nous sommes tenus de nous y conformer, vous savez.

- J'avoue que j'ignorais tout cela, dit-il en secouant la tête. Mais cette interprétation est celle de l'Appareil, pas celle de la Flotte, et je ne suis donc pas obligé de m'y conformer.

A l'évidence, je n'arrivais à rien. Mais je n'avais pas encore fait appel à la psychologie terrienne. C'est mon arme secrète. Jusqu'à ce que j'écrive cette confession, tout le monde ignorait que c'est à la psychologie que je devais toutes mes victoires.

Il est dit qu'un enfant, lorsqu'on refuse de lui donner les choses qu'il désire, fait souvent une « crise de nerfs » - c'est l'une des expressions scientifiques des psychologues terriens. La plupart du temps, les parents battent en retraite et cèdent. J'entrai dans la Phase Un de la *crise de nerfs.*

- Vous faites tout pour me compliquer le travail, boudai-je. Vous n'êtes qu'un vilain méchant.

C'est une expression psychologique magique, une sorte d'incantation.

Je vis que mon discours avait fait son effet. Heller me regardait d'un air perplexe. Je passai à la Phase Deux, le *refus.*

- Si vous ne venez pas avec moi pour passer l'examen d'aptitude physique, JE NE TAMPONNERAI PLUS JAMAIS AUCUN PAPIER QUE VOUS ME PRÉSENTEREZ !

J'avais hurlé la dernière phrase, en employant le ton aigu et geignard qui convenait.

Ça marchait. Heller me fixait d'un air inquiet.

J'entrai dans la Phase Trois, le *refus convulsif.* Je me laissai tomber par terre, sur le dos, et je me mis à simuler une *crise d'épilepsie.* Je me tortillai dans tous les sens en martelant sauvagement le sol de mes talons. C'est ça qui fait craquer les parents. En effet, comme la mort s'accompagne d'une crise d'épilepsie, ils craignent que l'enfant ne soit en proie aux convulsions de l'agonie. J'observais Heller du coin de l'œil.

Oui, ça marchait ! Il laissa échapper un long soupir - la réaction normale - et leva les yeux au ciel.

La Phase Quatre consiste à se mettre un bout de savon dans la bouche et à *écumer.* J'avais amené du savon. J'étais même prêt à appliquer la Phase Cinq, qui consiste à imiter le *râle de la mort.*

Mais je n'eus pas besoin d'en arriver là ! Heller dit :

- Oh, pour l'amour des Dieux, Soltan ! Inutile de jouer la comédie ! Pourquoi ne pas m'avoir dit que Lombar Hisst vous fera des ennuis si je n'y vais pas ? C'est bon, je viens avec vous !

Je l'avais eu !

Une fois dehors, je dis au sous-officier et au garde de rester devant le vaisseau. Heller serait absent toute la journée.

Nous décollâmes.

La psychologie terrienne, ça marche à tous les coups ! Ça n'est pas aussi amusant que les ruses de Bugs Bunny, bien sûr, mais c'est tout aussi efficace ! Les psychologues et les psychiatres terriens ont tout compris ! Ils réussissent invariablement à berner tous ces pauvres gogos ! Ce sont les rois de l'arnaque délibérée !

En plus, ils sont d'une cruauté tout à fait réjouissante. Comme le plan que j'allais accomplir aujourd'hui.

ONZIÈME PARTIE

1

- Tiens, tiens, fit Heller tandis que l'aircar redescendait. Les faubourgs de Pausch Hills. Ça nous change des salles d'opération de Répulsos.

Ske se dirigeait vers la propriété de la veuve Tayl en rase-mottes.

- Ça, vous pouvez le dire, répondis-je. Je savais ce que je faisais quand j'essayais de vous persuader. Vous avez très bien fait de venir. Tout se passera merveilleusement bien. Vous serez traité comme un roi.

Je désignai la pancarte sur le portail :

HOPITAL SACRÉ DU SOUVENIR

PRÉSERVÉ EN MÉMOIRE DE MON ÉPOUX BIEN-AIMÉ

Dommage qu'on ne puisse pas t'y enterrer aussi, pensai-je.

- C'est l'un des meilleurs spécialistes actuels qui s'occupera de vous. (Espèce d'(enbipé) de corrupteur d'hommes, ajoutai-je intérieurement en lui décochant un sourire.) Nous sommes arrivés. Hop, on descend.

Prahd était tout là-bas, devant la porte du mini-hôpital. Il portait un masque de chirurgien et tenait une pince. Il l'ouvrait et la refermait, ce qui faisait miroiter le métal sous les rayons du soleil.

Heller sauta à terre, huma avec délectation la senteur des bourgeons et s'étira. Puis il traversa la pelouse, longea la piscine et se dirigea vers le bon docteur Bittlestiffender. J'eus du mal à réprimer ma joie. Il était tombé dans le piège. Je le tenais !

Je n'avais pas remarqué la veuve Tayl. Elle se tenait un peu plus loin, sous les arbres en fleurs. Elle était immobile. Elle avait la bouche ouverte et écarquillait les yeux. On aurait dit une statue. Elle avait amené sa main contre sa poitrine et paraissait avoir des difficultés à respirer. Je me dis qu'elle était, malheureusement, en passe de faire ce qu'on appelle une « fixation » sur moi. C'est l'attraction inexplicable qu'une femelle éprouve pour un mâle viril et beau. En ce moment, ça me gênait d'avoir un tel effet sur les femmes. J'avais vraiment d'autres chats à fouetter. Je courus pour rattraper Heller.

- Docteur Bittlestiffender, fis-je, voici la... le patient.

J'avais failli dire « viande ».

J'avais donné toutes les instructions au jeune docteur. Mais il paraissait un peu nerveux. Et pourquoi pas, après tout ? Il croyait que s'il ratait l'opération, le monde entier s'écroulerait sur sa tête. Il opina, tout en faisant claquer fébrilement la pince. Il entra précipitamment, ouvrant la marche.

Heller fit rapidement le tour de la pièce.

- Je vois qu'on n'a pas lésiné, dit-il. Rien que du matériel dernier cri.

- Veuillez vous déshabiller et vous allonger sur la table d'opération, dit Prahd. Comme ça, nous pourrons commencer tout de suite.

- J'espère bien, répliqua Heller. J'ai encore des tas de choses à faire au vaisseau. Nous décollons bientôt et...

- Plus vite vous ferez ce que le docteur demande, plus vite ce sera fini, coupai-je.

Son ignorance des règles de sécurité et d'espionnage était terrifiante ! Parti comme il était, il allait raconter sa vie au docteur et lui dire son nom.

Heller se débarrassa de ses chaussures et ôta ses vêtements avant de s'étendre sur la table d'opération.

- Hum, fit Prahd. Vous êtes ma foi extrêmement bien bâti. Et équipé.

Sa remarque me surprit. Je regardai le jeune toubib pour voir s'il y avait du désir dans son regard. Non. Ç'avait simplement été un commentaire professionnel. Et il avait dit vrai, à mon grand regret. Heller avait effectivement un corps musclé, athlétique, bien proportionné, et il était très, très bien équipé. Je compris que Prahd avait dit ça pour établir une sorte de connivence avec le patient. Et je compris également que son compliment m'avait irrité. J'en connaissais d'autres, des gens bien bâtis et bien équipés... Enfin, pas vraiment.

- Docteur, dis-je, j'aimerais que vous examiniez attentivement certaines marques hideuses et tout à fait catastrophiques pour le genre de métier que nous exerçons.

Prahd scruta longuement Heller mais il ne les trouva pas. Je vis que ce sombre (bip) était sur le point de dire qu'Heller n'avait rien et je désignai fermement la minuscule cicatrice blanche laissée par la dague paralysante de Lombar.

- Ça, fis-je d'un ton qui n'admettait aucune réplique. Il faut m'enlever ça. (Sans attendre, je lui montrai l'arcade sourcilière droite.) Et voilà *la* marque qui risque de le trahir. Elle aussi visible qu'un furoncle !

Le jeune docteur se pencha et chercha la marque en plissant les yeux. Finalement il la trouva mais je faillis avoir une autre attaque lorsqu'il dit :

- Il cicatrise drôlement bien. Il faudrait presque une loupe pour...

- C'est le vestige d'une *trrrès* grave blessure à l'os frontal, coupai-je. (Bon sang, qu'est-ce que ce docteur pouvait être stupide ! Je lui avais pourtant dit comment il devait procéder.) Il a presque eu la tête fracassée par une flèche primitive dont la pointe était en pierre !

Les yeux de Prahd se mirent à clignoter.

- Une pointe en pierre ! s'exclama-t-il.

Et alors, en cet instant pourtant crucial, Heller et lui ne trouvèrent pas mieux que d'éclater de rire. Heller lui raconta l'histoire. Apparemment, les hommes et lui n'étaient pas venus combattre les primitifs. La curiosité d'Heller avait été éveillée lorsqu'il avait vu la façon dont ils avaient construit leur palissade - elle paraissait flotter à soixante centimètres du sol. Il s'en était approché et, simple précaution, avait sorti son éclateur. C'est alors qu'un petit garçon lui avait envoyé une flèche dont la pointe était de pierre. J'avais beau chercher, je ne voyais pas ce qu'il y avait de drôle là-dedans.

De plus, il semblait bien qu'il transformait l'histoire à chaque fois qu'il la racontait. Elle ne tenait pas debout. S'il avait un éclateur dans la main, il lui aurait été très facile de tuer le petit garçon dès le départ. Donc, il mentait.

Mais avant que j'aie pu reprendre la situation en main, le jeune toubib avait déjà saisi un appareil équipé d'une plaque visionneuse et il posait cette dernière sous la tête d'Heller. Il regarda son écran. Je ne voyais rien d'autre que les os crâniens.

- Nom d'un léprodonte ! s'exclama brusquement Prahd. Est-ce que cette blessure a été soignée ?

Heller haussa les épaules et dit :

- Il n'y avait pas grand-chose à soigner. Ça nous a surtout fait rire. Le docteur a juste mis un pansement.

- Oho ! Il mérite de passer devant le conseil des médecins ! dit le jeune docteur d'un ton grave.

Heller ne riait plus.

Prahd mit son doigt sur la cicatrice et demanda :

- Est-ce que ça fait mal ?

- Ouille ! fit Heller.

- J'en étais sûr !

Le docteur Bittlestiffender prit un feutre mauve et dessina un petit *x* sur la cicatrice. Puis il alla éteindre l'appareil et le posa sur une autre table. Il regarda Heller en secouant la tête et dit :

- Si ce docteur avait fait son travail comme il faut, il n'aurait pas manqué de voir ce que j'ai vu !

Je le contemplai, bouche bée. Je n'avais rien vu sur l'écran.

- Mon cher ami, continua Prahd d'un air grave, je regrette de devoir vous annoncer ça. Surtout ne vous alarmez pas inutilement, vous êtes entre les mains d'un expert. Heureusement que j'ai fait cette radio, car d'ici deux ans maximum le syndrome de pénétration progressive aurait accompli son œuvre et il aurait fallu vous inciser le lobe préfrontal, ce qui aurait entraîné l'habituelle suppuration de la paroi cérébrale interne.

Par tous les Diables, que mijotait cet imbécile de docteur ?

- Holà, holà ! dit Heller. La médecine, ce n'est pas mon rayon. Il va falloir vous exprimer en voltarien.

Prahd prit la main d'Heller dans la sienne, comme pour le réconforter.

- Je vais vous dire ce que vous avez. Gardez votre calme... L'extrémité de la pointe de la flèche est restée à l'intérieur !

Soudain je compris ! Ouah... Ce jeune docteur Bittlestiffender était un drôle de petit futé. Pas étonnant que les vieux praticiens n'aient pas voulu de lui. Il leur aurait fait une sacrée concurrence ! Question fourberie, ce type était un véritable artiste ! Digne des meilleurs éléments de l'Appareil !

- Une seconde, dit Heller. Je n'ai pas le temps de me faire tripoter par vous maintenant ! J'ai une mission qui m'attend !

- Alors je vous déclare inapte physiquement à accomplir votre mission. Officier Gris, veuillez informer vos supérieurs que le sujet n'a pas la condition physique requise.

- Mais pourquoi ? demanda Heller en se redressant.

- Un corps étranger vous ronge le cerveau et il y aura des conséquences - c'est inévitable. Donc, si je vous déclare apte et que votre mission échoue, ce qui sera certainement le cas, je serai radié de l'ordre des médecins. Donc, je ne peux pas vous déclarer apte. Vous ne pouvez pas partir en mission.

Les Dieux soient loués, Krak avait fait pression sur Heller et il se mit en colère.

- Vous ne comprenez pas ! Je *dois* mener cette mission à bien !

Prahd rangeait ses instruments.

- Combien de temps faut-il pour l'enlever ? demanda Heller.

Le jeune docteur haussa les épaules et dit :

- L'opération, bien que vitale, n'est pas très longue. Deux heures. Plus quatre ou cinq heures pour vous remettre de l'anesthésie.

- Ah non ! lança Heller. J'ai promis à... j'ai promis à quelqu'un de ne pas me laisser anesthésier en présence de... de certaines personnes.

- Oh, Jet, dis-je. Vous ne faites pas confiance à vos amis ?

Mais j'avais pensé à cette éventualité. Je savais que Krak sauterait au plafond si elle découvrait qu'Heller avait été mis sous anesthésie générale. Elle avait peur qu'on le charcute ou qu'on lui implante des suggestions posthypnotiques. Mais j'avais tout prévu.

Je pris sur une table la valise que j'avais apportée la veille et je la tendis à Heller.

- C'est un enregistreur. Avec un bracelet-verrou. Prenez-le. Vous faites une combinaison de chiffres et vous l'attachez à votre poignet. Vous serez le seul à pouvoir l'ouvrir ou à modifier la combinaison. Vous mettez l'enregistreur en marche et il tournera jusqu'à votre réveil. Il enregistrera toute l'opération, avec l'image et le son. Vérifiez par vous-même.

Il l'examina. Mais l'appareil était tout à fait normal. Il était impossible d'ouvrir la valise métallique une fois qu'on l'avait fermée. Heller serait le seul à pouvoir la déverrouiller et récupérer l'enregistrement.

Heller soupira. Puis il dit d'une voix lasse :

- A quel poignet dois-je l'attacher ?

J'avais gagné ! J'avais gagné ! Mais je conservai mon attitude grave.

- Le poignet gauche, car le docteur vous opérera du côté droit. Nous pourrions par exemple poser votre main sur cette petite table roulante, comme ça elle ne bougera pas et tout sera enregistré. Vous pourrez toujours visionner l'enregistrement plus tard, à tête reposée.

Je savais que la comtesse Krak n'y manquerait pas !

Il mémorisa silencieusement quelques chiffres, régla le verrou et referma le bracelet sur son poignet. Il posa sa main et l'enregistreur sur la table roulante, de façon qu'il soit braqué sur la table d'opération, puis il le mit en route.

- J'ai un peu mal au cœur, dis-je à Prahd. Vous n'auriez pas un médicament par hasard ?

Il me tendit une pilule.

Puis il se mit à sortir des scalpels, des pinces, des sondes et des fraises. Heller le regardait faire avec ennui. Tout en effectuant ses préparatifs, Prahd blablatait pour le mettre à l'aise.

- Ce sont souvent les petites choses de l'existence qui sont fâcheuses. Qui aurait cru qu'un tout petit éclat de pierre puisse causer autant de dégâts ? Etc, etc.

Prahd amena un appareil à gaz anesthésiant à côté de la table d'opération.

- Vous pourriez me tenir ça ? me dit-il en me tendant un instrument.

- Oh non, fis-je. Je ne sais pas pourquoi mais la vue du sang me rend malade depuis quelque temps.

Prahd haussa les épaules, augmenta l'oxygène et ouvrit la valve d'anesthésique. Il mit le masque sur le visage d'Heller et celui-ci commença à inhaler. L'aiguille du compteur relié au crâne d'Heller se porta sur *Inconscient*.

Le jeune docteur saisit un bistouri.

- Mes Dieux ! criai-je soudain. J'ai envie de vomir !

Je me précipitai hors de la pièce en émettant des bruits de gorge. Une fois dans l'entrée, je continuai d'éructer pendant un instant avant de mettre fin progressivement à mon « bruitage ». Ensuite je tirai sur la ficelle que j'avais installée la veille. Elle déplaçait la table roulante juste ce qu'il fallait pour que la main tombe hors du champ de vision de la table d'opération. La chose aurait l'air de s'être produite naturellement. L'appareil n'enregistrerait désormais que le dessous de la table d'opération et, bien entendu, le son.

Je poussai un nouveau gémissement « lointain » et sortis sur la pointe des pieds.

Je le tenais ! Bien sûr, ça ne valait pas l'une de ces bonnes vieilles lobotomies dont raffolent les psychiatres terriens. Ils enfoncent un pic à glace sous les paupières et transforment les lobes préfrontaux du cerveau en hamburger. Soit le patient meurt tout de suite, soit il est réduit à l'état de légume, mais il finit par mourir dans tous les cas, généralement au bout de deux à cinq ans. Un remède très pratique pour guérir la psychose. Mais je renonçai finalement à l'employer : la comtesse Krak s'en apercevrait immédiatement.

Ce qui est pénible dans la vie, c'est qu'on ne peut pas tout avoir. Mais bon, je m'en contenterais. Grâce à ces deux mouchards optique et auditif, je serais au courant de tous les faits et gestes d'Heller et je pourrais les contrecarrer. Il ne pouvait plus m'échapper. Il était totalement à ma merci. En repensant à toutes les horribles souffrances que j'avais endurées à cause de lui, je fus gagné par une douce euphorie. D'ici peu, justice serait faite.

2

Une main tirait sur ma manche. C'était la veuve Tayl. Je sortis de ma rêverie. Du doigt, elle me désignait un petit pavillon d'été, là-bas sous les arbres.

- Il faut que je vous montre quelque chose, chuchota-t-elle.

Tout allait bien dans l'hôpital. De temps en temps, j'entendais le bruit d'une machine. Prahd avait dit qu'il en aurait pour deux heures. J'avais donc pas mal de temps à tuer.

Je suivis la veuve Tayl, émerveillé par cet énorme pouvoir que j'exerçais sur les femmes. Je ne me faisais aucune illusion quant à ce qu'elle désirait me montrer dans le pavillon.

C'était une ravissante petite maison entourée d'arbres en fleurs qui embaumaient l'air. Elle se composait, en gros, d'un toit et d'un matelas jaune vif immense et moelleux. Une musique douce et suggestive s'échappait du plafond d'où pendait une lampe joliment décorée. C'était un petit coin tranquille et isolé où l'on était à l'abri des regards indiscrets, l'endroit idéal pour échanger des secrets et faire toutes sortes de choses.

- C'était QUI ? demanda-t-elle, toujours à voix basse.

Je la regardai fixement. Elle avait appuyé une main contre un pilier. Ses lèvres étaient entrouvertes, son regard légèrement embué. Elle avait le souffle court. Je scrutai son visage et découvris avec surprise que les verrues avaient disparu et qu'il ne subsistait, à la place, qu'une légère rougeur. Elle avait vraiment un très joli visage. Je jetai un coup d'œil à ses seins. Ils étaient fermes et pointaient fièrement à travers sa robe de soie, au lieu de pendre comme des sacs.

Je l'ai détaillée longuement et j'ai senti l'excitation monter en moi. Je suis allé m'allonger sur le matelas et, d'un sourire, je l'ai invitée à me rejoindre. Le désir commençait à me torturer. C'était la première fois qu'elle me faisait cet effet.

Je m'attendais à ce qu'elle m'arrache mes vêtements, comme les autres fois. Lentement, très lentement, comme hébétée, elle s'approcha du matelas. Elle s'allongea à un mètre de moi sans enlever sa robe. Elle croisa les mains derrière la tête et se mit à contempler rêveusement le plafond.

Ses yeux, habituellement clairs, s'assombrirent et sa respiration se fit encore plus rapide.

- Quand je l'ai aperçu la première fois, chuchota-t-elle, j'ai cru que c'était un dieu des forêts. Il était si fort, si puissant.

La lampe se mit à osciller et la musique accéléra.

- Il est descendu de l'aircar avec une telle souplesse... une telle souplesse... une telle souplesse...

Près de la porte un gigantesque bourgeon aux multiples pétales parut enfler.

- Ah. Aah. Aaah. AAAAH !

Le bourgeon explosa !

Je la regardai, appuyé sur un coude, les yeux écarquillés. Par tous les enfers, que se passait-il ? Elle ne me touchait même pas ! J'étais toujours habillé.

Pendant un instant, un souffle saccadé s'échappa de ses lèvres humides. Puis ses yeux reprirent leur éclat normal.

- Alors il s'est étiré et il a commencé à marcher. (Un oiseau entra et se mit à regarder la scène avec curiosité.) Ses pieds effleuraient le gazon, roucoula-t-elle.

La lampe se balançait à nouveau et la musique montait en un crescendo furieux.

- Ses orteils caressaient... caressaient... caressaient... Ah. Aah. Aaah. AAAAH !

Ses mules jaillirent dans les airs.

Je plissai le front, perplexe. Elle ne m'avait toujours pas violé. Je n'y comprenais rien.

Quelques oiseaux se posèrent tranquillement dans un arbre proche.

Sa respiration redevint normale. La musique s'était calmée. La lampe ne bougeait plus.

- Et alors, il a longé la piscine...

La lampe s'agitait à nouveau. Quant à l'oiseau, il observait le spectacle avec curiosité.

- ... et son ombre est tombée sur mon endroit favori... mon endroit favori... mon endroit favori. Ah. Aah. Aaah. AAAAH !

Effrayés, les oiseaux s'envolèrent.
La situation commençait à m'énerver.
Nous étions là, sur le matelas, à un mètre l'un de l'autre. Ses mains étaient toujours croisées derrière sa tête. Elle haletait légèrement, mais elle retrouva bientôt une respiration normale.
- Et alors il s'est arrêté, reprit-elle à voix basse, s'adressant toujours au plafond. Et d'un geste divin, il a retiré... (l'oiseau n'en perdait pas une miette) ...sa petite casquette rouge... sa petite casquette rouge... (la lampe oscillait violemment et la musique s'emballait une fois encore) ... et il l'a mise dans... il l'a mise dans... il l'a mise dans... Ah. AAAAAAAAAAAAAAAAAAAAAAH !
L'oiseau s'envola comme une fusée.
La lampe explosa en mille morceaux !
Une casquette rouge ? Brusquement j'eus la vision d'un certain individu portant une casquette rouge.
Cette (bipasse) pensait à Heller !
J'étais là, près d'elle, totalement à sa disposition, et elle ne m'adressait même pas la parole ! Et elle me touchait encore moins !
J'étais furieux !
Je la repoussai, écœuré. Ça lui apprendrait. Je sortis du pavillon d'un pas altier. Si elle croyait pouvoir se moquer de moi de cette manière, elle se trompait !
Je l'entendais qui poursuivait son monologue dans le pavillon :
- Et il l'a mise dans sa poche. Et il est resté immobile pendant un instant, et puis il est entré dans... il est entré dans... il est entré dans...
Je m'éloignai. Ses divagations me portaient sur les nerfs. J'allai m'asseoir au bord de la piscine. J'étais dans tous mes états, je peux vous l'assurer.
Mais je ne tardai pas à retrouver mon calme. Et les cliquetis qui me parvenaient de temps à autre de l'hôpital eurent tôt fait de me rendre ma bonne humeur. Ce fils de (bip) était en train de récolter ce qu'il avait semé ! Il était en train de payer pour tout ce qu'il m'avait fait subir, y compris l'affront que je venais d'essuyer.
J'essayai de concocter quelque chose de plus vicieux encore. Mais mon plan actuel était tout à fait satisfaisant.
En fin de compte, c'était une merveilleuse journée.

3

Vers midi, le docteur Prahd Bittlestiffender émergea de l'hôpital en s'essuyant les mains sur une blouse maculée de sang. Mais il ne se dirigea pas vers la piscine pour venir me voir. Il s'engagea dans l'une des allées de pierres qui serpentaient artistement entre les arbres en fleurs.
Je me dis qu'il désirait d'abord se dégourdir les muscles. Il ne lui avait pas fallu deux heures mais plus de trois et demie ! Avec ses longues jambes et son corps d'asperge, il déambulait en zigzaguant, les yeux rivés sur le sol. Peut-être l'opération avait-elle raté. Peut-être avait-il enfoncé un bistouri

électrique plus qu'il ne fallait et tué Heller. Cette pensée me laissa songeur. En fait, plus je la remuais dans ma tête, plus je la trouvais séduisante.

Le jeune docteur avait fait demi-tour. Il se baissa brusquement et ramassa quelque chose. Puis il se dirigea vers une nymphe des bois nue figée dans la pierre en une pose érotique. Il sortit un petit marteau d'une poche intérieure et se mit à taper sur l'objet qu'il avait ramassé tout en le maintenant contre le socle de métal de la statue. Que Diables fabriquait-il ? Est-ce qu'il essayait d'amener la nymphe des bois à la vie par une sorte de rythme magique ? Comme si l'autre nymphe en chair et en os ne suffisait pas !

Il vint vers moi, sans se presser. De sa poche intérieure, il sortit une petite meule électrique et des pinces, y coinça le mystérieux objet et entreprit de le polir. Il s'était mis à fredonner. La meule crissait horriblement et me râpait les nerfs. Arrivé à ma hauteur, Prahd s'immobilisa, remit la meule dans sa poche et sortit un petit flacon de sang. Tenant toujours l'objet dans la pince, il l'immergea dans le liquide rouge. L'opération terminée, il rangea le flacon. Par tous les enfers, qu'est-ce que c'était que ce tour de passe-passe ? Qu'est-ce qu'il attendait pour me dire comment l'opération s'était déroulée ? Ce suspense m'horripilait.

Il sortit une petite boîte circulaire plaquée or qui ressemblait à un poudrier. Je réalisai soudain qu'elle venait sans doute de chez Zanco. Ces compagnies ont l'habitude de donner ce genre de bricole aux médecins pour qu'ils les offrent à leurs patientes. Je vis que je ne m'étais pas trompé : le mot « Zanco » était gravé sur le couvercle.

Prahd ouvrit la boîte et, avec beaucoup de soin, y déposa le mystérieux objet, tapota le rembourrage intérieur pour le faire gonfler et essuya la pince ensanglantée dessus.

Il me tendit fièrement la boîte pour me montrer l'objet. Il me faisait penser à un jeune animal qui attend qu'on lui dise « brave bête » et qu'on lui caresse le museau. Au milieu des taches de sang, il y avait un caillou microscopique.

- L'éclat de la flèche, annonça le jeune toubib.

- Vous ne l'avez pas extrait de sa tête. Je vous ai vu le ramasser là-bas.

Je compris brusquement ce qu'il avait fait. Hé ! Ce garçon avait de l'avenir. Il allait donner cet éclat de pierre à Heller pour achever de le convaincre. Mais je ne voulais surtout pas que ce jeune imbécile commence à avoir une trop haute opinion de lui-même. Les compliments sont le fléau de la race : c'est une incitation à se tourner les pouces. Il risquait d'échapper à mon contrôle. D'un geste de la main, je lui fis comprendre qu'il pouvait refermer la boîte. Puis je regardai ma montre et dis :

- Il vous en a fallu du temps ! Trois heures quarante-cinq minutes, ça n'est pas deux heures.

Il paraissait légèrement abattu.

- Eh bien, vous savez, si j'avais eu le patient hier, j'aurais pu prélever un échantillon des cellules principales. Il m'a fallu prélever des cellules dermiques, épidermiques et osseuses. Ensuite ça m'a pris une demi-heure pour les mettre dans une base stérile, les catalyser et obtenir une quantité suffisante de cellules fraîches.

« Quelqu'un lui avait fait un de ces vaccins grossiers quand il était enfant et il fallait faire disparaître la cicatrice. Et en plus de la marque blanche qu'il avait sur l'épaule, il avait une cicatrice dans le dos laissée par un coup d'éclateur. J'ai dû la gommer.

« Et ce n'est pas tout. Il avait dû se coincer un doigt et l'ongle était légèrement de travers. Comme je n'avais pas préparé de cellules d'ongle, j'ai été obligé de prendre un tube catalyseur pour...

Il était en train de me faire tourner en bourrique. Je l'interrompis :

- Au fait, au fait. Comment ça a marché avec les respondo-émetteurs optique et auditif ?

- Eh bien, l'os frontal avait réellement été légèrement fêlé. Ces docteurs de la Flotte ne sont pas assez consciencieux. Mais l'os s'était reformé tout seul. Dans la fêlure, il y avait du tissu osseux tendre et il m'a fallu le gratter. Il vient sans doute de Manco car ses os sont durs et solides. J'en ai émoussé mon foret... (Il dut voir mon impatience car il se mit à parler plus vite.) Cette fêlure constituait une cavité idéale pour les deux objets. Bien entendu, j'ai été obligé de les traiter et de conditionner les cellules osseuses pour qu'elles ne rejettent pas les objets. Ils sont dotés d'antennes microscopiques et on doit les introduire entre deux cellules.

- Et cet endroit qui lui faisait mal au-dessus de l'arcade sourcilière ?

Je me disais que Prahd avait peut-être mis les mouchards dans un endroit douloureux - et si jamais on devait l'opérer un jour, on ne manquerait pas de les découvrir.

Le jeune docteur semblait perplexe. Puis il comprit à quoi je faisais allusion.

- Oh, son arcade sourcilière n'avait rien. J'ai enfoncé mon ongle. (Il vit que je bouillais d'impatience et se dépêcha de conclure.) Les deux objets sont en place. Personne ne pourra jamais les déceler. Je pense que j'ai passé l'épreuve avec brio.

Je reniflai et dis :

- J'ai connu un jeune lauréat que mon oncle...

- Je croyais que le professeur Gyrant Slahb était votre grand-oncle.

- J'ai un oncle qui est cytologiste, lui aussi, rétorquai-je d'un ton ferme. Ce jeune lauréat avait un contrat à honorer. (Si je lui racontais tout ça, c'était parce qu'il était comme un coq en pâte ici. Je ne voulais pas qu'il se fasse des idées.) Mais il a rencontré une jeune veuve fortunée et il a cassé son contrat et manqué à toutes ses promesses pour vivre avec elle !

Il secoua la tête et dit :

- Oh, si vous pensez à Pratia...

Mes derniers doutes s'envolèrent. Il appelait la veuve Tayl par son prénom. De toute évidence, leur liaison était plus qu'une simple passade.

- Bref, continuai-je, si vous croyez que vous avez réussi l'opération, vous vous trompez ! Je ne sais même pas si les mouchards fonctionnent. Et je ne sais pas non plus si vous vous tairez et si vous garderez le secret. Vous n'êtes absolument pas en droit d'exiger qu'on vous remette votre contrat. Vous le recevrez lorsque vous vous présenterez au rapport sur Bli... à la station où vous êtes affecté. J'y serai avant vous.

Il semblait sur le point de bégayer. Très bon signe.

- J'ai quelques instructions pour vous. Asseyez-vous !

Il déglutit avec difficulté et s'assit.

J'avais une petite mallette que j'étais allé chercher dans l'aircar.

- Vous trouverez trois langues là-dedans. Elles vous seront nécessaires pour votre travail. La première, c'est le *turc*. La deuxième est l'*anglais*. La troisième est l'*italien*. Dans cette mallette, il y a des livres, des dictionnaires et un lecteur. Vous allez me faire le plaisir de les bûcher, dès aujourd'hui et durant les six semaines du voyage. Quand vous arriverez sur Bli..., sur votre lieu de travail, vous devrez lire, écrire et parler turc, anglais et italien. Si l'opération est un succès, si vous parlez ces trois idiomes et si vous avez su tenir votre langue - et croyez-moi, je vous fais surveiller jour et nuit à votre insu - alors peut-être vous remettrai-je votre contrat. Compris ?

- Le t... turc. L'it... l'it... machin chose. Ce sont des langues civilisées ? Je n'en ai jamais entendu parler !

- Ce sont des langues primitives. D'une autre galaxie. Compris ?

- Euh... Oui, oui.

- Dans dix jours, à dix heures du matin, Zanco enverra un camion pour prendre tout le matériel. Ils savent où ils doivent le livrer. Ils ont un laissez-passer. (J'avais demandé au capitaine du *Blixo* l'heure exacte à laquelle il décollerait et j'avais tout arrangé avec lui.) Les gars de Zanco apporteront une caisse vide pour la table d'opération et la mettront dedans.

- M... mais... il y a déjà une caisse ici ! Une longue caisse.

- Précisément. (Je ne voulais pas courir le risque que la veuve Tayl le retienne.) Vous y percerez des trous, aux deux extrémités, et vous y installerez un verrou pour la fermer de l'intérieur. Quand les gars de Zanco viendront, vous leur montrerez tout ce qu'ils doivent emporter. Et vous leur direz d'emballer la table d'opération dans la caisse qu'ils apporteront. Et vous sauterez ensuite dans la longue caisse vide, vous la fermerez de l'intérieur et ils vous emmèneront au vaisseau.

Il me regardait bouche bée. C'était un coup de maître. D'une part, je l'arrachais à la veuve Tayl et, d'autre part, personne ne le verrait partir et embarquer. J'aime faire les choses proprement.

- Est-ce que je p... pourrai rembourrer la caisse ? P... pour éviter de me cogner la tête ?

J'étais d'humeur conciliante.

- Bien sûr.

Et je lui tendis un mot adressé au capitaine Boltz, sur lequel j'avais écrit : *C'est lui. Gris.*

- Il sembl... semblerait que je sois plutôt ignorant en matière d'opérations secrètes.

Et tu es certainement très ignorant en matière de jolies veuves, ajoutai-je en moi-même, avant de dire :

- Deux choses encore.

- Ah bon ?

- Sur ce vaisseau, il y aura un jeune homosexuel. Interdiction absolue de le toucher ou de lui parler. Il doit ignorer votre présence. C'est un espion ennemi.

- Et l'autre ch... ?

- Si vous ne vous faites pas amener dans le vaisseau comme je vous ai dit, le capitaine viendra ici avec des hommes féroces armés jusqu'aux dents pour s'emparer de vous et... (j'allais dire violer la veuve Tayl, mais elle aurait été trop heureuse) incendier la propriété. Et ils tortureront et tueront votre Pratia chérie sous l'inculpation de trahison. Compris ?

Il était paralysé. Mais il faudrait bien qu'il s'habitue à l'atmosphère de l'Appareil. Autant commencer son éducation tout de suite. J'avais prévu de me servir de lui pour amasser une petite fortune personnelle. Heureusement pour lui, autrement je l'aurais abattu en cet instant précis. Mais comme dit Lombar, l'argent, c'est tout.

Je le regardais avec un sourire condescendant. Allez, montrons-lui que nous pouvons être aussi son ami. C'est de la bonne vieille psychologie policière. Tout d'abord, vous les brisez, puis vous faites semblant d'être leur ami. Mais ça ne semblait lui faire aucun effet. Cependant, je savais que si je le fixais dédaigneusement pendant un certain temps, lèvres relevées, ça finirait par marcher.

Malheureusement, ma psychothérapie tomba à l'eau : une voix retentit dans un haut-parleur, en provenance de la maison.

- Youhou ! Les garçons ! (C'était la voix mélodieuse de la veuve Tayl.) Vous allez rester assis là-bas longtemps, mes petits anges adorés ?... Venez dans la maison. Le déjeuner vous attend.

Nous sommes entrés. La salle à manger était d'une beauté à vous couper le souffle. Elle était entièrement bleu et or. Au plafond, il y avait une fresque avec des petites nymphes dorées qui s'en donnaient à cœur joie. Des divans moelleux avaient été disposés à différents niveaux. Au centre, une table croulait sous les boissons, les gâteaux en tous genres, les viandes séchées et les fruits.

Pratia portait une robe transparente. Ses cheveux relevés en chignon étaient maintenus par des diamants. Elle nous regarda tous les deux et demanda :

- Où est l'autre ?

- Il ne viendra pas avant trois ou quatre heures, dis-je très sèchement.

Elle jeta un coup d'œil au festin, puis se contempla dans une glace. Une profonde tristesse se peignit sur son visage. D'un ton accablé, elle dit :

- Eh bien, asseyez-vous et mangez.

Je me servis. Prahd était prostré. Finalement il dit :

- Vous ne mettriez quand même pas le feu à la propriété !

Quel imbécile ! Ce n'était pas le genre de chose à dire devant la veuve. Pourquoi tombais-je toujours sur des idiots et des amateurs ?

Mais la veuve Tayl n'avait rien entendu. Elle était assise sur un divan, juste derrière lui, et semblait perdue dans un rêve. D'une main, elle tripotait distraitement les cheveux de Prahd. Dans l'autre, elle serrait un gros fruit tendre.

Prahd me dévisagea brusquement et dit :

- Oh, ne doutez pas de ma parole. Je viendrai. Je viendrai !

Les yeux de la veuve Tayl étaient devenus vitreux. Sa respiration était saccadée.

- Et alors il a mis sa casquette rouge dans... dans... dans...

Le fruit explosa dans sa main. Il y eut une giclée de pulpe blanche.

- AAAAAAAAAAAAAAAAAAAAAAAAAAAAAAAAAAH !

Je lui décochai un regard furibond. (Bipasse) ! Elle pensait à Heller. C'ÉTAIT POUR HELLER qu'elle s'était bichonnée et pomponnée et qu'elle avait fait préparer ce festin.

J'attaquai un pain sucré comme s'il m'avait mordu !

Ce (bip) d'Heller ne perdait rien pour attendre !

4

Heller reprit conscience vers la fin de l'après-midi. Prahd m'adressa le signal convenu et je dis à Ske d'amener l'aircar devant l'entrée du mini-hôpital. Il se mit à jurer car il devait se poser au milieu de buissons qui allaient égratigner la carlingue. Mais je voulais éviter à tout prix que la veuve Tayl revoie Heller : elle risquait de se souvenir de son visage - ce qui pouvait mettre en danger la mission.

En un éclair, je fis sortir Heller de l'hôpital et le poussai dans l'aircar. Nous décollâmes aussitôt.

L'enregistreur était toujours attaché à son poignet. Il continuait de tourner et tournerait encore un bon bout de temps, vu que la bande durait dix heures. Aussi, je restais silencieux. Juste avant qu'il sorte de l'hôpital, j'avais jeté une serviette de toilette sur son bras pour qu'il n'y ait aucun enregistrement des lieux.

Il était encore dans le cirage. Il avait un pansement sur la tempe droite et à divers endroits du corps. Prahd lui avait dit que les pansements contenaient du « guérit-vite » et qu'ils resteraient en place sous la douche. Ensuite il avait donné à Heller un petit flacon de dissolvant qu'il pourrait appliquer dans vingt-quatre heures pour défaire les pansements. Les endroits traités resteraient rosâtres pendant une journée, mais Prahd lui avait également donné un flacon de peau synthétique pour remédier à ce petit désagrément. Heller avait écouté Prahd et pris les flacons d'un air indifférent. Il paraissait avoir envie de dormir.

J'étais impatient de voir mon matériel d'espionnage à l'œuvre. Le succès de la Mission Terre en dépendait. J'avais un lot complet avec moi. J'étais plein d'espoir, mais néanmoins légèrement inquiet.

Au hangar, la plupart des ouvriers avaient fini leur journée et personne n'alla voir Heller. Parfait. Je l'aidai à franchir le sas du *Remorqueur 1* et il se dirigea vers les cabines du fond.

Je sautai dans mon aircar. Nous filâmes à toute vitesse à travers le ciel nocturne - ce qui fit pester et tempêter Ske - et atterrîmes bientôt devant la pension où j'avais ma chambre. Je saisis la boîte qui contenait le matériel de réception et montai les marches huit à huit. Meeley était à quatre pattes et frottait le plancher. Je faillis la renverser. Elle m'injuria avec une violence inhabituelle mais je l'ignorai.

J'ai verrouillé ma porte, envoyé promener les boîtes de s'coueur vides qui encombraient la table et j'ai installé rapidement les appareils. D'une main rendue tremblante par l'excitation, j'ai mis le récepteur en marche. Je n'étais qu'à trente kilomètres du hangar de l'Appareil et, d'après ce que m'avait dit feu Spurk, le récepteur captait jusqu'à trois cents kilomètres.

J'ai allumé l'écran.

Rien !

Pas même un crépitement !

J'ai tourné le bouton du récepteur à fond - au point qu'il s'est quasiment mis à lancer des éclairs bleus !

Rien.

J'ai mis les boutons de l'écran à fond.

Rien !

(Enbipé) de Spurk ! Il m'avait menti ! Il n'avait eu que ce qu'il méritait en se faisant tuer !

Je me laissai aller en arrière sur mon siège. Je me mis à réfléchir. Peut-être que l'amplification était insuffisante. Je pris le Relais 831 et je le branchai au récepteur. Selon Spurk, sa puissance d'amplification était telle que le récepteur et l'écran pouvaient être séparés de quinze mille kilomètres !

Rien.

Je tournai à fond tous les boutons que je pouvais trouver !

Tiens... J'entendais quelque chose dans le haut-parleur du visionneur. Un bruit régulier.

Je regardai l'écran. Il n'y avait qu'une espèce de brouillard rose tremblotant. Peut-être que j'avais mis trop de puissance. Ou peut-être qu'un composant avait grillé.

Je me mis à compter le rythme du bruit. Dix-huit « pulsations » par minute. Difficile de savoir ce que c'était. Le son était mauvais.

Brusquement je sus ! C'était un bruit de respiration ! Et ce brouillard rose, c'était tout bêtement de la lumière qui filtrait à travers des paupières fermées. Heller dormait ! Si c'était bien Heller.

Au moins le récepteur avait capté quelque chose. Mais par tous les Dieux, j'avais tout mis à fond et ajouté le Relais 831, et la portée était tout juste de trente kilomètres ! A quoi me servirait cet engin une fois qu'Heller serait aux Etats-Unis et moi en Turquie ?

Je me rassis. Que faire maintenant ? Tout cela fonctionnait si mal qu'Heller pourrait se promener en toute liberté à travers les Etats-Unis sans que je sache ce qu'il fabriquait ! Je ne pourrais pas saboter ses projets ! Cette pensée m'épouvantait.

J'étais déprimé. J'allais laisser tomber quand j'entendis des bruits de pas dans le haut-parleur du visionneur. Ils étaient faibles, indistincts, et je mis un certain temps à réaliser qu'il s'agissait de bruits de pas. Ils étaient plus nets à présent. Ils cessèrent.

Une voix :

- Ça va, chéri ?

Le son était tellement brouillé que je ne reconnus pas la voix. Mais c'était probablement la comtesse Krak. Je jetai un coup d'œil à ma montre. Oui, la garde avait été relevée.

L'image se forma peu à peu, floue, tremblotante. C'était effectivement la comtesse Krak. Elle était en uniforme et avait ôté son casque. Son visage remplissait l'écran, mais l'image était mauvaise.

Elle paraissait inquiète. Elle touchait le pansement « guérit-vite ».

- Tu es tombé ? Tu as eu un accident ?

- Oh, bonjour, mon ange. J'ai dû me rendormir. (Le son ne valait pas grand-chose. C'est tout juste si on reconnaissait la voix d'Heller.) Ce n'est rien. Je me suis juste fait enlever plusieurs cicatrices par un cytologiste.

- Tu as QUOI ?

- Oui, Soltan est venu me chercher. Il avait pris rendez-vous pour moi.

La comtesse était horrifiée.

- On t'a anesthésié ? Tu étais inconscient ?

- Oh, ne t'inquiète pas. Ça n'était pas grand-chose. Ce n'est pas un peu de gaz anesthésique qui va me démolir !

- Ha, Jettero Heller ! Tu es bien naïf ! (Elle était furieuse.) A peine ai-je le dos tourné que tu commets cette folie ! Je te l'ai dit, Soltan Gris, j'en fais ce que je veux, mais pas toi !

Son humeur changea subitement. Elle prit la tête d'Heller entre ses mains et examina le pansement. Puis elle dit d'une voix chargée de tristesse et d'inquiétude :

- Oh, mon pauvre chéri. Qu'est-ce que ces monstres t'ont fait ?

Pendant un instant, j'ai éprouvé un certain malaise. Est-ce qu'elle allait deviner ce qui s'était passé ?

Heller essaya de prendre la chose en plaisantant.

- Regarde, dit-il en cherchant quelque chose dans ses poches. Le docteur m'a donné l'éclat de flèche qu'il a extrait.

Et il lui raconta l'anecdote avant d'ouvrir la petite boîte dorée.

- Il est plein de sang ! dit-elle en reculant.

Je fis la grimace. Le sang des autres ne comptait pas pour elle, mais dès qu'il s'agissait de celui d'Heller...

- Evidemment ! fit Heller. Puisqu'il l'a sorti de mon os frontal. (Il le prit entre ses doigts et le fragment de pierre devint ENORME sur l'écran.) Hum... C'est marrant, j'aurais cru que la pointe serait en obsidienne. En fait, c'est du silex.

Ce (bip) de Prahd et ses petites ruses ! grinçai-je.

- C'est peut-être une roche métamorphique, dit Heller avec une note de perplexité dans la voix. Pourtant l'obsidienne et le silex se mélangent rarement...

- Oh, Jet ! Tu aurais dû te montrer plus prudent. Tu aurais dû leur dire de pratiquer l'opération ici, en ma présence. Peut-être qu'ils t'ont dit quelque chose pendant que tu étais inconscient. Réfléchis ! Est-ce que tu te rappelles ce qu'ils ont dit ? Les anesthésiques agissent souvent comme hypnotiques.

Toi et ton hypnotisme, grondai-je intérieurement, submergé par une vague de haine, tandis que me revenait en mémoire l'horrible chose qu'elle m'avait faite.

- Oh, j'avais oublié, dit Heller. L'enregistreur est toujours attaché à mon poignet. C'est Soltan qui me l'a donné. Je suis le seul à connaître la combinaison.

Il fit rapidement les chiffres et je notai mentalement qu'il aimait les combinaisons idiotes : 3, 2, 1. Haha ! On en apprenait des choses avec cet appareil de surveillance !

- Il tourne toujours, constata Heller. Je vais passer la bande.

Il alla chercher un lecteur et y plaça la bande avant de mettre l'appareil en marche.

Heller regardait la comtesse. C'était une bonne chose, car le moment crucial était arrivé : soit le projet réussissait, soit c'était un fiasco. Soit la comtesse tombait dans le panneau, soit elle découvrait le pot aux roses. Ma voix me parvint par le haut-parleur, faible, nasillarde : « J'ai un peu mal au cœur. Vous n'auriez pas un médicament, par hasard ? » Puis celle de Prahd : « Vous pourriez me tenir ça ? » Ma voix à nouveau : « Oh non ! Je ne sais pas pourquoi, mais la vue du sang me rend malade depuis quelque temps. »

La comtesse était assise, très droite, et écoutait attentivement.

Ma voix retentit une fois encore : « Mes Dieux ! J'ai envie de vomir ! » Suivirent mes éructations.

La comtesse se mit à hocher la tête comme un professeur à un élève particulièrement obéissant. Puis elle se détendit. Je savais que j'avais gagné ! Elle croyait que sa suggestion posthypnotique m'ordonnant d'avoir des nausées si l'on faisait du mal à Heller était toujours en place.

L'image de l'enregistrement devint blanche. Heller dit :

- Mon poignet a dû glisser de la table. (La comtesse haussa les épaules.) Je vais passer la bande à vitesse rapide.

Mais, bien entendu, on n'entendait que le cliquetis des instruments et le bouillonnement des tubes de cultures. Heller fit quelques arrêts sur image pour visionner le voyage de retour jusqu'au *Remorqueur 1.* La comtesse dit :

- Je vais aller te chercher quelque chose à manger.

Avais-je vraiment gagné ? On ne peut jamais savoir avec les femmes. Visiblement elle ne soupçonnait aucun coup fourré. Je compris soudain qu'elle avait craint qu'on eût infligé des dommages corporels à son Jet chéri.

Mais cet appareillage me posait un problème crucial. Je ne pouvais pas rester accroché aux basques d'Heller et, en même temps, superviser nos opérations terriennes.

Le système avait quelques légers défauts. La vision périphérique - c'est-à-dire tout ce qui se trouvait dans le champ de vision d'Heller, mais qu'il ne regardait pas directement - était floue. Ça encore, je pouvais m'en accommoder. Ce qui m'attristait surtout, c'était que la qualité de l'image et du son laissait énormément à désirer.

J'allais éteindre l'écran et le mettre en position « enregistrement » - on introduit tout un tas de bandes et l'engin enregistre pendant des jours, voire des semaines - mais la comtesse revint et je me dis que je pourrais peut-être glaner quelques informations capitales. Le spectacle qui m'était offert était nouveau pour moi, car ils n'avaient pas un comportement naturel quand j'étais avec eux. Que *faisaient donc* ces deux-là quand ils étaient seuls ? Je regardai l'écran, dévoré de curiosité.

La comtesse s'était changée et avait mis une combinaison de sport bleue. Elle tenait une boîte-à-tube fumante dans chaque main - dans l'espace, c'est le seul récipient qu'on utilise et ils se trouvaient, après tout, à bord d'un vaisseau.

- Dis à la salle de gym de se transformer en bain de vapeur, exigea-t-elle. Je veux que tu élimines ce poison anesthésique.

Heller céda de bonne grâce et cria :

- Bain de vapeur !

Ils burent leur soupe.

J'allais bientôt savoir si l'eau et la chaleur endommageaient les mouchards. Heller se déshabilla au bout de quelques instants et entra dans le sauna. L'écran ne fut plus qu'un grand nuage de vapeur ! Mais l'eau et la chaleur n'eurent aucun effet sur les mouchards. Spurk ne s'était pas trompé sur ce point. Là où il avait fait erreur, c'était pour la qualité de l'image et du son et la portée.

Après un moment, Heller alla prendre une douche, puis il cria :

- Gym !

La voix de la comtesse retentit, venant d'une autre cabine :

- Mets une tenue de sport ! Il va falloir que tu transpires plus que ça pour expulser le poison.

Il y avait encore une légère note de reproche dans sa voix.

Heller se mit à courir sur une espèce de mini-escalator. Puis il fit quelques sauts périlleux avant d'accomplir une série d'exercices destinés à le faire transpirer. Il prit une autre douche et enfila une tenue de soirée bleue.

Il se dirigea vers le petit salon. La comtesse traversa la salle de gym et le rejoignit. Il l'attrapa et l'embrassa. L'image se brouilla. Hoho, ces appareils enregistraient l'émotion d'une façon bizarre.

Il relâcha son étreinte et dit :

- Est-ce que je suis pardonné ?

- Oh, Jet. Tu sais bien que je te pardonne tout !

Ils s'embrassèrent à nouveau, puis « Jet » la repoussa avec douceur et dit d'une voix enjouée :

- Tu ne m'as pas raconté *ta* journée ! Peut-être qu'elle a été pire que la mienne !

- Je me suis exercée pour la revue, dit-elle en riant.

La revue ? La revue ? Quelle revue ? Dernière nouvelle !

Elle fit un bond en arrière, martela le sol de ses pieds, une-deux, se mit au garde-à-vous, exécuta un salut volontairement grotesque et exagéré, bras croisés sur la poitrine, et frappa à nouveau le sol, une-deux. Heller éclata d'un rire ravi.

- J'ai intérêt à faire attention, dit-il. Snelz est capable de te recruter pour de bon dans les marines de la Flotte ! Une femme aussi ravissante... Tss, tss.

- Oh, il dit que je suis très bonne. Tu devrais voir tout ce que je sais faire avec un fusil-éclateur maintenant !

Heller riait si fort que l'image tressautait.

- Non ! insista-t-elle. Je suis vraiment très bonne ! Pourquoi une femme ne saurait-elle pas faire tournoyer un fusil ? Va me le chercher. Je vais te montrer.

En riant, Heller dit à plusieurs portes de s'ouvrir et se rendit à l'avant du vaisseau, me gratifiant par la même occasion d'une vue fugitive de certains recoins du *Remorqueur 1*.

- Hé ! cria-t-il à l'adresse de la comtesse. Tu l'as mis où ?

- Dans le sas atmosphérique.

La voix de la jeune femme était lointaine, quasiment inaudible.

- Je vais demander à la sentinelle, cria Heller.

Vue panoramique du sas. Des roues qui tournent. La porte du sas qui s'ouvre.

Je m'étais attendu à tout sauf à ce qui se produisit alors !

L'image devint subitement d'un blanc-bleu aveuglant ! Surcharge totale !

Les bruits du hangar *hurlèrent* dans le haut-parleur ! Le vacarme était assourdissant ! Puis la voix d'Heller, soudain tonitruante :

- OU EST LE FUSIL ?!!!

Je crus que mes tympans allaient éclater !

Les sons qui s'échappaient du haut-parleur étaient comme de véritables coups de poing !

C'est tout juste si le plafond ne s'effondra pas !

Je me précipitai vers les appareils et mis *tous* les boutons en position minimum !

Mais l'écran demeura blanc et les bruits du hangar continuèrent d'évoquer une guerre interplanétaire.

Je tentai de réfléchir au milieu du vacarme.

Un nouveau bruit, plus infernal encore : quelqu'un descendait l'escalier du sas.

En toute hâte, j'ai déconnecté le Relais 831 et je l'ai éteint.

Brusquement l'image fut de toute beauté, d'une netteté incroyable. Je voyais le hangar dans les moindres détails. Le hangar qui était pourtant à peine éclairé !

Le garde revenait au trot vers le vaisseau. Il portait un fusil-éclateur.

- Snelz l'avait pris afin de le polir pour la revue, expliqua-t-il.

Sa voix était claire, naturelle, et je reconnus même de qui il s'agissait à son timbre !

- Merci, sentinelle, dit Heller en prenant le fusil.

Quel son parfait !

On aurait pu croire qu'Heller et le garde se trouvaient avec moi dans la pièce !

Il y avait quelqu'un d'autre dans la pièce. Meeley. Elle avait défoncé ma porte et se tenait à présent devant moi, mains sur les hanches, me foudroyant du regard.

- Vous allez me sortir ce fusil *sur-le-champ !* (Elle était verte de rage !) Vous savez très bien que les fusils et les explosifs sont interdits dans cette maison ! Surtout entre des mains comme *les vôtres,* Gris !

Je crus qu'elle allait exploser.

- C'est le visionneur, alléguai-je faiblement. Je l'avais mis trop fort !

- Ha ! fit Meeley.

Elle me gifla sauvagement avant de sortir de la pièce avec des airs de grande outragée. Elle ferma la porte si violemment que le mur faillit s'écrouler.

Je frottai ma joue en feu et reportai mon attention sur l'écran.

Plus d'image.

Plus de son.

Spurk méritait mille fois la mort ! Son matériel était capricieux, fantasque ! Pourquoi ne l'avait-il pas précisé dans le manuel d'instructions ? Je me souvins alors que je ne l'avais pas lu.

Je remis tous les boutons à fond et rebranchai le Relais 831. Il fallait carrément être un expert en électronique pour faire fonctionner ces engins !

L'image et le son revinrent, brouillés, médiocres.

Soudain je compris. Ce (bip) de *Remorqueur 1* était revêtu d'une couche d'absorbo ! Aucune onde ne pouvait la traverser. Les respondo-émetteurs optique et audio émettaient à travers une coque que les ondes ne pouvaient traverser !

L'absorbo n'existait pas sur Terre. Donc, tout se passerait bien !

La comtesse exécutait une série de mouvements que je n'avais encore jamais vus. Du plat du pied, elle envoyait le fusil tournoyer dans les airs, puis, au moment où il retombait, elle l'expédiait à nouveau dans les airs de l'autre pied. C'était probablement un truc des marines de la Flotte.

Ensuite Heller et elle se passèrent le fusil tout en le faisant virevolter. Je n'arrivais pas à suivre, tellement ils allaient vite. Ah, si seulement l'arme pouvait partir toute seule...

Ils riaient. Finalement, la comtesse attrapa le fusil et présenta les armes.

- Tu vois, je suis fin prête pour la revue.

Quelle revue ? Je nageais en plein mystère. Il n'était certainement pas question qu'elle participe à quelque revue que ce soit !

- Je peux décoller après-demain à midi, dit Heller.

Le visage de la comtesse s'emplit de tristesse. Heller lui passa un bras autour des épaules et tous deux se dirigèrent lentement vers le salon. Ils s'assirent sur un divan.

Brusquement, la comtesse l'entoura de ses bras, posa la tête sur sa poitrine et se mit à pleurer doucement.

- Tu vas tellement me manquer, dit-elle après un moment.

Il la serra contre lui et parla d'une voix qu'il voulait rassurante :

- J'exécuterai cette mission aussi vite que je pourrai. Je te le jure. (Il fit une pause et ajouta :) C'est surtout pour toi que je suis inquiet.

Il l'écarta avec douceur et, tout en la tenant par les épaules, il dit d'une voix un peu voilée, mais tout à fait déterminée :

- Si jamais quelqu'un te fait du mal pendant mon absence, je le tuerai !

La comtesse pleurait toujours. Mais elle hocha la tête et dit :

- Et je tuerai quiconque touchera un seul cheveu de ta tête !

Mon sang se glaça dans mes veines. Ils n'avaient pas parlé très fort, mais à la façon dont ils avaient prononcé ces mots, je savais qu'ils ne plaisantaient pas. Celui qui ferait du mal à l'un d'eux était un homme *mort*.

Je n'avais subitement plus aucune envie d'en voir ou d'en entendre davantage. J'éteignis précipitamment les appareils.

Il fallait que je m'occupe l'esprit, et vite. Je ne voulais pas penser à ce qu'il m'arriverait s'ils découvraient mes véritables intentions.

J'avais recueilli une information : je savais quand le *Remorqueur 1* décollerait.

Je me ruai hors de la pièce et courus vers une messagerie. Là, j'entrai en contact avec le secrétaire particulier de Lombar et je lui fis savoir, en utilisant un code, que le départ du vaisseau était prévu pour après-demain midi.

Lorsque je revins à la pension, Meeley m'attendait au bas des escaliers.

- Ne vous avisez plus jamais d'amener des fusils dans cette maison ! hurla-t-elle. De tous les locataires que j'ai eus, vous êtes celui qui...

Et elle me gratifia d'un speech interminable. Rien que des accusations mensongères. Ses locataires étaient des officiers de l'Appareil. Nous nous ressemblions tous et elle le savait.

Lorsque j'eus regagné ma chambre, puis verrouillé et barricadé ma porte, je me mis à caresser mes appareils de surveillance. Ils fonctionnaient parfaitement. J'allais pouvoir épier Heller depuis la base turque.

Cela me fit penser à feu Spurk. C'était vraiment une très bonne chose qu'il fût mort. J'étais un bienfaiteur de la race. Imaginez un instant qu'on introduise ce genre d'engin chez tout le monde ! A cette pensée, je ne pus m'empêcher de frissonner. Oui, même moi.

5

Bien que Lombar m'eût prévenu qu'il me verrait vingt-quatre heures avant le départ, je ressentis une certaine terreur lorsqu'on vint me chercher le lendemain en début de soirée. Quand vous étiez convoqué par Lombar Hisst, vous ne saviez jamais s'il vous invitait à vos propres funérailles ou à celles d'un autre.

Parfois, il se montrait charmant, et d'autres fois, il était tellement excité que vous aviez l'impression qu'il allait éclater en dix mille morceaux de chair grouillante.

Toute la journée, j'avais essayé de chasser de mon esprit l'imminence de cette entrevue. J'avais passé la journée à m'occuper de détails de dernière minute. Lorsque Heller m'avait annoncé l'heure approximative du départ, il avait fallu que je fasse celui qui ne savait pas. Toute la journée, il avait, avec l'aide d'une nuée d'entrepreneurs et d'ouvriers, vérifié les machines qui avaient été retapées ou installées. Ce qui n'avait fait qu'accroître ma nervosité.

Il y avait eu un défilé incessant de camions de provisions et on avait chargé ces dernières dans le *Remorqueur 1.* Quand Heller me demanda où se trouvait l'équipage et quel était son effectif, je fus incapable de lui répondre vu que je n'en savais rien - Lombar ne m'avait *rien* dit. Aussi je décidai de commander de la nourriture pour le nombre de couchettes qu'il y avait à bord. Je remplis un bon de commande à cet effet avant d'y apposer mon identoplaque : deux années de provisions pour onze hommes d'équipage et deux passagers. C'était idiot d'acheter tout ça, puisque Heller ne vivrait jamais aussi longtemps, mais les apparences l'exigeaient.

Mon état de nervosité avait commencé bien avant midi. J'avais cherché refuge dans le *Blixo,* mais Boltz n'était pas à bord. Alors j'avais pris l'aircar et j'avais fait quelques courses parfaitement inutiles. Je m'étais même rendu au bureau où j'avais tué le temps en tamponnant de la paperasse. Mais le vieux Bawtch m'avait tant de fois répété que tout le monde était ravi de me voir partir que j'avais fini par décamper.

Bref, je n'étais vraiment pas en état pour une entrevue avec Lombar. Et ce fut pire encore lorsque deux gardes de l'Appareil apparurent sur le seuil de ma chambre vers sept heures du soir et me firent signe de les suivre. On essaie toujours de lire quelque chose sur leur visage. On regarde comment ils portent leur fusil - en bandoulière ou pointé sur soi. Mais en fait, leur attitude ne vous apprend jamais rien. Je n'avais donc pas la moindre idée de la tournure qu'allait prendre cette entrevue. Et ma nervosité se transforma quasiment en panique lorsque je vis qu'ils m'emmenaient, non pas à Répulsos ou à son bureau en ville, mais quelque part en dehors de la Cité du Gouvernement. Où Diables allions-nous et pourquoi ?

Finalement, le fourgon où nous avions pris place s'arrêta et le panneau arrière s'ouvrit brusquement. A côté de notre véhicule, une énorme masse noire se dressait dans ce qui paraissait être un champ.

C'était l'un de ces vaisseaux que les gens de la Flotte surnomment « le canon ». Son nom officiel est : « Canon Volant Mobile de Combat Spatial ». Il n'a de la place que pour un pilote et un copilote, et il est équipé de propulseurs à distorsion ordinaires et d'un canon-éclateur à gros calibre - le plus gros calibre existant. Aucun confort, aucune fioriture : comme son nom l'indique, c'est un canon, rien d'autre. Un canon capable de transformer une planète en boule de feu.

Je connaissais bien le vaisseau que j'avais sous les yeux. D'ordinaire, il était caché dans le hangar souterrain, tout près de Répulsos. C'était le vaisseau personnel de Lombar. Bien des années auparavant, il avait fait secrètement modifier un modèle de la Flotte, ce qui, bien entendu, était tout à fait illégal. A la différence des modèles ordinaires, le vaisseau de Lombar portait un blindage si puissant qu'aucune défense au sol ni aucun vaisseau de guerre ne pouvaient le détruire. D'un côté, ça le rendait plus lent et réduisait son champ d'action interplanétaire, mais d'un autre côté, ça en faisait l'arme la plus dangereuse de la Confédération de Voltar. J'avais entendu dire que Lombar sortait parfois son « joujou » pour aller faire un tour - en général la nuit - et qu'il s'amusait à tromper les unités de surveillance de la planète et à les accabler d'injures.

Sans mot dire, les gardes me poussèrent brutalement vers le sas d'entrée placé dans le ventre du « canon ». Je gravis quelques marches dans le noir pour me retrouver dans la cabine de pilotage - elle aussi plongée dans l'obscurité. A tâtons, je réussis à m'installer dans le siège du copilote, mais les moteurs se mirent à rugir et l'appareil décolla avant même que je fusse parvenu à me sangler. Je ne savais toujours pas qui était aux commandes. Ç'aurait pu être n'importe qui, même un diable manco !

- Je vais vous faire part d'un secret. Je vais vous emmener dans un endroit où vous entendrez quelque chose qui achèvera de vous convaincre.

La voix de Lombar !... Au moins, je savais une chose : ce n'était pas un diable manco. Mais, tout bien pesé, peut-être qu'un diable manco eût été préférable.

Nous gagnions lentement de l'altitude. L'une des lunes jumelles de Voltar se levait à l'horizon, projetant une lumière vert pâle sur la surface de la planète et dessinant un réseau complexe d'ombres étirées. L'appareil vira et les rayons de lune traversèrent le pare-brise blindé, baignant le tableau de bord d'une lumière quasi surnaturelle. Oui, c'était bien Lombar qui pilotait. Il ne portait pas de casque, donc nous n'allions pas très loin.

Il paraissait d'humeur affable, encore que sa fourberie habituelle transperçait légèrement.

- J'ai trouvé d'où venait la fuite, dit-il. Vous savez, la fuite à la presse le soir où nous avons kidnappé Heller. J'ai fait suivre un homme. Il ne s'est douté de rien. Ça a pris pas mal de temps, mais nous avons fini par le prendre en flagrant délit : un jour il a buté dans un reporter. Il ne lui a passé aucun message, mais comme preuve, c'était suffisant.

« Le reporter était un dénommé Blat Mortif. Ce n'est pas lui qui a écrit l'article mais, bien entendu, les reporters se refilent tout le temps des tuyaux. Vous ne devinerez jamais qui était à l'origine de la fuite. Le gars de la Section Couteau qui s'était fait passer pour le soldat de la Flotte, celui qui avait été si maladroit qu'Heller lui avait cassé le poignet. Evidemment, il a nié. Mais on ne peut faire confiance à qui que ce soit, ces jours-ci. Ils sont tous contre nous, à comploter, à manigancer, à conspirer.

« Nous avons donc ramassé Blat Mortif hier soir, mais il a tout nié en bloc. Alors nous nous sommes emparés de sa femme et il a fini par craquer. Et nous avons exécuté tout ce joli petit monde : lui, sa femme et l'homme de la Section Couteau. Je savais que ce problème vous tracassait, c'est pourquoi je me suis dit qu'il valait mieux que je vous tienne au courant. Il est impératif de se débarrasser des traîtres et des gens qui parlent trop. Autrement dit, de la racaille.

Non seulement, ce problème ne m'avait pas du tout tracassé, mais il m'était complètement sorti de l'esprit. De plus, je savais que la presse aurait pu être renseignée par des tas d'autres sources, puisque même la Flotte était au courant. Sans oublier que les journaux n'avaient jamais fait mention de l'enlèvement d'Heller. Mais bon, Lombar vit dans un monde bien à lui.

Nous n'allions pas très vite et nous volions à basse altitude. Il n'avait même pas branché l'atmosphère intérieure. La lumière verdâtre de la lune et les ombres allongées qu'elle traçait donnaient un aspect irréel au panorama qui défilait au-dessous de nous.

Brusquement, Lombar, silhouette verte et étrange, se lança dans une sorte de discours incantatoire, professoral.

- Pour qu'une révolution ou un coup d'Etat réussisse, il faut que les révolutionnaires disposent d'une base de commandement et d'approvisionnement inconnue des forces qu'ils cherchent à vaincre. Autrement, ils ne pourront jamais renverser le régime en place.

Oui, oui. C'était élémentaire. Si un révolutionnaire n'avait pas une base inaccessible ou inconnue à partir de laquelle il pouvait lancer des opérations secrètes, sa révolution était généralement vouée à l'échec. C'était dans tous les manuels.

Lombar abandonna son attitude professorale et poursuivit d'un ton âpre :

- A partir de maintenant, c'est *vous* qui avez la charge de la base et de l'approvisionnement. Vous devez absolument réussir - pour moi.

Je me sentais quelque peu rasséréné. Je savais enfin - ou du moins je croyais savoir - quel était le but de cette randonnée nocturne mystérieuse, fantasmagorique même : j'allais recevoir un briefing confidentiel en tant que manipulateur de la mission. Bien entendu, je savais déjà que Blito-P3 était notre base secrète, hors d'atteinte de Voltar. D'ailleurs, ça m'avait toujours fait rire qu'une planète aussi stupide et primitive que la Terre eût été choisie pour jouer ce rôle. Car les Terriens en tiennent une drôle de couche.

La main de Lombar s'abattit sur les commandes de pilotage automatique. Il y eut une série de déclics tandis que les systèmes sophistiqués de navigation du « canon » s'enclenchaient et fixaient le vaisseau sur la trajectoire programmée. Ayant ainsi libéré ses mains, Lombar se laissa aller en arrière dans son siège.

La course du « canon » se stabilisa et les moteurs n'émirent plus qu'un ronronnement quasi inaudible. Je savais où nous nous trouvions à présent.

A quelques kilomètres de distance, deux mille mètres plus bas, s'étendait la Cité du Palais. En fait, tout ce qu'on voit, c'est un trou dans le paysage. La montagne contre laquelle elle est adossée, ainsi que les vastes et somptueuses résidences qui la composent, sont enveloppées dans un gigantesque distorsium spatio-temporel. A cause du trou noir, ce distorsium - et, du même coup, la Cité du Palais - est invisible. Elle est située à treize minutes dans le futur - protection efficace, ô combien ! - contre d'éventuelles et inopportunes radiations.

Bref, la Cité est imprenable, inattaquable, vu qu'elle n'est pas là ! Pendant cent vingt-cinq mille ans, tous les assauts livrés contre elle avaient échoué. Essayez un peu de bombarder quelque chose qui existera plus tard.

De nombreux empires stellaires dissimulent leur gouvernement central sur des astéroïdes pour se mettre hors de portée de l'ennemi et se protéger contre les soulèvements populaires. L'idée n'est pas mauvaise, mais les vaisseaux qui s'y rendent peuvent se faire repérer. Tout cela pour dire que l'Empereur de Voltar était totalement à l'abri et que cela faisait de la Confédération de Voltar l'un des empires les plus puissants de toute l'Histoire galactique.

Le morceau de néant défilait au-dessous de nous, encastré dans un paysage noyé de lumière verte. J'étais nerveux chaque fois que je le survolais. Pas parce que la montagne invisible pouvait sauter à tout moment en raison de son instabilité naturelle, mais parce que ce trou béant symbolisait un pouvoir effrayant, titanesque.

Lombar tripotait les commandes de tir du « canon ». Bien entendu, même un engin de mort comme le sien ne pouvait rien contre la Cité, mais ses doigts crispés et tremblants ne faisaient qu'ajouter à ma nervosité.

- Vous voyez tout ça ? aboya-t-il. (Evidemment, il n'y avait rien à voir. A mon grand soulagement, il lâcha les détentes et se mit à gesticuler.) Tous ces Lords, en bas, revêtus de leurs belles robes, vous savez quoi ? Ils conspirent contre moi.

J'étais enclin à être d'accord avec lui. L'Appareil devait parfois leur flanquer une sacrée frousse, même s'ils le considéraient à leur solde.

Lombar décrivit un grand arc avec son bras et dit :

- D'ailleurs, toute la populace de Voltar et des autres planètes attend son heure pour se soulever et me tuer.

Là, je partageais tout à fait son opinion. L'Appareil haïssait tout le monde, kidnappait tout le monde, assassinait tout le monde, et il ne faisait aucun doute que les gens attendaient leur heure.

Lombar poussa un long soupir, à la façon d'un haut fonctionnaire surchargé de travail.

- Par conséquent, Soltan, et je sais que vous serez d'accord avec moi sur ce point, je n'ai pas d'autre choix que de m'emparer de la Cité du Palais et du trône. Puis, une fois installé, d'exercer le pouvoir intelligemment en massacrant la populace.

Ce n'était pas la première fois qu'il m'entretenait de ses plans. A vrai dire, je les avais toujours trouvés un peu excessifs. Il dut percevoir ma réserve, car il ajouta :

- Je suis la seule personne à avoir suffisamment de génie et de volonté pour assumer le pouvoir. Les Lords sont des faibles. Quant à la racaille... Oui, il est de mon devoir de gouverner. (Il hocha vigoureusement la tête pour bien montrer à quel point il était d'accord avec lui-même.) Autrement dit, le problème, c'est de prendre les rênes de la Cité du Palais.

Personne n'y était jamais parvenu. On considérait la chose comme impossible.

- Mais nous avons notre base d'approvisionnement sur Blito-P3, continua-t-il tout en farfouillant dans la poche de sa tunique. Et nous avons nos armes.

Il sortit un flacon de pilules qu'il jeta sur le rebord du tableau de commandes. Je savais ce que c'était. L'étiquette disait :

Produits Pharmaceutiques I.G. Barben
New York

Un rayon de lune quasi surnaturel se reflétait sur le flacon venu de si loin. De la méthédrine. Une amphétamine puissante.

Il sortit une petite pochette de cellophane contenant de la poudre blanche. De l'héroïne turque. Je vis au numéro sur l'étiquette qu'elle faisait partie de la dernière livraison du *Blixo,* celle qu'on avait secrètement stockée dans les magasins de Répulsos. Avec la lumière verdâtre de la lune, la poudre faisait penser à du venin séché.

Il désigna les pilules et la drogue, avant d'annoncer :

- Voici notre armement. (Il sourit.) Et il est d'une puissance inouïe. Comme le système nerveux d'un Voltarien est beaucoup plus sensible, ces produits réagissent cinq fois plus fort que sur un Terrien. (Il se tourna vers moi, le visage brusquement grave.) Voilà pourquoi vous devez absolument conserver le contrôle de Blito-P3. Voilà pourquoi vous devez veiller à ce que nos « armes » continuent d'arriver sur Voltar. Il s'écoulera du temps avant qu'elles commencent à vraiment faire effet. Des mois, des années. Nous devrons maintenir un feu nourri et attendre.

« Mais surtout, nous devrons préserver notre monopole. Il n'est pas impossible que les chimistes voltariens réussissent à synthétiser la drogue. Heureusement pour nous, la morphine base à partir de laquelle on fabrique l'héroïne ne passe pas inaperçue - elle est très, très facile à détecter. Mais il n'en reste pas moins que nous pourrions perdre notre monopole avant d'avoir réduit les Lords à la toxicomanie et avant d'avoir privé le peuple de sa combativité. J'ai des plans précis pour régler ce problème, mais *votre* tâche consiste à garantir la sécurité de notre base terrienne.

La voix de Lombar se fit plus pressante - Lombar, le rat d'égout qui avait grandi dans les bas-fonds, Lombar qui n'accéderait jamais au rang de Lord.

- Quand je serai Empereur, vous serez chef de l'Appareil, Soltan.

J'étais de plus en plus nerveux. Rien que le fait d'écouter ce genre de discours pouvait vous valoir la torture et l'exécution. Et la lumière glauque de la lune ne faisait qu'ajouter à mon malaise.

Lombar semblait avoir repris son attitude grave.

- Ce (bip) prétentieux d'Heller a tout compromis. Par un coup de chance insensé, il a atterri au beau milieu de nos plates-bandes. Il ne se doute même pas de la menace qu'il représente. Mais, quoi qu'il arrive, vous devez tout faire pour l'empêcher de remettre Blito-P3 sur les rails !

Il avait suffi qu'il prononce le mot « Heller » pour que son agressivité reprenne le dessus. Il posa un regard plein de haine sur l'invisible Cité du Palais.

- Ces sombres crétins, là en bas, ont commis l'immense sottise de confier la mission à Heller ! Ce qu'ils ne savent pas, c'est que des types comme Heller, je n'en fais qu'une bouchée, même à douze contre un.

Lombar éclata de rire, arrêtant net la vague d'angoisse qui menaçait de me submerger. C'était un rire sans joie. Il se tourna à nouveau vers moi et me tapota le genou.

- Diabolique, votre petite ruse, Soltan. Vous êtes un sacré roublard. Mais je sais choisir mes hommes. Il n'y avait que vous pour avoir l'idée de lui jeter cette (bipasse) de Krak dans les bras !

Je me figeai. Il savait !

- Pas bête, pas bête. Utiliser une prostituée mâtinée d'une meurtrière pour le tenir en laisse. C'est presque aussi génial que certains de mes plans. Il y avait neuf chances sur dix pour qu'elle le tue. Dommage qu'elle ne l'ait pas fait.

Cette pensée déclencha chez lui un nouvel accès d'hilarité.

Qui l'avait mis au courant ?... Snelz ! Oui, ce devait être Snelz ! J'avais subitement l'impression d'être entouré d'espions.

Mais Lombar reprenait son monologue.

- De toute façon, même si elle ne l'a pas tué d'ici son départ demain, il n'en aura pas pour longtemps. (Il sortit une liasse de papiers de sa poche.) Comme vous le savez, je vous ai adjoint les deux meilleurs agents de Blito-P3, Raht et Terb. Ils devront garder un œil sur lui vingt-quatre heures sur vingt-quatre. J'ai ici un projet par écrit que Raht devra exécuter sur-le-champ, dès votre arrivée. Il concerne l'identité sous laquelle Heller circulera sur Terre. Moi aussi, j'ai des idées, des idées tout de même un peu plus raffinées que vos magouilles avec la comtesse Krak.

Je pris les feuilles de papier. Ce n'était pas évident de les déchiffrer avec la faible lumière qui filtrait à travers le pare-brise. Mais ce que je lus me fit dresser les cheveux sur la tête !

Blito-P3 est le seul endroit de l'univers où un criminel illettré peut s'arracher du ruisseau, gravir les échelons sociaux et se retrouver aux commandes de la planète. C'est sans doute pour cela que Lombar avait été immédiatement attiré par la Terre, qu'il s'était mis à étudier tous les dossiers la concernant, ainsi que ses structures culturelles et sociales, et qu'il était même allé jusqu'à les mettre en pratique au sein de l'Appareil. Sur Blito-P3, un homme était parvenu à se hisser jusqu'au pouvoir absolu avec sa famille. Il contrôlait les sources d'énergie de la planète, il contrôlait l'industrie pharmaceutique, il contrôlait les finances planétaires et bien d'autres choses encore, et surtout, il contrôlait les gouvernements. Nous traitions de nombreuses affaires avec lui - à son insu, bien entendu. Son nom était Delbert John Rockecenter. Nous avions pour maxime de ne jamais nous immiscer dans ses affaires.

Et voici que Lombar ordonnait à Raht de se procurer un certificat de naissance et des papiers d'identité au nom de Delbert John Rockecenter JUNIOR !

Mes Dieux ! Il prenait un risque énorme !

En voyant mon expression, Lombar eut un air amusé et dit :

- La différence entre moi et les autres, c'est que je suis capable de prédire très exactement ce qui se passera. Dès qu'Heller posera les pieds aux Etats-Unis en se faisant appeler Delbert John Rockecenter Junior, il y aura des remous. Le nom est beaucoup trop célèbre. Cela viendra aussitôt aux oreilles du big boss et il s'arrangera pour qu'Heller soit immédiatement jeté en prison. Il le peut puisqu'il a tous les pouvoirs. Heller se fera épingler avant d'avoir eu le temps de faire dix pas à l'intérieur du pays. On le balancera dans un pénitencier et nous serons débarrassés de lui une fois pour toutes. Et s'il lui vient l'idée insensée de dire qu'il est un extra-terrestre, on l'enfermera dans un asile de fous pour le restant de ses jours. Mon plan est infaillible.

Tout était clair à présent. Il faudrait que je veille tout particulièrement à ce qu'Heller ne circule sous aucune autre identité.

- Voilà donc qui règle la question d'Heller, poursuivit Lombar. Venons-en maintenant à l'équipage du *Remorqueur 1,* j'avais dit que je m'en occuperais et c'est ce que j'ai fait. Nous avons eu un coup de veine. Il s'agit de sous-officiers de la Flotte, pilotes et mécaniciens, qui conduisaient de gros transporteurs équipés de moteurs Y avait-Y aura d'un coin de la galaxie à l'autre. Un jour, ils se sont mutinés et ils se sont emparés du vaisseau avec l'intention de se livrer à la piraterie. Des patrouilles de la Flotte les ont interceptés et les ont envoyés devant un tribunal militaire. Juste avant qu'ils soient exécutés, des gens à nous ont opéré une substitution de personnes.

« Ils étaient cinq en tout : un capitaine, deux pilotes et deux mécaniciens, plus qu'il n'en faut pour un vaisseau comme le *Remorqueur 1.* Ils appartiennent à une race qui se fait appeler « Antimanco » et qui se compose de descendants de Mancos qui avaient été exilés il y a belle lurette pour des meurtres rituels. Ils détestent la Flotte. Ils détestent Manco. Et ils vont cordialement détester Heller ! Je vous ferai parvenir d'autres renseignements sur eux. Vous avez maintenant un équipage incorruptible.

Il resta immobile pendant un instant, le regard fixé sur le trou noir de la Cité du Palais. Puis il consulta sa montre et fronça les sourcils. J'en conclus qu'il avait dit tout ce qu'il avait à dire, mais il reprit brusquement :

- Il y a quelque temps déjà, dès que j'ai su que c'était ce (bip) de *Remorqueur 1* qui ferait le voyage, j'ai envoyé deux avions-chasseurs à la base turque de Blito-P3. Les quatre pilotes ne seront pas sous vos ordres. Ils auront leurs ordres à eux. Si jamais le *Remorqueur 1* décolle sans prévenir ou si Heller essaie de s'en servir sur Terre, les deux chasseurs ont pour instructions de l'abattre. Ils seront bientôt à la base turque. Voilà donc un autre problème réglé.

Je sentis mon sang se glacer. La lumière de la lune était, elle aussi, glacée et l'expression de Lombar était maintenant glaciale. Je priai avec ferveur que je ne me trouverais pas à bord du *Remorqueur 1* quand les chasseurs seraient dans les parages. Il n'avait ni armes ni défenses. Ce n'était qu'un remorqueur.

- Deux choses encore, continua Lombar. (Je savais que ce que j'allais entendre ne serait pas très bon pour moi, mais pas à ce point-là. Il me regardait fixement.) Si jamais il apparaît qu'Heller est sur le point de réussir et que vous n'avez aucun moyen de l'en empêcher...

Il pointa un doigt sur moi et prononça les mots suivants très lentement :

- ... alors vous devrez le tuer, et peu importent les conséquences.

Il contemplait de nouveau la Cité du Palais. Il paraissait guetter quelque chose mais, bien entendu, il pouvait attendre jusqu'à la fin des temps : il scrutait le néant.

Il consulta sa montre, puis il se tourna une fois encore vers moi et se remit à parler, mais cette fois-ci sur un ton franchement hostile.

- Une dernière chose encore. J'ai donné des instructions confidentielles à quelqu'un de votre entourage. Inutile de chercher à savoir qui c'est, vous ne trouverez jamais. Ses instructions sont les suivantes : si vous perdez le contrôle de Blito-P3, si vous n'assurez pas la livraison de notre « armement », si Heller s'évanouit dans la nature et fiche tous nos plans en l'air ou si vous me trahissez de quelque façon que ce soit, cette personne inconnue a l'ordre exprès de vous tuer.

L'espace d'un instant, j'eus l'impression que la lune s'était transformée en une gigantesque boule de glace.

Lombar regardait à nouveau sa montre. Soudain il leva un doigt à mon intention et un sourire béat déforma son visage.

- La voilà ! Ooh, la voilà ! Vous ne l'avez pas entendue ?

Je n'avais rien entendu du tout. Il n'y avait que cette lune ignoble et ce trou vide, là-bas, qui protégeait la Cité du Palais. Et, de toute façon, le vaisseau était insonorisé.

J'avais sans doute manifesté une certaine agitation, car Lombar insista :

- La voix ! La voix ! Je vous ai amené ici pour que vous puissiez entendre la *voix !* (Il se redressa, les oreilles aux aguets.) Là ! La voilà à nouveau : « Lombar Hisst ! Viens t'asseoir sur le trône de l'Empereur ! Le destin de Voltar est entre tes mains. Je te supplie de ceindre la Couronne ! » (Il se laissa aller en arrière dans son siège, visiblement soulagé.) Maintenant que vous l'avez entendue, vous savez que tout ce que j'ai accompli jusqu'ici était *juste,* était *écrit.* Je suis si heureux que vous ayez été témoin de cela.

La lumière se fit en moi, fulgurante, éclatante. C'était comme si les pièces virevoltantes de quelque puzzle venaient de s'assembler d'un seul coup. Je revis en un éclair toutes les fois où j'avais eu affaire à Lombar Hisst. Si l'on y ajoutait la scène à laquelle je venais d'assister, on aboutissait à une conclusion évidente, indiscutable : Lombar Hisst présentait tous les symptômes d'un schizophrène paranoïaque mégalomane - hallucinations auditives comprises. N'importe quel manuel de psychopathologie l'aurait confirmé.

J'étais au comble de l'épouvante !

Lombar Hisst était *fou !*

J'étais sous les ordres d'un cinglé !
Et je n'avais *aucun* moyen de m'y soustraire !

6

Les gardes m'avaient reconduit en fourgon à mon bureau. J'étais malade. Il était tard. Je savais que j'avais intérêt à faire mes bagages et à monter à bord du *Remorqueur 1* en vue du décollage. Au lieu de quoi, j'étais resté assis à mon bureau pendant une bonne demi-heure, les yeux perdus dans le vide.

Je me disais que j'avais dû me tromper dans mon diagnostic. Il n'y a pas plus horrible qu'être le pion d'un dément. Mû par une inspiration soudaine, je sortis quelques-uns de mes manuels de psychologie de ce que j'appelle mon « trou à carottes », un nom de code pour désigner une cachette que j'avais aménagée sous le plancher.

Je me suis plongé dans mes livres terriens pendant une trentaine de minutes. J'ai vérifié *schizophrénie.* Le mot venait de *schizei,* « détacher », et de *phren,* « esprit ». Il signifiait : rupture ou décrochage par rapport à la réalité. La *paranoïa,* quant à elle, est une *psychose* chronique qui se caractérise par des illusions de grandeur « légitimes » et un délire de persécution « justifié ». La *mégalomanie* se manifeste souvent par un désir d'être le maître du monde. Avoir des *hallucinations auditives,* c'est entendre des voix qui ne sont pas là. Lorsque vous additionnez ces éléments, sauf le dernier, vous obtenez le *syndrome d'Hitler.* Hitler était un chef militaire terrien mort depuis longtemps. Mes manuels disaient que ses disciples et lui étaient *schizophrènes paranoïaques* parce qu'ils s'étaient rendus coupables de génocides (ils avaient mis le paquet pour exterminer des races entières).

Non ! Je ne m'étais pas trompé, tout compte fait. Et l'expression *hallucinations auditives* désignait bel et bien le fait d'entendre des voix. Par conséquent, Lombar Hisst était tout ce qu'il y avait de fou.

J'étais effondré.

Et si, en plus, il commençait à s'adonner aux *amphétamines,* et tout particulièrement au *speed* et aux tablettes orange en forme de cœur appelées *méthédrine,* il était bon pour la camisole !

Je demeurai prostré pendant près d'une heure, ruminant de sombres pensées.

Que pouvais-je faire ?

Rien !

Non, pas rien !

Il fallait absolument que je me remue et que je mène la mission à bien, autrement j'étais un homme mort. Lombar avait été *très* clair sur ce point.

A cette pensée, je bondis sur mes pieds. Il était minuit passé depuis longtemps. Je sortis et dévalai la colline en direction de la pension pour faire mes bagages. Dans ma hâte, j'avais oublié que Ske se trouvait à l'extérieur du bureau avec l'aircar. Alarmé sans doute par mon départ précipité, il avait décollé et s'était posé dans la cour de la pension.

Une fois dans ma chambre, je me mis à rassembler fébrilement mes affaires et à les jeter dans des sacs. J'étais sur le point de balancer les appareils de surveillance dans un carton plein de chopes ébréchées quand je me dis que j'avais intérêt à me ressaisir. Avec des gestes précautionneux, je les déposai dans une caisse portant l'étiquette : *Biens Personnels - Fragile.*

Ske était appuyé contre la porte.

- Donne-moi un coup de main ! lançai-je. Il faut que je déménage et que j'embarque. Si je ne me dépêche pas, je vais passer une nuit blanche.

- Vous voulez dire que vous partez pour longtemps ? Des années et des années ? Génial ! Je vais vous aider, et plutôt deux fois qu'une !

Il se mit au travail sans attendre. Je me serais bien passé de ses commentaires malveillants. Il n'avait plus de pansements sur les mains. Il ne subsistait plus aucune trace des blessures que je lui avais infligées, hormis peut-être une ou deux dents cassées.

Une voix sonore retentit derrière moi :

- Vous pourrez dormir tout votre soûl sur le banc des accusés au tribunal si vous ne me payez pas vos arriérés de loyer !

Meeley. Evidemment.

Elle se dirigea droit sur la caisse *Biens Personnels - Fragile,* la ramassa et la tint serrée contre sa poitrine. J'allais la lui arracher des bras quand j'aperçus la crosse d'un éclateur qui dépassait de la poche de son tablier.

Ske avait rassemblé le reste de mes affaires et une bonne partie des détritus qui jonchaient le sol. Il sortit pour les mettre dans l'aircar.

Meeley et moi restâmes là à nous fusiller du regard. Avec un net avantage à Meeley, car j'étais complètement paniqué. Je ne pouvais pas partir sans les appareils de surveillance. C'étaient les seuls que j'avais.

- Cinquante crédits, fit-elle.

Vaincu, je sortis mon portefeuille. Il ne me restait pas autant. Une fois de plus, cette ignoble mégère gagnait. Cela ravivait en moi une nuée de souvenirs cruels. Elle méritait que je lui rende la monnaie de sa pièce. Largement même. Ah, que n'aurais-je donné pour...

J'avais un faux billet de cent. Sur l'un des bords, il subsistait un peu de sang. Le sang de l'hypnotiseur. Au prix d'un gros effort, je parvins à réprimer un sourire de triomphe. Je lui tendis le billet et dis :

- Je vous le donne en souvenir du séjour agréable que j'ai fait ici. Si vous voulez me garder cette chambre jusqu'à mon retour, libre à vous. Mais je tenais à vous récompenser comme vous le méritez.

Dès qu'elle présenterait le billet, elle se ferait arrêter et exécuter.

Elle examina le billet, mais je savais qu'elle n'avait pas l'œil exercé d'un caissier de banque. Puis elle pencha bizarrement la tête et me dévisagea longuement.

- Au revoir, Meeley. J'espère que l'avenir immédiat vous réservera bien des joies.

Je sortis, la caisse dans les bras.

Nous filâmes à travers le ciel nocturne baigné de rayons lunaires. La deuxième lune de Voltar s'était levée et le hangar de l'Appareil nous apparaissait comme un patchwork étrange d'ombres dédoublées.

Il était tard, très tard : presque quatre heures du matin. Je n'en revenais pas. Je me sentais horriblement mal. Mais ce n'était pas à cause du manque de sommeil - il ne faisait qu'ajouter à mon état dépressif.

Mon chauffeur refusa de m'aider à porter mes bagages dans le vaisseau. Je dénichai un chariot, y chargeai mes affaires et le poussai jusqu'au sas atmosphérique. Au moment de les prendre pour les transporter à bord, je constatai avec fureur que Ske m'avait tranquillement suivi, les mains dans les poches.

- Porte-moi tout ça à bord ! ordonnai-je.

Il demeura immobile. Je l'aurais tué.

Alors je pris une décision. Je me composai un visage amical. L'heure était venue de me venger de la malveillance dont il avait fait preuve durant les dernières semaines.

- Ske, tu m'en veux parce que je n'ai pas fait de toi un homme riche. Je suis sincèrement navré de ne pas t'avoir aidé à accéder à la place que tu mérites.

C'est-à-dire une place aux enfers, ajoutai-je in petto.

Je sortis mon portefeuille de ma poche et dis :

- Comme tu le sais, j'ai hérité d'un peu d'argent récemment. Il ne me servira à rien là où je vais. (Ça, c'était sûr. Ni sur Voltar d'ailleurs.) Tu mérites une récompense pour les services que tu m'as rendus. Il ne sera pas dit que je suis pingre.

Je pris toute la fausse monnaie qui restait et lui tendis la liasse. Je savais que les taches de sang ne le feraient pas tiquer et qu'il était incapable de distinguer un vrai billet d'un faux.

Son regard se posa sur la liasse, puis sur moi. Il avait d'abord regardé les billets de l'œil gauche, et ensuite de l'œil droit, comme s'il ne voyait pas clair.

- Allez, porte les bagages à bord. Magne, magne !

Il fourra l'argent dans sa poche et ramassa mes bagages.

Je pris dans mes bras la caisse contenant les appareils de surveillance et pénétrai dans le vaisseau.

Sur la porte de la dernière cabine, tout au bout de la coursive, il y avait un écriteau neuf avec les mots :

Officier Gris

Ske jeta mes affaires par terre et fit encore deux voyages.

Je le raccompagnai jusqu'au sas et dis :

- Au revoir, Ske. J'espère que tu auras le sort que tu mérites.

Il ne répondit pas. Il s'en alla et traversa le hangar sans se retourner.

J'étais perplexe. Comment se faisait-il que les gens étaient heureux quand Heller leur donnait de l'argent et qu'ils me regardaient bizarrement quand c'était moi qui leur en donnais ? Il faudrait un jour que je cherche la réponse dans les livres de psychologie.

7

J'étais très loin de me douter que j'étais sur le point de vivre l'une des journées les plus horribles de mon existence.

Je revins dans le vaisseau. J'étais fatigué, déprimé. Je me sentais fripé, physiquement et mentalement. Il fallait absolument que je dorme un peu !

C'est alors que je vis Heller, dans le couloir, devant la porte de ma cabine. Il portait un bleu de travail de la Flotte, propre, repassé, avec les plis où il fallait. Et son inévitable casquette rouge était rejetée en arrière sur ses cheveux blonds impeccablement peignés. Malgré l'heure, il paraissait frais et dispos et resplendissant de santé. Je le haïssais.

Les premières paroles qu'il prononça ne firent rien pour me remonter le moral. Bien au contraire.

- Par toutes les horreurs de l'espace ! Qu'est-ce que c'est que cette puanteur atroce ?

Son regard se tourna vers ma cabine. Je passai devant lui et pénétrai à l'intérieur.

- Ce sont mes bagages, expliquai-je.

Bien, c'est vrai qu'ils avaient été jetés n'importe où et n'importe comment, et que Ske avait même emballé tout un tas de plats et de couverts sales et cassés, bons pour la poubelle.

- Ecoutez, dit Heller, si vous vous présentiez dans un vaisseau de la Flotte sale comme vous êtes et avec les affaires que je vois dans cette cabine, on vous exécuterait sur-le-champ ! Un vaisseau de l'espace comporte son propre système de production d'air. Cette crasse va boucher les filtres des diffuseurs d'air et je doute fort que les désodorisants puissent vaincre cette odeur nauséabonde. (Il parlait posément, avec patience.) Il y a des machines à laver dans l'autre couloir. Balancez-y toutes vos affaires. Faites-le tout de suite car il ne vous reste pas beaucoup de temps : l'eau courante, l'électricité et le tout-à-l'égout seront débranchés dans une heure. Donc, dépêchez-vous.

Oh non ! Déplacer une fois encore mes affaires !... J'étais effondré. Tout ce que je voulais, c'était dormir un peu. Brusquement, une pensée affreuse me traversa l'esprit. Les circuits électroniques des appareils de surveillance ne survivraient pas à un lavage. Mais on réfléchit vite, face au danger.

- C'est impossible, lâchai-je précipitamment. J'ai des paralyseurs, des éclateurs dans mes bagages !

Il fallait que ça marche.

Peine perdue.

Heller prit une expression choquée et dit :

- Hé, vous ne savez donc pas que ce vaisseau va être littéralement immergé dans un énorme excédent d'électricité ? Ça risque de les faire partir !

- Je croyais que vous aviez réglé le problème.

Il secoua la tête. Mais ce n'était pas pour répondre à mon argument, c'était juste pour me faire savoir qu'il rejetait mes objections. Il vint vers moi, me fouilla rapidement et retira les éclateurs, les paralyseurs et le pistolet à lames que je portais sur moi.

- Mais vous êtes un arsenal ambulant ! Si tout ça partait, nous serions transformés en particules ioniques !

Il alla jusqu'au mur, tourna une petite poignée. La porte du coffre s'ouvrit.

- C'est un coffre blindé anti-explosion, expliqua-t-il. (Il y jeta mes armes.) Si vous avez d'autres engins de ce genre dans vos bagages, mettez-les aussi.

Avec gratitude, j'ajoutai la caisse *Biens Personnels - Fragile.*

Heller avait de nouveau les yeux rivés sur mes affaires.

- Dites-moi, vous avez carrément apporté des détritus !

Pourquoi cet (enbipé) de Ske avait-il empaqueté les ordures qui jonchaient le sol ?

Heller était retourné dans le couloir et avait sorti des objets d'un placard mural.

- Voici une feuille fourre-linge pour le nettoyage à sec. Mettez vos uniformes dans ces poches ici, faites un rouleau et mettez le tout dans la machine. Les uniformes ressortiront nettoyés et repassés. Et voici une autre feuille fourre-linge pour le lavage à l'eau. Mettez-y vos sous-vêtements et vos chaussettes, faites-en un rouleau et fourrez-les dans la machine à laver. Et voici des sacs étanches : mettez-y vos papiers, vos notes et tout ça. (Il s'en alla, pour aussitôt se retourner et jeter un nouveau coup d'œil à mes bagages.) Je ne vois pas d'uniforme d'apparat dans vos affaires.

Evidemment, puisque je n'en avais jamais acheté.

- On n'en porte pas sur Terre ! lançai-je d'un ton caustique.

- Il vous en faudra un pour le lancement.

J'avais beaucoup trop sommeil et je me sentais vraiment trop mal pour chercher à comprendre pourquoi Diables on avait besoin d'une tenue de parade pour le lancement d'un vaisseau. Quelle bande de (bips), ces gars de la Flotte ! Tous plus cinglés les uns que les autres !

- Votre chauffeur n'est pas encore parti. Je vais lui donner de l'argent et lui dire de foncer en ville, de réveiller un commerçant et de vous ramener un uniforme.

Je poussai un gémissement. Tout ce pinaillage à propos de belles tenues me dépassait complètement. Mon manque évident d'enthousiasme avait sans doute fini par l'agacer, car il pointa le doigt en direction du sas et dit :

- Vous allez me faire le plaisir de sortir toutes vos affaires dans le hangar et de les trier. Mettez votre linge sale dans ces rouleaux et dans les machines à laver. Et ça s'applique aussi à l'uniforme que vous portez. Ensuite allez prendre une douche. Et surtout dépêchez-vous. L'eau va bientôt être coupée.

J'étais au bord des larmes. Tout ce que je voulais, c'était *dormir.* J'avais mal partout. Ces gars de la Flotte étaient indécrottables. Il n'était plus dans la Flotte, bon sang ! Qu'est-ce que ça pouvait bien faire que les filtres d'aération du vaisseau soient bouchés ?

Je portai toutes mes affaires à l'extérieur et entrepris de les trier sur le sol du hangar. Une fois que j'eus enlevé les chopes cassées, les vieux journaux et les monceaux d'ordures que Ske avait empaquetés, il ne me restait plus grand-chose. J'avais carrément rempli deux poubelles.

J'ai épousseté mes uniformes, mes casquettes et mes bottes de rechange et je les ai placés dans le rouleau de nettoyage à sec. Puis je me suis souvenu après coup que je devais y ajouter l'uniforme que j'avais sur moi. J'ai vidé mes poches et j'ai mis tout ce qui était papier dans les sacs étanches. Ensuite je me suis déshabillé et j'ai mis mon uniforme dans le premier rouleau et mes sous-vêtements dans l'autre. J'étais nu des pieds à la tête.

J'étais en train de vérifier si tout y était lorsque j'ai entendu quelqu'un pouffer dans le hangar. La comtesse Krak. Elle était quelque part dans les parages. Mais je n'ai pas cherché à savoir où. J'ai saisi les rouleaux et les sacs et j'ai sprinté jusqu'au vaisseau.

Cet incident m'avait quasiment achevé. Dans la buanderie je me suis retrouvé face à d'énormes portes circulaires portant des indications incompréhensibles : jargon typique de la Flotte, flèches lumineuses typiques de la Flotte. Maudite Flotte ! J'ai ouvert deux machines qui me paraissaient être les bonnes et j'y ai fourré les rouleaux, puis j'ai porté les sacs étanches dans ma cabine.

La douche me fit vraiment du bien. Je n'en revenais pas de voir autant de crasse dégouliner de mon corps ! J'avais à nouveau les idées claires. Peut-être que la saleté avait exercé une pression sur mon crâne et voilé mes pensées. La théorie méritait d'être approfondie. J'étais presque en train de me dire que la maniaquerie de la Flotte avait peut-être du bon quand une sonnerie nasillarde, crispante, retentit dans la buanderie. Je me précipitai pour récupérer mes vêtements.

Je sortis le rouleau contenant mon caleçon et mes chaussettes. Ils étaient tout beaux, tout propres, et impeccablement repassés. Même les accrocs avaient été raccommodés.

Je ne me souvenais plus où j'avais mis le rouleau avec mes uniformes, ce qui n'était pas étonnant, vu le nombre de portes circulaires qu'il y avait dans la pièce. J'en ouvris deux ou trois.

Et je ne trouvai rien !

J'ai alors procédé à une reconstitution minutieuse de mes faits et gestes. J'étais entré par la porte et je m'étais appuyé *ici* pour souffler un peu, tout en essayant de déchiffrer les écriteaux et les indications... Donc ce devait être cette machine là... Je l'ouvris.

Rien ! Affolé, j'ouvris toutes les portes circulaires.

Rien, rien, rien !

Je parvins à me ressaisir un peu et lus les écriteaux. Soudain je compris !

J'avais mis mes uniformes et mes bottes dans le désintégrateur !

Je me mis à pleurer doucement. J'étais nu. Je n'avais plus de vêtements. Il ne me restait qu'un caleçon !

Attendez un peu ! Ske était allé acheter une tenue d'apparat ! Tout n'était pas perdu. Je pouvais encore triompher de la superpropreté de la Flotte !

Le cœur gonflé d'espoir, je fonçai vers ma cabine.

Victoire !

Un paquet sur le lit !

Je l'ouvris en toute hâte.

Qu'est-ce que c'était que *ça ?*

Je reconnus la croix de colonel. C'était un grade au-dessous du mien mais, bien entendu, on pouvait compter sur Ske pour se montrer imprécis.

Et tous ces dessins ?

Sur l'étoffe noire, noire comme la mort, il y avait de surprenants motifs rouge vif.

Des os, une corde de potence, des fouets électriques. Des os ?... Une corde de potence ?... Des fouets électriques ?...

Et le casque. Noir ! Le dessin ? Un gigantesque crâne phosphorescent !

J'avais sous les yeux la tenue de parade d'un colonel des Bataillons de la Mort !

Il y avait même le ceinturon qui représentait des intestins sanguinolents !

C'était l'uniforme le plus terrifiant des armées voltariennes !

Je fis un pas en direction de la porte et pris aussitôt conscience qu'il était inutile de chercher à mettre la main sur Ske : il avait dû déguerpir sans demander son reste.

D'un point de vue légal, j'avais le droit de porter cette tenue puisque j'étais d'un grade supérieur. Et en théorie, un cadre subalterne pouvait porter n'importe quel uniforme de l'Appareil.

J'étais à bout de forces. Je m'allongeai sur le lit à suspension et allumai une lampe relaxante. Quelle façon abominable de commencer un voyage ! Si seulement je parvenais à dormir une petite heure, peut-être que mes idées s'éclairciraient un peu. Peut-être même que nous serions bien tranquillement dans l'espace quand je me réveillerais. Mais je me trompais très, très lourdement !

Toutes les lumières s'éteignirent. On débranchait les cables reliés au sol. Aux Diables tout ça ! Ça ne m'empêcherait pas de dormir. Et de toute façon, un décollage, ça n'avait vraiment rien d'extraordinaire.

Je sentais ma tension diminuer peu à peu. J'étais en train de sombrer dans le sommeil quand un bruit épouvantable me fit bondir hors de mon lit. On aurait dit des coups de marteau ! Des coups de bélier, même ! Comme si quelqu'un essayait de réduire le vaisseau en miettes !

Je me passai hâtivement une serviette autour de la taille et remontai la coursive en un éclair. Le vacarme avait redoublé. Je m'aperçus alors que ça provenait de la chambre des machines auxiliaire, à l'avant du *Remorqueur 1*. Bizarre... Nous étions toujours dans le hangar... Une grue était censée nous soulever et nous déposer sur une plate-forme roulante.

Je me rendis dans la cabine de pilotage. Heller était assis sur un coin du siège de pilotage local, penché sur un micro, son éternelle casquette rouge rejetée en arrière sur sa tête. Il était en grande conversation avec la chambre des machines. A la façon dont il donnait ses instructions, je compris qu'il parlait avec un mécanicien du hangar - quelqu'un qu'il avait engagé temporairement.

- Je vais le soulever en douceur. Inutile de mettre la gomme.

Les fenêtres étaient ouvertes. Je regardai au-dehors. Les plaques blindées anti-particules spatiales avait été abaissées. Heller passa la tête par une fenêtre, explora le hangar du regard et cria à l'adresse des quelques personnes qui s'y trouvaient :

- Eloignez-vous !

Par tous les Dieux ! Il allait piloter le *Remorqueur 1* à l'intérieur du hangar ! Il risquait de démolir les autres vaisseaux ou de partir à travers le toit !

- Hé ! hurlai-je. N'essayez pas de voler dans le hangar !

Heller s'était laissé aller en arrière dans son siège. Il émit un petit rire et dit :

- Mais c'est justement dans ce but que les remorqueurs ont été conçus : pour se mouvoir dans des espaces restreints. Accrochez-vous, Soltan. Le bougre est nerveux.

Devant le vaisseau, quelqu'un agitait des bâtons pour guider Heller. Heller poussa les manettes de mise à feu.

Je me suis accroché !

J'ai vu alors que nous ne pouvions pas sortir en ligne droite ! Il fallait d'abord contourner une grue et deux vaisseaux, puis obliquer !

Un fracas assourdissant au-dessous de nous ! Je crus que le châssis venait de se détacher. En fait, c'étaient juste les supports et les cales qui s'étaient renversés.

Et Heller, une moitié de fesse posée sur son siège, amena le vaisseau hors du hangar au moyen des moteurs à distorsion !

L'homme aux bâtons lui fit signe de se poser près de la porte du hangar, loin, très loin du cercle d'atterrissage.

- Cramponnez-vous, Soltan, lança Heller.

Lui ne se cramponnait nulle part. Il se contentait de pousser des manettes et des boutons. J'aurais dû l'écouter !

Brusquement, le vaisseau se dressa à la verticale, la queue vers le sol !

Je descendis la coursive en chute libre et heurtai brutalement la porte du fond.

Le *Remorqueur 1,* lui, se posa en douceur, sans la moindre secousse.

Heller dévala les traverses, qui étaient maintenant à la verticale, m'aida à me relever et me conduisit au salon. Les meubles avaient pivoté de quatre-vingt-dix degrés quand le vaisseau s'était redressé et se trouvaient en position « normale ». Heller sortit une boîte de s'coueur d'un placard, la passa dans une spirale chauffante, tira sur le tube de la boîte et me la tendit en souriant.

- Vous devriez éviter de boire du bulle-malt avant un décollage, Soltan.

Ce n'était pas une critique, mais juste une de ces réflexions oiseuses dont les gars de Flotte sont coutumiers. Probablement une plaisanterie. Ça m'énerva plutôt qu'autre chose. Je n'en voulais pas, de son s'coueur chaud. Tout ce que je voulais, c'était retourner dans ma cabine et prendre ne serait-ce que quelques minutes de sommeil. Dehors, il commençait déjà à faire jour.

J'allais pousser de côté son maudit breuvage quand une tête apparut dans l'encadrement de la porte.

Bawtch !

Comme toujours, les rabats sur ses tempes faisaient flip-flap. Et comme toujours, il y avait de l'hostilité dans ses gros yeux globuleux. Il tenait une pile de papiers haute d'un mètre entre ses bras maigres !

- Je n'ai pas pu résister à l'extrême plaisir de venir vous dire au revoir, officier Gris. Et j'en ai profité pour vous apporter un petit cadeau d'adieu. Des bons de commande à tamponner.

- Tout ça ? gémis-je.

- Non, ils font environ un tiers de la pile. Vous n'y êtes pas allé de main morte avec les commandes. Acheter, acheter, toujours acheter ! Pas étonnant qu'on paye autant d'impôts. Le reste de la pile, c'est votre travail en retard, c'est-à-dire tous les rapports qui se sont accumulés au cours des dernières semaines et que vous n'avez pas lus. J'ai pensé que ça vous détendrait pendant le voyage de faire *honnêtement* votre travail *pour une fois.*

Je tentai de le chasser par la pensée, mais cela ne marcha pas. La mort dans l'âme, je pris mon s'coueur et regagnai ma cabine. Je sortis mon identoplaque de l'un des sacs étanches, m'assis à ma table et me mis à tamponner. D'ici peu j'aurais quitté Voltar. Le pire était passé - du moins je le croyais. J'allais bientôt pouvoir dormir du sommeil du juste.

- Je vais mettre le reste de la pile entre ces cales ici. Comme ça, vous aurez la joie de voir votre travail en retard chaque fois que vous vous coucherez. Tiens ! Qu'est-ce que c'est que ça ?

Lorsque le vaisseau s'était redressé, mes affaires avaient volé dans tous les sens, car j'avais oublié de les ranger comme il faut. Ce n'était pas les armes tombées du coffre anti-explosion que Bawtch regardait, mais l'uniforme d'apparat. Il avait glissé du lit. Bawtch le ramassa.

- Colonel des Bataillons de la Mort !... C'est donc comme ça que vous vous voyez, officier Gris. Comme c'est beau. Comme c'est adéquat. Il doit vous aller à merveille. Il est exactement de la même couleur que votre âme.

Je l'ignorai. Je vis sur un bon de commande que Ske avait fait facturer l'uniforme à mon nom ! Je continuai de tamponner, tant et si bien que j'eus mal au bras. Quand j'en eus terminé avec les bons de commande, Bawtch les prit et dit :

- Eh bien, je m'en vais. J'ai entendu dire que ces vaisseaux explosent. Alors bon voyage.

Et il sortit en me gratifiant de l'un de ces rires sardoniques dont il avait le secret.

Je finis mon s'coueur. J'allais enfin pouvoir m'allonger. Lorsque je me réveillerais dans quelques heures, frais et dispos, nous filerions à travers l'espace et Voltar serait loin derrière nous. Merveilleux.

Hélas, trois fois hélas, ce n'est pas ainsi que les choses se déroulèrent. Je ne le savais pas encore, mais j'étais sur le point de prendre part au lancement le plus hallucinant de l'histoire de l'espace !

8

J'allais m'étendre quand je perçus un formidable grondement au-dehors. Certes, la porte de ma cabine et le sas atmosphérique étaient ouverts, mais cette onde sonore faisait *vibrer* le vaisseau. On aurait dit qu'une armée arrivait dans des véhicules lourds. Brusquement, de violents coups de marteau retentirent à proximité. Je crus que mes tympans allaient éclater.

C'en était trop pour mes pauvres nerfs. Je bondis hors de la cabine et fonçai jusqu'au sas. En me penchant au-dehors, je manquai avoir le visage aplati par une énorme planche ! Des ouvriers s'agitaient dans tous les sens et érigeaient une plate-forme de revue haute de vingt-cinq mètres avec un grand escalier qui allait du sas jusqu'au sol !

Mon regard se porta au-delà de la plate-forme. Par tous les Dieux ! Les portails de sécurité qui coupaient le hangar du monde extérieur étaient grands ouverts ! Et des camions de livraison se déversaient à l'intérieur, six par six !

Il y en avait déjà des dizaines et des dizaines dans le hangar.

D'innombrables équipes d'ouvriers étaient occupées à décharger et à installer des scènes et des bars. A l'évidence, leur mission était de faire du hangar le plus grand débit de tup de l'univers ! L'un des bars s'étendait sur plus de soixante mètres ! Et l'une des scènes faisait facilement dix mètres de haut, et elle était tellement immense que la moitié des danseuses de Voltar auraient pu y évoluer sans problème ! C'est très simple : où que vous regardiez, il y avait des bars et des scènes. Quant au flot de camions, il paraissait ne jamais devoir cesser !

En proie à une panique indescriptible, je me précipitai dans la cabine de pilotage. Heller replaçait les plaques blindées anti-météores sur les sabords avant.

- Vous ne pouvez pas avoir de fête d'adieu ! hurlai-je. C'était une plaisanterie ! C'EST UNE MISSION SECRETE !

Il arrêta sa manœuvre et me regarda d'un air surpris.

- Mais vous avez vous-même validé les bons de commande. Vous en avez tamponné je ne sais plus combien l'autre jour. Et il y a une heure, je vous ai vu en tamponner d'autres !

- Lombar va me tuer ! criai-je.

- Je suis vraiment navré, dit-il, et il paraissait sincère. Mais, voyez-vous, ce vaisseau n'a pas de nom. Lorsqu'il a été retiré de la Flotte, il a perdu son nom. Il n'a pas été rebaptisé depuis. S'il y a quelque chose qui porte malheur, c'est bien de voyager à bord d'un vaisseau qui n'a pas été baptisé. N'importe quel soldat de la Flotte vous le dira. Nous risquons de sauter.

Ah, la Flotte et ses traditions à la (bip) ! Mais je dois avouer que l'éventualité d'une explosion en plein vol avait souvent été au centre de mes pensées.

Il réfléchit quelques instants avant de dire :

- Il est presque huit heures. Le baptême commencera sans doute aux alentours de dix heures. Nous pourrons décoller vers midi. (Je me contentais de secouer la tête.) Je vais vous dire ce que nous allons faire. Nous allons nous arranger pour que tout ça soit aussi discret que possible, pour que ça reste une petite fête de famille. D'accord ?

Je savais très bien que je ne pouvais plus annuler les bons de commande ou renvoyer les camions. Des centaines d'ouvriers, engagés à l'extérieur, avaient travaillé sur le vaisseau et ils avaient tous été invités avec leur famille. A cela il fallait ajouter les ouvriers du hangar. C'eût été deux fois pire d'arrêter la fête que de la laisser se poursuivre. Je hochai la tête.

- A propos, dit Heller, où est notre équipage ? Il devrait déjà être à bord pour les préparatifs de décollage.

Je n'en savais pas plus que lui. Rendu à moitié fou par le vacarme, je descendis la coursive - verticale à présent - et regagnai ma cabine. J'étais épuisé, mais il n'était plus question de dormir. Je m'écroulai sur ma chaise.

Pour aussitôt bondir sur mes pieds.

Je m'étais assis sur quelque chose.

Un petit flacon.

D'où venait-il ? Il ne pouvait pas s'être trouvé là avant, puisque c'était sur cette même chaise que j'avais été assis la dernière fois. Et je ne voyais aucun endroit d'où il aurait pu tomber.

C'est alors que je me souvins, avec horreur, de ce que Lombar m'avait dit : un espion me surveillerait en permanence - un espion que je ne réussirais jamais à identifier !

Avait-il voulu me donner un avertissement ?

Je lus l'étiquette du flacon :

I.G. Barben, New York
Amphétamines, Méthédrine
100 tablettes de 5 mg

Il ressemblait étrangement à celui que Lombar m'avait montré hier soir.

Je connaissais bien cette drogue. Elle stimule le système nerveux central en accentuant les effets de la *norépinéphrine,* une hormone qui met en branle certaines parties du système nerveux sympathique. Elle fait partie de ces drogues surnommées « speed ». Je m'étais toujours gardé d'y toucher.

Mais j'étais désespéré. Comment allais-je bien pouvoir tenir le coup durant les quatre heures à venir ? Je sortis le poignard de la Section Couteau, pris l'une des petites pilules orange en forme de cœur et en coupai un tiers.

Je déposai le minuscule fragment sous ma langue. Il avait un goût amer. Puis j'attendis qu'il se dissolve sous l'action de mes glandes salivaires et qu'il soit absorbé par mon organisme.

Soudain je ressentis un formidable « coup de chaleur ». Mon cœur se mit à battre plus vite.

Ouaah, je me sentais nettement mieux. Je retrouvais peu à peu toute mon assurance. Je commençais même à éprouver une légère euphorie. Je cessai bientôt de m'inquiéter de la provenance du flacon et de la présence éventuelle dans les parages d'un espion chargé de m'assassiner.

Quelle merveilleuse, quelle fabuleuse invention que le speed !

Je pris conscience que j'avais intérêt à m'habiller. Je ne pouvais tout de même pas continuer de me promener en caleçon. Mon regard se posa sur l'uniforme de colonel du Bataillon de la Mort. Splendide. Parfait.

Avec des mouvements gracieux, pratiquement au ralenti, mais quand même un peu trop rapidement à mon goût, j'enfilai le pantalon moulant. Pas si moulant que ça, en fait, car il faisait trois tailles au-dessus, mais pourquoi chicaner ? Je chaussai les bottes. L'une était trop grande, l'autre trop petite.

Mais ça paraissait normal.

C'est avec une grâce quasi aérienne que je revêtis la tunique. Elle était trop petite. Mais les motifs étaient jolis, en particulier les dagues rouges cousues dans le dos. Je faillis m'étrangler en boutonnant le col, mais il n'y avait pas de quoi en faire un drame. De toute façon, je respirais trop vite.

Le casque noir était trop grand et je le bourrai de serviettes pour l'empêcher de tomber sur mes oreilles. Je me contemplai dans une glace et constatai que ça me faisait un crâne énorme, mais l'effet était des plus élégants. Aaaah, que la vie était belle.

J'épinglai l'insigne de colonel à ma tunique tout en exécutant quelques pas de danse aussi légers qu'insolites que je ne me serais jamais cru capable d'effectuer.

Le ceinturon, quoique intéressant, était quelque peu compliqué. Les entrailles sanguinolentes posaient un problème. Est-ce qu'on les croisait de droite à gauche ou de gauche à droite ? Elles se coincèrent plusieurs fois dans l'insigne de colonel, mais je parvins finalement à les boucler correctement.

Je vidai le paquet contenant les accessoires : deux bandes de métal rouge à pointes qu'on passait autour des poings ; un petit sac rouge rempli de grenaille de plomb qu'on accrochait au poignet droit ; la dague argent de cérémonie, maculée de sang, sur laquelle était très joliment gravée la devise du Bataillon : *Tuez-les tous.* Je la fixai au ceinturon.

Le miroir, euphorique, me renvoyait une image d'une beauté extraordinaire. Quel homme de goût, ce Ske !

Mes yeux se sont posés accidentellement sur ma montre et je me suis aperçu avec surprise qu'il m'avait fallu une heure pour m'habiller. J'ai remonté le couloir en toute hâte, léger comme l'air, effleurant à peine les barreaux de l'échelle.

La plate-forme de revue était solidement en place, collée contre le sas et je me suis avancé pour contempler le spectacle charmant qui se déroulait vingt-cinq mètres plus bas.

Les scènes et les bars étaient tous montés à présent. Il y avait même une série de cabines où les danseuses pouvaient se changer. Déjà le tup coulait à flots.

Des ouvriers accrochaient de longues rangées de fanions un peu partout.

Cinq orchestres déchargeaient leurs instruments et commençaient à s'installer sur leurs scènes respectives. De l'autre côté, j'aperçus deux chorales de cinquante hommes, la première composée de marines de la Flotte et la seconde de soldats en garnison à la base de la Flotte. Ce n'était certainement pas la musique qui manquerait. Ça tombait bien : j'adore la musique.

Les centaines et les centaines d'ouvriers qui avaient travaillé sur le vaisseau commençaient à arriver. Avec leur famille. Et peut-être même avec leurs parents et amis. Ah, et aussi les ouvriers du hangar. Et là-bas ? N'était-ce pas les équipages des vaisseaux de l'Appareil stationnés dans le hangar qui sortaient des baraquements ? Si ! Ils étaient tous en avance ! Les braves gens ! Je les aimais tous !

Ah, et des transporteurs qui déversaient un flot ininterrompu d'officiers et de spatiaux de la Flotte en uniforme bleu poudre. Bienvenue, bienvenue ! Très belle branche de l'armée, la Flotte.

Joie ! Notre équipage ! Il était arrivé ! Dans un fourgon de l'Appareil. Les cinq hommes sautèrent à terre. Ils s'emparèrent fébrilement de leur sac de voyage et le posèrent sur l'épaule de façon à dissimuler leur visage. Puis ils escaladèrent rapidement l'interminable escalier. Cinq ex-pirates, qui étaient toujours sous le coup d'une condamnation à mort.

Je me portai vers le sas afin de les accueillir. Des Antimancos. Je connaissais bien cette race. Leur crâne est triangulaire. Il est assez étroit au sommet, puis il s'élargit progressivement de chaque côté pour se terminer par une large mâchoire, une mâchoire cruelle. Ils ont un teint très foncé. En moyenne, ils mesurent plus de deux mètres et font dans les cent cinquante kilos. On peut lire une haine féroce dans leurs petits yeux plissés et rapprochés. Les Antimancos croient que l'univers entier leur en veut. Eh bien, j'allais leur montrer que *moi,* en tout cas, je les aimais bien.

Je les saluai avec effusion :

- Je me présente : officier Gris. Je vous attendais.

Peut-être était-ce la façon dont j'avais prononcé ces mots, toujours est-il que l'homme de tête - le capitaine sans doute - regarda fixement la main que je lui tendais, puis mon uniforme, avant de faire un grand bond en arrière qui manqua faire tomber les quatre autres au bas de l'escalier. Il se ressaisit aussitôt, marmonna un ordre, passa devant moi comme s'il avait une meute à ses trousses et disparut à l'intérieur du vaisseau. Je les entendis proférer ce qui me sembla être des jurons.

Je n'y comprenais rien. J'examinai ma main. Elle était parfaitement normale, si l'on ne tenait pas compte des pointes de métal rouge qui recouvraient mon poing. Et il n'y avait rien à redire non plus à mon uniforme. Il était vraiment très élégant, en particulier la corde de potence qui était brodée dessus.

Submergé par une grande vague de tendresse, je reportai mon attention sur la fête.

J'aperçus Snelz qui passait dans les rangs d'une compagnie au grand complet afin de s'assurer que tout le monde était en ligne. Cher Snelz. Quel réconfort de le savoir si proche.

Attendez un peu ! J'étais peut-être dans un état d'euphorie avancé, mais que Diables Snelz fabriquait-il avec une *compagnie ?* Il n'avait droit qu'à une *escouade.*

Je m'avançai pour mieux voir. Malgré les quelque cent cinquante mètres qui me séparaient de Snelz, je vis distinctement qu'il arborait l'insigne rouge de *capitaine !* Le rubis scintillait sous le soleil matinal.

La lumière se fit subitement dans mon esprit ! C'était Snelz qui avait informé Lombar des escapades nocturnes de la comtesse Krak ! Voilà comment il avait gagné sa promotion ! C'ETAIT SNELZ L'ESPION !

Je reculai. Je sentis une présence derrière moi et je me retournai. Je reconnus le visage d'Heller à travers le voile qui s'était formé devant mes yeux.

- Snelz a pris du galon !

Heller rit.

- Oui, je sais. Je lui ai donné cinq cents crédits pour qu'il s'achète le grade suivant. Il le méritait.

La tête me tournait. Si ce n'était pas Snelz l'espion chargé de me tuer, alors qui ?

Je trouvais qu'Heller avait une apparence étrange. Il avait revêtu sa tenue d'apparat de sous-officier de la Flotte. Sur la tête, il portait un petit chapeau rond et plat, sans bords, légèrement incliné vers la droite et maintenu en place par une jugulaire dorée. Sa tunique moulante bleu foncé, couverte de décorations dorées étincelantes, s'arrêtait juste au-dessus de la taille. Il arborait l'étoile des cinquante missions sur sa poitrine. Elle brillait tellement que j'étais à moitié aveuglé. Une large bande rouge descendait de chaque côté de son pantalon, le long de la couture. Habillé comme il l'était, Heller allait faire tomber en syncope toutes les filles de Voltar.

Il me regardait d'un air bizarre.

- Qu'est-ce que vous fabriquez dans cet uniforme de parade du Bataillon de la Mort ?

- C'est Snelz. Je veux dire, on dirait qu'il y a du tututup à gogo entre les vaisseaux danseurs.

Je pris conscience que je parlais trop vite.

- Vous allez bien ? demanda Heller.

- Bien sûr que Lombar va bien. Tout ce qui sort de la bouche de Snelz est béni. Béni comme les filles-ours, bien sûr, sauf si l'orchestre ne décolle pas.

(Bip) ! Je parlais à cent à l'heure.

- Vous feriez mieux de vous asseoir, dit Heller. Ici, sur la barre d'appui. Non, non, n'allez pas vous écraser en bas ! Regardez, je vais vous déplier une de ces chaises. Allez, installez-vous. Là. Et détendez-vous. Il n'y en a plus pour très longtemps. D'ici peu nous serons partis.

Je ne comprenais pas pourquoi il se faisait tant de souci à mon sujet. Pour moi tout allait bien dans le meilleur des mondes.

9

J'étais sur le point d'assister à la « petite fête de famille » d'Heller.

Dix heures.

Il y avait une bonne centaine de camions et des milliers et des milliers de gens. Les gardes du hangar ne faisaient rien pour canaliser le trafic et la vague ininterrompue d'arrivants. Ils s'étaient contentés d'ouvrir les portails en grand.

L'endroit était saturé de drapeaux et de fanions. Le tup avait été livré non pas en canettes, mais dans des camions-citernes. Où que vous posiez le regard, vous voyiez des gens boire dans des chopes. Les orchestres s'étaient mis à jouer chacun dans leur coin et la cacophonie couvrait la rumeur. On aurait pu croire que la fête avait commencé.

Pas du tout. Les artificiers étaient arrivés quelques instants auparavant et je les avais regardés s'installer d'un œil bienveillant, sans me douter une seule seconde de ce qu'ils tramaient. C'est *eux* qui donnèrent le signal de départ !

Une « planète écarlate » jaillit de leur plate-forme !

Elle s'éleva à un kilomètre dans les airs et virevolta pendant un bref instant, avec tous ses « continents » qui rougeoyaient, avant de se transformer en une gigantesque boule de feu. On la voyait sans doute à des dizaines de kilomètres à la ronde ! La fête avait officiellement commencé !...

La foule poussa un énorme hourra.

Pas de quoi en faire une montagne, me dis-je. Après tout, ce genre de chose était très courant. Les gens de la région penseraient probablement qu'on inaugurait un nouveau magasin ou qu'on donnait le coup d'envoi d'un match de boule-balle. Non, aucun danger. Et puis, ç'avait été tellement joli !

J'étais toujours assis sur la chaise pliante. J'étais dissimulé derrière les nuées de fanions qui ornaient les barres d'appui, mais cela ne m'empêchait pas de voir le spectacle qui se déroulait à mes pieds. Je me sentais puissant, très puissant même, et capable de tout contrôler sans lever le petit doigt.

J'ai levé la tête et j'ai aperçu une plate-forme en haut d'une grue, une plate-forme encore plus élevée que la nôtre. Une équipe vidéo ! Une *énorme* équipe vidéo ! Avec d'*énormes* caméras !

Bof... Les sociétés de tup - ou peut-être même le directeur de la troupe de danseuses ou d'ours danseurs - leur avaient sans doute demandé de venir filmer la fête dans l'espoir de se faire un peu de publicité gratuite. Les équipes vidéo se rendaient n'importe où et diffusaient rarement ce qu'elles enregistraient. Aucune raison de s'alarmer.

Des reporters ! Des camionnettes d'une dizaine de quotidiens étaient garées tout autour de la grue, noyées dans un essaim de pisse-copies et de photographes. Pas de quoi dramatiser... C'est bien connu, dès qu'il y a des boissons gratuites quelque part, les journalistes accourent.

Apparemment, ils venaient dans notre direction. Ah oui, bien sûr : ils avaient aperçu Heller. Ils voulaient probablement des photos de lui dans son bel uniforme de la Flotte couvert de décorations scintillantes. Pour leurs fichiers... Au cas où il se passerait quelque chose de juteux dans le futur... Il avait vraiment belle allure, vêtu de la sorte... Non, je ne m'étais pas trompé. Journalistes et photographes avaient envahi le grand escalier et montaient les marches quatre à quatre en se bousculant sauvagement. A peine eurent-ils posé le pied sur notre plate-forme que les photographes se mirent à crier des ordres à Heller : souriez, regardez en l'air, regardez en bas, tournez vous comme ci, tournez vous comme ça, et ainsi de suite. On lui demanda même de serrer la main d'un rédacteur qui désirait sans doute une photo pour ses enfants. Bref, rien de dangereux. Juste un reportage de routine.

Soudain, j'aperçus Bis, l'officier des Services de Renseignements de la Flotte. Il parlait avec trois journalistes tout en désignant notre plate-forme. Ils vinrent vers nous, escortés de leurs photographes.

Haha ! Ils avaient immédiatement reconnu l'homme de pouvoir ! Ce n'était pas vers Heller qu'ils se dirigeaient, mais vers moi ! Pas trop tôt.

Ils me demandèrent de me lever et de prendre un certain nombre de poses. J'étais certain que ces portraits de moi seraient de tout premier ordre et qu'ils figureraient sans doute dans les livres d'histoire. Mieux encore : vu les exploits dont je me sentais capable en cet instant, on me consacrerait vraisemblablement toute une série de tomes.

Ensuite ils me dirent de me tenir juste derrière Heller, légèrement à droite. Bis était la serviabilité même et leur donnait des instructions à voix basse pour éviter de déranger Heller.

Ils prirent donc quelques photos de moi en train de regarder le dos d'Heller. Mais ils n'étaient pas vraiment satisfaits. Ils me firent remarquer que j'étais un acteur-né et que ce serait bien si je pouvais serrer les dents et avoir l'air haineux. Je n'eus aucun mal à entrer dans leur petit jeu. J'ajoutai même quelques détails de mon cru, par exemple frapper ma paume avec mon sac de grenaille ou serrer convulsivement mes poings couverts de pointes. Heller ne se rendait compte de rien et continuait de converser tranquillement.

Je crus qu'ils en avaient terminé avec moi. Mais non. Ils me demandèrent de m'asseoir sur ma chaise et un assistant-photographe arriva avec un fond qu'il plaça derrière moi - un mur de caverne dont les pierres paraissaient plus vraies que nature. Je pris la pose et me composai une expression autoritaire, imposante.

Mais Bis, plus serviable que jamais, n'était toujours pas satisfait. Il chuchotait et désignait quelque chose en bas, et je me levai pour voir de quoi il s'agissait : une rangée de pâtisseries-sculptures le long d'un bar - des nymphes grandeur nature et couleur peau, faites de pâte de pain sucrée. Un assistant dévala l'escalier, trancha la main d'une nymphe, l'enduisit de confiture rouge, remonta à toute allure et me la tendit.

Je leur dis que je n'avais pas faim, mais ils répliquèrent qu'ils désiraient mettre à l'épreuve mes talents de comédien, aussi si je voulais bien avoir l'obligeance de prendre un air affamé et de faire comme si je dévorais la main... Ma foi, rien de plus facile pour un acteur-né comme moi ; surtout aujourd'hui, où j'étais capable des performances les plus extraordinaires. Ils prirent quelques photos de moi en train de me délecter d'un bout de main. Finalement, Bis et les autres convinrent que j'avais été superbe et prirent congé.

Une centaine de danseuses tenant de gigantesques bannières paradaient entre les bars et mon attention se porta sur elles. Vues d'ici, elles semblaient plutôt irréelles, mais elles étaient néanmoins jolies.

Une grande clameur s'éleva de la foule déjà passablement bruyante. Je regardai dans la direction où toutes les têtes s'étaient tournées.

Bof... Rien de spécial : juste une limousine de la Cité du Palais qui arrivait. Elle plana en direction du cercle d'atterrissage et se posa en douceur. Le capitaine Tars Roke, astrographe personnel de l'Empereur, en descendit, suivi de plusieurs assistants. Tous étaient vêtus d'un splendide uniforme de parade qui jetait dix mille éclairs. D'un pas nonchalant, ils gagnèrent notre escalier, puis ils escaladèrent les marches. Le grutier amena la plate-forme de l'équipe vidéo tout près de la nôtre.

Roke arriva et serra la main d'Heller et ils se mirent à bavarder comme de vieux amis. Un reporter de l'équipe vidéo s'approcha avec un micro. Quelques bribes de l'interview parvinrent à mes oreilles.

- Je suis désolé, disait Roke, mais je ne puis vous révéler la destination de cette mission. J'étais simplement venu apporter tous mes vœux de réussite à mon ami Jet.

- Vu le type de moteurs dont est équipé ce vaisseau, capitaine, ne pourrait-on pas en conclure que cette mission se rend dans la galaxie de nos aïeux ? Par exemple, pour démonter quelque monument ancien de notre planète d'origine et le remorquer jusqu'ici ?

- Je n'ai pas dit ça, rétorqua Roke. C'est vous qui l'affirmez.

- Mais capitaine, c'est le *Remorqueur 1.* Et nous savons de source sûre que c'est dangereux de le faire voler à l'intérieur d'une même galaxie. Son frère jumeau a sauté en plein vol.

En entendant ces paroles, je me dis : Eh bien, je l'amènerai à bon port de mes mains nues, s'il le faut. Je m'en sentais tout à fait capable. D'ailleurs, je me sentais capable d'accomplir les exploits les plus fabuleux ! Ah méthédrine, comment ai-je pu vivre sans toi ? Quelle merveilleuse panacée ! J'avais la bouche sèche, mais ça ne me disait pas grand-chose de traverser la cohue pour aller boire un coup.

Les chorales de la Flotte avaient entamé une chanson de la Flotte et la foule reprenait le refrain en chœur. En fait, cela annonçait quelque chose, mais je ne m'en étais pas rendu compte sur le coup. Brusquement, je pris conscience que les gens avaient levé la tête. Je les imitai.

A environ cinq mille mètres d'altitude, deux cent cinquante chasseurs volaient en formation - en formation parfaite, comme toujours. Je crois que l'avion de tête est doté d'un ordinateur qui transmet les coordonnées à chacun des autres chasseurs et ceux-ci se mettent aussitôt en position. Ils tournèrent dans le ciel en effectuant différentes figures, toutes d'une précision extraordinaire. Soudain les deux cent cinquante chasseurs se mirent l'un derrière l'autre et formèrent une file longue de huit kilomètres.

Puis ils déclenchèrent leurs canons-éclateurs ! Tous en même temps !

Une rangée de flammes longue de deux kilomètres et large de huit illumina le ciel - vous savez, le genre qui dure une minute avant de se transformer en une série de nuages blancs. Les flammes disaient :

BONNE CHANCE, JET !

Et tandis que les lettres flamboyaient dans le ciel, l'onde de choc nous frappa !

Elle avait été d'une telle violence qu'on l'avait sans doute entendue dans chacune des cinq cités !

Et les lettres brillaient d'un tel éclat qu'elles illuminaient le sol !

Certes, je planais - en fait, je planais presque aussi haut que les chasseurs - mais quelque chose me turlupinait : est-ce que tout cela convenait vraiment à une mission secrète ?... Oui, quelque chose clochait, mais quoi ?... Je n'arrivais pas à mettre le doigt dessus. La réponse me vint en un éclair : les pilotes et les équipages des avions n'étaient pas de la fête ! Là-haut dans le ciel, ils ne profitaient pas du tup et des gâteaux ! Les pauvres !

J'allais mentionner la chose à quelqu'un quand je les vis piquer vers le sol en grondant et se poser sur un terrain proche. Pilotes et équipages sautèrent à terre et allèrent se joindre à la foule. Ouf ! Le problème était réglé.

J'avais de la peine pour les gars de l'équipe vidéo. Ils se donnaient beaucoup de mal pour rien, car tout ce qu'ils filmaient ne serait jamais diffusé. Dans leurs archives, ils avaient déjà des tas de séquences avec des danseuses et des camions de tup, alors à quoi bon en montrer une nouvelle ? Bref, il n'y avait rien à craindre. La mission resterait une mission secrète.

Il devait bien y avoir dix mille personnes à présent. J'étais en train de me dire que la fête touchait probablement à sa fin lorsque j'entendis un cri.

Quelqu'un désignait le ciel, bientôt imité par une multitude de gens. Une limousine blanc et or atterrissait - une limousine reconnaissable entre mille. Elle avait été spécialement construite. C'était un cadeau de milliards de fans des cent dix planètes !

Le tumulte était assourdissant ! « C'est Hightee Heller ! » Les gens clamaient son nom avec tant de force que le toit du hangar faillit être soufflé ! « High-tee Hel-ler ! High-tee Hel-ler ! High-tee Hel-ler ! »

Je souris. Je comprenais maintenant ce que Jet avait voulu dire. Une petite fête de famille. Bien sûr... Comme c'était gentil de la part d'Hightee d'être venue !

La grue portant l'équipe vidéo s'abaissait rapidement.

Hightee sortit de la limousine en ondoyant et envoya des baisers à la foule. Elle portait un costume d'ange !

Mais oui, bien sûr ! Le baptême !

Eh bien, il ne nous restait plus qu'à nous acquitter de cette petite formalité et nous décollerions. Plus rien d'intéressant ne pouvait se produire.

Les cinq orchestres et les deux chorales entamèrent sa chanson favorite.

Un camion d'effets spéciaux vint se placer sous notre plate-forme. Des techniciens en descendirent et se mirent en devoir d'installer le matériel tout en brandissant des chopes de tup.

Hightee monta les marches avec grâce et légèreté. Elle embrassa Heller sur la joue et la foule scanda : « High-tee et Jet ! High-tee et Jet ! »

Et le baptême commença !

Un grand nuage blanc tridimensionnel, émis par un projecteur électronique, apparut dans le ciel. Un ange en émergea qui, bien entendu, n'était autre qu'Hightee. On la filmait sur la plate-forme et un agrandissement était projeté dans le ciel.

Un cri de joie s'éleva de la foule !

Le nuage blanc vint se poser au-dessus du vaisseau, ondoyant et frémissant.

Hightee se pencha sur la plate-forme, et son double tridimensionnel, haut de cinquante mètres, exécuta un mouvement de mains gracieux au-dessus du vaisseau.

Les cinq orchestres attaquèrent un accord dramatique et une note prolongée monta des deux chorales.

- Petit vaisseau, je te donne la vie ! cria l'ange.

Orchestres et chorales se turent.

L'ange se pencha et embrassa le vaisseau sur le nez.

Orchestres et chorales émirent un nouvel accord qui fut ponctué d'un coup de cymbales.

Alors l'ange étendit les mains et annonça :

- DÉSORMAIS TON NOM EST *PRINCE CAUCALSIA !*

Orchestres et chorales se lancèrent dans un hymne joyeux.

Dans la foule, ce fut le délire !

L'équipe vidéo avait tout filmé !

Une lueur de bon sens sembla percer à travers les brumes qui m'enveloppaient. Avec la présence d'Hightee Heller, le reportage serait diffusé dans tous les foyers des cent dix planètes. Pire : il suffirait de taper « Prince Caucalsia » sur n'importe quel ordinateur d'école ou de musée et l'écran afficherait « Voir Légende Populaire 894M » - et l'on devinerait aussitôt que notre destination était Blito-P3 !

Heureusement que j'étais de taille à réparer les erreurs de cette bande d'amateurs sans cervelle ! Cela relèverait évidemment de l'exploit surhumain mais je m'en sentais capable.

De plus, Hightee avait probablement baptisé d'autres vaisseaux. Aussi il n'était pas du tout certain qu'on montre ce reportage. Pas assez insolite.

Les artificiers étaient de nouveau au travail. Juste après le baptême, le ciel bleu du matin s'était empli de milliers d'éclairs de toutes les couleurs, visibles à des kilomètres à la ronde. Puis vint le clou du spectacle : une supernova ! Ils avaient dû l'expédier quelques minutes auparavant, car à vingt kilomètres au moins au-dessus de nos têtes, un gigantesque flash lumineux flamboya dans le ciel, illuminant les cinq cités pourtant inondées de soleil. Drôlement spectaculaire !

Une minute plus tard, la déflagration retentit, formidable, assourdissante, faisant trembler le sol !

Dix mille personnes levèrent leur chope et crièrent bonne chance au *Prince Caucalsia.*

Hightee s'envola dans sa limousine pour regagner le studio de tournage. Ma foi, la fête touchait sans doute à sa fin et nous ne tarderions pas à décoller. Plus de peur que de mal, songeai-je avec soulagement : l'équipe vidéo ne diffuserait jamais ce qu'elle avait filmé.

Un groupe d'ours danseurs exécutait son numéro.

Bugs Bunny monta les escaliers en sautillant et me tendit une carotte. Sa présence me réconforta. Je n'avais pas faim, mais je me mis néanmoins à grignoter.

- Ils ne montreront jamais ces images, docteur, dit-il. Tout baigne dans l'huile.

Je l'ai remercié de cet excellent tuyau. Toujours très sensé, Bugs Bunny. Mais j'étais perplexe : est-ce qu'il venait d'arriver à bord d'un vaisseau en provenance de Blito-P3 ? Les spatiaux ne sont pas tendres avec les passagers clandestins. Je me suis tourné pour lui dire de prendre garde, mais il avait disparu.

Les ours danseurs avaient fini, mais ils restèrent sur place. La foule avait adoré leur numéro.

Brusquement, Snelz, mon cher ami Snelz, apparut avec sa compagnie dans un espace qu'on venait de dégager. Brave type, Snelz.

Ses hommes avaient revêtu un superbe uniforme noir et un casque de combat à visière. Ils portaient un fusil-éclateur. Les chorales de la Flotte et l'un des orchestres entamèrent une marche, et la compagnie de Snelz se lança alors, en cadence, dans la série de figures d'infanterie la plus compliquée qu'il m'ait été donné de voir. Carrés, croix, files qui s'entrelacent, et ainsi de suite. Puis ils recommencèrent, mais cette fois-ci en faisant tournoyer leur fusil et en se livrant à tout un tas de mouvements avec leur arme. Comment Diables Snelz s'était-il débrouillé pour faire effectuer de telles manœuvres à des troupes de l'Appareil ?

La foule était impressionnée. A la fin de chaque figure difficile, elle applaudissait à tout rompre.

Les fusils firent feu. Au terme de chaque mouvement, ils envoyaient une charge réduite : *bang !* Une manœuvre, *bang !* Une manœuvre, *bang !* Sans arrêt, sans arrêt, sans arrêt. Très, très impressionnant.

Les fusils-éclateurs firent feu une fois de plus et un drapeau apparut au bout de chaque canon. Les hommes se lancèrent alors dans une série de figures d'une complexité inouïe, tout en faisant tourbillonner les armes à une telle vitesse qu'elles n'étaient plus que des taches de couleur virevoltantes.

Un dernier bang. Une nuée de confettis jaillit de chaque canon. Et tandis que la compagnie posait un genou à terre et présentait les armes au vaisseau, ils retombèrent lentement sur le *Prince Caucalsia* en scintillant sous le soleil.

Dans la foule, c'était l'hystérie la plus totale ! Personne n'avait jamais vu ça !

Les ovations moururent lorsque Snelz cria :

- Rompez !

Il y eut un instant de silence. Puis une voix retentit, claire et nette, celle d'un officier de l'Appareil s'adressant à des pilotes de la Flotte :

- Alors, comme ça, vous autres de la Flotte vous pensiez que les troupes de l'Appareil étaient nulles en manœuvres !

L'air fut brusquement chargé d'électricité. Une tension lourde, palpable, parcourait la foule demeurée muette.

Le silence fut à nouveau brisé par la voix de stentor d'un pilote de la Flotte :

- Le capitaine qui dirigeait les manœuvres est un ex-marine de la Flotte ! Pas un « ivrogne » !

Un homme de l'Appareil le frappa !

Un pilote de la Flotte frappa un homme de l'Appareil !

Vingt hommes de l'Appareil frappèrent vingt hommes de la Flotte !

Cent hommes de la Flotte frappèrent cent hommes de l'Appareil !

Bagarre générale !

Les caméras de l'équipe vidéo n'en perdaient pas une miette !

Les combattants criaient et vociféraient !

Les chopes volaient !

Des spatiaux de la police militaire de la Flotte se précipitèrent pour essayer d'arrêter la bagarre.

Des gardes de la police militaire de l'Appareil bondirent sur leurs pieds et se lancèrent en avant pour essayer, eux aussi, de stopper la rixe.

Les deux polices militaires se heurtèrent de plein fouet et commencèrent aussitôt à se cogner dessus !

Des bars se renversaient ! Des gens se battaient à coups de tartes et de gâteaux !

Et l'équipe vidéo filmait le tout avec une conscience professionnelle rare !

Debout sur la plate-forme de revue, Heller contemplait la monstrueuse cohue. Il saisit un microphone relié à l'amplificateur central et, par-dessus le tumulte, cria :

- Hé, les orchestres et chorales ! Attaquez *Espace, nous voici !*

C'est une chanson classique du type « couplet-refrain ». On commence par chanter une strophe de deux vers - le couplet - avant d'enchaîner avec une deuxième mélodie - le refrain - dont les paroles sont déclamées comme s'il s'agissait d'ordres.

Trois des orchestres, qui étaient perchés sur des scènes trop élevées pour que les musiciens puissent prendre part à la bagarre, attaquèrent le morceau.

Les choristes qui ne s'étaient pas encore jetés dans la mêlée chantèrent le couplet :

Espace nous voici, ohé ho !
Vers les étoiles nous partons !

Puis le refrain :

Paré, paré à décoller !
C'est tout là-haut, là-haut qu'ça s'passe !
Faites rugir les réacteurs !
Fermez les sas et mordez les cieux !

Le boucan était infernal avec les chopes qui se fracassaient et les hurlements sauvages des combattants. Orchestres et choristes montèrent le son et entamèrent le deuxième couplet :

Espace nous voici, ohé ho !
La planète s'éloigne de nous !

Nouveau refrain :

Faites gronder, faites tonner !
Flammes, flammes, flammes à volonté !
Lésinez pas sur l'carburant !
Rectifiez la course et en avant !

Par-dessus le tumulte, je perçus le mugissement de sirènes : les troupes anti-émeute arrivaient !

Les choristes continuaient de chanter :

Espace nous voici, ohé ho !
En terre étrangère nous allons !

Cap sur la cible, cap sur la cible !
Foncez, foncez, foncez !
Dévorez le vide, l'obscurité !
Bouclez les ceintures ! Cinq g !

Les sirènes se turent peu à peu. Les premiers vaisseaux anti-émeute se posèrent à proximité. La bataille continuait de faire rage.

Les chœurs attaquèrent le couplet final :

L'espace est une maîtresse !
L'espace est une catin !
L'espace est un sortilège
Que nul spatial ne peut briser !
Alors en avant, en avant toutes !
Faisons bouillir les machines !
Nous voici à nouveau dans l'espace,

Arrachés à nos foyers et à nos femmes,
Le cœur rempli d'espoir et de terreur,
Avec les étoiles pour seuls compagnons.
C'est parti !
C'est parti !
Espace nous voici, OHÉ HO !

Un camion-citerne se renversa et un océan de tup se répandit sur le sol !

Les brigades anti-émeute qui venaient d'atterrir étaient celles de la Flotte et de l'Appareil ! Elles commencèrent à en découdre avant même d'avoir atteint le portail !

L'équipe vidéo s'en donnait à cœur joie.

- Ils en ont pour la journée à se taper dessus, dit Heller. Entrez dans le vaisseau. Il est midi. Nous décollons !

Il pénétra à l'intérieur et s'assit sur l'accoudoir du siège de pilotage local. Puis il lança quelques ordres à la chambre des machines auxiliaires avant d'enclencher toutes les manettes de son du tableau de bord. Un remorqueur est doté de rayons qui, dans l'espace, dans le silence absolu de l'espace, se fixent à la coque des vaisseaux et véhiculent le son. A présent, ces rayons illuminaient le hangar et se reflétaient sur le sol, ainsi que sur tous les vaisseaux de l'Appareil qui se trouvaient dans les parages. Soudain les sonneries, les sirènes, les gongs et les avertisseurs de départ retentirent tous en même temps. Je crus que mes tympans allaient éclater !

J'avais essayé à deux reprises de fermer le sas atmosphérique. En vain. Pour une raison qui m'échappait, mes mains refusaient de m'obéir. Nous quittâmes le sol et je m'étalai de tout mon long, la tête à l'extérieur du sas.

Les caméras s'étaient déplacées pour filmer le décollage et aussi, sans nul doute, pour suivre la chute de mon casque du haut des soixante mètres qui nous séparaient déjà du sol.

Les sonneries, les sirènes, les gongs et les avertisseurs continuaient de m'écorcher les oreilles. Et l'émeute, tout en bas, semblait ne jamais devoir s'arrêter.

Mes mains tremblaient depuis quelques minutes. En fait, cela avait commencé juste avant la chanson. Et à présent, tout mon corps semblait être pris d'une espèce de vertige. Finie l'euphorie. J'étais dans un état d'extrême irritabilité.

Je songeais que nous venions de partir pour la mission secrète *la plus publique* de tous les temps !

Cent mètres plus bas, à l'endroit où le *Remorqueur 1* s'était dressé quelques instants auparavant, j'aperçus un garde. Il était seul, à l'écart de la mêlée, et, des deux mains, il envoyait des baisers passionnés au vaisseau. La comtesse Krak ! La comtesse Krak qui était censée se trouver à Répulsos ! Elle avait été ici toute la matinée !

Elle était minuscule, vue d'ici, là-bas sur le sol de Voltar. Elle cessa d'envoyer des baisers et demeura sur place dans une attitude prostrée.

Quelqu'un me saisit par les talons, me tira à l'intérieur et ferma le sas.

Nous étions en route pour une mission secrète dont le départ allait être diffusé sur tous les écrans de la Confédération.

Nous étions en route pour la Terre.

Qu'allait-il se passer maintenant ? Les Dieux seuls le savaient !

La Terre découvrira-t-elle
à temps que des extraterrestres
projettent de l'envahir ?
lisez

TOME 2

LA FORTERESSE DU MAL

Je suis toujours heureux de recevoir des nouvelles de mes lecteurs.

L. Ron Hubbard

A propos de l'auteur

Né en 1911, fils d'un officier de la Marine des États-Unis, L. Ron Hubbard grandit dans l'Ouest américain et, très tôt, fait le dur apprentissage de la vie dans les grands espaces. Adolescent, il vit dans les plaines et les montagnes du Nevada où il côtoie cow-boys et Indiens, avant de s'embarquer pour l'Asie qu'il visite longuement et dont il découvre les philosophies et les religions. A dix-neuf ans, il a déjà parcouru plus de cinq cent mille kilomètres, sur terre comme sur mer, et rédiger de nombreux journaux de voyage où il puisera généreusement quelques années plus tard pour nourrir les intrigues de ses romans.

De retour aux États-Unis, il cherche à assouvir son insatiable appétit d'aventures et de sensations fortes en devenant aviateur et, très vite, acquiert une réputation de virtuose et de casse-cou, mais il est bientôt repris par le démon de la navigation et part pour les Caraïbes sur un quatre-mâts, à la tête d'une expédition.

Puis il rentre au bercail et décide de vivre de sa plume. S'ensuit un flot étonnant de romans et de nouvelles — aventures, westerns, polars, fantastique. Le succès est immédiat. En 1938, il est reconnu comme l'un des plus grands parmi les auteurs de récits populaires.

C'est à cette époque que *Astounding,* le meilleur magazine de science-fiction, lui demande sa collaboration. Il proteste : ses sujets de prédilection ne sont pas « les machines et les robots », mais les gens, les êtres humains. On lui répond : « Ça tombe bien, c'est exactement ce quenous cherchons. »

Suivent alors de nombreux récits où Hubbard élargit l'horizon de la science-fiction, devenant un maître du genre au même titre qu'A. E. van Vogt et Robert Heinlein. Ils comptent parmi les écrivains marquants de ce qu'on a appelé l'« Age d'Or » et les fondateurs de la science-fiction moderne.

Hubbard écrit une centaine de romans et plus de deux cents nouvelles. Ses œuvres de fiction ont été traduites dans une dizaine de langues et se sont vendues à vingt-deux millions d'exemplaires dans le monde.

En 1982, Hubbard fête son 50e anniversaire d'entrée en littérature avec une impressionnante saga de science-fiction, *TERRE Champ de Bataille,* qui devient rapidement un best-seller international. Critiques et amateurs de S.-F. réservent au livre un accueil enthousiaste. En 1986, les lecteurs français le plébiscitent pour le Prix Gutemberg, dans la catégorie science-fiction.

Après la parution de *TERRE Champ de Bataille,* Hubbard s'attelle à la rédaction de ce que beaucoup considèrent comme son chef-d'œuvre, *Mission*

Terre, une aventure spatiale sur fond de satire qui compte pas moins de dix tomes — une entreprise dans laquelle peu d'écrivains auraient osé se lancer.

Mission Terre est un récit mené à cent à l'heure qui regorge de coups de théâtre et de retournements de situation spectaculaires au cours desquels bons et méchants s'affrontent en une lutte sans merci dont l'enjeu est notre bonne vieille planète Terre.

Avec *Mission Terre,* Hubbard réussit un pari audacieux : nous raconter notre monde en prenant le point de vue des extraterrestres qui se sont mêlés à la population terrienne, et dénoncer avec un humour féroce certaines de nos institutions, dans la lignée de Voltaire, de Swift ou de l'Orwell de *la Ferme des animaux.*

Un vieux mot grec, *dékalogie,* a été choisi pour désigner cette saga en dix tomes.

Le 24 janvier 1986, ayant livré son manuscrit à son éditeur et ayant atteint tous les buts qu'il s'était fixés, L. Ron Hubbard a quitté son corps. Il laisse derrière lui une œuvre riche et originale qui traversera les âges, pour le plus grand bonheur des innombrables générations de lecteurs à venir.

Nous sommes fiers de publier à notre tour le chef-d'œuvre de L. Ron Hubbard, la dékalogie intitulée *Mission Terre.*

Cet ouvrage a été réalisé sur
Système Cameron
par la SOCIÉTÉ NOUVELLE FIRMIN-DIDOT
Mesnil-sur-l'Estrée
pour le compte des Presses de la Cité
le 22 janvier 1988

Imprimé en France
Dépôt légal : janvier 1988
N° d'édition : 5531 – N° d'impression : 8623